JEUX DE GUERRE

Du même auteur
aux Éditions Albin Michel

OCTOBRE ROUGE
TEMPÊTE ROUGE

TOM CLANCY

JEUX DE GUERRE

ROMAN

Traduit de l'anglais par France-Marie Watkins

Albin Michel

Édition originale américaine
PATRIOT GAMES
© 1987 by Jack Ryan Enterprises Ltd

Traduction française
© Éditions Albin Michel S.A., 1988
22, rue Huyghens, 75014 Paris

ISBN 2-226-03340-8

Quand les méchants s'allient, les bons doivent s'associer ; autrement ils tomberont un par un, sacrifiés sans regret, dans une lutte implacable.

EDMUND BURKE

Derrière toute la rhétorique politique qui nous est assenée de l'étranger, nous découvrons une réalité inéluctable — (le terrorisme est) un crime selon toutes les normes civilisées, commis contre des innocents, loin du théâtre du conflit politique, et doit être puni comme un crime...

C'est dans la reconnaissance de la nature criminelle du terrorisme que réside notre meilleur espoir de le vaincre...

Utilisons les outils que nous avons. Invoquons l'aide que nous sommes en droit d'espérer autour du monde, et ainsi réduisons les sombres et humides domaines du refuge jusqu'à ce que ces lâches maraudeurs soient tenus de répondre comme des criminels, dans un procès public, des crimes qu'ils ont commis et reçoivent le châtiment qu'ils méritent.

WILLIAM H. WEBSTER,
directeur du FBI
15 octobre 1985

1

Une journée ensoleillée à Londres

Jack Ryan faillit être tué deux fois en une demi-heure. Il descendit du taxi à quelques centaines de mètres de sa destination. Il faisait beau et le soleil était déjà bas dans le ciel bleu. Ryan était resté assis pendant des heures sur des chaises inconfortables et il avait envie de se dégourdir un peu les jambes. La circulation était relativement fluide, et il n'y avait pas trop de monde sur les trottoirs. Mais Jack attendait avec curiosité l'heure de pointe du soir : manifestement, ces rues avaient été tracées sans souci du trafic automobile et il était sûr qu'il y aurait des embouteillages à ne pas manquer. Sa première impression sur Londres, c'était qu'il serait agréable de s'y promener à pied et il marchait de son pas vif habituel, acquis durant son service dans le Marine Corps, marquant inconsciemment la cadence avec son bloc-notes contre sa jambe.

Juste avant d'atteindre le carrefour la chaussée était déserte et il voulut en profiter pour traverser. Automatiquement, il regarda à gauche, puis à droite et de nouveau à gauche, comme il le faisait depuis l'enfance, descendit du trottoir...

.... et manqua d'être écrasé par un autobus rouge à impériale qui passa dans un grincement de pneus à moins de cinquante centimètres de lui.

— Excusez-moi, monsieur...

Ryan se retourna et vit un agent de police en uniforme et casque à la Mack Sennett.

— Faites attention en traversant, s'il vous plaît. Vous remarquerez qu'il y a des signaux peints sur les trottoirs, pour regarder à droite ou à gauche. Nous essayons de ne pas perdre trop de touristes dans des accidents de la circulation.

— Comment savez-vous que je suis un touriste ?

L'agent sourit patiemment.

— Parce que vous avez regardé du mauvais côté, monsieur, et parce que vous êtes habillé comme un Américain. Soyez prudent, s'il vous plaît. Bonne journée.

Sur un hochement de tête amical, le *bobby* s'éloigna, laissant Ryan se demander ce que son costume trois-pièces flambant neuf avait de tellement américain.

Assagi, il marcha jusqu'au prochain carrefour. Une inscription sur la chaussée noire l'avertissait de REGARDER À DROITE, accompagnée d'une flèche pour les dyslexiques. Il attendit le changement de feu et traversa prudemment sur le passage protégé. Jack se dit qu'il allait devoir faire très attention à la circulation avec la voiture qu'il louerait vendredi. L'Angleterre était un des derniers pays au monde où l'on conduisait de l'autre côté de la route. Il aurait du mal à s'y habituer.

Mais pour le reste tout allait bien, pensa-t-il avec satisfaction, tirant déjà des conclusions générales de sa première journée en Grande-Bretagne. Ryan était un bon observateur et savait tirer parti de quelques coups d'œil. Il se trouvait dans un quartier de commerces et de bureaux. Les passants étaient plutôt mieux habillés que leurs homologues américains, à part les punks avec leurs cheveux hérissés violets ou orangés. L'architecture présentait un pot-pourri de styles allant d'Octavian Augustus à Mies Van der Rohe mais la plupart des immeubles avaient un air ancien, confortable alors qu'à Washington ou à Baltimore ils auraient été remplacés depuis longtemps par des rangées monotones de hautes caisses de verre, modernes et sans âme. Ces deux aspects de la ville concordaient parfaitement avec les bonnes manières qu'il avait rencontrées jusqu'à présent. Ses premières impressions disaient à Ryan que ses semi-vacances seraient très agréables.

Il y avait quelques fausses notes. Beaucoup de gens avaient un parapluie. Ryan avait pris soin de consulter la météo, avant de sortir. On avait même annoncé de la grosse chaleur bien qu'il ne fasse guère plus de 20°. Une température assez élevée pour la saison, oui, mais de la grosse chaleur ? Et pourquoi les parapluies ? Les habitants ne se fiaient-ils pas à leur service météorologique ? Etait-ce ainsi que le flic avait deviné qu'il était américain ?

Une autre chose qui l'étonnait, c'était la pléthore de Rolls Royce. Il n'en avait jamais vu qu'une dizaine dans sa vie et si les rues n'étaient quand même pas embouteillées de Rolls, il y en avait beaucoup. Il possédait pour sa part une Rabbit VW de cinq ans.

Ryan s'arrêta à un kiosque pour acheter *The Economist*, et dut tâtonner pendant plusieurs secondes dans la monnaie rendue par le chauffeur de taxi, avant de payer le marchand de journaux patient qui, sans aucun doute, avait aussi reconnu un Yankee. Il feuilleta le magazine sans regarder où il allait et se trouva bientôt engagé dans une rue inconnue. Il s'immobilisa et réfléchit au plan de Londres qu'il avait étudié avant de quitter l'hôtel. Jack avait le don de se rappeler le nom des rues et une mémoire presque photographique des plans et des cartes. Il continua jusqu'au coin de la rue, tourna à gauche, à droite deux rues plus loin et là, pas de doute, c'était bien St. James's Park. Il consulta sa montre et vit qu'il avait un quart d'heure d'avance. La rue longeait un monument dédié à un duc d'York et il traversa plus bas près d'un long bâtiment de style classique en marbre blanc.

C'était encore un des agréments de Londres, cette profusion d'espaces verts. Le parc lui parut assez grand et il constata que les pelouses étaient bien entretenues. L'automne avait dû être anormalement doux. Les arbres avaient encore presque toutes leurs feuilles. Il y avait peu de monde, cependant. Après tout, pensa-t-il, c'était mercredi. Le milieu de la semaine, les gosses étaient tous à l'école et c'était une journée de travail normale. Tant mieux, se dit-il. Il était venu à dessein après la saison touristique. Ryan avait horreur de la foule. Encore un réflexe de marine.

— *Papaaaaaa !*

Ryan tourna vivement la tête et vit sa petite fille courir vers lui, surgissant de derrière un arbre. Sally vint se jeter contre son père. Comme d'habitude, Cathy s'était laissé distancer, incapable de suivre l'allure de leur petite tornade. La femme de Jack avait bien l'air d'une touriste, avec son Canon 35 mm accroché à une épaule et à l'autre la sacoche de la caméra qui lui tenait lieu de sac à main quand ils étaient en vacances.

— Ça ne s'est pas trop mal passé, Jack ?

Il embrassa sa femme, en se disant que les British ne faisaient peut-être pas cela en public.

— Admirablement, chérie. Ils m'ont traité comme si j'étais le patron. J'ai pris un tas de notes, dit-il en tapotant son bloc. Tu n'as rien acheté ?

Cathy pouffa.

— Les magasins livrent, ici, dit-elle avec un sourire qui fit deviner à son mari qu'elle avait dépensé une bonne partie de l'argent qu'il lui avait donné. Et nous avons trouvé quelque chose de vraiment chic pour Sally.

— C'est une surprise, papa ! pépia la petite fille qui riait et sautillait comme l'enfant de quatre ans qu'elle était. Papa, il y a un lac, par là, avec des cygnes et des pécalins !

— Des pélicans, rectifia Jack.

— Des tout grands, tout blancs !

Sally adorait les « pécalins ».

— Tu as pris de bonnes photos ? demanda Ryan à Cathy.

— Oh oui ! Londres est déjà canonisé. A moins que tu préfères que nous passions toute la journée dans les magasins ?

La photographie était le seul passe-temps de Cathy Ryan et elle y excellait.

Ryan se tourna vers la rue. La chaussée était bordée d'arbres qui devaient être des hêtres. Le Mall ? Il ne s'en souvenait pas. Le Palais était plus grand qu'il ne s'y attendait et lui parut triste, à trois cents mètres de là, à demi caché derrière une espèce de monument de marbre. La circulation était un peu plus dense, par là, mais toujours fluide.

— Qu'est-ce que nous faisons pour dîner ?

— Nous rentrons à l'hôtel ? hasarda Cathy en regardant l'heure. Nous pouvons prendre un taxi ou y aller à pied.

— Il paraît qu'ils ont une bonne table. Mais il est encore tôt. Dans ces régions civilisées, on vous fait attendre jusqu'à huit ou neuf heures.

Une nouvelle Rolls passa, en direction du Palais. Il se faisait d'avance une joie du dîner, mais sans Sally. Les enfants de quatre ans et les restaurants quatre étoiles ne font vraiment pas bon ménage. Des freins grincèrent sur sa gauche. Il se demanda s'il y avait à l'hôtel un service de baby...

BRAOUM !

Une explosion, à moins de trente mètres, fit sursauter Ryan. Son cerveau traduisit : *Grenade.* Il sentit plus qu'il n'entendit le sifflement des éclats et, un instant plus tard, le crépitement d'armes automatiques. Il pivota et vit la Rolls arrêtée en travers de la chaussée, l'avant bizarrement baissé. La route lui était barrée par une conduite intérieure noire. Un homme, debout contre l'aile droite avant, tirait avec un AK-47 dans l'avant de la Rolls et un autre courait pour la contourner par la gauche.

— *A terre !*

Ryan saisit l'épaule de sa fille et la jeta derrière un arbre, après quoi il fit brutalement tomber sa femme à côté d'elle. Une dizaine de voitures étaient arrêtées en désordre derrière la Rolls, à plus de quinze mètres, et elles abritaient sa famille de la ligne de tir. De l'autre côté de la rue, la circulation était bloquée par la voiture noire. L'homme au Kalachnikov arrosait la Rolls avec entrain.

— Fumier !

Ryan gardait la tête dressée, incapable d'en croire ses yeux. *C'est cette foutue IRA, ils sont en train de tuer quelqu'un juste devant...* Il se déplaça légèrement sur sa gauche. Du coin de l'œil, il vit les passants se retourner, avec tous la même expression, la bouche ouverte, l'air hébété. *Ça arrive sous mes yeux*, pensa-t-il, *comme ça, comme dans un film de gangsters de Chicago. Deux salauds commettent un meurtre. Là devant moi. Là. Comme ça ! Ah, les salauds !*

Ryan avança sur sa gauche, abrité par une voiture arrêtée. Couvert par l'aile avant, il aperçut un homme debout à l'arrière gauche de la Rolls, le pistolet braqué comme s'il s'attendait à voir quelqu'un sauter par la portière. La masse de la voiture lui cachait le tireur à l'AK, qui s'était accroupi pour mieux contrôler son arme. L'homme au pistolet était plus proche, à une quinzaine de mètres, mais il lui tournait le dos. Il ne bougeait pas, il concentrait toute son attention sur la portière de gauche, celle du passager.

Ryan ne se rappela jamais s'il avait pris consciemment une décision. Il contourna rapidement la voiture arrêtée, plié en deux, les yeux fixés sur son objectif — le creux des reins de l'homme — exactement comme on le lui avait appris à l'entraînement. Il ne lui fallut que quelques secondes pour couvrir la distance, toute sa volonté braquée sur l'homme pour qu'il reste immobile encore un instant. A un mètre cinquante, il abaissa son épaule et plongea vers les jambes pour un placage.

Son entraîneur aurait été fier. Le placage par l'angle mort réussit à la perfection. Le dos de l'homme s'arqua et Ryan entendit des os craquer alors que sa victime tombait à plat ventre. Un *klonk* satisfaisant lui apprit que la tête de l'homme avait ricoché sur le pare-chocs avant de toucher la chaussée. Ryan se releva instantanément — essoufflé mais remonté — et s'accroupit à côté de lui. Le pistolet était tombé. Ryan s'en empara. C'était un automatique, d'un modèle qu'il ne connaissait pas mais qui ressemblait à un Makarov 9 mm ou toute autre arme d'ordonnance des pays de l'Est. Le chien était rabattu et le cran de sûreté ôté. Il l'assura avec soin dans sa main droite — la gauche fonctionnait mal mais il refusa de s'en soucier —, regarda l'homme qu'il avait abattu et lui tira une balle dans la hanche. Puis il releva le pistolet et contourna le coin droit de la Rolls. Il s'accroupit pour jeter un coup d'œil derrière la carrosserie.

13

L'AK de l'autre tueur était par terre et il tirait maintenant dans la voiture avec un pistolet. Il tenait quelque chose dans sa main gauche. Ryan respira profondément et se détacha de la Rolls en braquant son automatique sur le torse de l'homme. Le tueur tourna la tête et ramena son bras armé. Tous deux tirèrent en même temps. Ryan ressentit un choc brûlant dans l'épaule gauche mais vit sa balle de 9 mm se loger dans la poitrine de l'homme, qui partit à la renverse. Il réajusta son arme après le recul et tira encore une fois. La seconde balle frappa l'homme sous le menton et ressortit par la partie postérieure du crâne, la faisant exploser dans un nuage rose et humide. Comme une marionnette aux fils coupés, le tireur s'écroula et ne bougea plus. Ryan garda son pistolet levé, jusqu'à ce qu'il ait vu qu'il avait atteint la tête.

— Ah, mon Dieu !

L'adrénaline reflua aussi vite qu'elle était venue. Le temps ralentit et redevint normal. Ryan eut soudain un vertige ; il respirait difficilement, la bouche ouverte. La force inconnue qui avait maintenu son corps debout l'abandonnait, le laissant au bord de l'effondrement. La conduite intérieure noire fit marche arrière sur quelques mètres et passa devant lui en accélérant avant de tourner à gauche dans une rue transversale. Ryan ne songea pas à relever le numéro. Il était étourdi, assommé par la rapide séquence d'événements que son cerveau n'avait pas encore intégrée.

L'homme sur qui il avait tiré deux fois était manifestement mort, les yeux ouverts et comme tout étonnés de son sort, une vaste mare de sang s'étalant sous sa tête. Ryan eut froid dans le dos en voyant une grenade dans sa main gauche. Il se baissa pour s'assurer qu'elle n'était pas dégoupillée mais eut beaucoup de mal à se redresser. Ensuite, il se tourna vers la Rolls.

La première grenade avait déchiqueté l'avant. Les deux roues étaient de travers, les pneus à plat. Le chauffeur était mort. Il y avait un autre cadavre sur le siège avant. L'épais pare-brise était en miettes. La figure du chauffeur... il n'en restait rien, ce n'était qu'une masse rouge spongieuse qui avait laissé une traînée rouge sur la vitre de séparation. Jack fit le tour de la voiture pour aller regarder à l'arrière. Il vit un homme à plat ventre sur le plancher et, sous lui, le bord d'une robe de femme. Il tapota la vitre avec le pistolet. L'homme bougea légèrement et se figea. Au moins, il était en vie.

Ryan baissa les yeux sur son pistolet. La culasse était coincée sur un chargeur vide. Il respirait maintenant par à-coups, en frémissant, ses jambes flageolaient et ses mains commençaient à trembler convulsivement, ce qui lui provoquait dans l'épaule des élancements douloureux.

Il regarda autour de lui et vit quelque chose qui lui fit oublier sa souffrance...

Un soldat accourait, suivi d'un agent de police quelques mètres derrière. Un des gardes du Palais, pensa Jack. Il avait perdu son bonnet à poils mais il avait toujours son fusil automatique avec la baïonnette au canon, vingt centimètres d'acier. Ryan se demanda rapidement si le fusil était chargé et jugea que cela coûterait cher de chercher à le savoir. C'était un garde, un soldat de métier d'un corps d'élite, qui avait dû faire ses preuves, avant de devenir cette sorte de jouet mécanique qui enchantait les touristes. Peut-être aussi bon qu'un marine. Comment était-il arrivé si vite ?

Lentement, avec précaution, Ryan tendit le pistolet à bout de bras. Il éjecta le chargeur sur la chaussée. Ensuite, il retourna l'arme pour que le soldat puisse voir qu'elle était vide. Enfin, il la posa par terre et s'en écarta. Il essaya de lever les mains mais la gauche refusa de bouger. Le garde arrivait en courant, la tête haute, attentif à ce qui se passait autour mais sans jamais lâcher complètement Ryan du regard. Il s'arrêta à trois mètres, la baïonnette pointée sur la gorge de Jack, comme il est dit dans le manuel. Il haletait, mais sa figure restait impassible. L'agent ne l'avait pas encore rattrapé ; il avait la figure ensanglantée et glapissait dans une petite radio.

— Repos, soldat, dit Ryan avec toute la fermeté dont il fut capable. Les deux méchants sont à terre. Je suis un des gentils.

L'expression du garde ne changea absolument pas. Ce gosse était un pro, pas de doute.

— *PapaPapaPapaaaa !*

Il tourna la tête et vit sa petite fille qui courait vers lui le long des voitures arrêtées. Elle s'arrêta à quelques pas, les yeux pleins d'horreur, puis elle se remit à courir et enroula ses deux petits bras autour de la jambe de son père, en se retournant pour crier au garde :

— *Ne faites pas de mal à mon papa !*

Les yeux du garde allèrent avec stupéfaction du père à la fille, alors que Cathy arrivait, plus prudemment, les mains bien visibles.

— Soldat, fit-elle de sa voix professionnelle, je suis médecin et je vais soigner cette blessure. Alors vous pouvez mettre cette arme au pied.

Le policier saisit l'épaule du garde et lui dit quelque chose que Jack ne comprit pas. L'angle du fusil se modifia un peu, le soldat se détendit imperceptiblement. Ryan vit arriver d'autres policiers et une fourgonnette blanche à la sirène hurlante. La situation allait être contrôlée.

— Espèce de cinglé !

Cathy examinait méthodiquement la plaie. Une large tache foncée sur l'épaule du costume neuf de Ryan tachait le gris du lainage. Il tremblait maintenant de la tête aux pieds et pouvait à peine se tenir debout ; le poids de Sally cramponnée à sa jambe le faisait vaciller. Cathy l'empoigna par le bras droit et le fit asseoir par terre, adossé à la Rolls. Elle écarta le devant de la veste et palpa doucement les chairs autour de la blessure. Jack trouva cela plutôt douloureux. Elle allongea le bras pour tirer le mouchoir de la poche arrière de son mari et le pressa sur la plaie.

— Ça ne m'a pas l'air d'aller, marmonna-t-elle pour elle-même.

— Papa, t'es tout plein de sang !

Sally se tenait à longueur de bras, ses petites mains voletant comme des oisillons. Jack avait envie de se pencher vers elle, de lui dire que tout allait bien, mais elle lui paraissait à mille kilomètres et son épaule lui disait qu'en fait tout n'allait pas vraiment bien.

Une dizaine de policiers avaient pris maintenant place autour de la voiture ; beaucoup haletaient. Trois avaient une arme au poing et surveillaient la foule qui se rassemblait. Deux autres soldats en tunique rouge apparurent. Un sergent de police s'approcha. Avant qu'il ait eu le temps de dire un mot, Cathy leva les yeux et lança un ordre :

— Appelez une ambulance *immédiatement !*

— Elle est en route, madame, répondit le sergent avec une surprenante courtoisie. Si vous nous laissiez nous occuper de ça ?

— Je suis médecin. Vous avez un couteau ?

Le sergent se retourna pour ôter la baïonnette d'un canon et se baissa. Cathy écarta la veste, le gilet et ensuite la chemise pour qu'il puisse les couper afin de dégager l'épaule. Elle jeta le mouchoir, déjà complètement trempé de sang. Jack voulut protester.

— Boucle-la, Jack, ordonna-t-elle, et elle ajouta pour le sergent, en désignant Sally du menton : Emmenez-la d'ici.

Le sergent fit signe à un garde. Le soldat souleva la petite fille dans ses bras et l'emporta à quelques mètres, en la serrant contre son cœur. Jack la voyait pleurer lamentablement mais tout lui paraissait plutôt lointain. Il sentait sa peau devenir froide et moite... l'état de choc ?

— Ah zut, grogna Cathy.

Le sergent lui tendit un épais pansement. Elle l'appuya contre la blessure et le tissu devint immédiatement rouge. Ryan gémit. Il avait l'impression de recevoir un coup de hache sur l'épaule.

— Qu'est-ce que tu essayais donc de faire, espèce d'idiot ? demanda-t-elle entre ses dents serrées, tout en se débattant avec des bandes de gaze.

16

— Je n'ai pas essayé, je l'ai fait, bille en tête !

L'effort qu'il lui fallut pour répondre faillit avoir raison de ses dernières forces.

— Hum. Eh bien, tu saignes comme un cochon, Jack.

Des hommes accouraient encore, de toutes les directions. Ryan eut l'impression que cent sirènes convergeaient sur les lieux. Un agent aux épaulettes dorées se mit à hurler des ordres aux autres. La scène était impressionnante. Une partie détachée de l'esprit de Ryan l'enregistrait. Il était assis là, adossé à la Rolls, la chemise trempée de rouge. Cathy, les mains en sang, essayait d'attacher convenablement un pansement. Sa fille sanglotait dans les bras d'un jeune soldat qui avait l'air de lui chanter quelque chose que Jack ne saisissait pas. Les yeux de Sally étaient rivés sur lui, pleins d'une angoisse désespérée. Une nouvelle vague de souffrance le ramena brutalement à la réalité.

Le policier qui semblait avoir pris les choses en main revint de son inspection du périmètre.

— Déplacez-le, sergent.

Cathy redressa la tête et s'exclama avec colère :

— Ouvrez l'autre portière ! J'ai une hémorragie, ici !

— L'autre portière est coincée, madame. Permettez que je vous aide.

Ryan entendit un bruit de sirènes différent, alors que tous deux se penchaient vers lui. Il fut déplacé d'une trentaine de centimètres, pas suffisamment : quand la portière s'ouvrit, le bord lui frappa l'épaule. La dernière chose qu'il entendit avant de perdre connaissance fut son propre cri de douleur.

La vue de Ryan s'éclaircit lentement ; son esprit embrumé lui transmettait la réalité par bribes et sans unité de temps. Pendant un moment, il sentit qu'il était dans une voiture. Le roulis provoquait une souffrance aiguë dans sa poitrine et il y percevait un horrible bruit dans le lointain, mais pas si loin que ça, dans le fond. Il crut voir deux têtes qu'il reconnut vaguement. Cathy était là aussi... non, c'était d'autres personnes en vert. Tout était doux et vague, excepté l'affreuse douleur cuisante dans son épaule et sa poitrine mais, quand il cligna les yeux, tout le monde avait disparu. Il était encore ailleurs.

Le plafond était blanc, apparemment uni. Ryan était conscient confusément d'être sous sédatifs — il en reconnaissait les sensations — mais il ne savait pas pourquoi. Il lui fallut plusieurs minutes de concentration amorphe pour déterminer que le plafond était fait de plaques d'isolation blanches sur un cadre de métal. Certaines étaient piquées d'humidité. D'autres, en plastique translucide, laissaient passer une lumière tamisée. Ryan avait quelque chose d'attaché sous le nez et au bout d'un moment il sentit dans ses narines un gaz frais... de l'oxygène ? Ses autres sens se présentèrent un par un au rapport pour ensuite se déployer dans tout son corps et rendre compte à contrecœur de leurs découvertes au cerveau. Des choses invisibles étaient collées sur son torse, qui lui tiraillaient les poils avec lesquels Cathy aimait jouer quand elle avait un peu bu. Son épaule gauche était... non, il ne la sentait pas du tout. Tout son corps était trop lourd pour bouger d'un centimètre.

Un hôpital, jugea-t-il après plusieurs minutes. *Qu'est-ce que je fais dans un hôpital... ?* Il lui fallut une nouvelle période de concentration indéterminée pour se rappeler pourquoi il était là. La première chose qui lui revint, dans la brume heureusement protectrice des sédatifs, fut qu'il avait supprimé une vie humaine.

Mais on m'a tiré dessus aussi, n'est-ce pas ? Lentement, Ryan tourna la tête vers la droite. Un flacon de solution était accroché à un portique, contre son lit, dont le tuyau de caoutchouc disparaissait sous les draps où son bras était immobilisé. Il essaya de sentir la piqûre du cathéter qui devait être introduit au creux de son coude, mais en fut incapable. Il avait la bouche en coton. *Bon, je n'ai pas été blessé du côté droit...* Il tenta ensuite de tourner la tête à gauche. Quelque chose de souple mais de très ferme l'en empêcha. Il n'eut même pas envie de savoir ce que c'était, cela lui était égal. Son environnement lui semblait en quelque sorte beaucoup plus intéressant que son propre corps. En levant les yeux, il vit une espèce de poste de télévision et divers instruments électroniques, qu'il ne put distinguer avec précision. *Electrocardiogramme ? Quelque chose comme ça,* pensa-t-il. Oui, tout concordait. Il était dans une salle chirurgicale de réveil, ficelé comme un astronaute en attendant de savoir s'il mourrait ou s'en tirerait. Les sédatifs l'aidèrent à considérer la question avec une merveilleuse objectivité.

— Ah, nous sommes réveillé !

C'était une voix différente de celle des haut-parleurs qu'il entendait par intermittence. Il abaissa le menton et vit une infirmière d'une cinquantaine d'années. Elle avait un visage à la Bette Davis, fripé par de longues années de froncements de sourcils. Il voulut lui parler mais sa bouche lui parut fermée à la colle forte. Ce qui en sortit tenait à la fois du râle et du croassement. L'infirmière déjà avait disparu.

Une minute plus tard, ce fut un homme qui entra dans son champ de vision. Lui aussi avait une cinquantaine d'années et il portait une blouse verte de chirurgien. Un stéthoscope pendait à son cou et il tenait à la main quelque chose que Ryan ne voyait pas bien. Ses traits étaient plutôt tirés mais il arborait un sourire satisfait.

— Eh bien, dit-il, nous voilà réveillé. Comment nous sentons-nous ?

Ryan parvint à émettre un véritable croassement cette fois, et le médecin fit signe à l'infirmière. Elle s'approcha et donna à Ryan une gorgée d'eau, à l'aide d'une pipette de verre.

— Merci...

Il s'humecta la bouche. Il ne put rien avaler. Ses muqueuses asséchées absorbèrent tout, immédiatement.

— Où suis-je ?

— Vous êtes dans la salle de réveil de l'hôpital St. Thomas. On vient de vous opérer au bras et à l'épaule gauches. Je suis votre chirurgien. Mon équipe et moi avons travaillé sur vous pendant... oh... six heures, je pense, et il semble bien que vous n'allez pas mourir, conclut-il sentencieusement.

Il considérait Ryan d'un œil satisfait, celui du travail réussi.

Assez lentement et péniblement, Ryan se dit que l'humour anglais, tout admirable qu'il fût par ailleurs, convenait mal à ce genre de situation. Il préparait sa riposte quand Cathy apparut. Bette Davis tenta de l'intercepter.

— Je regrette, madame Ryan, mais seul le personnel médi...

— Je suis médecin, trancha-t-elle en brandissant sa carte d'identité en plastique, que prit le chirurgien.

— Institut ophtalmologique Wilmer, Johns Hopkins Hospital... Comment allez-vous, docteur ? Je m'appelle Charles Scott.

Il tendait amicalement la main à Cathy, avec le sourire réservé aux confrères.

— Elle est docteur en médecine, coupa Ryan d'une voix pâteuse. Mais moi, je suis docteur en histoire.

Personne ne fit attention à lui.

— Sir Charles Scott ? Le professeur Scott ?

— Lui-même.

Un sourire bienveillant. *Tout le monde aime être reconnu*, pensa Jack en les observant tous deux.

— Un de mes maîtres m'a parlé de vous. Le professeur Knowles.

— Ah ! Comment va-t-il ?

— Très bien. Il est professeur adjoint d'orthopédie, maintenant, répondit Cathy et elle revint adroitement sur le terrain professionnel : Vous avez les radios ?

19

Scott leva la grande enveloppe qu'il tenait et en retira une grande radiographie, qu'il appliqua contre un panneau lumineux.

— Voilà ce que nous avons pris avant d'entrer en salle d'opération.

— Oh, merde !

Cathy plissa le nez. Elle mit les demi-lunettes qu'elle utilisait pour voir de près, celles que Jack détestait. Il la vit secouer lentement la tête.

— Je ne me doutais pas que c'était si grave.

— Eh oui ! Nous pensons que la clavicule était déjà fracturée avant qu'on lui tire dessus. La balle est venue s'y écraser, manquant de peu le plexus brachial — donc, nous ne redoutons pas de gros ennuis névralgiques — et a provoqué tous ces dégâts, expliqua le professeur Scott en passant la pointe d'un crayon sur le cliché — mais Ryan ne pouvait rien voir de son lit. Ensuite, elle a causé ceci au sommet de l'humérus avant de se loger là, juste sous la peau. D'une sale puissance, la 9 mm. Comme vous le voyez, les dégâts sont assez étendus. Je vous prie de croire que ç'a été joyeux de chercher tous ces fragments et de les raccorder correctement comme les pièces d'un puzzle, mais finalement nous sommes arrivés à ceci.

Scott présenta un second cliché, à côté du premier. Cathy garda le silence pendant quelques secondes, ses yeux allant et venant de l'un à l'autre.

— Un travail superbe, docteur !

Le sourire de Sir Charles s'élargit.

— Venant d'un chirurgien de Johns Hopkins, j'accepte volontiers le compliment. Ces deux chevilles sont permanentes, cette vis aussi, malheureusement, mais le reste devrait se cicatriser gentiment. Regardez, les plus gros fragments sont bien à leur place et nous avons toutes les raisons d'espérer une prompte guérison.

— Quel degré d'incapacité ?

Une question anodine. Cathy était d'une froideur exaspérante, quand il s'agissait de son travail.

— Nous ne savons pas encore. Il y en aura un peu, mais ça ne devrait pas être trop grave. Nous ne pouvons pas garantir une totale restauration de la fonction, bien sûr, les dégâts sont beaucoup trop étendus pour ça.

— Ça vous gênerait de vous adresser à moi ?

Ryan avait essayé d'adopter un ton furieux mais le résultat ne fut pas du tout convaincant.

— Ce que je veux dire, monsieur Ryan, c'est que vous allez perdre partiellement l'usage de votre bras, dans quelle mesure nous ne pouvons encore le déterminer avec précision. Et que désormais vous aurez un baromètre personnel. Chaque fois que le temps changera, vous serez le premier à le savoir.

— Combien de temps devra-t-il garder ce plâtre ? demanda Cathy.

— Au moins un mois. C'est gênant, je sais, mais l'épaule doit être totalement immobilisée un certain temps. Ensuite, nous devrons réexaminer la blessure et probablement passer à un plâtre plus léger pour... oh, encore un mois environ, je pense. Je présume qu'il cicatrise bien, pas d'allergies ? Il m'a l'air en bonne santé, en forme physique convenable.

— Jack est en excellente forme physique, même si sa santé mentale laisse à désirer. Il fait du jogging. Pas d'allergies sauf aux mauvaises herbes et il cicatrise bien.

— Ouais, confirma Ryan. Les traces de ses morsures disparaissent en huit jours, généralement.

Il se trouvait très drôle mais personne ne rit.

— Parfait, dit Sir Charles. Ainsi, docteur, vous voyez que votre mari est en de bonnes mains. Je vais vous laisser tous les deux ensemble cinq minutes. Ensuite, je veux qu'il se repose et vous avez l'air d'en avoir besoin aussi.

Le chirurgien partit, entraînant Bette Davis dans son sillage.

Cathy se rapprocha de Jack, quittant aussitôt son air de froideur professionnelle. Il se dit, pour la millionnième fois peut-être, qu'il avait une chance folle. Cathy Ryan avait une petite figure ronde, des cheveux couleur de beurre frais et les plus jolis yeux bleus du monde. Derrière ces yeux, il y avait une intelligence au moins égale à celle de son mari. Il l'aimait autant qu'un homme est capable d'aimer. Jamais il n'avait pu comprendre comment il avait séduit une fille pareille. Ryan avait la sensation pénible de n'être pas très séduisant avec sa barbe drue et son long menton carré. Il voulut lui prendre la main mais les sangles l'en empêchèrent. Ce fut elle qui prit la sienne.

— Je t'aime, chérie, murmura-t-il.

— Ah, Jack ! Pourquoi diable as-tu fait ça ?

Il avait déjà préparé sa réponse.

— C'est fini et je suis vivant, d'accord ? Comment va Sally ?

— Je crois qu'elle a fini par s'endormir. Elle est en bas, avec un policier. Comment veux-tu qu'elle aille, Jack ? Tu as failli être tué sous ses yeux ! Tu nous as fait mourir de peur, toutes les deux !

Cathy paraissait très fatiguée ; ses yeux bleu porcelaine étaient bordés de rouge et ses cheveux en désordre. Mais elle avait toujours du mal à se coiffer, les bonnets de chirurgien ayant raison de toutes les mises en plis.

— Oui, je sais, grogna-t-il. Enfin, je ne risque pas de recommencer d'ici longtemps. D'ailleurs, on dirait que je ne vais pas être fichu de faire grand-chose, pendant un bout de temps.

Cela provoqua un sourire. C'était bon de la voir sourire.

— Tant mieux. Tu dois conserver ton énergie. Et ça te servira peut-être de leçon..., dit-elle avec un pétillement de malice dans les yeux. Tout va s'arranger d'ici quelques semaines. Comment me trouves-tu ?

— Tu as une mine de déterrée, répliqua-t-il en riant. Si j'ai bien compris, ce toubib, c'est quelqu'un ?

Cathy se détendit un peu.

— On peut le dire. Sir Charles Scott est un des meilleurs orthopédistes du monde. Il a été le maître du professeur Knowles. Il a fait un travail magnifique sur toi. Tu as de la chance d'avoir gardé ton bras, tu sais... Ah, mon Dieu !

— Allons, allons, du calme, chérie. Souviens-toi, je ne vais pas en mourir.

— Je sais, je sais.

— Ça va faire mal, n'est-ce pas ?

Nouveau sourire.

— Un petit peu. Ecoute, il faut que j'aille coucher Sally. Je reviendrai demain.

Elle se pencha vers lui pour l'embrasser. Bourré de calmants, tube d'oxygène, bouche sèche et tout, c'était quand même délicieux. *Dieu*, pensa-t-il, *que je l'aime !* Elle lui pressa la main une dernière fois et le laissa.

L'infirmière revint. Il perdait au change.

— Je suis un « docteur » moi aussi, vous savez, dit Jack.

— Très bien, docteur. Il est temps que vous vous reposiez. Je serai là pour prendre soin de vous toute la nuit. Maintenant dormez, docteur Ryan.

Docile, Jack ferma les yeux. Il était certain que le lendemain se passerait mal. Mais demain pouvait attendre.

2
Police et royauté

Ryan se réveilla à 6 h 35. C'était l'heure qu'annonçait un animateur de radio dont la voix fut aussitôt couverte par une chanson américaine « country western », de celles qu'il évitait d'entendre chez lui. Le chanteur conseillait aux mamans de ne pas laisser leurs garçons devenir des cow-boys et la première pensée confuse de la journée fut pour Ryan : *Ils n'ont sûrement pas ce problème ici...* Pendant trente secondes, son esprit vagabonda sur ce thème, se demandant si les British avaient des saloons avec de la sciure par terre, des rodéos mécaniques, des employés de bureau avec des bottes pointues à talons hauts et des boucles de ceinture de trois kilos... *Pourquoi pas ?* conclut-il. *Hier j'ai bien vu un truc sortant tout droit d'un film sur Dodge City !*

Jack aurait été très heureux de se rendormir. Il essaya de fermer les yeux, de détendre son corps mais ce fut en vain. Son avion était parti de Dulles très tôt le matin, il n'avait pas dormi pendant le vol — il en était incapable — et s'était couché épuisé dès leur arrivée à l'hôtel. Ensuite... Combien de temps était-il resté sous anesthésie ? Trop longtemps, il s'en doutait. Il ne lui restait plus de sommeil. Il fallait affronter la journée.

Quelqu'un, sur sa droite, faisait marcher la radio juste assez fort pour qu'il l'entende. Ryan tourna la tête et rencontra sa propre épaule...

L'épaule, pensa-t-il, *c'est pour ça que je suis ici. Mais où ça, ici ?* C'était une nouvelle pièce. Le plafond était lisse, en plâtre, fraîchement repeint. Il faisait encore nuit ; le seul éclairage venait d'une veilleuse sur la table de chevet. Il semblait y avoir un tableau, au mur, Ryan entrevoyait un rectangle plus foncé que le mur blanc. Il observait tout cela, retardant consciemment l'examen de son bras gauche jusqu'à ce qu'il ne trouve plus de prétexte. Il tourna lentement la tête vers la gauche et vit d'abord son bras, soulevé en diagonale et enfermé dans du plâtre et de la fibre de verre jusqu'à sa main. Seuls ses doigts dépassaient comme si on les avait oubliés et ils étaient à peu près du même gris que le plâtre et la gaze. Il y avait un anneau de métal sur son poignet par lequel passait un crochet relié à une chaîne suspendue au portique métallique qui surplombait le lit comme une grue.

Ryan essaya d'abord de remuer les doigts. Il leur fallut plusieurs secondes pour obéir à son système nerveux central. Mais ils remuèrent et Ryan ferma les yeux en poussant un long soupir de soulagement et en remerciant le bon Dieu. A la hauteur de son coude, une tige de métal descendait en biais vers le reste du plâtre qui commençait à son cou et le couvrait jusqu'à sa taille. Avec son bras gauche en l'air, Ryan ressemblait à la moitié d'un pont. Le plâtre n'était pas trop serré mais touchait la peau presque partout et, déjà, il sentait des démangeaisons qu'il ne pouvait gratter. Le chirurgien avait parlé d'immobiliser l'épaule et, pensa sombrement Ryan, il n'avait pas plaisanté. Elle lui faisait mal, mais de façon diffuse qui promettait des douleurs à venir. Il tourna la tête de l'autre côté.

— Il y a quelqu'un, là ?

— Ah, salut !

Une figure apparut au bord du lit. Plus jeune que Ryan, dans les vingt-cinq ans, maigre. L'homme était en veste de sport, la cravate desserrée mais on apercevait le bord d'un étui à revolver sous son aisselle.

— Comment vous sentez-vous, monsieur ?

Ryan tenta de sourire, en se demandant ce que ça donnait.

— Pas plus mal que je n'en ai l'air, probablement. Où suis-je, qui êtes-vous... mais d'abord, est-ce qu'il y a un verre d'eau par ici ?

Le policier versa de l'eau d'un cruchon de plastique dans un gobelet. Ryan tendit la main droite pour le prendre tout en remarquant qu'elle n'était plus sanglée. Il sentait maintenant l'endroit où avait été enfoncée l'aiguille du cathéter. Il aspira goulûment son eau avec un chalumeau de verre. Ce n'était que de l'eau mais jamais une bière ne lui avait paru aussi bonne après une journée de travail manuel.

— Merci, mon vieux.

— Je m'appelle Anthony Wilson. Je dois veiller sur vous. Vous êtes dans la suite VIP de l'hôpital St. Thomas. Est-ce que vous vous rappelez pourquoi vous êtes ici, monsieur ?

— Oui, je crois... Est-ce que vous pouvez me décrocher de ce truc-là ? Il faut que j'y aille.

— Je vais sonner l'infirmière, ne bougez pas.

Wilson pressa la poire accrochée à l'oreiller de Ryan. Moins de quinze secondes plus tard, une infirmière arriva et alluma le plafonnier. La lumière crue éblouit d'abord Jack, puis il s'aperçut que c'était une autre infirmière. Pas Bette Davis. Celle-ci était jeune, jolie, avec cet air empressé et protecteur commun à toutes les infirmières. Ryan avait déjà vu cette expression et la détestait.

— Ah, nous sommes éveillé ! s'exclama-t-elle d'une voix enjouée. Comment nous sentons-nous ?

— Bien, grommela Ryan. Pouvez-vous me décrocher ? Il faut que j'aille aux toilettes.

— Nous n'avons pas encore le droit de bouger, docteur Ryan. Je vais vous chercher quelque chose.

Elle disparut avant qu'il puisse protester. Wilson la regarda partir, d'un œil intéressé. Les flics et les infirmières, pensa Ryan. Son père en avait épousé une ; il avait fait sa connaissance en amenant la victime d'une fusillade au service des urgences.

L'infirmière — son insigne d'identité révélait qu'elle s'appelait Kittiwake — revint une minute après en portant un urinal inoxydable comme si c'était un cadeau inestimable ; compte tenu des circonstances, c'en était un, dut reconnaître Ryan. Elle souleva les couvertures et il s'aperçut tout à coup que sa chemise d'hôpital n'était pas vraiment enfilée mais simplement nouée autour du cou ; il comprit en même temps que l'infirmière s'apprêtait à prendre les dispositions nécessaires pour l'utilisation de l'urinal. La main droite de Ryan disparut aussitôt sous le drap pour le lui ôter des mains et s'arranger lui-même.

— Est-ce que vous pourriez... euh... me laisser une minute ?

Elle consentit à sortir de la chambre, déçue mais souriante. Il attendit que la porte soit bien refermée et, par respect pour Wilson, réprima son soupir de soulagement. Kittiwake fut de retour après avoir compté jusqu'à soixante.

— Merci.

Ryan lui tendit le récipient et elle l'emporta. Mais la porte s'était à peine fermée qu'elle revint, cette fois pour lui fourrer un thermomètre dans la bouche et lui tâter le pouls. Le thermomètre était un de ces nouveaux instruments électroniques et les deux opérations furent terminées en quinze secondes. Ryan demanda le « score » mais reçut un sourire en guise de réponse. Le sourire resta plaqué pendant qu'elle notait les indications sur la feuille de température. Ce devoir accompli, elle tapota les oreillers, tira un peu sur les couvertures, la figure radieuse, et Ryan se dit : *La petite Miss Efficacité. Cette fille va être une vraie casse-bonbons.*

— Est-ce qu'il y a quelque chose que je puisse vous apporter, docteur Ryan ? demanda-t-elle.

Ses yeux noirs démentaient sa blondeur. Elle était mignonne, fraîche comme la rosée. Ryan était incapable de rester fâché contre les jolies femmes et leur en voulait pour cela. Surtout les jeunes infirmières fraîches comme la rosée.

— Du café ? hasarda-t-il.

— Pas avant une heure, le petit déjeuner. Voulez-vous une tasse de thé ?

— Volontiers.

Il n'en avait pas vraiment envie mais au moins cela le débarrasserait d'elle pendant un moment. L'infirmière se glissa par la porte en emportant son sourire ingénu.

— Les hôpitaux ! grommela Ryan quand elle fut partie.

— Oh ! je ne sais pas, murmura Wilson, l'image de l'infirmière Kittiwake encore présente à son esprit.

— Ce n'est pas à vous qu'on change les couches ! grogna Ryan en se laissant retomber contre ses oreillers.

Il savait que c'était inutile de se révolter. Il sourit malgré lui. Il était déjà passé deux fois par là, à chaque fois entouré de jeunes et jolies infirmières. La mauvaise humeur ne servait qu'à redoubler leur gentillesse écrasante ; elles avaient le temps pour elles et une patience à toute épreuve. Autant capituler. Inutile de gaspiller de l'énergie.

— Ainsi, vous êtes un flic ? La Branche spéciale ?

— Non, monsieur. Je fais partie du C-13, la brigade antiterroriste.

— Est-ce que vous pouvez me raconter ce qui s'est passé hier, au juste ? Divers détails m'ont plus ou moins échappé.

— Que vous rappelez-vous, docteur ?

Wilson rapprocha sa chaise. Ryan remarqua qu'il s'asseyait en partie face à la porte et qu'il gardait sa main droite libre.

— J'ai vu, plutôt j'ai entendu une explosion, une grenade à main, je crois, et en me retournant j'ai vu deux types qui tiraient sur une Rolls. L'IRA, sans doute. Je les ai abattus et un autre s'est enfui dans une voiture. La cavalerie est arrivée, j'ai tourné de l'œil et je me suis réveillé ici.

— Pas l'IRA, l'ULA, Ulster Liberation Army, un groupuscule maoiste. Celui que vous avez tué était John Michael McCrory, un très mauvais garçon de Londonderry, un des types qui se sont évadés du

Maze en juillet dernier. C'était la première fois qu'il refaisait surface. Et la dernière. Nous n'avons pas encore identifié l'autre. Enfin pas avant que je prenne mon service il y a trois heures.

— L'ULA ? répéta Ryan qui se souvenait d'avoir entendu ce sigle, mais n'avait pas le droit de parler de ça. L'homme que... que j'ai tué. Il avait un AK mais, quand j'ai contourné la voiture, il tirait au pistolet. Comment se fait-il ?

— L'imbécile l'avait enrayé. Il avait deux chargeurs pleins fixés bout à bout, comme on le voit tout le temps au cinéma mais comme on doit ne surtout pas faire. Il a dû heurter l'arme, probablement en descendant de voiture. Le second chargeur s'est faussé. Une sacrée chance pour vous. Vous *saviez* que vous vous attaquiez à un type armé d'un Kalachnikov ?

Wilson examina avec attention la figure de Ryan. Il hocha la tête.

— Ce n'était pas très malin, hein ?

A ce moment, Kittiwake entra avec le plateau du thé. Elle le posa sur la table de chevet, qu'elle rapprocha, et disposa les ustensiles, méticuleusement. Puis elle versa avec délicatesse le thé de Ryan. Wilson dut se servir tout seul.

— Au fait, qui était dans la voiture ? demanda Ryan.

Leurs réactions le surprirent. Kittiwake était ahurie.

— Vous ne le saviez pas ?

— Je n'ai guère eu le temps de me renseigner sur place.

Ryan versait deux sachets de sucre brun dans son thé. Il lâcha brusquement sa cuiller quand Wilson répondit à sa question :

— Le prince et la princesse de Galles, avec leur bébé.

— *Quoi !*

— Vous ne le saviez vraiment pas ? demanda l'infirmière.

— Vous parlez sérieusement ? murmura Ryan.

Non, ils ne plaisanteraient pas avec une chose pareille, tout de même !

— Bougrement sérieusement, répliqua Wilson d'une voix posée, seul le choix de ses mots trahissant son trouble. Sans vous, ils seraient morts tous les trois, alors ça fait de vous un sacré héros, docteur Ryan !

Wilson but un peu de thé et prit une cigarette. Ryan posa sa tasse.

— Vous voulez dire que vous les laissez se balader sans police ou je ne sais comment vous appelez ça... sans escorte ?

— C'était une sortie imprévue, paraît-il. D'ailleurs, leurs dispositifs de sécurité ne sont pas de notre ressort. Mais j'ai dans l'idée que les responsables de ce service vont avoir à repenser pas mal de choses.

— Ils n'ont pas été blessés ?

— Non, mais leur chauffeur a été tué, ainsi que leur garde du corps du DPG, le Diplomatic Protection Group. Charlie Winston. Je le connaissais bien. Il avait une femme, vous savez, et quatre enfants.

Ryan fit observer que la Rolls aurait dû avoir des vitres à l'épreuve des balles et Wilson grogna.

— Elle en avait. Du plastique, en réalité un complexe de polycarbone. Malheureusement, personne n'a dû se donner la peine de lire ce qui était écrit sur la boîte. La garantie n'était que d'un an. Il paraît que le soleil altère le matériau. Le pare-brise n'est alors pas plus protecteur que du verre de sécurité ordinaire. Notre ami McCrory a tiré trente balles dedans et il s'est tout simplement effrité, tuant d'abord le chauffeur. La vitre de séparation intérieure, grâce à Dieu, était restée intacte, n'étant pas exposée au soleil. Le dernier geste de Charlie a été d'appuyer sur le bouton qui la remontait, ce qui les a probablement sauvés aussi. Il avait assez de temps pour dégainer son automatique mais nous ne pensons pas qu'il ait pu tirer.

Ryan se souvint. Il y avait eu du sang sur la vitre intérieure de la Rolls, et pas seulement du sang. La tête du chauffeur avait éclaté et son cerveau avait tout éclaboussé. Jack frémit en y pensant. Le garde du corps s'était probablement penché pour appuyer sur le bouton avant de se défendre... *Ma foi,* pensa-t-il, *ils sont payés pour ça. Mais quelle fichue manière de gagner sa vie !*

— C'est heureux que vous soyez intervenu à ce moment précis. Ils avaient tous deux des grenades à main, vous savez.

— Oui, j'en ai vu une... A quoi est-ce que je pouvais bien penser !

Tu ne pensais pas du tout, Jack. Voilà à quoi tu pensais.

Kittiwake le vit pâlir.

— Vous vous sentez bien ?

— Oui... je dois me sentir plutôt bien ! Je devrais être mort.

— Eh bien, cela ne vous arrivera certainement pas ici ! dit-elle en tapotant le lit. Sonnez si vous avez besoin de quelque chose.

Encore un sourire radieux et elle s'en alla. Ryan secouait toujours la tête.

— Le troisième s'est échappé ? demanda-t-il.

— Oui. Nous avons retrouvé la voiture près d'une station de métro, à quelques centaines de mètres. Volée, naturellement. Il n'a pas eu de problème pour s'échapper. Disparaître dans le métro. Aller à Heathrow, sauter dans un avion pour le continent, Bruxelles, je dirais, de là un autre avion pour l'Ulster ou la République d'Irlande, et une voiture pour le ramener chez lui. C'est une des filières. Il y en a d'autres. Il est impossible de les couvrir toutes. Hier soir, fort probablement, il buvait de la bière en regardant tous ces événements à la télévision de son pub favori. Est-ce que vous l'avez bien vu ?

— Non, rien qu'une vague silhouette. Je n'ai même pas pensé à regarder le numéro de la voiture. Idiot. Juste à ce moment, un habit-rouge courait vers moi... J'ai cru qu'il allait me faire passer sa lardoire à travers le corps. Pendant une seconde, là, j'ai vu toute la scène... Je fais quelque chose de bien et puis je me fais descendre par ceux que je protège.

Wilson rit.

— Vous ne connaissez même pas votre bonheur ! La garde actuelle du palais est formée de Welsh Guards.

— Et alors ?

— C'est le propre régiment de Son Altesse Royale. C'était leur colonel. Vous étiez là avec un pistolet, comment vouliez-vous qu'il réagisse ?... Encore une chance, votre femme et votre petite fille sont accourues à ce moment-là et il a préféré attendre un peu que tout s'éclaircisse. Là-dessus, un de nos hommes l'a rattrapé et lui a dit de se calmer. Et une centaine d'autres gars de chez moi sont arrivés. J'espère que vous comprenez bien la situation, docteur. Nous étions là avec trois morts, deux blessés, un prince et une princesse qui paraissaient l'être... — au fait, votre femme les a examinés sur place et les a déclarés sains et saufs avant l'arrivée de l'ambulance —, un bébé, une centaine de témoins ayant chacun leur version de ce qui s'était passé. Un Yankee, irlando-américain par-dessus le marché ! Le chaos total !

Wilson rit encore et reprit :

— La première chose, naturellement, c'était de mettre les personnes royales à l'abri. La police et les gardes s'en sont chargés. Ils sont encore d'une humeur massacrante. Pas difficile à comprendre. Bref, votre femme a catégoriquement refusé de vous quitter avant que vous soyez ici entre les mains des médecins. Une personne très volontaire, à ce qu'on m'a dit.

— Cathy est chirurgien, expliqua Ryan. Quand elle joue au médecin, elle a l'habitude d'imposer sa volonté.

— Quand elle a été bien tranquillisée, nous l'avons conduite au Yard. Pendant ce temps, nous avions un sacré mal à vous identifier. On a téléphoné à votre attaché juridique à l'ambassade des Etats-Unis. Il s'est renseigné auprès de votre FBI et a cherché une confirmation par le Corps des Marines.

Ryan vola une cigarette dans le paquet de Wilson. Le policier s'interrompit pour lui donner du feu avec un briquet. Jack s'étrangla à la première bouffée, mais il en avait besoin. Cathy serait furieuse, il le savait, mais chaque chose en son temps.

— Notez bien, jamais nous n'avons pensé que vous étiez l'un d'eux. Il faudrait être fou à lier pour venir faire un boulot pareil avec sa femme et sa gosse. Mais on n'est jamais trop prudent.

Ryan, brièvement étourdi par la fumée, hocha la tête. *Comment ont-ils eu l'idée des Marines... Ah oui, ma carte de l'Association...*

— Enfin, bref, maintenant tout est réglé. Votre gouvernement envoie tout ce qu'il nous faut, ce doit être déjà arrivé, d'ailleurs, dit Wilson en regardant sa montre.

— Ma famille va bien ?

Wilson sourit, d'une drôle de façon.

— On s'occupe très bien d'elles, docteur Ryan. Vous avez ma parole.

— Je m'appelle Jack.

— D'accord. Et moi Tony pour les amis.

Ils en vinrent enfin à se serrer la main.

— Et comme je disais, vous êtes un sacré héros. Ça vous amuse de voir ce que la presse en dit ?

Il tendit à Ryan le *Daily Mirror* et le *Times*.

— Dieu de Dieu !

La une du *Mirror* était presque entièrement occupée par une photo en couleurs de Ryan, adossé sans connaissance à la Rolls. Son torse était une masse écarlate.

ATTENTAT CONTRE LL.AA.RR.
UN MARINE A LA RESCOUSSE

Une incroyable tentative d'assassinat contre Leurs Altesses Royales le Prince et la Princesse de Galles a été déjouée aujourd'hui grâce au courage d'un touriste américain.

John Patrick Ryan, historien et ancien lieutenant des United States Marines, est intervenu à mains nues sous les yeux incrédules et ébahis d'une centaine de passants. Ryan, 31 ans, d'Annapolis dans le Maryland, a réussi à désarmer un tueur et, prenant son arme, en a tué un autre. Il a lui-même été grièvement blessé au cours de la fusillade. Transporté en ambulance à l'hôpital St. Thomas, il a été opéré par Sir Charles Scott. Un troisième terroriste aurait réussi à s'enfuir en fonçant vers l'est par le Mall avant de tourner dans Marlborough Road.

Les responsables de la police sont unanimes à reconnaître que sans la courageuse intervention de Ryan, Leurs Altesses auraient certainement été tuées.

Ryan déplia le journal et découvrit une autre photo en couleurs de lui-même, prise dans de plus heureuses circonstances. C'était sa photo de fin d'études à l'Académie de Quantico et il ne put se retenir de sourire en se voyant si resplendissant, en tunique bleue à col montant, avec deux barres dorées étincelantes et l'épée. C'était une de ses rares bonnes photos.

— Où est-ce qu'ils ont déniché ça ?

— Oh, votre corps des marines a été extrêmement serviable. Au fait, un de vos navires, un porte-hélicoptère ou quelque chose comme ça, mouille en ce moment à Portsmouth. Il paraît que vos anciens camarades peuvent boire toute la bière qu'ils veulent, à l'œil.

Cela fit rire Ryan. Il prit ensuite le *Times* dont la manchette était à peine plus discrète.

Le Prince et la Princesse de Galles ont échappé cet après-midi à une mort certaine. Trois, peut-être quatre terroristes, armés de grenades à main et de fusils d'assaut Kalachnikov, guettaient leur Rolls-Royce, mais l'attentat soigneusement préparé a tourné court grâce à l'intervention héroïque d'un citoyen américain, ancien sous-lieutenant de l'United States Marine Corps, aujourd'hui historien...

Ryan se reporta à la page de l'éditorial. Ce dernier, sous la signature du directeur du journal, réclamait la vengeance tout en accablant de louanges Ryan, l'Amérique, le U.S. Marine Corps et en remerciant la divine providence dans un style fleuri digne d'une encyclique papale.

— Vous lisez le récit de vos exploits ?

Ryan leva les yeux. Sir Charles Scott était au pied de son lit, un cadre d'aluminium à la main.

— C'est la première fois que j'ai les honneurs de la presse, dit Jack en posant les journaux.

— Vous les avez bien mérités et il me semble que le sommeil vous a fait du bien. Comment vous sentez-vous ?

— Pas mal, tout bien considéré. Comment me trouvez-vous ?

— Pouls et température normaux. Presque normaux. Vous avez repris des couleurs. Avec un peu de chance, nous passerons à côté

31

de toute infection post-opératoire, bien que je ne veuille pas encore parier là-dessus. Est-ce que vous souffrez beaucoup ?

— La douleur est là, mais je peux vivre avec, répondit Ryan sans se compromettre.

— Il ne s'est passé que deux heures, depuis la dernière administration de calmants. J'espère que vous n'êtes pas de ces imbéciles obstinés qui refusent tout remède contre la douleur ?

— Si, justement. Je suis déjà passé par là deux fois, docteur. La première fois, on m'a donné trop de trucs comme ça et j'ai eu un mal fou à me désintoxiquer. Non, je ne tiens pas à recommencer, si vous voyez ce que je veux dire.

La carrière de Ryan dans les marines s'était terminée, au bout de trois mois à peine, par un accident d'hélicoptère sur les côtes de la Crète, au cours de manœuvres de l'OTAN. Blessé dans le dos, Ryan avait été transféré à l'hôpital naval de Bethesda, près de Washington, où les médecins lui avaient un peu trop généreusement administré des stupéfiants, et il avait mis quinze jours à s'en remettre. Il n'avait pas du tout envie de revivre ce calvaire. Sir Charles le comprit, et hocha la tête.

— Oui, je vois. Après tout, c'est votre bras.

L'infirmière revint alors que le chirurgien notait quelque chose sur son bloc et il lui demanda de remonter un peu le lit. Ryan n'avait pas remarqué que l'appareil où son bras était accroché était circulaire. Alors que le chevet du lit se haussait, son bras s'abaissa à un angle moins pénible. Le chirurgien regarda les doigts de Ryan, par-dessus ses lunettes.

— Remuez-les un peu, s'il vous plaît... Ah, très bien. C'est parfait. Je ne pensais d'ailleurs pas que les nerfs étaient endommagés. Je vais vous prescrire quelque chose de léger, juste de quoi atténuer la douleur. J'exige que vous preniez vos médicaments, dit-il en tournant la tête pour regarder Ryan bien en face. Jamais aucun de mes patients n'est devenu toxicomane, et je n'ai pas l'intention de commencer avec vous. Ne soyez pas buté. La douleur, le malaise retarderont votre convalescence... à moins, bien entendu, que vous ayez réellement envie de rester plusieurs mois ici avec nous.

— Message reçu, sir Charles.

— Bien. Si jamais vous aviez besoin de quelque chose de plus fort, je suis ici toute la journée. Vous n'aurez qu'à sonner l'infirmière, Miss Kittiwake, dit le chirurgien en la désignant et elle rayonna de joie anticipée.

— Et est-ce que je peux manger quelque chose ?

— Vous pensez pouvoir le garder ?

— Depuis trente-six heures, docteur, je n'ai pris qu'un petit déjeuner et un léger déjeuner.

— Très bien. Nous allons essayer des bouillies.

Il griffonna une autre note sur son tableau et regarda Kittiwake, d'un air de dire : *Gardez-le à l'œil.* Elle acquiesça.

— Votre charmante femme m'a prévenu que vous êtes extrêmement obstiné. Nous verrons bien. En attendant, je vous trouve en assez bon état. Grâce à votre forme physique... et naturellement mon talent de chirurgien, dit Scott avec un petit rire. Après déjeuner, un infirmier vous aidera à faire un brin de toilette pour vos visiteurs plus officiels. Ah, au fait, ne vous attendez pas à voir tout de suite votre famille. Hier soir, elles étaient complètement épuisées. J'ai donné un petit somnifère à votre femme. J'espère qu'elle l'a pris. Votre adorable petite fille tombait de sommeil. Vous savez, docteur Ryan, je ne plaisantais pas, tout à l'heure. La douleur retardera réellement votre guérison. Alors faites ce que je vous dis, vous quitterez ce lit dans une semaine et nous vous renverrons dans quinze jours... peut-être. Mais vous devez faire exactement ce que je vous dis.

— Compris, docteur. Et merci. Cathy m'a dit que vous avez fait du beau boulot, sur mon bras.

Scott prit un air modeste mais le sourire se vit quand même.

— On doit bien s'occuper de ses visiteurs. Je repasserai en fin d'après-midi pour voir comment vous progressez.

La police arriva en force à 8 h 30. Ryan avait réussi à avaler le petit déjeuner de l'hôpital. Cela avait été une horrible déception et son commentaire fit écrouler de rire Wilson, mais Kittiwake était si navrée que Ryan s'était fait un devoir de tout finir, jusqu'aux pruneaux qu'il détestait depuis l'enfance. C'est seulement après avoir tout mangé qu'il s'était rendu compte que son air désolé était une comédie pour le forcer à avaler toutes ces cochonneries. *Les infirmières, s'était-il rappelé, c'est rusé.*

A 8 heures, l'infirmier était arrivé pour l'aider. Ryan s'était rasé lui-même tandis que l'infirmier tenait la glace, faisant une grimace chaque fois qu'il se coupait. Quatre coupures. Ryan était habitué au rasoir électrique et il y avait des années qu'il n'avait pas affronté de lame. Tout de même, à 8 h 30, il se sentait redevenu humain. Kittiwake lui apporta une seconde tasse de café. Il n'était pas très bon, mais c'était quand même du café.

Ils étaient trois officiers de police, très haut placés semblait-il, à

33

voir Wilson se lever d'un bond et se précipiter pour leur disposer des chaises avant de s'esquiver discrètement.

James Owens paraissait le plus important ; il demanda à Ryan comment il allait, avec un intérêt poli mais sûrement sincère. Il rappelait à Ryan son père, un homme trapu, bourru et, à en juger par ses grandes mains noueuses, un homme qui avait gravi tous les échelons avant d'arriver au sommet et avait commencé par arpenter les rues en uniforme.

Le commissaire principal William Taylor avait une quarantaine d'années ; il était plus jeune que son collègue de la brigade antiterroriste, et plus soigné. Tous deux avaient des yeux rouges révélant une nuit de travail ininterrompu.

David Ashley était le plus jeune et le mieux habillé des trois. A peu près de la même taille et de la même corpulence que Ryan, il devait avoir cinq ans de plus. Il se disait représentant du Home Office, le ministère britannique de l'Intérieur, et avait l'air plus diplomate que les deux autres.

— Vous êtes certain d'avoir assez de force ? demanda Taylor.

— Autant en finir, répondit Ryan.

Owens prit dans sa serviette un magnétophone à cassettes et le posa sur la table de chevet. Il y brancha deux micros, un tourné vers Ryan, l'autre vers les policiers, appuya sur le bouton de mise en marche et annonça la date, l'heure et le lieu.

— Docteur Ryan, demanda Owens sur un ton officiel, savez-vous que cet interrogatoire est enregistré ?

— Oui, monsieur.

— Avez-vous une objection à faire ?

— Non, monsieur ; puis-je poser une question ?

— Certainement.

— Suis-je sous le coup d'une inculpation quelconque ? Parce que dans ce cas, j'aimerais entrer en contact avec mon ambassade et avoir un avo...

Ryan, extrêmement mal à l'aise d'être l'objet de l'attention de la police à un aussi haut niveau, fut interrompu par le rire de M. Ashley. Il remarqua que les deux autres policiers s'en remettaient à lui pour répondre.

— Vous ne pourriez pas vous tromper davantage, docteur Ryan. Nous n'avons pas la moindre intention de vous inculper de quoi que ce soit. Et je dois dire que si nous le tentions, nous pourrions nous inscrire au chômage dès ce soir.

Ryan hocha la tête, en masquant son soulagement. Il préférait en être sûr, sachant simplement que souvent les lois n'ont ni queue ni tête. Owens commença à lire des questions, sur son bloc-notes.

— Voulez-vous nous donner votre nom et votre adresse, s'il vous plaît ?

— John Patrick Ryan. Notre adresse postale est à Annapolis, dans le Maryland, mais nous habitons à Peregrine Cliff, à une quinzaine de kilomètres au sud d'Annapolis sur la baie de la Chesapeake.

— Votre profession ?

— Eh bien, disons que j'en ai deux. Je suis professeur d'histoire à l'académie navale d'Annapolis. Il m'arrive de faire des conférences à l'Ecole de guerre navale de Newport et, de temps en temps, divers travaux en qualité de consultant.

— C'est tout ? demanda Ashley avec un sourire amical.

Mais était-ce amical ? se demanda Ryan. Qu'avaient-ils réussi à découvrir sur lui depuis... quoi ? quinze heures ?... Et que voulait insinuer Ashley ? *Tu n'es pas un flic*, pensa-t-il. *Au fond, qu'est-ce que tu es, au juste ?* Néanmoins, il devait s'en tenir à sa couverture, conseiller à mi-temps à la Mitre Corporation.

— Quel est le but de votre visite dans ce pays ? reprit Owens.

— Je profitais d'un voyage de recherches pour prendre quelques vacances. Je me documente pour un nouveau livre et Cathy avait besoin de se reposer. Comme Sally ne va pas encore à l'école, nous avons décidé de venir maintenant, après la saison touristique.

Ryan prit une cigarette dans le paquet que Wilson avait laissé. Ashley lui donna du feu avec un briquet en or.

— Vous trouverez dans ma veste — Dieu sait où elle est — des lettres d'introduction pour votre amirauté et le Collège naval royal de Dartmouth.

— Nous avons les lettres, répliqua Owens. Tout à fait illisibles, hélas. Et j'ai bien peur que votre veste soit perdue aussi. Ce que le sang n'a pas gâché, votre femme et notre sergent l'ont achevé avec un couteau. Quand êtes-vous arrivé en Grande-Bretagne ?

— Nous sommes encore jeudi, n'est-ce pas ? Oui. Nous sommes arrivés mardi soir, de Dulles international, l'aéroport de Washington. Atterrissage vers 19 h 30, arrivée à l'hôtel à 21 h 30 environ, j'ai fait monter un en-cas dans la chambre et me suis endormi immédiatement. L'avion me tourneboule toujours, le décalage horaire, je ne sais quoi. Je me suis endormi comme une bûche.

Ce n'était pas tout à fait vrai mais Ryan se dit qu'ils n'avaient pas besoin de *tout* savoir. Owens hocha la tête. Ils avaient déjà appris pourquoi Ryan avait horreur de l'avion.

— Je me suis réveillé vers 7 heures, je pense, j'ai déjeuné et me suis fait apporter un journal et puis j'ai un peu fait la grasse matinée jusqu'à 8 h 30. Je me suis entendu avec Cathy pour les retrouver, Sally et elle, à 16 heures au parc et puis j'ai pris un taxi pour me rendre à l'Amirauté... c'était si près que j'aurais pu y aller à pied. Comme je vous l'ai dit, j'avais une lettre d'introduction pour l'amiral sir Alexander Woodson, le directeur de vos archives navales, qui est à la retraite, à vrai dire. Il m'a conduit dans un sous-sol poussiéreux, où il avait fait préparer tout ce que je voulais. Je suis venu ici pour consulter des résumés de communications. Des communications de l'Amirauté, entre Londres et l'amiral sir James Somerville qui commandait votre flotte de l'océan Indien dans les premiers mois de 1942. C'est un de mes sujets d'étude. J'ai donc passé là trois heures, à lire les doubles fanés de dépêches navales, en prenant des notes.

— Là-dessus ?

Ashley brandit le bloc-notes de Ryan, qui le lui arracha vivement.

— Dieu soit loué ! J'étais sûr de l'avoir perdu !

Ryan l'ouvrit et tapa quelques instructions.

— Ah ! Il marche encore !

— Quel est, au juste, cet appareil ? voulut savoir Ashley, et les trois hommes se levèrent pour mieux voir.

En souriant, Ryan leur montra un clavier de machine à écrire et un petit écran diode à cristaux liquides jaunes. Fermé, l'objet ressemblait à un bloc-notes d'environ trois centimètres d'épaisseur et relié en cuir.

— C'est un Cambridge Datamaster, un ordinateur de campagne Modèle-C. C'est un de mes amis qui les fabrique. Il a un microprocesseur MC-68000 et deux mégabytes de mémoire bulle.

— Vous voulez bien traduire ça ? demanda Taylor.

— Pardon. C'est un ordinateur de poche. C'est le microprocesseur qui le fait fonctionner. Une puce, si vous voulez. Deux mégabytes, ça signifie que la mémoire emmagasine jusqu'à deux millions de caractères, assez pour un gros ouvrage, et grâce à sa mémoire bulle on ne perd pas les données quand on l'arrête. C'est un garçon avec qui j'allais en classe qui fabrique ces petits bijoux. Il m'a tapé au départ pour fonder sa société. A la maison, je me sers d'un Apple, celui-ci n'est que pour le voyage.

— Nous savions que c'était une espèce d'ordinateur mais nos gars n'ont pas été fichus de le faire marcher.

— Système de sécurité. La première fois qu'on s'en sert, on introduit son code d'accès et on verrouille. Ensuite, pour le faire marcher, il faut taper le code, un point c'est tout.

— Ah ! Une sécurité vraiment totale, alors ? demanda Ashley.

— Il faudrait demander à Fred. Je ne sais pas comment marchent les ordinateurs, je ne sais que m'en servir. Enfin bref, voilà mes notes.

— Pour en revenir à vos activités d'hier, reprit Owens en jetant un coup d'œil plutôt froid à Ashley, nous vous avons suivi jusqu'à midi.

— O.K. J'ai fait une pause déjeuner. Un type, au rez-de-chaussée, m'a indiqué un... un pub, je crois, tout près de là. Je ne me rappelle pas le nom. J'ai mangé un sandwich et bu une bière. Ça m'a pris une demi-heure, environ. Ensuite, j'ai encore passé une heure à l'amirauté. J'ai dû partir vers 13 h 45. J'ai remercié l'amiral Woodson, un homme très bien. J'ai pris un taxi pour aller à... j'ai oublié l'adresse, c'était sur une de mes lettres, au nord de... Regent's Park, je crois ? Chez l'amiral Roger De Vere. Il servait sous les ordres de Somerville. Il n'était pas là. Sa gouvernante m'a dit qu'il avait dû partir précipitamment en province, à cause d'un décès dans la famille. Alors j'ai laissé un message, pour dire que j'étais passé, et j'ai pris un autre taxi pour revenir dans le centre. Je me suis fait déposer avant ma destination, pour faire le reste du chemin à pied.

— Pourquoi ?

— J'étais ankylosé, d'être resté si longtemps assis, à l'amirauté, dans les taxis, dans l'avion, j'avais besoin de me dégourdir les jambes. J'ai l'habitude de faire un peu de jogging tous les jours et ça me manquait.

— Où vous êtes-vous fait déposer ?

— Je ne connais pas le nom de la rue. Si vous me montrez un plan, je saurai probablement la retrouver... Enfin bref, j'ai failli être écrasé par un de vos autobus à impériale et un de vos agents en tenue m'a dit de ne pas traverser n'importe où...

Owens parut étonné et griffonna rapidement quelques mots. Peut-être n'avaient-ils rien appris de cet incident.

— J'ai acheté un magazine à un kiosque et j'ai retrouvé Cathy vers... oh, il devait être 15 h 40. Elles étaient en avance aussi.

— Comment avaient-elles passé leur journée ? demanda Ashley, mais Ryan fut certain qu'ils le savaient déjà.

— A courir les magasins, surtout. Cathy connaît bien Londres et elle aime y faire des achats. Elle est venue il y a trois ans, pour un congrès de chirurgie, mais je n'avais pas pu l'accompagner.

— Elle vous avait laissé seul avec le bébé ?

Ashley avait un mince sourire. Ryan sentit qu'il agaçait Owens.

— Non, avec les grands-parents. C'était avant la mort de la mère de Cathy. Je travaillais à mon doctorat d'histoire, à Georgetown, et je ne pouvais pas m'absenter. Je l'ai obtenu en deux ans et demi et je vous prie de croire que j'ai sué sang et eau cette dernière année, entre l'université et les séminaires au Centre d'études stratégiques et internationales. Ce voyage-ci devait être des vacances. Les premières vraies vacances depuis notre lune de miel, avoua Ryan en faisant une grimace.

— Que faisiez-vous quand l'attaque a eu lieu ?

Owens tenait à remettre la conversation sur la voie. Les trois inquisiteurs se penchèrent un peu vers l'Américain.

— Je regardais du mauvais côté. Nous parlions de ce que nous ferions pour dîner quand la grenade a explosé.

— Vous saviez que c'était une grenade ? demanda Taylor.

— Oui, bien sûr. Elles font un bruit particulier. C'est un des petits jouets que les marines m'ont appris à utiliser, à Quantico. Même chose pour le mitrailleur. A Quantico, nous recevions une instruction sur les armes du bloc de l'Est. J'avais eu en main l'AK-47. Le bruit qu'il fait est différent de celui de nos armes et c'est un truc utile à savoir, au combat. Comment se fait-il qu'ils n'avaient pas tous les deux des AK ?

— Autant que nous ayons pu le déterminer, répondit Owens, l'homme que vous avez blessé a mis la voiture hors d'état de marche avec une grenade antichar, d'un lance-grenades. Les examens de laboratoire l'indiquent. Son fusil, par conséquent, était probablement un des nouveaux AK-74, les plus petits calibres, équipés pour lancer des grenades. Evidemment, il n'a pas eu le temps de démonter le système lance-grenades et il a décidé de continuer au pistolet. Mais il avait aussi une grenade à main, vous savez.

Le type de grenade à main qu'il avait vu revint soudain à Jack.

— Antichar aussi ?

— Vous connaissez ça, n'est-ce pas ? dit Ashley.

— N'oubliez pas que j'étais un marine. Ça s'appelle la RKG quelque chose, il me semble. C'est censé percer un trou dans un blindé léger ou mettre en pièces un camion...

Où diable est-ce qu'ils trouvent ces petites horreurs, et pourquoi est-ce qu'ils ne s'en sont pas servis ? ... Quelque chose t'échappe, Jack.

— Et ensuite ? demanda Owens.

— J'ai fait immédiatement coucher à terre ma femme et ma petite fille. La circulation s'est arrêtée assez vite. J'ai gardé la tête levée pour voir ce qui se passait.

— Pourquoi ? demanda Taylor.

— Je ne sais pas... L'entraînement, peut-être. Je voulais savoir, appelez ça de la curiosité stupide, si vous voulez. J'ai vu un type qui arrosait la Rolls et l'autre qui courait pour la contourner, comme s'il cherchait à abattre ceux qui tenteraient de sauter de la voiture. J'ai vu que si je me déplaçais sur la gauche, je pourrais me rapprocher. J'étais abrité par les voitures arrêtées. Tout à coup, je me suis trouvé à une quinzaine de mètres. Le tireur à l'AK était caché par la Rolls et le pistolero me tournait le dos. J'ai vu que j'avais une chance et je l'ai saisie.

— Pourquoi ?

Owens posait la question, cette fois, à voix basse.

— Bonne question. Je n'en sais rien. Je ne le sais vraiment pas... J'étais furieux. Tous les gens que j'avais rencontrés jusqu'alors avaient été plutôt gentils et voilà que j'avais sous les yeux deux foutus salauds en train de commettre des meurtres !

— Avez-vous deviné qui ils étaient ? demanda Taylor.

— Pas besoin de beaucoup d'imagination, quoi. Ça aussi, ça m'a mis en rogne. Oui, c'était ça, la colère. C'est peut-être ce qui motive les hommes au combat... Il faudra que j'y réfléchisse. Enfin, comme je disais, j'ai vu ma chance et je l'ai saisie. C'était facile. J'ai eu beaucoup de chance, assura Ryan, et les sourcils d'Owens se haussèrent en entendant cela. Le type au pistolet était stupide. Il aurait dû surveiller son dos. On doit toujours s'inquiéter de ses arrières. Ha ! Mon entraîneur aurait été fier de moi, je l'ai rudement bien plaqué au sol. Mais j'aurais dû avoir mon rembourrage d'épaules, parce que le toubib me dit que je me suis cassé quelque chose en le plaquant. Il est tombé assez lourdement. J'ai pris son pistolet et je lui ai tiré une balle... Vous voulez savoir pourquoi j'ai fait ça ? Oui ?

— Oui, répliqua Owens.

— Je ne voulais pas qu'il se relève.

— Il était sans connaissance. Il n'est pas revenu à lui avant deux heures et il souffrait d'une mauvaise commotion cérébrale.

— Comment est-ce que j'aurais pu le deviner ? J'allais affronter un type armé d'une mitrailleuse légère et je n'avais pas besoin d'un sale type derrière moi. Alors je l'ai neutralisé. J'aurais pu lui loger une balle dans la nuque. A Quantico, quand on dit « neutraliser » ça veut dire *tuer*. Mais tout ce que je savais, là, c'était que je ne pouvais pas me permettre d'être attaqué par-derrière par ce type. Je ne peux pas dire que j'en suis particulièrement fier mais, sur le moment, l'idée m'a paru bonne. J'ai contourné l'arrière droit de la voiture, j'ai jeté un coup d'œil. J'ai vu que le type se servait d'un pistolet. Votre agent, Wilson, m'a expliqué ça. C'était un coup de chance, aussi. Je n'étais pas vraiment fou de joie à la pensée de m'attaquer à un AK avec un malheureux petit pistolet. Il m'a vu arriver. Nous avons tiré tous les deux en même temps. J'ai simplement été le plus adroit, je suppose.

Ryan se tut. Il n'avait pas voulu s'exprimer de cette façon. *Est-ce que ça s'était vraiment passé ainsi ? Si tu ne le sais pas, qui le saura ?* Ryan avait appris que, dans une crise, le temps se compresse et se dilate, apparemment en même temps. *Et il brouille aussi la mémoire, on dirait. Qu'est-ce que j'aurais pu faire d'autre ?* Il secoua la tête.

— Je ne sais pas... J'aurais peut-être dû essayer autre chose. Dire « Lâchez ça ! » ou « Bouge pas ! » comme ils font à la télé, mais je n'avais pas le temps. Tout était... *tout de suite...* lui ou moi... vous savez ce que je veux dire ? On ne... On ne raisonne pas quand on n'a qu'une demi-seconde pour prendre une décision. On obéit à l'instinct, à l'entraînement, sans doute. Le seul entraînement que j'aie eu, c'est dans la Machine Verte, le Corps. On ne vous apprend pas à arrêter des gens... Enfin, bon Dieu, je ne voulais tuer personne ! Mais je n'avais pas le choix !... Pourquoi est-ce qu'il n'a pas... je ne sais pas, laissé tomber, fui, quelque chose ! Il devait bien savoir que je le tenais !

Ryan retomba sur ses oreillers. Son récit avait trop vivement ravivé ses souvenirs.

Docteur Ryan, dit calmement Owens, nous avons tous trois interrogé six témoins, qui tous ont assisté à l'attentat. Leurs récits coïncident tout à fait avec votre description des faits. Etant donné le déroulement de l'affaire, je... nous pensons que vous n'aviez absolument pas le choix. Il est certain, autant que cela puisse l'être, que vous avez fait exactement ce qu'il fallait. Et votre seconde balle n'avait pas d'importance, si c'est cela qui vous trouble. La première s'était logée en plein cœur.

— Oui, j'ai vu ça. Le second coup de feu est parti automatiquement, ma main a tiré sans en recevoir l'ordre. Le pistolet est revenu après le recul et *zap !* Aucune réflexion, du tout. C'est drôle, le fonctionnement du cerveau. Comme si une partie se charge de l'action et une autre de l'observation et des conseils. La partie observation a bien vu la première balle faire mouche mais la partie action a continué sur sa lancée jusqu'à ce qu'il soit à terre. J'aurais peut-être tiré une troisième fois, allez savoir, mais le pistolet était vide.

— On vous a appris à tirer remarquablement bien, dans les marines, estima Taylor.

Ryan secoua la tête.

— C'est papa qui m'a appris quand j'étais tout môme. Le Corps ne s'intéresse plus guère aux pistolets, ils ne sont là que pour la parade. Et puis le type n'était qu'à quinze mètres, vous savez.

Owens prit encore quelques notes.

— La voiture a démarré quelques secondes plus tard. Je n'ai pas bien vu le conducteur, je ne sais même pas si c'était un homme ou une femme. Il ou elle était blanc, c'est tout ce que je peux dire. Elle a foncé dans l'avenue et tourné sur les chapeaux de roues.

— C'était un de nos taxis londoniens, vous ne l'avez pas remarqué ? demanda Taylor et Ryan cligna les yeux.

— Tiens, c'est vrai, vous avez raison ! Je n'ai vraiment pas fait attention, c'est idiot ! Vous avez un million de ces fichues bagnoles qui roulent partout. Pas étonnant qu'ils aient choisi ça !

— Huit mille six cent soixante-dix-neuf, pour être précis, dit Owens. Dont cinq mille neuf cent dix-neuf sont noirs.

Une lueur s'alluma dans la tête de Ryan.

— Dites-moi, est-ce que c'était une tentative d'assassinat ou est-ce qu'ils voulaient les kidnapper ?

— Nous n'en savons rien. Cela vous intéressera peut-être de savoir que le Sinn Fein, la branche politique de la PIRA, a publié un communiqué désavouant totalement l'attentat.

— Vous croyez ça, vous ?

Ryan, encore plus ou moins sous sédatif, ne remarqua pas l'adresse avec laquelle Taylor avait éludé sa question.

— Oui, nous avons tendance à le croire. Même les Provos ne sont pas aussi fous, vous savez. Le prix politique à payer pour ces choses-là est bien trop élevé. Ils ont appris ça en tuant Lord Mountbatten, et ce n'était même pas la PIRA qui avait fait ça mais l'INLA, l'Irish National Liberation Army. Ça leur a coûté leurs sympathisants américains, expliqua Taylor.

— J'ai vu par les journaux que vos concitoyens...

— Sujets, rectifia Ashley.

— Quoi qu'il en soit, ils sont plutôt indignés.

— Certainement. Quelles que soient les horreurs qu'ils ont déjà perpétrées, les terroristes trouvent toujours un nouveau moyen de nous choquer, observa Owens.

Sa voix restait rigoureusement professionnelle mais Ryan sentit que le chef de la brigade anti-terroristes aurait volontiers arraché la tête du terroriste survivant de ses deux mains nues.

— Bon, que s'est-il passé ensuite ?

— Je me suis assuré que le type sur qui je venais de tirer était bien mort et puis je suis allé voir comment ils allaient dans la voiture. Le chauffeur... Ma foi, vous êtes au courant, et l'agent de la sécurité. Un de vos hommes, monsieur Owens ?

— Charlie est un ami. Voilà trois ans qu'il fait partie du service de sécurité de la famille royale...

Owens parlait comme si l'agent était encore vivant et Ryan se demanda s'ils avaient travaillé ensemble. Il n'ignorait pas qu'on se fait de solides amitiés, dans la police.

— Enfin, vous savez le reste. Grâce à Dieu, votre habit-rouge a pris le temps de réfléchir, au moins assez longtemps pour que votre type arrive et le calme. Cela aurait été plutôt embarrassant pour tout le monde s'il m'avait passé cette baïonnette à travers le corps.

— Plutôt, reconnut Owens.

— Est-ce que le fusil était chargé ?

— S'il l'avait été, répliqua Ashley, pourquoi n'aurait-il pas tiré ?

— Une rue animée n'est pas l'endroit rêvé pour utiliser un fusil de grande puissance, même si on est sûr de sa cible. Il était chargé, n'est-ce pas ?

— Nous ne pouvons pas parler de questions de sécurité, répondit Owens.

Je savais bien qu'il était chargé, se dit Ryan.

— Au fait, d'où diable arrivait-il ? Le Palais était assez loin.

— De Clarence House, l'édifice blanc contigu au palais de St. James's. Les terroristes ont mal choisi leur moment, ou peut-être le lieu, pour leur attentat. Il y a un poste de garde au coin sud-ouest. La garde change toutes les deux heures. Quand l'attaque a eu lieu, c'était la relève. Il y avait donc là quatre soldats au lieu d'un seul. La police de service au Palais a entendu l'explosion et le tir d'armes automatiques. Le sergent s'est précipité à la grille pour voir ce qui se passait et a fait signe à un garde de le suivre.

— C'est lui qui a donné l'alarme, alors ? C'est pour ça que tout le monde est arrivé si vite ?

— Non, c'est Charlie Winston, dit Owens. La Rolls avait un signal d'alarme électronique d'assaut. Gardez ça pour vous. Le siège a été alerté. Le sergent Price a agi uniquement de sa propre initiative. Malheureusement pour lui, le garde fait de l'athlétisme, et il a sauté la barrière. Price a voulu en faire autant mais il est tombé et s'est cassé le nez. Il a eu un mal fou à rattraper le garde, tout en donnant l'alerte avec son poste de radio portatif.

— Ma foi, je suis content qu'il l'ait rattrapé au bon moment. Ce soldat me faisait une peur bleue. J'espère qu'on lui en saura gré.

— La médaille de Police de la Reine, pour commencer, et les remerciements de Sa Majesté, répondit Ashley. Une chose nous déroute, docteur Ryan. Vous avez été démobilisé pour incapacité physique mais vous n'en avez montré aucune hier.

— Après avoir quitté le Corps, je portais un soutien dorsal, parce que de temps en temps mon dos me jouait des tours. Mais c'est alors que j'ai rencontré Cathy. Je travaillais dans un cabinet d'agents de change et j'ai reçu la visite de son père. Et puis j'ai fait sa connaissance et ça a été le coup de foudre entre elle et moi. Bref, Cathy m'a emmené à Johns Hopkins pour me faire examiner par un de ses professeurs. Un certain Stanley Rabinowisz, professeur de neurochirurgie. Il m'a fait passer des examens pendant trois jours et il a déclaré qu'il pouvait faire de moi un homme neuf. Apparemment, les toubibs de Bethesda avaient loupé mon myélogramme. Je ne veux pas en dire de mal, c'était d'excellents jeunes médecins, mais Stan est le meilleur du monde. Et il a tenu parole. Il m'a opéré sur-le-champ et, deux mois plus tard, j'étais presque complètement remis. Et voilà l'histoire du dos de Ryan. Le hasard a voulu que je tombe amoureux d'une jolie fille qui étudiait pour devenir chirurgien.

— Votre femme est indiscutablement une personne compétente, reconnut Owens.

— Mais vous l'avez trouvée autoritaire.

— Non, docteur Ryan. Dans l'état de tension où elle était, personne ne se serait montré sous son meilleur jour. Votre femme a également examiné Leurs Altesses Royales sur les lieux, et cela nous a été très utile. Elle a refusé de vous quitter avant que vous soyez entre des mains qualifiées et on ne peut guère le lui reprocher. Elle a bien trouvé nos procédures d'identification un peu longues, je crois, et elle s'inquiétait naturellement pour vous. Nous aurions peut-être pu aller plus vite...

— Vous n'avez pas à vous excuser, monsieur. Mon père était policier. Je sais ce que c'est. Je comprends que vous ayez eu du mal à nous identifier.

— Un peu plus de trois heures, c'était surtout un problème de fuseau horaire. Nous avons trouvé votre passeport et votre permis de conduire, avec votre photo, dans votre veste. Nous avons adressé notre première demande à l'attaché juridique de votre ambassade vers 17 heures, mais il était midi en Amérique. L'heure du déjeuner, voyez-vous et c'est pourquoi nous avons perdu près d'une heure. Il a téléphoné au bureau du FBI à Baltimore qui a appelé Annapolis. La procédure était relativement simple : on a cherché des types de votre académie navale qui savaient qui vous étiez, quand vous deviez venir ici et ainsi de suite. Un autre agent est allé à votre bureau d'immatriculation des véhicules. Simultanément il — l'attaché — présentait une demande à votre Marine Corps. Dans les trois heures, nous avons eu une biographie assez complète, ainsi que vos empreintes digitales.

— Trois heures, hein ?

Le dîner ici, le déjeuner chez nous, et ils ont fait tout ça en trois heures. Mince.

— Pendant ce temps-là, nous avons dû interroger plusieurs fois votre femme, pour nous assurer qu'elle avait raconté tout ce qu'elle avait vu...

— Et à chaque fois, elle vous a fait exactement le même récit, n'est-ce pas ?

— En effet, reconnut Owens, avec un sourire. C'est tout à fait remarquable, vous savez.

— Pas pour Cathy ! Dans certains domaines, la médecine surtout, c'est une vraie machine. Je suis surpris qu'elle ne vous ait pas remis un rouleau de pellicule.

— C'est ce qu'elle nous a elle-même dit. Les photos dans les journaux ont été prises par un touriste japonais — c'est un lieu commun, n'est-ce pas ? — à cinquante mètres de là avec un téléobjectif. Incidemment, ça vous intéressera peut-être de savoir que le Marine Corps a une très haute opinion de vous, dit Owens en consultant ses notes. Premier ex-aequo à Quantico et vos examens d'aptitude physique étaient excellents.

— Alors vous êtes sûrs, maintenant, que je suis du bon côté ?

— Nous en avons été convaincus dès le premier instant, affirma Taylor. Mais on doit être consciencieux dans ce genre d'affaires, et celle-ci était déjà assez compliquée.

— Il y a une chose qui me tracasse, dit Jack. Il y en avait plus d'une mais son cerveau marchait trop lentement pour les mettre en ordre.

— Quoi donc ?

— Qu'est-ce qu'elle faisait donc... la famille royale ? Oui, que diable faisait-elle dans la rue avec un seul garde du corps... Non, attendez une minute...

Tête penchée, Ryan se mit à parler lentement, comme s'il réfléchissait au fur et à mesure, essayait d'organiser ses pensées :

— Cette embuscade était préparée. Ce n'était pas une rencontre fortuite. Quelqu'un avait minuté tout ça. Il y avait d'autres personnes dans le coup, n'est-ce pas ?

Pendant un moment, le silence régna. Ce fut une réponse suffisante.

— Quelqu'un avec une radio... Ces individus devaient savoir qu'ils arrivaient, par où ils passaient, et à quel moment précis ils entreraient dans la zone ciblée. Même alors, ce n'était pas si facile, parce qu'il fallait s'inquiéter de la circulation...

— Simple historien, docteur Ryan ? murmura Ashley.

— On vous apprend à dresser des embuscades, dans les marines. Si vous voulez tendre un piège... d'abord, vous avez besoin de renseignements ; deuxièmement, vous choisissez votre terrain ; troisièmement vous déployez vos propres hommes pour avertir de l'arrivée de l'objectif. Et ça, ce n'est que le minimum de l'indispensable. Pourquoi ici, pourquoi St. James's Park, le Mall ?

Le terroriste est un animal politique. L'objectif et le lieu sont choisis pour leur effet politique, se dit Ryan.

— Vous n'avez pas répondu à ma question, tout à l'heure. Est-ce que c'était une tentative d'assassinat ou d'enlèvement ?

— Nous ne le savons pas très bien, répondit Owens.

Ryan examina ses visiteurs. Il venait de toucher un point sensible. *Ils ont immobilisé la voiture avec un lance-grenades anti-char et ils avaient, en plus, une grenade à main chacun. S'ils avaient simplement voulu tuer... Les grenades étaient capables de percer n'importe quelle carrosserie blindée, alors pourquoi les pistolets ? Non, si c'était une tentative d'assassinat, ils n'auraient pas traîné si longtemps. Vous venez de me mentir, monsieur Owens. C'était une tentative de rapt et vous le savez !*

— Pourquoi cet unique agent de la sécurité dans la voiture, alors ? Vous devez protéger vos gens mieux que ça !

Que disait Tony, déjà ? Une sortie inopinée ? La première exigence pour une embuscade réussie, c'est de bons renseignements... Ça ne peut pas continuer comme ça, Jack ! Owens résolut cette question pour lui :

— Eh bien, je crois que nous avons couvert à peu près tout. Nous reviendrons probablement demain.

— Comment vont les terroristes, celui que j'ai blessé, je veux dire ?

— Il n'est pas terriblement coopératif. Il refuse de nous parler, il ne veut même pas donner son nom, mais c'est une vieille histoire, avec ces gens-là. Il y a quelques heures seulement que nous l'avons identifié. Pas de casier judiciaire, il a été cité comme participant possible dans deux affaires mineures, mais rien de plus. Il se remet très bien et dans trois semaines environ, dit froidement Taylor, il comparaîtra en justice, devant un jury de douze honnêtes hommes, et sera condamné à passer le restant de ses jours dans une prison de haute sécurité.

— Trois semaines seulement ? demanda Ryan.

— L'affaire est claire, répondit Owens. Nous avons trois photos de notre ami japonais montrant ce garçon braquant un pistolet derrière la voiture, et neuf bons témoins oculaires. Il n'y aura pas à tergiverser avec ce gars-là.

— Et je serai là pour voir ça.

— Bien sûr. Vous serez notre témoin le plus important, docteur Ryan. Une formalité, mais nécessaire. Et pas question de plaider la folie comme le type qui a essayé de tuer votre président. Ce garçon est sorti de l'université avec mentions, il appartient à une bonne famille.

— C'est quand même inouï. Mais c'est souvent le cas, n'est-ce pas ?

— Vous connaissez bien le terrorisme ? demanda Ashley.

— Rien que ce que j'ai pu lire ici ou là, répliqua vivement Jack pour tenter de couvrir son lapsus. Votre agent Wilson m'a dit que l'ULA était maoiste.

— C'est exact.

— Ça, c'est vraiment fou. Enfin quoi, même les Chinois ne sont plus maoistes ! Du moins aux dernières nouvelles. Ah… Et ma famille ?

— Il est grand temps que vous demandiez de ses nouvelles, dit en riant Ashley. Nous ne pouvions pas les laisser à l'hôtel, voyez-vous. Des dispositions ont été prises pour les mettre dans un lieu très sûr.

— Vous n'avez pas à vous inquiéter, ajouta Owens. Elles sont toutes deux en parfaite sécurité. Vous avez ma parole.

— Où, exactement ? insista Ryan.

— Question de sécurité, excusez-nous, dit Ashley.

Les trois hommes échangèrent des regards amusés. Owens consulta sa montre et fit signe aux autres. Il arrêta le magnétophone.

— Eh bien, nous ne voulons pas vous déranger davantage, au lendemain de votre opération. Nous reviendrons probablement pour vérifier quelques détails. Pour le moment, monsieur, nous tous au Yard vous remercions d'avoir fait notre travail à notre place.

— Pendant combien de temps M. Wilson va-t-il rester avec moi ?

— Indéfiniment. L'ULA va sans doute vous en vouloir un peu. Et ce serait tout à fait embarrassant pour nous s'ils tentaient de vous assassiner et vous trouvaient sans protection. Nous ne croyons pas à cette probabilité mais on doit être prudent.

— Je le reconnais, avoua Ryan en se disant : *Je suis une sacrée cible, ici.*

— La presse veut vous voir, annonça Taylor.

— Quelle joie, quel bonheur ! Vous ne pouvez pas la détourner un peu ?

— Simple. Votre état de santé ne permet aucune visite pour le moment. Mais il faudra vous habituer à cette perspective. Vous êtes maintenant un personnage public.

— La barbe ! J'aime être obscur.

Alors tu aurais dû rester derrière cet arbre, crétin ! Regarde dans quoi tu t'es fourré !

— Vous ne pourrez pas refuser éternellement de recevoir les journalistes, vous savez, lui dit Taylor.

Jack poussa un long soupir.

— Vous avez raison, naturellement. Mais pas aujourd'hui.

— On ne peut pas toujours rester dans l'ombre, docteur Ryan, observa Ashley en se levant. Les autres l'imitèrent.

Les policiers et Ashley — Ryan pensait maintenant que c'était une espèce de barbouze, espionnage ou contre-espionnage — prirent congé. Wilson revint avec Kittiwake en remorque.

— Ils ne vous ont pas fatigué ? demanda l'infirmière.

— Je crois que je n'en mourrai pas.

Kittiwake lui fourra un thermomètre dans la bouche pour s'en assurer.

Quarante minutes après le départ de la police, Ryan tapait gaiement sur son ordinateur-jouet, en relisant ses notes et en ajoutant quelques commentaires. Un des reproches les plus fréquents que faisait Cathy Ryan à son mari (et à juste titre) c'était que lorsqu'il lisait — ou pis encore, écrivait — le monde pouvait s'écrouler autour de lui sans qu'il le remarque. Ce n'était pas tout à fait vrai. Jack remarqua bien que Wilson se dressait d'un bond et se mettait au garde-à-vous mais il ne leva pas les yeux avant d'avoir terminé son paragraphe. Il tourna alors la tête et s'aperçut que ses nouveaux visiteurs étaient Sa Majesté la reine du Royaume-Uni et son mari le duc d'Edinbourg. Sa première pensée cohérente fut un juron parce que personne ne l'avait averti. La seconde, qu'il devait avoir l'air vraiment ridicule avec sa bouche ouverte.

— Bonjour, monsieur Ryan, dit aimablement la reine. Comment vous sentez-vous ?

— Euh, très bien, merci, euh, Majesté. Vous ne voulez pas, euh... vous asseoir ?

Ryan essaya de se redresser dans son lit mais son mouvement fut arrêté par un élancement de douleur dans l'épaule. Cela l'aida à reprendre ses esprits et lui rappela que le moment de prendre ses calmants approchait.

— Nous ne souhaitons pas vous déranger, dit la reine, mais Ryan sentit qu'elle ne souhaitait pas non plus partir tout de suite.

Il lui fallut une seconde pour formuler sa réponse :

— Votre Majesté, la visite d'un chef d'Etat ne peut guère être qualifiée de dérangement. Je vous suis extrêmement reconnaissant de venir me tenir compagnie.

Wilson se hâta d'avancer deux chaises et s'esquiva discrètement.

La reine portait un ensemble rose pêche dont l'élégante simplicité avait dû sérieusement écorner son budget d'habillement. Le prince consort avait un costume bleu marine qui fit enfin comprendre à Ryan pourquoi Cathy tenait tant à ce qu'il profite de son séjour à Londres pour s'acheter des vêtements.

— En notre nom personnel et au nom de notre peuple, dit la reine, nous désirons vous exprimer notre plus profonde gratitude pour votre action d'hier. Nous vous devons beaucoup, monsieur Ryan.

Ryan hocha gravement la tête, en se demandant quelle mine il avait.

— Pour ma part, Majesté, je suis heureux d'avoir pu rendre service... mais à franchement parler, je n'ai pas fait grand-chose. N'importe qui aurait pu en faire autant. J'étais simplement le plus rapproché.

— Ce n'est pas ce que dit la police, intervint le duc. Et après avoir examiné les lieux moi-même, je suis d'accord avec elle. Vous êtes un héros, que cela vous plaise ou non.

Jack se souvint que ce prince avait été un officier de marine, de carrière, et probablement excellent. Il en avait l'allure.

— Pourquoi avez-vous fait cela, monsieur Ryan ? demanda la reine.

Elle examinait attentivement la figure de Ryan. Il hasarda une rapide conjecture :

— Excusez-moi, madame, mais est-ce que vous me demandez pourquoi j'ai pris ce risque ou pourquoi un Irlando-Américain l'a pris ?

Jack était encore en train d'ordonner ses pensées, d'examiner ses souvenirs, de se demander pourquoi il avait fait cela et s'il le saurait jamais. Il vit qu'il avait deviné juste.

— Votre Majesté, je ne peux pas porter de jugement sur votre problème irlandais. Je suis citoyen américain et mon pays a suffisamment de problèmes sans aller s'occuper de ceux des autres. Là-bas nous — c'est-à-dire les Irlando-Américains —, nous avons assez bien réussi. On nous trouve dans toutes les professions libérales, la politique, les affaires, mais l'Irlando-Américain type est policier ou pompier. La cavalerie qui a gagné l'Ouest était irlandaise au tiers et nous sommes encore nombreux sous l'uniforme, en particulier dans les marines. La moitié du bureau local du FBI vivait dans mon ancien quartier. Ils avaient des noms comme Tully, Sullivan, O'Connor ou Murphy. Mon père était officier de police et les prêtres et religieuses qui m'ont élevé devaient être irlandais aussi. Comprenez-vous ce que je veux dire, Majesté ? En Amérique, nous sommes les forces de l'ordre, la colle qui maintient la société, et que se passe-t-il ? Aujourd'hui, les Irlandais les plus célèbres du monde sont des fous qui déposent des bombes dans des voitures en stationnement ou des assassins. Je n'aime pas ça et je sais que mon père ne l'aurait pas aimé. Il a passé toute sa vie à enlever des rues ce genre d'animaux pour les mettre dans des cages. Nous avons travaillé dur pour arriver où nous sommes arrivés, trop dur pour être heureux d'être pris pour des parents de terroristes. Je suppose que les Italiens éprouvent la même chose, à l'égard de la Mafia. Je ne peux pas dire, bien sûr, que tout cela m'est passé par la tête hier, mais j'ai tout de même eu une idée assez juste de ce qui se déroulait. Je ne pouvais pas rester planté là comme une souche et laisser des meurtres se commettre sous mes yeux sans faire au moins quelque chose !

La reine hocha la tête d'un air réfléchi. Elle considéra Ryan avec un sourire chaleureux, amical, puis elle se tourna vers son mari. Tous deux communiquèrent en silence. Ils étaient mariés depuis assez longtemps pour cela, pensa Jack. Quand elle le regarda de nouveau, il comprit qu'une décision venait d'être prise.

— Eh bien, comment allons-nous vous récompenser ?

— Me récompenser, madame ? Non. Merci infiniment, Majesté, mais ce n'est pas nécessaire. Je suis heureux d'avoir pu rendre service. Cela suffit.

— Non, monsieur Ryan, cela ne suffit pas. Un des aspects les plus agréables de la royauté, c'est de pouvoir reconnaître une conduite méritoire et de la récompenser comme il convient. La Couronne ne peut se permettre d'être ingrate.

Ses yeux pétillaient, comme si elle était amusée par une plaisanterie secrète.

— En conséquence, nous avons décidé de vous investir chevalier commandeur dans l'ordre de Victoria.

— Que... euh... pardon, madame ? bafouilla Ryan en clignant les yeux plusieurs fois, tandis que son cerveau s'efforçait de réaliser ce qu'il venait d'entendre.

— L'ordre de Victoria a été récemment créé pour récompenser toute personne ayant rendu un service personnel à la Couronne. Vous êtes indiscutablement qualifié. C'est la première fois, depuis de nombreuses années, qu'un héritier du trône a été sauvé d'une mort presque certaine. Puisque vous êtes historien, cela vous intéressera peut-être d'apprendre que les nôtres sont en désaccord sur la date du précédent le plus récent... Mais quoi qu'il en soit, vous serez désormais Sir John Ryan.

Encore une fois, Jack se dit qu'il devait avoir l'air comique, avec sa bouche grande ouverte.

— Votre Majesté, la loi américaine...

— Nous savons. Le Premier ministre doit discuter de cela avec votre président, aujourd'hui même. Nous pensons qu'eu égard à la nature exceptionnelle de cette affaire, et dans l'intérêt des relations anglo-américaines, la question sera réglée à l'amiable.

— Il y a d'ailleurs assez de précédents, intervint le duc. Après la Seconde Guerre mondiale, bon nombre d'officiers américains ont reçu des distinctions similaires. Votre amiral Nimitz, par exemple, a été fait chevalier commandeur de l'ordre du Bain, ainsi que les généraux Eisenhower, Bradley, Patton et quelques autres. Pour la loi américaine, ce titre sera simplement honorifique, pour nous il sera bien réel.

Ryan ne savait vraiment que dire.

— Ma foi... Votre Majesté... du moment que cela n'entre pas en conflit avec les lois de mon pays, j'accepte et je... je suis très honoré...

La reine eut un sourire radieux.

— C'est donc convenu. Et maintenant, comment vous sentez-vous ? Réellement ?

— Je me suis senti plus mal. Je n'ai pas à me plaindre, Majesté. Je regrette simplement de n'avoir pas été un peu plus rapide.

Le duc sourit.

— Votre blessure vous fait paraître encore plus héroïque. Rien ne vaut un peu de drame.

Surtout quand c'est l'épaule de quelqu'un d'autre, milord duc, pensa Ryan, et aussitôt une petite sonnerie retentit dans sa tête.

— Excusez-moi, ce titre, est-ce que cela veut dire que ma femme sera appelée...

— ... Lady Ryan ? Naturellement, répondit la reine avec son sourire de jour de fête.

Jack rayonnait.

— Vous savez, quand j'ai quitté Merril Lynch, le père de ma femme était furieux comme... il était en colère contre moi, il a dit que je n'arriverais jamais à rien, en écrivant des livres d'histoire. Cela va peut-être le faire changer d'avis.

Il était sûr que le titre n'embarrasserait pas du tout Cathy. Lady Ryan. Non, elle ne serait absolument pas gênée.

— Ce n'est pas une mauvaise chose, alors ?

— Non, monseigneur, pardonnez-moi si j'ai donné cette impres-

50

sion. Mais j'ai été un peu pris par surprise... Puis-je me permettre de poser une question ?

— Certainement.

— La police n'a pas voulu me dire où elle garde ma famille.

Cela provoqua un éclat de rire. La reine répondit :

— La police songe à un risque de représailles contre votre famille. Il a donc été décidé d'installer votre femme et votre fille dans un lieu plus sûr que l'hôtel. Compte tenu des circonstances, nous avons conclu que le plus simple était de les loger au Palais. C'était bien le moins que nous puissions faire. Quand nous sommes partis, votre femme et votre fille dormaient profondément et nous avons laissé de strictes instructions afin qu'on ne les dérange pas.

— Au Palais ?

— Nous avons bien assez de chambres d'amis, je puis vous l'assurer.

— Mon Dieu ! murmura Ryan.

— Vous avez une objection ? demanda le duc.

— Ma petite fille, elle...

— Olivia ? interrompit la reine d'un air étonné. C'est une adorable enfant. Quand nous l'avons vue hier soir, elle dormait comme un ange.

— Sally (Olivia était une offrande de paix à la famille de Cathy, le prénom de sa grand-mère, mais il n'avait pas tenu), Sally est un petit ange, quand elle dort, mais dès qu'elle se réveille c'est plutôt une petite tornade et elle s'y entend à casser les objets, précieux de préférence.

— Quelle horreur de dire des choses pareilles ! s'exclama la reine en feignant d'être choquée. Cette si mignonne petite fille ! La police me dit qu'elle a brisé tous les cœurs à Scotland Yard, hier soir. Vous exagérez sûrement, sir John.

— Oui, madame.

On ne pouvait pas contredire une reine.

3

Fleurs et familles

Wilson s'était trompé. La fuite avait été bien plus longue qu'on ne l'avait estimé au Yard. A près de mille kilomètres, un appareil de la Sabena atterrissait à Cork. Le passager de la place 23-D du Boeing 737 était tout à fait anonyme : cheveux châtain clair coupés moyennement courts, costume de ville de cadre moyen donnant l'impression — juste — d'un homme qui, après une longue journée de travail, avait insuffisamment dormi avant de prendre l'avion pour rentrer chez lui. Un voyageur expérimenté, certainement, avec un seul bagage de cabine. Si on le lui avait demandé, il aurait pu faire un exposé convaincant, avec l'accent du sud-ouest irlandais, sur le commerce du poisson en gros. Il changeait d'accent aussi facilement que de chemise, un talent utile depuis que les journaux télévisés avaient rendu célèbre dans le monde entier l'accent de son Belfast natal. Il lisait le *London Times* pendant le vol et le sujet de conversation dans sa rangée, ainsi que dans le reste de l'appareil, était l'histoire qui occupait la première page.

— Oui, c'est terrible, avait-il dit, d'accord avec son voisin du 23-E, un Belge, négociant en machines-outils qui ne savait sûrement pas qu'un événement pouvait être terrible de plus d'une façon.

Tous ces mois de préparation, de renseignements laborieusement rassemblés, les répétitions organisées sous le nez des British, les trois voies d'évasion, les hommes avec les radios, et tout cela pour rien à cause de ce fichu intrus. Il examina la photo en première page.

Qui es-tu, Yankee ? se demanda-t-il. *John Patrick Ryan. Historien. Un foutu universitaire ! Ex-marine. On pouvait faire confiance à un sacré bidasse pour fourrer son nez dans ce qui ne le regardait pas ! John Patrick Ryan, un sacré catholique, hein ? Eh bien, Johnny a bien failli te faire la peau... Pauvre Johnny ! Un type de valeur, on pouvait compter sur lui, il adorait ses armes, il était fidèle à la Cause.*

L'avion s'arrêta enfin de rouler. A l'avant, l'hôtesse ouvrit la porte et les passagers se levèrent pour prendre leurs bagages dans les compartiments au-dessus des sièges. Il prit le sien et suivit la foule vers la sortie. Il s'efforçait d'être philosophe. Au cours de ses années de « joueur », il avait vu des opérations aller de travers pour les raisons les plus ridicules. Mais celle-ci était trop importante. Tant de préparation ! Il secoua la tête, en glissant le journal sous son bras. *Nous devrons recommencer, c'est tout. Nous pouvons nous permettre d'être patients.* Un échec, se dit-il, n'avait pas grande importance dans l'ordre général des choses. Ce coup-ci, l'autre camp avait eu de la chance. *Il nous suffit d'en avoir une seule fois à notre tour.*

Et Sean ? Une erreur de l'avoir emmené. Il avait aidé à projeter l'opération, depuis le début. Sean en savait long sur l'Organisation. Mais non, Sean ne parlerait jamais. Pas lui, avec sa fiancée dans la tombe depuis cinq ans, victime de la balle perdue d'un para.

On ne l'attendait pas, naturellement. Les autres participants à l'opération étaient déjà rentrés, leur matériel abandonné dans des poubelles, les empreintes bien essuyées. Lui seul risquait la dénonciation mais il était sûr que ce Ryan n'avait pas bien vu sa figure. Il y réfléchit encore, pour être sûr. Non. L'expression de surprise, de douleur... Non. L'Américain n'avait pas pu le voir. S'il avait vu, il y aurait un portrait robot dans la presse, bien complet avec la perruque hirsute et les fausses lunettes.

Il sortit de l'aérogare dans le parking, son sac de voyage à l'épaule, en cherchant dans sa poche les clefs qui avaient déclenché le détecteur de métal à Bruxelles... quel rire ! Il sourit pour la première fois de la journée. Il faisait un temps clair, ensoleillé, encore un bel automne irlandais. Il conduisait sa BMW — un homme avec une couverture commerciale devait avoir un déguisement complet, après tout — vers sa planque. Il imaginait déjà deux autres opérations. Toutes deux prendraient beaucoup de temps mais le temps, c'était une des choses qu'il avait en quantité illimitée.

Il était assez facile de savoir quand le moment approchait pour une nouvelle administration de calmants. Inconsciemment, Ryan essaya de remuer la main gauche à l'extrémité de son plâtre. Cela n'atténua pas la douleur mais il lui sembla que la main bougeait bien, que les muscles et les tendons réagissaient légèrement. Jack se rappela toutes ces émissions de télévision où le héros, un détective ou autre, prenait une balle dans l'épaule mais se remettait tout à fait avec le message publicitaire suivant. L'épaule humaine — la sienne au moins — était une solide collection d'os que les balles — une balle dans son cas — fracturaient trop facilement. Alors que l'heure des nouveaux calmants approchait, il avait l'impression de sentir les bords déchiquetés de chaque os grincer contre les voisins, quand il respirait, et même le tapotement prudent des doigts de sa main droite sur le clavier paraissait se répercuter dans tout son corps vers le point sensible, ce qui le forçait à s'arrêter pour regarder la pendule ; pour la première fois, il souhaitait voir apparaître Kittiwake avec sa prochaine provision de béatitude chimique.

Jusqu'à ce que lui revienne sa peur. La douleur de sa blessure dans le dos avait fait de sa première semaine à Bethesda un enfer. Sa blessure actuelle n'était rien, à côté. Mais la souffrance s'oublie. Les médicaments contre la douleur l'avaient rendue alors presque tolérable... à cette différence que les médecins avaient été un peu trop généreux dans leur dosage. Et plus que la souffrance, Ryan redoutait maintenant le manque de morphine. Il avait duré une semaine, ce manque qui entraînait son corps dans un vide immense. Ryan secoua la tête. La douleur remonta tout le long de son bras gauche jusque dans son épaule et il se força à l'accueillir avec joie. *Je ne vais pas repasser par là. Plus jamais !*

La porte s'ouvrit. Ce n'était pas Kittiwake, il restait encore quatorze minutes d'attente avant la prochaine visite. Un agent en tenue d'une trentaine d'années arrivait avec une corbeille de fleurs, suivi d'un autre pareillement chargé. Un ruban rouge et or garnissait la première, un présent du Marine Corps ; l'autre venait de l'ambassade américaine.

— Il y en a beaucoup d'autres, annonça l'agent.

— La chambre n'est pas tellement grande. Vous ne pouvez pas me donner simplement les cartes et distribuer un peu les fleurs ? Il y a certainement des personnes ici à qui elles plairaient.

Et qui a envie de vivre dans une jungle ? En dix minutes, Ryan se trouva submergé de cartes, de lettres, de télégrammes. Il s'aperçut que la lecture des autres valait mieux que celle de ses notes pour oublier la douleur de son épaule.

Enfin, Kittiwake arriva. Elle jeta un coup d'œil aux fleurs avant d'administrer les remèdes et sortit rapidement, sans avoir rien dit. Ryan comprit pourquoi cinq minutes plus tard.

Le visiteur suivant était le prince de Galles. Wilson se leva d'un bond et se remit au garde-à-vous. Jack se demanda si les genoux de ce jeune homme n'étaient pas fatigués de cette gymnastique. Les calmants faisaient déjà leur effet. Mais la douleur était remplacée par une curieuse sensation de vertige, comme après deux whiskies bien tassés. Ce fut peut-être une des raisons de ce qui se passa ensuite.

— Salut, dit Jack en souriant. Comment ça va, monseigneur ?

— Très bien, merci.

Le sourire qui lui répondit manquait d'enthousiasme. Le prince paraissait très fatigué, il avait une figure plus longue que d'habitude et des yeux tristes. Ses épaules se voûtaient sous le sobre costume gris.

— Asseyez-vous donc, proposa Ryan. Vous avez l'air d'avoir passé une plus mauvaise nuit que moi.

— Oui, merci... Et comment vous sentez-vous ?

— Assez bien, Votre Altesse. Comment va votre femme... Excusez-moi, comment va la princesse ?

Le prince trouvait difficilement ses mots et il avait du mal à lever les yeux vers Ryan, de sa chaise.

— Nous regrettons tous deux qu'elle n'ait pas pu m'accompagner. Elle est encore quelque peu bouleversée, en état de choc, je crois. Elle a subi une... très pénible épreuve.

Des matières cérébrales éclaboussées à quelques centimètres de sa figure. Oui, on pouvait certainement appeler cela une pénible épreuve.

— J'ai vu. On me dit que vous n'avez été physiquement blessés ni l'un ni l'autre. Votre bébé non plus, j'espère ?

— Non, tout cela grâce à vous, monsieur Ryan.

— De rien, heureux d'avoir pu rendre service. J'aurais quand même préféré ne pas me faire blesser dans l'affaire.

La tentative de plaisanterie mourut sur les lèvres de Ryan. Il avait dit ce qu'il ne fallait pas, et d'une mauvaise façon. Le prince le considéra un moment avec curiosité et puis ses yeux redevinrent ternes.

— Nous aurions tous été tués, sans vous, vous savez et... au nom de ma famille et de moi-même... eh bien, merci. C'est peu de chose mais... mais je ne trouve rien d'autre à vous dire. D'ailleurs, je n'ai pas été capable de faire grand-chose hier non plus, conclut Son Altesse en regardant fixement le pied du lit.

Aha ! pensa Ryan alors que le prince se levait et s'apprêtait à partir. *Qu'est-ce que je fais maintenant ?*

— Monseigneur, rasseyez-vous donc et parlons de ça une fois pour toutes, d'accord ?

Son Altesse se retourna. Le prince eut l'air un instant de vouloir répondre, mais son expression de lassitude changea encore et il se détourna.

— Votre Altesse, je crois vraiment.

Aucun effet. *Je ne peux pas le laisser partir comme ça. Ma foi, si les bonnes manières ne réussissent pas...* Jack éleva la voix :

— Un instant ! Asseyez-vous, bon Dieu !

Le prince tourna la tête, d'un air extrêmement surpris. Ryan lui désigna la chaise. *J'ai au moins son attention, à présent. Je me demande s'ils peuvent reprendre un titre...*

Son Altesse avait légèrement rougi. La couleur apportait à sa figure la vie qui lui manquait. Il hésita un instant puis s'assit, de mauvais gré mais avec résignation.

— Voilà, dit Ryan avec force. Je crois savoir ce qui vous ronge. Vous vous en voulez parce que vous n'avez pas fait un numéro de John Wayne, hier, et vous n'avez pas réduit vous-même ces tueurs à merci, c'est ça ?

Le prince ne répondit pas, ne hocha même pas la tête, mais ses yeux tristes répondirent assez à la question.

— Ah, merde ! cria Ryan et, dans son coin, Tony Wilson blêmit ; Jack le comprit. Vous devriez avoir plus de bon sens... Altesse. Vous êtes passé par toutes ces écoles militaires, n'est-ce pas ? Vous avez votre brevet de pilote, vous avez sauté en parachute, vous avez même commandé votre propre bâtiment, oui ?

Un hochement de tête. *Temps de mettre toute la gomme.*

— Alors vous n'avez pas d'excuse, vous devriez avoir assez de bon sens pour ne pas vous faire ces idées-là. Vous n'êtes pas vraiment stupide, n'est-ce pas ?

— Que voulez-vous dire, au juste ?

Un soupçon de colère, pensa Ryan. *Bonne chose.*

— Examinons la situation tactique d'hier. Vous étiez prisonnier dans une voiture arrêtée, avec deux ou trois mauvais types dehors équipés d'armes automatiques. La voiture est blindée mais vous êtes coincé. Qu'est-ce que vous pouvez faire ? Un. Vous pouvez rester figé, ne pas bouger et mouiller votre froc. Enfin quoi, c'est ce que feraient les gens normaux, pris par surprise de cette façon. C'est probablement la réaction normale. Mais vous n'avez pas fait ça. Deux. Vous pouvez essayer de sortir de la voiture et de faire quelque chose. D'accord ?

— Oui, j'aurais dû.

— Faux ! s'écria Ryan. Excusez-moi, monseigneur, mais ce n'est pas la bonne idée. Le type que j'ai plaqué au sol attendait précisément cela. Il vous aurait collé une balle de neuf millimètres dans la tête avant même que vous posiez le pied par terre. Vous me paraissez en assez bonne forme. Vous êtes probablement assez rapide mais personne n'a

56

encore jamais été capable de courir plus vite qu'une balle. Ce choix vous aurait fait tuer ainsi que le reste de votre famille. Trois. Votre dernière possibilité : patienter et prier le ciel que la cavalerie arrive à temps. Vous savez que vous êtes près de chez vous. Vous savez qu'il y a des flics et des soldats dans le coin. Alors vous avez le temps pour vous si vous arrivez à survivre deux minutes. En attendant, vous vous efforcez de protéger votre famille de votre mieux. Vous les faites coucher sur le plancher de la voiture et vous les recouvrez de votre corps pour que le seul moyen qu'aient les terroristes de les atteindre, ce soit de vous passer d'abord à travers le corps. Et ça, c'est ce que vous avez fait.

Ryan prit un temps pour permettre au prince d'absorber tout cela.

— Vous avez fait *exactement* ce qu'il fallait, bon Dieu ! répéta Ryan en se penchant vers le prince jusqu'à ce que son épaule le rappelle à l'ordre et lui arrache un cri, en maudissant les calmants. Dieu de Dieu, ça fait mal. Ecoutez, Altesse, vous étiez pris au piège, à découvert. Mais vous vous êtes bien servi de votre tête et vous avez opté pour le meilleur. Vous ne pouviez pas faire mieux, à ce que j'ai vu, alors vous n'avez aucune raison, aucune, de vous en vouloir. Et si vous ne me croyez pas, demandez à Wilson. C'est un flic.

Le prince tourna la tête et l'agent de la brigade anti-terroristes s'éclaircit la gorge.

— Je demande pardon à Votre Altesse, mais M. Ryan a raison. Nous parlions de ça, de ce problème, hier, et nous avons abouti à la même conclusion, exactement.

Ryan se tourna vers lui.

— Pendant combien de temps avez-vous discuté de tout ça, Tony ?

— Une dizaine de minutes.

— Ça fait six cents secondes ! Mais vous avez dû penser et agir en... combien, Votre Altesse ? Cinq secondes ? Trois, peut-être ? Pas beaucoup de temps pour prendre une décision de vie ou de mort, hein ? Je dis que vous avez été rudement épatant. Tout votre entraînement a payé. Et bien payé. Et si vous jugiez le comportement de quelqu'un d'autre, au lieu du vôtre, vous diriez la même chose, tout comme l'ont fait Tony et ses copains.

— Mais la presse...

— Ah, au diable la presse ! répliqua Ryan en se demandant s'il n'était pas allé trop loin. Qu'est-ce qu'ils savent, les journalistes ? Ils ne font rien, bon Dieu, ils ne font que raconter ce que d'autres font. Vous savez piloter un avion, sauter d'un avion, voler me fait une peur bleue et je ne veux même pas penser à un saut en parachute. Vous avez commandé un navire. En plus de ça, vous montez à cheval et vous faites tout pour vous rompre le cou et maintenant, finalement, vous êtes un père, vous avez un bébé. Est-ce que ça ne suffit pas pour prouver au monde que vous êtes un homme, un vrai ? Vous n'êtes pas un gosse, Altesse ! Vous êtes un pro bien entraîné. Alors commencez à vous conduire en pro.

Jack voyait le prince ruminer ce qu'il venait d'entendre. Il se tenait un peu plus droit. Le sourire qui commençait à se former était austère mais au moins il ne manquait pas totalement de conviction.

— Je n'ai pas l'habitude qu'on me parle sur ce ton.

— Alors coupez-moi la tête ! répliqua Ryan en riant. Il me fallait attirer votre attention. Je ne vais pas vous présenter d'excuses, monseigneur. Je vous conseille plutôt d'aller vous regarder dans la glace, là. Je parie que le type que vous verrez a meilleure mine que celui qui s'est rasé ce matin.

— Vous croyez réellement à tout ce que vous avez dit ?

— Naturellement. Il vous suffit de regarder la situation de l'extérieur, Altesse. Le problème que vous aviez hier était plus dur que n'importe quel exercice que j'ai eu à affronter à Quantico, mais vous avez tenu le coup.

— Tout de même, sans vous nous ne serions peut-être pas là.

— Je ne pouvais pas rester les bras croisés et regarder des gens se faire assassiner. Si la situation avait été inversée, je parie que vous auriez fait la même chose que moi.

Son Altesse s'étonna.

— Vous le pensez vraiment ?

— Vous plaisantez ? Quand on est capable de sauter d'un avion en vol, on est capable de n'importe quoi.

Le prince se leva et alla se regarder dans la glace. Ce qu'il y vit lui plut, manifestement.

— Eh bien, murmura-t-il, puis il se retourna pour exprimer un dernier doute de soi : et si vous aviez été à ma place ?

— J'aurais probablement mouillé mon pantalon. Mais vous avez un avantage sur moi, prince. Vous avez réfléchi à ce problème depuis pas mal d'années, n'est-ce pas ? Vous avez dû grandir avec...

— Oui, en effet.

— D'accord, alors vous aviez déjà vos opinions en tête. On vous a pris par surprise, c'est sûr, mais l'entraînement perce toujours. Vous avez été très bien. Franchement. Rasseyez-vous et Tony nous servira peut-être du café.

Wilson obéit, mais il était visiblement mal à l'aise de se trouver si près de l'héritier de la Couronne. Le prince de Galles goûta son café et Ryan alluma une des cigarettes de Wilson. Son Altesse fronça le sourcil.

— Ce n'est pas bon pour vous, vous savez.

Ryan ne fit qu'en rire.

— Votre Altesse, depuis mon arrivée dans ce pays, j'ai failli être écrasé par un de vos autobus à un étage. J'ai failli avoir la tête emportée par un foutu maoïste et j'ai failli me faire embrocher par un de vos habits-rouges. Ça, dit-il en brandissant la cigarette, c'est ce que je fais de moins dangereux depuis que je suis ici ! Vous parlez de vacances !

— Oui, bien sûr, reconnut le prince. Et bravo pour le sens de l'humour, docteur Ryan.

— Le valium, ou quoi qu'on me donne, doit aider. Et je m'appelle Jack.

Il tendit la main et le prince la serra.

— J'ai pu faire la connaissance de votre femme et de votre fille, hier... vous étiez inconscient. Il paraît que votre femme est un excellent médecin. Votre petite fille est merveilleuse.

— Merci. Ça vous plaît d'être papa ?

— La première fois qu'on tient dans ses bras son enfant nouveau-né...

— Ouais. Tout est là...

Jack se tut brusquement.

Bingo, pensa-t-il. *Un bébé de quatre mois. S'ils enlèvent le prince et la princesse, eh bien, aucun gouvernement ne peut céder au terrorisme. Les hommes politiques et la police doivent forcément avoir un plan conjoncturel déjà préparé pour ça, n'est-ce pas ? Ils démoliraient cette ville brique par brique mais ils ne négocieraient pas, ils ne pourraient jamais négocier et tant pis pour les adultes... mais un petit bébé. Merde, ça c'est une monnaie d'échange ! Quelle espèce de salauds iraient...*

— Les salauds, murmura-t-il pour lui seul.

Wilson pâlit mais le prince devina à quoi Jack pensait.

— Pardon ?

— Ils ne cherchaient pas à vous tuer. Je parie que vous n'étiez même pas le véritable objectif...

Ryan hocha lentement la tête. Il fouilla sa mémoire pour retrouver ce qu'il avait lu sur l'ULA. Pas grand-chose — d'ailleurs ce n'était pas son domaine — mais quelques bribes de rapports secrets, assez fumeux, et beaucoup de conjectures.

— Ils ne voulaient pas du tout vous tuer, je parie. Et quand vous avez couvert votre femme et votre bébé, vous avez grillé leur plan... peut-être, ou simplement... oui, vous leur avez jeté un pavé dans la mare qui les a un peu perturbés...

— Que voulez-vous dire ?

— Ces foutus calmants alourdissent le cerveau, marmonna Ryan. Est-ce que la police vous a dit ce que cherchaient les terroristes ?

Son Altesse se redressa sur sa chaise.

— Je ne peux pas...

— Pas la peine. Est-ce qu'on vous a dit que ce que vous avez fait vous a nettement — indiscutablement — sauvés tous les trois ?

— Non, mais...

— Tony ?

— On m'a dit que vous étiez un type très malin, Jack, dit Wilson. Je crains de ne pouvoir faire de commentaires, Votre Altesse Royale, mais il se peut que M. Ryan ait raison, dans son évaluation.

— Quelle évaluation ? demanda le prince perplexe.

Ryan s'expliqua. Il lui suffit de quelques minutes.

— Comment en êtes-vous venu à cette conclusion, Jack ?

— Je suis historien, monseigneur. Mon travail consiste à déduire des choses. Ce n'est pas si difficile, quand on y pense. On cherche les anomalies apparentes et puis on essaie de voir en quoi ce sont vraiment des anomalies. Ce n'est que spéculation de ma part, mais je suis prêt à parier que les collègues de Tony enquêtent dans ce sens.

Wilson ne dit rien. Il s'éclaircit la gorge, ce qui était une réponse suffisante. Le prince contempla le fond de sa tasse à café. Sa figure était celle d'un homme qui s'est remis de la peur et de la honte. Maintenant, il envisageait avec une rage froide ce qui aurait pu être.

— Eh bien, ils ont raté l'occasion, n'est-ce pas ?

— Certainement. J'imagine que si jamais ils essaient encore, ce sera beaucoup plus dur. D'accord, Tony ?

— Je doute sérieusement qu'ils tentent de recommencer. Nous devrions tirer d'assez bons renseignements de cette tentative. Et l'ULA a franchi une limite. Politiquement, la réussite aurait pu consolider leur position, mais ils n'ont pas réussi. Ça va leur faire du tort, saper leur soutien « populaire ». Des gens qui les connaissent vont songer à parler, pas à nous, bien sûr, mais une partie de ce qu'ils diront arrivera à nos oreilles. C'étaient déjà des marginaux méprisés, ils le seront encore plus.

Est-ce qu'ils en tireront une leçon ? se demanda Ryan. *Et si oui, qu'auront-ils appris ?* Voilà la question. Jack savait qu'il n'y avait que deux réponses possibles et qu'elles étaient diamétralement opposées. Il prit note à part lui de suivre cela de près, une fois rentré aux Etats-Unis. Ce n'était plus un simple exercice intellectuel. Il avait reçu une balle dans l'épaule pour le prouver.

Le prince se leva.

— Vous devez m'excuser, Jack. J'ai peur d'avoir une assez longue journée devant moi.

— Vous allez ressortir ?

— Si je me cache, ils auront gagné. Je le comprends mieux maintenant que lorsque je suis arrivé. Et j'ai une nouvelle raison de vous remercier.

— Vous auriez fini par comprendre tout seul, tôt ou tard. Il vaut mieux que ce soit plus tôt que plus tard, c'est tout.

— Nous devrons nous voir souvent.

— Cela me ferait plaisir, Altesse. Mais je vais être coincé ici un moment.

— Nous allons bientôt partir en voyage, après-demain. Une visite officielle en Nouvelle-Zélande et aux îles Salomon. Vous ne serez peut-être plus là à notre retour.

— Est-ce que votre femme en aura la force, Votre Altesse ?

— Je le crois. Un changement de paysage, d'après le médecin, c'est exactement ce qu'il lui faut. Elle a subi une terrible épreuve hier mais… je crois que c'était plus dur pour moi que pour elle.

Je veux bien le croire, pensa Ryan. *Elle est jeune, elle a du ressort et au moins il y a une chose qu'elle n'oubliera pas : avoir mis son corps entre sa famille et des balles, il n'y a rien de tel pour resserrer des liens.*

— Et elle est absolument sûre que vous l'aimez, monseigneur.

— C'est vrai, vous savez, dit sérieusement le prince.

— C'est la raison usuelle pour se marier, Altesse, même pour les gens du peuple comme nous.

— Vous êtes terriblement irrévérencieux, Jack.

— Désolé.

Ryan pouffa et le prince rit aussi.

— Non, vous ne l'êtes pas, dit Son Altesse en tendant la main. Merci, sir John, pour beaucoup de choses.

Ryan le regarda partir, le pas léger et le dos très droit.

— Tony, vous savez quelle est la différence entre lui et moi ? Je peux dire que j'étais dans les marines et ça suffit. Mais lui doit le prouver tous les foutus jours que Dieu fait, à tout le monde. Jamais pour tout l'or de ce monde et de l'enfer, je n'en ferais autant.

— Il est né pour ça, dit Wilson avec simplicité.

Ryan réfléchit un instant.

— Voilà la différence entre votre pays et le mien. Vous pensez que les gens sont nés pour quelque chose. Nous savons qu'ils doivent y arriver. Ce n'est pas pareil, Tony.

— Je crois que je dois y aller.

David Ashley contempla le télex qu'il avait à la main. Le plus troublant, c'était qu'on l'appelait par son nom. La PIRA savait qui il était, savait qu'il était le responsable du Security Service chargé de l'affaire. Comment diable l'avaient-ils appris ?

— Je suis d'accord, répondit James Owens. S'ils ont tellement envie de nous parler, c'est qu'ils veulent probablement nous dire quelque chose d'utile. Naturellement, il y a un risque. Vous pourriez vous faire accompagner.

Ashley réfléchit. Il y avait toujours le risque d'être enlevé mais... Le plus curieux, chez la PIRA, c'était qu'ils respectaient une espèce de code d'honneur. Ils assassinaient sans remords, mais ne trafiqueraient jamais de la drogue par exemple. Leurs bombes tuaient des enfants mais jamais ils n'en avaient enlevé aucun. Ashley secoua la tête.

— Non, des gens du Service ont déjà eu des entrevues avec eux et il n'y a jamais eu de problème. J'irai seul.

— Papa !

Sally se précipita dans la chambre et s'arrêta net à côté du lit, en cherchant comment grimper pour embrasser son père. Elle saisit les barreaux latéraux et posa un pied sur le cadre du matelas comme si c'était le petit portique de son jardin d'enfants et sauta. Son minuscule torse se plaqua sur le bord du lit alors qu'elle cherchait un nouveau point d'appui et Ryan la hissa.

— Bonjour, papa ! s'écria-t-elle en lui plaquant un baiser sur la joue.

— Comment vas-tu, aujourd'hui ?

— Très bien. Qu'est-ce que c'est ça, papa ?

— Ça s'appelle un plâtre, répondit Cathy Ryan. Je croyais que tu devais aller au petit coin ?

— O.K.

Sally sauta du lit et Jack montra une porte.

— Je crois que c'est là, mais je n'en suis pas sûr.

Il vit qu'un homme était entré, derrière sa famille. Vingt-huit à trente ans, très musclé, parfaitement habillé et plutôt beau garçon.

— Bonjour, monsieur Ryan. Je suis William Greville.

Jack hasarda une supposition :

— Quel régiment ?

— Le vingt-deuxième, monsieur.

— Special Air Service ?

Greville hocha la tête, avec un sourire de fierté mal contenu.

— On envoie les meilleurs, murmura Jack à part lui. Rien que vous ?

— Et un chauffeur, le sergent Michaelson, un policier du Groupe de protection diplomatique.

— Pourquoi vous, et pas simplement un autre flic ?

— Il paraît que votre femme désire visiter un peu la campagne. Mon père fait quelque peu autorité, sur divers châteaux, et Sa Majesté a pensé que votre femme serait heureuse d'avoir… euh… une escorte connaissant les sites touristiques. Mon père m'a traîné dans à peu près toutes les vieilles demeures d'Angleterre, je dois dire.

Escorte était bien le mot juste, pensa Ryan en se souvenant de ce qu'était en réalité le Special Air Service. Le seul rapport que ce corps avait avec les avions, c'était pour en sauter… ou les faire sauter.

— Mon colonel m'a également prié, poursuivit Greville, de vous inviter au mess de notre régiment.

Ryan indiqua son bras suspendu.

— Merci, mais il faudra que cela attende un peu.

— Nous comprenons. Aucune importance, monsieur. Dès que vous le pourrez, nous serons enchantés de vous avoir à dîner. Nous voulions devancer l'invitation des marines, vous comprenez ? Ce que vous avez fait était plutôt de notre ressort, après tout. Enfin voilà, je vous ai invité, j'ai fait mon devoir. C'est votre famille que vous voulez voir, pas moi.

— Prenez bien soin d'elles…, lieutenant ?

— Capitaine. Nous n'y manquerons pas, monsieur.

Ryan suivit des yeux le jeune officier alors que Cathy et Sally sortaient de la salle de bains.

— Qu'est-ce que tu penses de lui ? demanda Cathy.

— Son papa est un comte, papa ! annonça Sally. Il est gentil.

— Comment ?

— Son père est le vicomte de je ne sais quoi, expliqua Cathy. Tu as bien meilleure mine.

— Toi aussi, bébé.

Jack étira le cou pour aller au-devant du baiser de sa femme.

— Tu as fumé, Jack !

Déjà avant leur mariage, elle lui avait mené la vie dure pour qu'il s'arrête. Son fichu flair ! pensa-t-il.

— Sois gentille, j'ai eu une dure journée.

— Lavette ! laissa-t-elle tomber avec mépris.

Ryan leva les yeux au plafond. *Pour le monde entier, je suis un héros mais je fume une cigarette ou deux et pour Cathy je suis une lavette !* Il en conclut que la justice ne régnait pas précisément dans le monde.

— Laisse-moi vivre, bébé.

— Où est-ce que tu les as eues ?

— J'ai un flic comme baby-sitter, avec moi. Il a dû aller je ne sais où, il y a quelques minutes.

Cathy chercha des yeux le paquet de cigarettes offensant pour l'écraser. Jack l'avait caché sous son oreiller. Sa femme s'assit enfin et Sally grimpa sur ses genoux.

— Comment te sens-tu ?

— Je sais que c'est là, mais je peux vivre avec. Comment est-ce que tu t'es débrouillée, hier soir ?

— Tu sais où nous sommes logées, à présent ?

— On me l'a dit.

— Je me fais l'effet de Cendrillon !

Jack agita un peu les doigts de sa main gauche.

— Et moi je suis transformé en citrouille, je suppose. Alors tu vas faire les excursions que nous avions prévues ? C'est bien, ça.

— Tu es sûr que ça ne te fait rien ?

— La moitié de la raison de ces vacances, c'était de te faire sortir des hôpitaux, Cathy. Et ce serait ridicule de ramener de la pellicule vierge chez nous.

— Ce sera bien moins amusant sans toi.

Jack le reconnut. Il s'était fait une joie de voir tous ces châteaux. Comme beaucoup d'Américains, il n'aurait jamais supporté le système de classes anglais mais cela ne l'empêchait pas d'être fasciné par le décor. Il se dit que son titre allait peut-être modifier son point de vue, s'il se permettait d'y penser.

— Il faut voir le bon côté, bébé. Tu auras un guide pour te dire tout ce que tu as toujours voulu savoir sur le château de Lord Jones de je ne sais quoi. Et tu auras tout ton temps.

— Oui, la police dit que nous allons rester bien plus longtemps que nous ne l'avions prévu. Il faudra que j'en parle au professeur Lewindowski. Mais ils comprendront.

— Qu'est-ce que tu penses de ton nouveau logement ? C'est mieux que l'hôtel ?

— Il te faudrait le voir pour le croire... non, il faudra que tu le vives ! s'exclama-t-elle en riant. Je crois que l'hospitalité est le sport national, ici. On doit l'enseigner dans les écoles, et faire passer des examens. Devine avec qui nous dînons ce soir ?

— Je n'ai pas besoin de deviner.

— Ils sont adorables, Jack !

— J'ai remarqué. Il me semble que tu as vraiment droit au traitement VIP.

— Qu'est-ce que c'est que le Special Air Service ? Il est pilote, ou quoi ?

— Quelque chose comme ça, éluda Jack, pensant que Cathy serait peut-être mal à l'aise assise à côté d'un homme armé d'un pistolet, et entraîné à s'en servir. Tu ne me demandes pas comment je vais ?

— J'ai lu ta feuille, en entrant.

— Et alors ?

— Tu vas bien, Jack. Je vois que tu peux remuer les doigts. Je me faisais du souci pour ça.

— Pourquoi ?

— Le plexus brachial... C'est un groupe de nerfs dans l'épaule. La balle l'a heureusement manqué d'environ trois centimètres. A voir comment tu saignais, j'ai pensé que l'artère brachiale était sectionnée et elle passe juste à côté des nerfs. Ç'aurait mis ton bras définitivement en panne. Mais tu as eu de la chance. Rien que des fractures osseuses. Ça fait mal mais ça se recolle.

Les médecins sont d'une merveilleuse objectivité, pensa Ryan, *même ceux qu'on épouse. Dans une seconde, elle va me dire que la douleur est bonne pour moi.*

— Ce qu'il y a de bien, avec la douleur, reprit Cathy, c'est que ça te dit que les nerfs fonctionnent.

Jack ferma les yeux et secoua la tête. Il les ouvrit en sentant Cathy lui prendre la main.

— Je suis fière de toi, Jack.

— Ça fait plaisir d'être la femme d'un héros ?

— Tu as toujours été un héros, pour moi.

— Vraiment ?

Jamais elle ne le lui avait dit. Qu'est-ce qu'un historien a d'héroïque ? Cathy n'était pas au courant de son autre activité mais de toute façon ce n'était pas particulièrement héroïque.

— Depuis que tu as dit à papa d'aller se... enfin, tu sais. Et puis d'abord, je t'aime, tu n'as pas oublié ?

— Il me semble que tu as su me le rappeler, l'autre soir.

Cathy fit une grimace.

— Mieux vaut ne pas penser à ça pour le moment.

— Je sais, répliqua-t-il en grimaçant aussi. Le patient doit conserver son énergie. Où est passée cette théorie qui veut qu'une attitude heureuse accélère la guérison ?

— Bien fait pour moi, de t'avoir laissé lire mes revues médicales. Patience, Jack.

Kittiwake entra, vit la famille et battit aussitôt en retraite.

— J'essaierai d'être patient, dit Jack, avec un regard de nostalgie sur la porte qui se refermait.

— Comédien, dit Cathy. Je te connais mieux que ça.

C'était vrai, il le savait. Il ne pouvait même pas se servir de cette menace. Cathy lui passa une main sur la figure.

— Avec quoi t'es-tu rasé, ce matin ? Un clou rouillé ?

— Ouais, j'ai besoin de mon rasoir. Et de mes notes aussi, peut-être ?

— Je te les apporterai ou je te les ferai porter.

Elle tourna la tête à l'entrée de Wilson.

— Tony, voici ma femme, Cathy, et Sally, ma fille. Cathy, c'est Tony Wilson, mon baby-sitter.

— Il me semble vous avoir vu hier soir, non ?

Cathy n'oubliait jamais une tête. D'ailleurs, à la connaissance de Jack, elle n'oubliait jamais rien.

— Peut-être mais nous n'avons pas été présentés... nous étions tous trop occupés. Vous allez bien, lady Ryan ?

— Pardon ? Lady Ryan ?

— On ne t'a pas dit ?

— On ne m'a pas dit quoi ?

Jack pouffa et le lui expliqua.

— Quel effet cela te fait-il d'être la femme d'un chevalier ?

— Ça veut dire que tu auras un cheval, papa ? s'écria Sally. Je pourrai le monter ?

— Est-ce légal, Jack ?

— On m'a dit que le Premier ministre et le président allaient en discuter aujourd'hui.

— Mon Dieu ! souffla lady Ryan, et puis au bout de quelques instants elle se mit à sourire.

— Et le cheval, papa ? insista Sally.

— Je ne sais pas encore. Nous verrons.

Il bâilla. La seule utilité pratique que Ryan reconnaissait aux chevaux, c'était de courir sur un hippodrome. Quant à l'épée, il en avait déjà une.

— Je crois que papa a besoin de dormir, dit Cathy. Et il faut que j'aille acheter quelque chose pour le dîner de ce soir.

— Ah, seigneur ! gémit Ryan. Toute une nouvelle garde-robe !

— La faute à qui, sir John ?

Ils avaient rendez-vous au Flanagan Steakhouse, dans O'Connell Street à Dublin. C'était un restaurant renommé qui souffrait un peu, pour la clientèle touristique, d'être trop près d'un McDonald. Ashley buvait un whisky quand l'homme le rejoignit. Deux autres prirent place à une table à l'autre bout de la salle et les surveillèrent. Ashley était venu seul. Ce n'était pas la première de ces rencontres et Dublin était considéré — la plupart du temps — comme un terrain neutre. Les deux autres hommes étaient là pour monter la garde et guetter les membres de la Garda, la police de la République.

— Bienvenue à Dublin, monsieur Ashley, dit le représentant de la Provisional Irish Republican Army.

— Merci, monsieur Murphy, répondit l'agent du contre-espionnage. La photo que nous avons dans notre dossier ne vous flatte pas.

— Jeune et fou, j'étais. Et très vaniteux. Je ne me rasais pas beaucoup, à l'époque, répondit Murphy en consultant le menu qui l'attendait. La viande rouge est excellente, ici, et les légumes sont toujours frais. En été, cet établissement est toujours plein de touristes — de ceux qui ne veulent pas de frites — et ils font grimper les prix comme partout. Grâce à Dieu, ils sont tous repartis chez eux en Amérique, en laissant des monceaux d'argent ici, dans ce pauvre pays.

— Quels renseignements avez-vous pour nous ?

— Des renseignements ?

— C'est vous qui avez demandé ce rendez-vous, monsieur Murphy, rappela Ashley.

— Le but de cette rencontre est de vous assurer que nous n'avons absolument rien à faire dans le sanglant fiasco d'hier.

— J'aurais pu lire cela dans le journal. Je l'ai lu, d'ailleurs.

— J'ai pensé qu'un communiqué plus personnel s'imposait.

— Pourquoi devrions-nous vous croire ?

Ashley but une gorgée de whisky. Les deux hommes parlaient à voix basse, posément, mais aucun n'avait le moindre doute sur ce que chacun pensait de l'autre.

— Parce que nous ne sommes pas si fous que ça.

Le garçon arriva, prit leur commande et Ashley choisit le vin, un bordeaux prometteur. Le repas passait sur sa note de frais.

— C'est bien vrai, ça ? dit Ashley quand le garçon fut parti, en regardant au fond des yeux bleus glacés de son vis-à-vis.

— La famille royale est strictement intouchable. Tous ses membres ont beau être un merveilleux objectif politique, dit Murphy en souriant, nous savons depuis un moment que toute attaque contre eux serait contre-productrice.

— Vraiment ?

Ashley prononça ce mot comme seul sait le faire un Anglais. La très élégante insulte fit rougir Murphy de colère.

— Monsieur Ashley, nous sommes ennemis. Je vous tuerais aussi volontiers que je dîne avec vous. Mais même des ennemis peuvent négocier, ne croyez-vous pas ?

— Je vous écoute.

— Nous n'y avons absolument par participé. Vous avez ma parole.

— Votre parole de marxiste-léniniste ? demanda Ashley avec un petit sourire.

— Vous êtes un maître dans l'art de la provocation, monsieur Ashley, répliqua Murphy en hasardant un sourire bien à lui. Mais pas aujourd'hui. Je suis ici en mission de paix.

Ashley faillit éclater de rire mais se retint et plongea son nez dans son verre.

— Je ne verserais pas une seule larme, monsieur Murphy, si nos gars devaient vous rattraper mais vous êtes un valeureux adversaire, je le reconnais. Et un charmant salaud.

Ah, le fair play des Anglais ! songea Murphy. *Voilà pourquoi nous finirons par gagner, monsieur Ashley.*

Oh que non ! Ashley avait déjà vu ce regard.

— Comment puis-je vous forcer à me croire ? dit raisonnablement l'Irlandais.

— Des noms et des adresses, répliqua calmement l'Anglais.

— Non. Nous ne pouvons pas faire ça, vous le savez très bien.

— Si vous souhaitez une espèce de convention donnant-donnant, c'est ainsi que vous devez vous y prendre.

Murphy soupira.

— Vous savez certainement comment nous sommes organisés. Vous vous imaginez que nous pouvons taper sur une foutue commande d'ordinateur et lui faire cracher une imprimante de notre liste de membres ? Nous ne savons même pas nous-mêmes qui ils sont. Certains laissent tomber. Beaucoup descendent dans le sud et disparaissent, ils ont plus peur de nous que de vous, et à juste titre…Celui que vous tenez, Sean Miller, nous n'avons même jamais entendu parler de lui !

— Et Kevin O'Donnell ?

— Si, c'est probablement le chef. Il a disparu de la surface de la terre il y a quatre ans, comme vous le savez, après... Ah, vous connaissez l'histoire aussi bien que moi.

Kevin Joseph O'Donnell, se rappela Ashley. Trente-quatre, ans maintenant. Un mètre quatre-vingt-deux, quatre-vingt-cinq kilos, célibataire... ces renseignements étaient vieux et par conséquent suspects. Kevin était le plus impitoyable chef de la sécurité que les Provos eussent jamais eu, fichu à la porte parce qu'il avait usé de son pouvoir pour purger l'Organisation des éléments politiques qu'il n'approuvait pas. Dix, quinze membres solides qu'il avait fait tuer ou estropier ! Le plus ahurissant, pensait Ashley, c'était qu'il s'en soit tiré vivant. Mais Murphy se trompait sur un point. Ashley ne savait pas comment la PIRA l'avait finalement démasqué.

— Je ne vois pas pourquoi vous éprouvez le besoin de les protéger, lui et son groupe.

Il en connaissait la raison, mais autant aiguillonner un peu l'homme, alors qu'il en avait l'occasion.

— Et si nous tournons indics, que devient l'Organisation ?

— Pas mon problème, monsieur Murphy. Je comprends votre point de vue ; malgré tout, si vous voulez nous inspirer confiance...

— Monsieur Ashley, vous touchez là au problème. Si votre pays avait traité l'Irlande avec une bonne foi mutuelle, nous n'en serions pas là, n'est-ce pas ?

L'agent secret réfléchit quelques secondes. Il avait souvent étudié la racine historique des troubles. Quelques actes politiques délibérés, quelques accidents historiques... qui aurait pu se douter que la crise qui avait abouti à la Première Guerre mondiale empêcherait toute solution à l'affaire du « Home (ou Rome) Rule », que le parti conservateur de l'époque allait s'en servir comme d'un marteau pour écraser finalement le parti libéral... et qui y avait-il à blâmer, à présent ? Ils étaient tous morts et oubliés. Il était trop tard. *Y a-t-il un moyen de sortir de cette fondrière sanglante ?* se demanda Ashley. Il secoua la tête. Ce n'était pas de son ressort. Cela regardait les hommes politiques. La même manière qui avait fondé les troubles, une petite brique à la fois.

— Je peux vous dire une chose, monsieur Ashley...

Le garçon arriva avec la commande. Le service était d'une rapidité stupéfiante. Le sommelier déboucha le vin, tendit à Ashley le bouchon pour qu'il hume l'arôme du vin et lui en versa un peu dans son verre pour qu'il le goûte. La qualité de la cave de cet établissement étonna l'Anglais.

— Vous pouvez me dire une chose… ? reprit-il quand le garçon fut parti.

— Ils sont très bien renseignés. Si bien que c'est à ne pas croire. Et leur information vient de votre côté, monsieur Ashley. Nous ne savons pas qui et nous ne savons pas comment. Le gamin qui l'a découvert est mort, voyez-vous, il y a quatre ans.

Murphy goûta les brocolis et déclara :

— Je vous disais bien que les légumes étaient toujours frais.

— Quatre ans ?

— Ah ? Vous ne connaissez pas l'histoire ? Cela m'étonne, monsieur Ashley. Oui. Il s'appelait Mickey Baird. Il travaillait étroitement avec Kevin. C'est le gosse qui… enfin, vous devinez. Il m'avait appris devant un pot à Derry que Kevin avait une nouvelle source de renseignements formidable. Le lendemain, il était mort. Le surlendemain, Kevin a réussi à nous échapper, à une heure près. Nous ne l'avons plus revu. Si jamais nous retrouvons Kevin, monsieur Ashley, nous ferons le boulot à votre place et nous abandonnerons le cadavre pour que vos assassins du SAS le ramassent. Est-ce que cela vous conviendrait ? Il est sur notre liste aussi et si vous réussissez à les retrouver, et que vous n'avez pas envie de lui régler son compte vous-mêmes, nous ferons ça pour vous, en supposant, naturellement, que vous ne gêniez pas les gars qui font le travail. Est-ce que nous pouvons nous mettre d'accord là-dessus ?

— Je transmettrai la proposition. Si j'étais qualifié pour l'approuver moi-même, je le ferais. Je pense que nous pouvons vous croire sur ce point, monsieur Murphy.

— Merci, monsieur Ashley. Ce n'était pas trop douloureux, n'est-ce pas ?

Le dîner était excellent.

4

Acteurs

Ryan essayait de chasser d'un battement de paupières les éclairs bleus qui lui blessaient les yeux, alors que l'équipe de télévision installait ses projecteurs. Il ne comprenait pas pourquoi les photographes de presse n'attendaient pas le puissant éclairage de la télévision mais ne se soucia pas de le demander. Tout le monde était assez gentil pour s'enquérir de son état mais, à part un arrêt respiratoire, rien n'aurait pu les faire sortir de la chambre.

Cela aurait pu être pire, bien entendu. Le Dr Scott avait déclaré assez catégoriquement à la presse que son patient avait besoin de repos et l'infirmière, Kittiwake, était là pour surveiller les journalistes. L'accès de la presse se limitait donc au nombre de personnes pouvant entrer en une fois dans la pièce, en comptant l'équipe de télévision. C'était ce que Jack avait pu obtenir de mieux.

Les journaux du matin — Ryan avait parcouru le *Times* et le *Daily Telegraph* — racontaient qu'il était un ancien (ou actuel) employé de la Central Intelligence Agency, ce qui était techniquement faux, et qu'il ne s'était d'ailleurs pas attendu à devenir un personnage public. Il évoqua les gens de Langley et leur satisfaction quand il leur avait proposé le « piège du canari » pour résoudre le problème des fuites d'information. *Mais je n'ai vraiment pas besoin de ce genre de complications*, se dit Jack.

— Prêt par ici, annonça l'éclairagiste.

Quelques instants plus tard il le prouva en braquant trois puissants projecteurs qui firent larmoyer Jack.

71

— C'est terriblement aveuglant, hein ? dit un journaliste compatissant alors que les photographes continuaient leur ballet de flashes électroniques.

— Vous pouvez le dire ! grogna Jack, et on accrocha un micro à deux têtes à sa robe de chambre.

— Dites quelque chose, s'il vous plaît, demanda l'ingénieur du son.

— Comment trouvez-vous votre premier séjour à Londres, monsieur Ryan ?

— Ma foi, j'espère bien ne pas entendre de plaintes sur la défection des touristes américains à cause de la panique provoquée par le problème terroriste ! répliqua Ryan en riant.

— Vraiment ! s'exclama le journaliste en riant aussi. O.K. ?

Le cadreur et l'ingénieur du son se déclarèrent prêts.

Ryan but un peu de son thé et s'assura que le cendrier n'était pas dans le champ. Un journaliste de la presse écrite racontait une plaisanterie à un confrère. Il y avait là un correspondant télé de la NBC et le correspondant permanent à Londres du *Washington Post* mais tous les autres étaient britanniques. Il était convenu que les autres médias recevraient communication de l'enregistrement. Il n'y avait vraiment pas assez de place pour une véritable conférence de presse. La caméra se mit à tourner.

On lui posa les questions habituelles. L'objectif s'attarda sur le bras de Ryan, accroché à son portique. Il était certain que cette séquence serait passée avec sa voix off racontant l'attentat. Il agita ses doigts pour la caméra.

— Selon certains rapports de la presse américaine et britannique, monsieur Ryan, vous seriez un employé de la Central Intelligence Agency.

— J'ai lu ça ce matin et j'en ai été le premier surpris, répondit-il en souriant. Quelqu'un a commis une erreur. Je ne suis pas assez joli garçon pour être un espion.

— Vous niez donc ces rapports ? demanda le *Daily Mirror*.

— Absolument. J'enseigne l'histoire à l'Académie navale à Annapolis. C'est assez facile à vérifier. J'ai encore fait passer un examen la semaine dernière à mes élèves.

— Cette nouvelle venait de sources haut placées, fit observer le *Post*.

— Vous devriez savoir qu'il arrive même aux personnes haut placées de se tromper. Je crois que c'est le cas. Je fais de la recherche. J'écris des livres. Je donne des conférences. J'en ai donnée un jour une à la CIA mais elle n'avait rien de secret. Je peux vous en communiquer une copie. C'est peut-être là l'origine de ce rapport.

— Est-ce que cela vous plaît d'être un personnage public ? demanda un Britannique de la télévision.

Merci de changer de sujet.

— Je crois pouvoir m'en passer. Et je ne suis pas une vedette de cinéma. Encore une fois, pas assez joli garçon.

— Vous êtes trop modeste, monsieur Ryan, susurra une journaliste.

— Attention à ce que vous dites ! Ma femme verra probablement cette émission, plaisanta-t-il, et tout le monde rit. Avec tout le respect que je vous dois, mesdames et messieurs, je serai très heureux de replonger dans l'obscurité.

— Vous croyez ça possible ?

— Ça dépendra de vous tous, madame.

— Que pensez-vous que nous devions faire de ce terroriste, Sean Miller ? demanda le *Times*.

— C'est à un juge et à un jury d'en décider, pas à moi.

— Pensez-vous que nous devrions rétablir la peine capitale chez nous ?

— C'est l'affaire de vos représentants élus. Vous vivez dans une démocratie, n'est-ce pas ? Les personnes que vous élisez sont censées faire ce que les électeurs leur demandent.

Ce n'est pas toujours ainsi que ça marche, mais c'est la théorie...

— Mais vous êtes favorable à cette idée ? insista le *Times*.

— Selon les cas et selon la juridiction, oui. C'est à débattre. D'ailleurs, je ne suis pas expert en justice criminelle. Mon père était un policier mais je ne suis qu'un historien.

— Et quel est votre avis, en qualité d'Irlando-Américain, sur les troubles ? demanda le *Telegraph*.

— Nous avons assez de problèmes en Amérique pour que je perde mon temps à examiner les vôtres.

— Vous avez sûrement une suggestion ? Tous les Américains en ont.

— J'enseigne l'histoire. Je laisse les autres la faire. Comme les journalistes. Je critique les gens longtemps après qu'ils ont pris des décisions. Cela ne veut pas dire que je sache ce qu'il faut faire aujourd'hui.

— Mais vous avez su que faire, mardi, fit observer le *Times*, et Ryan prit un air modeste.

— Oui, sans doute, dit Ryan à la télévision.

— Foutu salaud, marmonna Kevin Joseph O'Donnel dans son verre de Guinness brune.

Sa base d'opérations était beaucoup plus éloignée de la frontière qu'on ne le soupçonnait. L'Irlande est un petit pays et les distances y sont courtes. Ses anciens camarades de la PIRA avaient des maisons sûres tout le long de la frontière, commodes pour des voyages rapides de l'autre côté. Mais pas O'Donnell, pour de nombreuses raisons. D'abord, les Britanniques avaient dans la région leurs indicateurs et leurs agents secrets, rôdant sans cesse, des maraudeurs du SAS qui ne répugnaient pas à un enlèvement rapide, ou à un meurtre discret, des personnes qui avaient eu le tort de se faire trop bien connaître. La PIRA elle-même était un danger sérieux et elle surveillait de près la frontière. Sa figure, malgré quelques modifications dues à la chirurgie plastique et ses cheveux teints, était encore assez reconnaissable pour un ancien camarade. Mais pas ici. Et la frontière n'était pas vraiment loin, dans un pays long de moins de cinq cents kilomètres.

Il se détourna du téléviseur Sony et contempla la mer obscure à travers les petits carreaux sertis de plomb. Il aperçut les feux de position d'un ferry-boat arrivant du Havre. La vue était toujours plaisante. Même par tempête, malgré l'horizon bouché, car on pouvait alors savourer le spectacle des vagues grises venant s'écraser contre les falaises. Ce soir, le temps froid et clair lui présentait un superbe panorama étoilé avec un navire marchand naviguant vers l'est à destination d'un port inconnu. O'Donnell était heureux que cette ancienne demeure, qu'il avait pu acheter sur les hauteurs par l'intermédiaire d'une entreprise fantoche, ait jadis appartenu à un lord anglais. La société libérale était décidément bien vulnérable. Une société d'imbéciles superficiels, dépourvus de conscience politique. Des imbéciles auto-destructeurs, ignorants, qui avaient mérité leur propre destruction. Un jour, ils disparaîtraient tous, tout comme ces navires glissaient au-dessous de l'horizon. O'Donnell en était sûr. Il se retourna vers l'écran de télévision.

Ce Ryan était toujours là, il dialoguait aimablement avec les idiots de la presse. Foutu héros. *Pourquoi est-ce qu'il a fallu que tu fourres ton nez là-dedans.* Par réflexe, estima O'Donnell. Foutu crétin. *Tu ne savais même pas ce qui se passait, hein ? Aucun de vous ne le sait.*

Foutus Américains avec tout leur argent et leur arrogance, toutes leurs idées du bien et du mal, leur vision enfantine du destin de l'Irlande. Comme des enfants habillés pour leur première communion. Si purs. Si naïfs. Si inutiles avec leurs petites aumônes. En dépit de toutes les plaintes des Britanniques à propos du NORAID, O'Donnell savait que la PIRA n'avait même pas touché un million de dollars des Américains en trois ans. Tout ce que l'Amérique savait de l'Irlande tenait à quelques films, quelques chansons à demi oubliées, pour la Saint-Patrick, et une bouteille de whisky à l'occasion. Que connaissait-elle de la vie dans l'Ulster, de l'oppression impérialiste, de la sujétion de l'Irlande à un empire britannique en décomposition qui, lui-même, était l'esclave de l'empire américain ? Que savait-elle de tout cela ? *Mais nous ne pouvons pas offenser les Américains*, disaient ceux de la PIRA. Le chef de l'ULA vida son verre de bière et le posa sur le guéridon.

La Cause n'exigeait pas grand-chose, dans le fond. Un objectif idéologique clair. Quelques bons éléments, les amis nécessaires, et l'accès aux ressources qu'il fallait. C'était tout. Pourquoi tout compliquer avec de foutus Américains ? Ou avec une branche politique publique... le Sinn Fein élisant des représentants au parlement, quelle sottise ! Ils attendaient, ils *espéraient* être acceptés par les impérialistes britanniques... Cette idéologie avait fait faillite. Et puis il y avait trop de monde à la PIRA. Quand les Brits en arrêtaient quelques-uns, il y en avait toujours pour tourner casaque et devenir indicateurs, pour dénoncer leurs camarades. L'engagement nécessaire pour ce travail exigeait une élite peu nombreuse. O'Donnell la possédait, certainement. Et il avait aussi son plan. Ce Ryan n'y avait rien changé, se rappela-t-il avec une ombre de sourire.

— Ce sacré bâtard est bougrement content de lui, hein ?

O'Donnell tourna la tête et prit la nouvelle bouteille de Guinness qui lui était tendue. Il en remplit son verre.

— Sean aurait dû surveiller son dos. Et alors ce foutu héros aurait été un cadavre.

Et la mission aurait réussi. Merde.

— Nous pouvons quand même faire quelque chose, chef.

O'Donnell secoua la tête.

— Ne gaspillons pas notre énergie. La PIRA fait ça depuis dix ans et on voit où ça l'a menée.

— Mais s'il est de la CIA ? Et si nous avons été infiltrés, s'il était là pour...

— Ne sois pas stupide ! S'ils avaient été prévenus, tous les flics de Londres auraient été là en civil, à nous attendre.

Et je l'aurais su, pensa-t-il, mais il ne le dit pas. Un seul autre membre de l'Organisation était au courant, et il était à Londres.

— Ils ont eu un coup de chance, Michael. Rien qu'un hasard.

Comme tous les Irlandais, il croyait encore à la chance. L'idéologie n'y pouvait rien changer. Ce riche Yankee en avait eu beaucoup. N'importe quel hasard, une crevaison de pneu, une batterie de radio défectueuse, un orage soudain aurait aussi pu faire échouer l'opération. Et son avantage sur l'autre camp c'était que les autres avaient besoin d'avoir de la chance en permanence. Pour O'Donnell, il suffisait d'une seule fois. Il réfléchit à ce qu'il venait de voir à la télévision et jugea que Ryan ne valait pas de faire un effort.

Ne pas offenser les Américains, repensa-t-il, avec étonnement cette fois. Pourquoi ? N'étaient-ils pas aussi des ennemis ? *Mon garçon, voilà que tu penses comme ces imbéciles de l'IRA provisoire. La patience est la plus importante vertu du vrai révolutionnaire. On doit attendre le bon moment... et frapper d'une manière décisive.*

Il attendit son prochain rapport de renseignements.

La librairie d'ouvrages rares se trouvait dans Burlington Arcade, un passage vieux d'un siècle, bordé de boutiques, dans la partie la plus élégante de Piccadilly. Elle était serrée entre un des grands tailleurs de Londres et un joaillier. On y respirait l'odeur particulière qui attire les bibliophiles aussi sûrement que celle du nectar attire l'abeille, un mélange de poussière, de moisissure, de vieux papier et de cuir. La jeunesse du libraire contrastait avec le décor. Les épaules de son costume étaient saupoudrées de poussière. Il commençait chaque journée en passant un plumeau sur les rayonnages et les livres en amassaient toujours. Il avait fini par y prendre goût. Il adorait l'ambiance du magasin. Son commerce était assez réduit mais lucratif, moins dépendant des touristes que d'un nombre discret de clients réguliers de la haute société londonienne. Dennis Cooley voyageait aussi beaucoup et prenait souvent l'avion à l'improviste pour participer à la vente aux enchères de la bibliothèque de quelque gentleman décédé, laissant la librairie aux bons soins d'une jeune personne qui aurait été fort jolie si elle s'en était donné la peine. Beatrix avait congé ce jour-là.

M. Cooley avait un ancien bureau de teck assorti à l'ensemble du magasin et même un vieux fauteuil à pivot sans coussin pour prouver aux clients que rien, dans la boutique, n'était moderne. Pas de calculatrices électroniques : un vieux registre remontant aux années 1930 qui représentait les archives de milliers de ventes, et pour catalogue de simples fiches dans des boîtes en bois, l'une avec la liste des titres, l'autre des auteurs. Toutes les écritures se faisaient à la main avec un stylo à plume d'or. La seule touche moderne était un écriteau priant de ne pas fumer. L'odeur du tabac aurait risqué de gâter l'arôme particulier de la boutique. Le papier à lettres de la maison portait la mention « *By appointment to...* » et les blasons de quatre membres de la famille royale. Le passage n'était qu'à dix minutes à pied de Buckingham.

La porte d'entrée vitrée était surmontée d'une petite sonnette d'argent vieille de cent ans. Elle tinta.

— Bonjour, monsieur Cooley.

— Bonjour, monsieur, répondit Dennis, en se levant, à l'un de ses habitués, avec un accent si neutre que les avis de ses clients sur son origine divergeaient. J'ai reçu la première édition de Defoe. Celle au sujet de laquelle vous m'avez appelé au début de la semaine. Elle est arrivée hier.

— Est-ce que c'est celle de la collection de Cork, dont vous m'aviez parlé ?

— Non, monsieur. Je crois qu'elle vient de la succession de sir John Claggett, près de Swaffham Prior. Je l'ai trouvée chez Hawstead à Cambridge.

— Une première édition ?

— Absolument, monsieur.

Le libraire ne manifesta aucune réaction. Selon le code convenu, quand le client citait un comté de la république d'Irlande, il indiquait la destination de son renseignement ; et en s'enquérant de l'édition de l'ouvrage, il indiquait l'importance de ce renseignement. Cooley faisait de fréquents voyages en Irlande, tant du Nord que du Sud, pour acheter des livres, dans des ventes aux enchères ou chez des libraires de campagne. Il prit le livre sur une étagère et le posa sur son bureau. Le client l'ouvrit avec précaution et fit courir son index le long de la page de titre.

— A l'ère des livres de poche et des livres à moitié cartonnés...

— Certes, monsieur.

Cooley hocha la tête. L'amour des deux hommes pour les belles reliures était sincère.

— Le cuir est dans un état remarquable, dit le libraire et son visiteur acquiesça.

Il me le faut. Combien ?

Cooley ne répondit pas mais retira une carte d'un fichier et la remit au client, qui n'y jeta qu'un coup d'œil.

Marché conclu.

Le client s'assit sur l'unique autre chaise et ouvrit sa serviette.

— J'ai un autre travail pour vous. C'est un des premiers exemplaires du *Vicaire de Wakefield*. Je l'ai trouvé le mois dernier dans une petite boutique de Cornouailles.

Il remit le livre à Cooley, qui jugea instantanément de son état.

— Scandaleux !

— Est-ce que votre bonhomme pourra le restaurer ?

— Je ne sais pas...

Le cuir était fendillé, des pages étaient cornées, la reliure tombait presque en morceaux.

— J'ai bien peur que le grenier où on l'a trouvé avait des fuites au toit, dit négligemment le client.

— Ah ?

L'information était si importante ? Cooley redressa la tête.

— Un tragique gaspillage.

— Comment l'expliquer autrement ?

— Je vais voir ce que je peux faire. Mais je ne suis pas un faiseur de miracles, vous savez.

Est-ce vraiment si important ?

— Je comprends. Malgré tout, faites de votre mieux.

Oui, c'est très important.

— Naturellement, monsieur.

Cooley ouvrit un tiroir de son bureau et y prit sa caisse. Ce client payait toujours en espèces. Naturellement. Il tira son portefeuille de sa poche intérieure et compta les billets de cinquante livres. Cooley les recompta puis il plaça le Defoe dans une solide boîte en carton qu'il attacha avec de la ficelle. Pas de sacs en plastique dans ce magasin. Vendeur et acheteur se serrèrent la main. L'affaire était faite. Le client sortit, se dirigea vers Piccadilly et tourna vers l'ouest en direction de Green Park et du Palais.

Cooley prit l'enveloppe cachée dans le vieux livre et la rangea dans un tiroir. Il inscrivit la vente dans son registre puis téléphona à son agence de voyages afin de retenir une place d'avion pour Cork, où il rencontrerait un de ses confrères spécialiste de livres anciens et déjeunerait à l'Old Bridge Restaurant avant de prendre son vol de retour. L'idée ne lui vint pas d'ouvrir l'enveloppe. Ce n'était pas son travail. Moins il en savait, moins il serait vulnérable s'il était pris.

— Salut, docteur Ryan !

C'était une voix américaine avec un accent de Boston tel que Jack en avait entendu à l'université. Cela lui fit plaisir. L'homme avait quarante ans passés, une carrure athlétique et des cheveux bruns clairsemés. Il portait une boîte de fleurs sous le bras. Qui que ce soit, le factionnaire de la police lui avait ouvert la porte.

— Salut. A qui ai-je l'honneur ?

— Dan Murray. Je suis l'attaché juridique de l'ambassade. FBI, expliqua-t-il. Désolé de ne pas avoir pu passer plus tôt mais nous avons été un peu bousculés.

Murray montra ses papiers au flic assis au chevet de Ryan ; Tony Wilson n'était pas de service. Le policier s'excusa. Murray prit sa chaise.

— Vous avez bonne mine, l'as.

— Vous auriez pu laisser les fleurs à la réception.

Ryan embrassa la chambre d'un geste. En dépit de tous ses efforts, les murs disparaissaient sous les roses.

— Ouais, j'y ai bien pensé. Comment est la croûte ?

— La croûte d'hôpital, c'est de la croûte d'hôpital.

— C'est ce que j'ai pensé aussi.

Murray défit le ruban rouge et ouvrit le carton.

— Qu'est-ce que vous diriez d'un burger géant avec des frites ? Vous avez un choix de milk-shakes à la vanille et au chocolat.

Jack éclata de rire et s'empara du carton.

— Ça fait trois ans que je suis ici, dit Murray. De temps en temps, il faut que je fasse un saut dans une boîte à fast-food pour me rappeler d'où je viens. On se lasse du gigot bouilli. Mais la bière locale n'est pas mauvaise, je dois dire. J'en aurais bien apporté aussi mais quoi... vous savez.

— Vous venez de vous faire un ami pour la vie, monsieur Murray, même sans la bière.

— Dan.

— Jack.

Ryan fut tenté de ne faire que deux bouchées du hamburger, de peur qu'une infirmière surgisse et pique une crise de nerfs. *Non,* décida-t-il. *Savoure-le.*

Il choisit le milk-shake à la vanille.

— Les types d'ici me disent que vous avez battu des records pour m'identifier.

— Rien de sensationnel, dit Murray en plongeant un chalumeau dans le lait au chocolat. Au fait, je vous transmets les bons vœux de l'ambassadeur. Il voulait venir mais ils ont un grand raout, ce soir. Et mes copains du fond du couloir vous saluent bien, eux aussi.

— Qui ça, au fond du couloir ?

— Les gens pour qui vous n'avez jamais travaillé.

L'agent du FBI haussa les sourcils et Jack mangea quelques frites.

— Qui diable a fait courir cette histoire ?

— Washington. Un journaliste déjeunait avec un assistant quelconque, peu importe qui, pas ? Ils parlent tous beaucoup trop. Il a dû se souvenir de votre nom au dos du dernier rapport et il n'a pas été fichu de la boucler. Excuses de Langley, qu'ils m'ont dit de vous transmettre. J'ai regardé la télé. Vous avez bien éludé le truc.

— J'ai dit la vérité. Tout juste. Tous les chèques me venaient de la Mitre Corporation. Un peu de gymnastique comptable et c'est la Mitre qui avait le contrat de consultation.

— Mais je crois savoir que vous passiez votre temps à Langley ?

— Ouais, un petit cagibi au deuxième étage avec un bureau, un terminal d'ordinateur et un bloc-notes. Vous y avez déjà été ?

Murray sourit.

— Une ou deux fois. Moi aussi, je fais dans le terrorisme. Le Bureau a un bien meilleur décorateur. Ça aide d'avoir un département des relations publiques, n'est-ce pas ? dit-il en caricaturant l'accent de Londres. J'ai vu une copie du rapport. Joli travail. Quelle partie est de vous ?

— Presque tout. Ce n'était pas tellement dur. J'ai simplement tout reconsidéré sous un nouvel angle.

— Il a été refilé aux British. Il est arrivé ici il y a deux mois, pour le Secret Intelligence Service. Il paraît qu'ils l'ont apprécié.

— Alors leurs flics sont au courant.

— Je n'en suis pas sûr. Enfin... il est permis de supposer qu'ils le sont maintenant. Owens en tout cas.

— Et Ashley aussi.

— Il est un peu pète-sec mais drôlement intelligent. Il est Cinq.

— Il est quoi ?

C'était un terme que Ryan ne connaissait pas.

— Il fait partie du MI-5, le service secret militaire, la sécurité. Nous les appelons simplement Cinq. Comme ça, on se donne l'illusion d'être dans le coup.

— C'est bien l'effet qu'il m'a fait. Les deux autres ont débuté dans la rue, comme flics, et ça se voit.

— Quelques personnes ont trouvé ça plutôt curieux, que l'auteur d'*Agents et Agences* se retrouve en plein milieu d'une opé terroriste. C'est pour ça qu'Ashley s'est ramené... Vous n'imaginez pas toutes les coïncidences qu'il y a dans ce métier. Comme vous et moi, tenez.

— Je sais que vous êtes de Nouvelle-Angleterre... ne me dites rien, Boston College ?

— Hé, j'ai toujours voulu être un agent du FBI. C'était BC ou Holy Cross, pas vrai ?

Ryan s'adossa confortablement et aspira son shake au chalumeau. C'était délicieux.

— Qu'est-ce que nous savons de ces gars de l'ULA ? demanda-t-il. Je n'ai pas vu grand-chose sur eux à Langley.

— Nous n'en savons pas lourd. Le chef est un nommé Kevin O'Donnell. Un ancien de la PIRA. Les British travaillent sans cesse pour infiltrer l'Organisation. Il paraît qu'O'Donnel s'est laissé un peu emporter en faisant le ménage dans les rangs et qu'il a réussi à se cavaler un poil avant qu'on lui administre une bonne migraine. Il a tout bonnement disparu et on ne l'a pas revu. Quelques vagues rapports, par exemple qu'il aurait passé un peu de temps en Libye, qu'il serait peut-être retourné en Ulster avec une nouvelle gueule, qu'il aurait énormément d'argent — venu d'où ? — à sa disposition. Tout ce que nous savons avec certitude, c'est que c'est un bougre salement dangereux. Son organisation ?

Murray posa son milk-shake.

— Elle est nécessairement réduite, probablement moins de trente personnes. Nous pensons qu'il a joué un rôle dans l'évasion de Long Kesh, l'été dernier. Onze militants du noyau dur se sont évadés. La RUC — c'est la Royal Ulster Constabulary, la police locale — en a rattrapé un deux jours plus tard et il a révélé que six des onze avaient fui dans le Sud, probablement dans l'organisation de Kevin. Il en était un peu furieux. Ils étaient censés retourner au bercail de la PIRA mais quelqu'un les en a détournés. De très mauvais garçons, un total de quinze meurtres à eux six. Celui que vous avez tué est le seul à avoir refait surface depuis.

— Ils sont si forts que ça ? demanda Ryan.

— Vous rigolez ? Les types de la PIRA sont les meilleurs terroristes du monde, à moins qu'on considère les fumiers au Liban et là il s'agit surtout de groupes familiaux. Bien organisés, bien armés, et ils y *croient*, si vous voyez ce que je veux dire. Ils ont vraiment la foi. Le degré d'engagement de ces garçons pour la Cause est quelque chose qu'il faut voir pour le croire.

— Vous l'avez vu ?

— Un peu. J'ai pu assister à des interrogatoires, de l'autre côté d'une glace sans tain, bien sûr. Un des types refusait même de donner son nom et il a tenu huit jours ! Il restait assis là comme le sphinx. Ecoutez, j'ai traqué des voleurs de banque, des kidnappeurs, des mafiosi, des espions, tout ce que vous voulez. Ces gars sont de vrais pros. Ceux de la PIRA sont peut-être cinq cents et la RUC s'estime heureuse d'en inculper une poignée par an. Ils ont une loi d'*omertà* qui impressionnerait de vieux Siciliens. Mais au moins la police a quelques noms, parmi eux. Pour l'ULA, nous avons un ou deux noms, quelques photos et c'est tout. C'est presque comme les gars du Djihad islamique. On ne les reconnaît que d'après ce qu'ils font.

— Qu'est-ce qu'ils font ?

— Ils ont l'air de se spécialiser dans le haut risque. Ils ont mis plus d'un an à confirmer leur existence : nous pensions que ce n'était qu'un groupe spécial d'action de la PIRA. Ils sont une anomalie, dans le milieu terroriste. Ils ne publient pas de communiqués, ils ne revendiquent rien, ils ne recherchent pas la publicité. Ils commettent de gros coups et ils brouillent leurs pistes comme c'est pas possible. Il faut des ressources pour faire ça. Quelqu'un les finance dans les grandes largeurs. Ils ont été identifiés pour neuf opérations dont nous sommes sûrs, peut-être deux autres. Trois seulement de leurs coups ont échoué. Ils ont manqué l'assassinat d'un juge à Londonderry parce que la grenade RPG n'a pas explosé, mais ils ont tout de même eu le garde du corps. Ils ont tenté d'attaquer une caserne de police en février dernier. Quelqu'un les a vus se préparer et a téléphoné, mais les salauds devaient être à l'écoute de la radio de la police, ils ont filé avant l'arrivée de la cavalerie. Les flics ont trouvé un mortier de 82 mm et une caisse de munitions, explosif surpuissant et phosphore blanc, pour être précis. Et pour le troisième, vous êtes intervenu. Ils s'enhardissent, ces fumiers. D'un autre côté, nous en avons un, maintenant.

— Nous ? demanda Ryan avec curiosité. Ce n'est pas notre combat.

— Nous parlons terroristes, Jack. Tout le monde les veut. Nous échangeons des renseignements avec le Yard, tous les jours. Bref, le type qu'ils ont dans le trou en ce moment, ils vont continuer de s'en occuper. Ils ont une prise sur celui-là. L'ULA est une unité paria. Ses copains de la PIRA et de l'INLA vont le laisser tomber et il le sait. Il ira dans une prison de sécurité maximale, probablement celle de l'île de Wight, peuplée de véritables mauvais julots. Tous ne sont pas des politiques et les bandits et assassins ordinaires vont probablement... Ce type s'est attaqué à la famille royale, qu'ici tout le monde sans exception adore. Il va mener une vie salement dure. Vous croyez que les gardiens vont se casser le cul pour veiller à sa petite santé ? Il va apprendre un sport tout nouveau. Ça s'appelle la survie. Quand il y aura goûté, on lui reparlera. Tôt ou tard, ce môme va devoir décider du sérieux de son engagement. Il pourrait bien craquer un peu. Ça s'est vu. C'est là-dessus que nous misons. Les mauvais garçons ont l'initiative. S'ils commettent une erreur, s'ils nous donnent une occasion, nous pouvons agir.

Ryan hocha la tête.

— Oui, c'est tout le secret.

82

— C'est ça. Sans renseignements, nous sommes handicapés. Nous ne pouvons que tourner en rond en espérant un coup de chance. Mais qu'on nous donne un seul petit renseignement solide, et nous leur faisons crouler le monde sur la tête. C'est comme pour démolir un mur de brique. Le plus dur, c'est de déloger la première brique.

— Et où obtiennent-ils leurs renseignements, eux ?

— On m'a dit que vous aviez pigé ça, répondit Murray avec un sourire.

— Je ne crois pas que c'était un hasard. Quelqu'un a dû les tuyauter. Ils ont frappé un objectif roulant au cours d'une sortie imprévue.

— Comment diable savez-vous ça ?

— Peu importe. Les gens causent. Qui savait qu'ils devaient sortir ?

— On enquête. Le plus intéressant, c'est la raison pour laquelle ils sortaient. Naturellement, il se peut que ce ne soit qu'une coïncidence. Le prince est régulièrement mis au courant des affaires de politique et de sécurité nationale, tout comme la reine. Il y a eu du nouveau dans la situation irlandaise, des négociations entre Londres et Dublin. Il se rendait au briefing. C'est tout ce que je peux vous dire, nous n'en savons pas plus long. Il se peut que ce soit une coïncidence mais vous avez deviné le plus important : c'était une visite imprévue et quelqu'un les a quand même prévenus, pour l'embuscade. Il n'y a pas d'autre explication. Vous considérerez ça comme de l'information top secret, Ryan. Ça ne sortira pas de cette chambre.

Jack acquiesça.

— Pas de problème. C'était un enlèvement, n'est-ce pas ?

L'agent du FBI grogna et secoua la tête.

— Les preuves penchent dans ce sens, certes, seulement ces individus n'ont jamais encore tenté ça. Ça rend les procédures d'évasion encore plus complexes mais ces types de l'ULA ont toujours eu leurs routes de fuite bien préparées à l'avance. Je dirais que vous avez probablement raison mais que ce n'est pas aussi net et précis que vous croyez. Owens et Taylor n'en sont pas absolument sûrs et notre ami ne parle pas.

— Ils n'ont jamais fait de déclaration publique, disiez-vous ? Est-ce que ce coup-là n'aurait pas été destiné à les rendre célèbres d'un coup ? Leur première revendication, la rendre vraiment spectaculaire, murmura Ryan d'une voix réfléchie.

— Ça se défend, reconnut Murray. Ça les aurait certainement mis en vedette. Je vous disais que nos tuyaux sur ces types sont plutôt minces. Nous n'avons pas encore bien deviné ce qu'ils cherchent. Chacune de leurs opérations a… comment dire ? Il semble y avoir un motif, là, mais allez savoir lequel ! On dirait presque que les retombées politiques ne nous visent pas du tout mais alors ça n'a aucun sens… il est vrai que ça n'a pas besoin d'en avoir. Ce n'est pas facile de psychanalyser le cerveau terroriste.

— Est-ce qu'il y a un risque qu'ils me visent ou…

Murray secoua vivement la tête.

— Peu probable, et la sécurité est plutôt serrée. Vous savez qui promène votre femme et votre fille un peu partout ?

— SAS, j'ai demandé.

— Ce garçon fait partie de l'équipe olympique et il a même une certaine expérience du combat. Le DPG d'escorte joue dans la même division et partout où ils iront ils auront une voiture de poursuite. La sécurité est assez impressionnante pour vous aussi. Vous pouvez vous détendre. Et une fois que vous serez rentré à la maison, tout ça sera derrière vous. Jamais aucun de ces groupes n'a opéré aux Etats-Unis. Le NORAID est trop important pour eux, plus psychologiquement que financièrement d'ailleurs. Quand ils vont à Boston, c'est comme s'ils retournaient dans le sein de la mère : toutes les bières qu'on leur offre, ça leur dit qu'ils sont les bons types. Non, je ne crois pas qu'ils supporteraient d'être *persona non grata* à Boston. C'est le seul point faible de la PIRA et des autres et malheureusement nous ne pouvons pas très bien l'exploiter. Nous avons assez efficacement démantelé la filière des armes mais maintenant ils les reçoivent presque toutes de l'autre camp. Ou ils fabriquent les leurs. Les explosifs, par exemple. Il suffit d'un sac d'engrais à base d'ammoniaque et on peut fabriquer une bombe respectable. On ne peut pas arrêter un paysan transportant de l'engrais dans son camion, hein ? Pour les pistolets et autre matériel lourd… n'importe qui peut acheter des AK-47 ou des RPG, il en traîne partout. Non, s'ils compte sur nous, c'est pour un soutien moral et il y a pas mal de gens qui le leur accordent, même au Congrès. Vous vous rappelez la bagarre au sujet du traité d'extradition ? C'est ahurissant. Ces salauds tuent !

Murray s'interrompit un moment.

— Les cinglés de protestants ne valent pas plus cher d'ailleurs. Il suffit que les provisoires descendent un des leurs. Alors la Force des Volontaires de l'Ulster envoie une bagnole dans un quartier catholique et abat le premier objectif commode. Aujourd'hui, beaucoup de meurtres se commettent au hasard. Un tiers peut-être des victimes sont des gens qui se promenaient simplement dans une mauvaise rue. Le système se nourrit de lui-même et il ne reste plus de milieu. A part les flics. Je sais, la RUC c'était aussi des mauvais garçons, mais c'est fini. Sir Jack Hermon essaie de la transformer en force de police professionnelle. Il faut que la loi soit la loi pour tout le monde. La troupe commence à se rallier. Les flics se font abattre par les deux côtés maintenant ; le dernier a été tué par les parpaillots. Une bombe incendiaire sur sa maison... Vous savez, c'est ahurissant. J'étais là-bas il y a quinze jours. Ils ont un moral formidable, surtout les jeunes. Je ne sais pas comment ils font... si, je le sais. Ils ont une mission. Celle de rétablir la justice. Ils sont le seul espoir de ce pays, eux et quelques dirigeants religieux. Le bon sens prévaudra peut-être un jour, mais ce sera long.

— Alors, monsieur le juge ?

L'amiral James Greer coupa le son sur la télécommande, alors que le Cable News Network passait à un autre sujet. Le directeur de la Central Intelligence Agency fit tomber la cendre de son cigare dans un cendrier de cristal.

— Nous savons qu'il est intelligent, James, et on dirait qu'il sait se défendre avec la presse, mais il est impétueux, répondit le juge Arthur Moore.

— Voyons, Arthur ! Il est jeune. Je veux ici un garçon avec des idées neuves. Vous n'allez pas me raconter maintenant que vous n'avez pas aimé son rapport ? Pour un coup d'essai, c'était rudement bon !

Le juge Moore sourit derrière son cigare. Une pluie fine tombait derrière la fenêtre du bureau du directeur adjoint chargé des renseignements de la CIA, au septième étage. Les collines de la vallée du Potomac empêchaient de voir le fleuve mais il apercevait les hauteurs de l'autre rive à environ deux kilomètres. C'était une bien plus belle vue que celles des parkings.

— Enquête de personnalité ?

— Elle est en cours. Je vous parie une bouteille de votre bourbon favori qu'il en sortira blanc comme neige.

— Pas de pari, James. Ainsi, vous l'en croyez capable ?

Moore avait déjà pris connaissance des états de service de Jack chez les marines. De plus, ce n'était pas lui qui était venu à l'Agence. On était allé le chercher et il avait refusé la première offre.

— Il faudrait vraiment que vous fassiez la connaissance du gamin, mon cher juge. J'ai pris sa mesure en dix minutes, quand il était ici en juillet.

— C'est vous qui avez provoqué la fuite ?

— Moi ? Une fuite ? répliqua l'amiral Greer en riant. Mais c'est quand même bien de savoir comment il sait se tenir. Il n'a même pas cillé en renvoyant cette balle-là. Et il pose de bonnes questions, rappela l'amiral en brandissant le télex de Londres. Emil dit que son agent Murray a été plutôt impressionné, lui aussi. C'est quand même dommage de le laisser gaspiller son temps à enseigner l'histoire. Je le veux, Arthur, je veux l'éduquer, je veux l'entraîner, le préparer. Il est des nôtres.

— Il n'a pas l'air de le penser.

— Ça viendra, affirma Greer avec certitude.

— D'accord, James. Comment comptez-vous l'aborder ?

— Rien ne presse. Je veux une enquête très approfondie sur ses antécédents… et puis qui sait ? Il viendra peut-être à nous de lui-même.

— Aucune chance, riposta le juge Moore.

— Il s'adressera à nous pour avoir des renseignements sur cette bande de l'ULA.

Le juge réfléchit à cette éventualité. Une chose qu'on devait reconnaître à Greer, et Moore le savait, c'était sa faculté de lire au fond des événements et des personnes comme s'ils étaient en cristal.

— Ça se défend, reconnut-il.

— Et comment ! Il faudra un moment, l'attaché dit qu'il doit rester là-bas pour le procès, mais il sera ici, dans ce bureau, quinze jours après son retour, pour demander une occasion d'effectuer des recherches sur cette ULA. Et s'il vient, je renouvelle l'offre, si vous êtes d'accord, Arthur. Je veux aussi parler à Emil Jacobs au FBI et comparer nos dossiers sur ces individus de l'ULA.

— D'accord.

Ils s'occupèrent alors d'autres questions.

5

Palais et intrigues

Le jour où Ryan quitta l'hôpital fut le plus heureux de sa vie depuis la naissance de Sally, quatre ans auparavant. Il était plus de 18 heures quand il finit enfin de s'habiller — le plâtre imposait une très délicate gymnastique — et s'assit dans le fauteuil roulant. Jack avait maugréé contre la petite voiture mais, apparemment, c'était un règlement inviolable des hôpitaux britanniques comme des américains. Les patients n'avaient pas le droit de sortir sur leurs deux jambes, les gens risqueraient de les croire guéris. Un policier en tenue le poussa hors de la chambre dans le long couloir.

Presque tout le personnel de l'étage y était réuni ainsi que bon nombre de patients qu'il avait rencontrés depuis une dizaine de jours, alors qu'il réapprenait à marcher, avec une gîte de dix degrés sur bâbord, à cause du plâtre. Les applaudissements le firent rougir. *Je ne suis pas un astronaute d'Apollo*, pensa-t-il. *Les Brits sont censés être plus réservés que ça !*

L'infirmière Kittiwake fit un petit discours sur son patient modèle, le plaisir et l'honneur... Ryan rougit de plus belle quand elle lui offrit des fleurs, pour « sa ravissante femme ». Puis elle l'embrassa, au nom de tous les autres. Jack rendit le baiser. C'était bien le moins, se dit-il, et c'était vraiment une jolie fille. Kittiwake le serra dans ses bras, plâtre et tout, et des larmes brillèrent dans ses yeux. Tony Wilson était à côté d'elle et il cligna de l'œil. Jack serra la main d'une dizaine de personnes encore avant que son flic le pousse dans un monte-charge.

— La prochaine fois que vous me trouverez blessé dans la rue, lui dit Ryan, laissez-moi mourir là.

Le policier s'esclaffa.

— Bougre d'ingrat, allez !

— C'est vrai.

La porte de l'ascenseur s'ouvrit au rez-de-chaussée et Ryan fut heureux de voir que le vestibule était dégagé, à l'exception du duc d'Edinbourg et d'un troupeau d'agents de la sécurité.

— Bonsoir, monseigneur.

Ryan tenta de se lever mais un geste le fit rasseoir.

— Bonsoir, Jack. Comment ça va ?

Ils se serrèrent la main et, pendant un instant, Ryan eut peur que le duc lui-même le pousse vers la porte. Cela eût été intolérable mais l'agent de police reprit sa place tandis que le prince consort marchait à côté. Jack montra la rue.

— Mon état s'améliorera de cinquante pour cent, Altesse, quand nous aurons franchi cette porte.

— Vous avez faim ?

— Après la nourriture d'hôpital ? Je suis capable de manger un de vos chevaux de polo !

Cela fit rire le duc.

— Nous essaierons de vous offrir un peu mieux.

Jack compta sept agents de la sécurité dans le hall. Dehors, une Rolls-Royce attendait, et au moins quatre autres voitures ainsi qu'une foule de gens qui n'avaient pas l'air de simples badauds. Il faisait trop sombre pour voir s'il y avait des patrouilles sur les toits, mais Jack était sûr de leur présence. *Allons*, pensa-t-il, *ils ont tiré une leçon de l'histoire. C'est quand même une sale affaire et cela veut dire que les terroristes ont remporté une victoire. S'ils ont fait changer la société, ne fût-ce qu'un peu, ils ont gagné un petit quelque chose. Les salauds.*

Le flic le poussa jusqu'à la Rolls.

— Je peux me lever, maintenant ?

Le plâtre était si lourd que Ryan perdit l'équilibre. Il se leva trop vite et faillit tomber contre la voiture mais il se rétablit, en secouant rageusement la tête, avant qu'on le retienne. Il s'immobilisa un moment, son bras gauche ressortant comme la pince d'un crabe géant, et chercha comment monter dans la voiture. Le meilleur moyen semblait être de faire d'abord entrer le plâtre, puis de pivoter dans le sens des aiguilles d'une montre pour le suivre. Le duc dut monter par l'autre portière et ils se retrouvèrent assez serrés. Ryan n'avait encore jamais été dans une Rolls et il s'aperçut qu'elle n'était pas tellement spacieuse.

— Ça va ?

— Ma foi, il va falloir que je fasse attention de ne pas casser une vitre avec ce truc-là.

Ryan s'adossa et secoua la tête en souriant, les yeux fermés.

— Vous êtes vraiment content de quitter l'hôpital.

— Vous pouvez le dire, monseigneur. Voilà trois fois que je passe par un atelier de réparation de carrosserie et ça suffit.

Le prince fit signe au chauffeur de démarrer. Le convoi s'engagea lentement dans la rue, deux voitures devant et deux autres derrière la Rolls.

— Monseigneur, puis-je demander ce qui se passe ce soir ?

— Très peu de chose, vraiment. Une petite réception en votre honneur, avec seulement quelques amis intimes.

Jack se demanda ce que signifiait « quelques amis intimes ». Vingt personnes ? Cinquante ? Cent ? Il allait dîner à...

— Vous êtes vraiment trop bons pour nous, Altesse.

— Ne dites pas de bêtises. Mis à part la dette que nous avons envers vous, Jack, et ce n'est pas une petite dette, c'est un réel plaisir de vous avoir rencontré. J'ai fini de lire votre livre dimanche soir. Je l'ai trouvé excellent. Il faudra m'envoyer le prochain. Et la reine s'entend à merveille avec votre femme. Vous avez beaucoup de chance d'avoir une femme pareille, et cet adorable petit diable. Votre fille est un bijou, Jack, une enfant vraiment merveilleuse.

Ryan hocha la tête. Il se demandait souvent ce qu'il avait fait pour avoir tant de chance.

— Cathy me dit qu'elle a été émerveillée par tous les châteaux qu'elle a visités. Et je vous remercie infiniment pour les personnes que vous avez mises à sa disposition.

Le duc eut un geste vague : cela ne valait pas la peine d'en parler.

— Comment se passent vos recherches pour votre prochain ouvrage ?

— Très bien, Votre Altesse.

Le seul résultat favorable de l'hospitalisation de Ryan, c'était qu'il avait eu le temps de passer en revue toutes ses notes. Son ordinateur avait maintenant deux cents nouvelles pages emmagasinées dans ses mémoires. En plus, il avait acquis une nouvelle perception des faits.

— Je crois que ma petite escapade m'a appris quelque chose. Etre assis devant un clavier, ce n'est pas tout à fait pareil que de se trouver face à une arme à feu. Les décisions à prendre sont un peu différentes, de ce point de vue.

Le ton de Jack en disait un peu plus long. Le duc lui posa une main sur le genou.

— Je crois que personne n'aura rien à vous reprocher.

— Peut-être. Ce qu'il y a, c'est que ma décision a été purement instinctive. Si j'avais su ce que je faisais… Et si, instinctivement, j'avais fait ce qu'il ne fallait pas ?… Je suis, en principe, un expert de l'histoire navale, versé dans les prises de décisions sous tension, et je ne suis toujours pas satisfait des miennes. Zut ! Monseigneur, on ne peut pas oublier que l'on a tué un homme. On ne le peut pas.

— Il ne faut pas trop y penser, Jack.

— Oui…

Ryan se détourna de la portière. Le duc le considérait un peu comme son propre père l'avait fait, autrefois.

— La conscience est le prix de la moralité et la moralité est le prix de la civilisation. Mon père disait que beaucoup de criminels n'ont pas de conscience, et guère de sentiments. Je suppose que c'est ce qui fait la différence entre eux et nous.

— Précisément. Vos scrupules sont fondamentalement sains mais il ne faut pas exagérer. Mettez tout ça derrière vous, Jack. J'avais l'impression que les Américains préfèrent se tourner vers l'avenir plutôt que vers le passé. Si vous ne pouvez pas faire ça professionnellement, au moins faites-le personnellement.

— Compris, Altesse. Merci.

Et maintenant, si seulement je pouvais cesser de rêver ! Presque chaque nuit, Jack revivait la fusillade du Mall. Depuis près de trois semaines. Encore une chose qu'on ne disait pas à la télévision. L'esprit humain a une façon de se punir d'avoir tué son prochain. Il se rappelle et revit l'incident, inlassablement. Ryan espérait que cela cesserait un jour.

La voiture tourna à gauche sur le pont de Westminster. Jack n'avait pas su exactement où se trouvait l'hôpital, simplement qu'il n'était pas loin d'une gare et assez près de Westminster pour entendre Big Ben sonner les heures. Il leva les yeux vers l'édifice gothique.

— Vous savez, en dehors de mes recherches, je voulais visiter votre pays. Il ne me reste guère de temps pour ça.

— Voyons, Jack, vous croyez que nous allons vous laisser retourner en Amérique sans avoir profité de l'hospitalité britannique ? protesta le duc, sincèrement amusé. Nous sommes très fiers de nos hôpitaux, naturellement, mais ce n'est pas pour les voir que les touristes viennent chez nous. Quelques petites dispositions ont été prises.

— Ah ?

Ryan dut réfléchir un moment pour deviner où ils étaient mais les plans qu'il avait étudiés lui revinrent en mémoire. Cette artère s'appelait

Birdcage Walk, il n'était qu'à trois cents mètres de l'endroit où il avait été blessé... Il apercevait le palais de Buckingham au-delà de la tête de l'agent de la sécurité assis à l'avant, à gauche. Savoir qu'on l'y conduisait était une chose mais à présent, en le voyant approcher, il était ému.

Ils entrèrent par la grille nord-est. Jack n'avait jamais vu le palais que de loin. La sécurité du périmètre n'était pas très impressionnante mais le quadrilatère fermé du palais cachait tout à la vue de l'extérieur. Il pourrait facilement y avoir une compagnie de soldats armés dans la cour. Plus probablement, de la police en civil, pensait Ryan, soutenue par tout un équipement électronique. Mais il devait aussi y avoir des surprises cachées. Après les alarmes du passé et ce dernier incident, il imaginait que le palais était aussi bien protégé que la Maison-Blanche, et même mieux si l'on tenait compte des jardins plus étendus.

Il faisait trop sombre pour distinguer beaucoup de détails. La Rolls pénétra dans la cour intérieure et s'arrêta sous une verrière. Une sentinelle présenta les armes en trois mouvements précis, à la manière britannique. Un valet en livrée vint ouvrir la portière.

Pour en sortir, Ryan se livra à une manœuvre inverse de celle de la montée. Il se retourna dans le sens contraire aux aiguilles d'une montre, sortit à reculons et ramena ensuite le bras. Le valet s'en saisit pour l'aider. Jack aurait préféré se débrouiller mais ce n'était pas le moment de protester.

— Il va vous falloir un peu de pratique, pour ça, observa le duc.

— Je crois que vous avez raison, monseigneur.

Jack le suivit vers la porte, où un autre valet prit la relève.

— Dites-moi, Jack, la première fois que nous vous avons rendu visite, vous m'avez paru beaucoup plus intimidé par la présence de la reine que par la mienne. Pourquoi ?

— Eh bien, Altesse, vous avez été officier de marine, n'est-ce pas ?

— Naturellement, répondit le duc en le regardant avec une certaine curiosité.

— Je travaille à Annapolis, monseigneur, expliqua Jack en souriant. L'Académie grouille d'officiers de marine et n'oubliez pas que j'ai été un marine. Si je me laissais intimider par tous les officiers que je croise...

— Bougre d'insolent ! s'exclama le prince, et ils rirent tous les deux.

Ryan s'attendait à être impressionné par le palais. Malgré tout, il eut du mal à ne pas se sentir écrasé. La moitié du monde avait été jadis gouvernée de là. Partout où il se tournait, les larges couloirs étaient décorés de chefs-d'œuvre de la peinture et de la sculpture, trop nombreux pour être comptés. Les murs étaient tapissés de brocart ivoire tissé de fils d'or. Des tapis d'un rouge royal recouvraient du marbre et des parquets de bois précieux. Le gestionnaire qu'avait été Jack essaya de calculer la valeur de tout cela. Il renonça au bout de dix secondes. Les tableaux à eux seuls étaient si précieux que toute tentative de les vendre bouleverserait le marché de la peinture. Ryan secoua la tête, en regrettant de ne pas avoir le temps d'examiner chaque toile. On pourrait vivre là pendant cinq ans sans avoir le temps de tout apprécier. Il faillit se laisser distancer mais brida sa curiosité, pour suivre l'allure du prince.

— Nous sommes arrivés, annonça le duc en se tournant à droite vers une porte ouverte. C'est le salon de musique.

La pièce avait à peu près la même superficie que le salon-salle à manger de la maison de Ryan, le seul endroit qu'il ait vu jusqu'à présent qui puisse offrir des points de comparaison. Le plafond était plus haut, décoré de dorures à la feuille. Il y avait là une trentaine de personnes et, dès qu'ils entrèrent, toute conversation cessa. Tout le monde se retourna pour dévisager Ryan et son plâtre grotesque. Il eut terriblement envie de disparaître. Il avait besoin de boire quelque chose.

— Si vous voulez m'excuser un moment, Jack, je dois vous quitter. Je reviendrai dans quelques minutes.

Merci beaucoup ! pensa Jack en hochant poliment la tête. *Et maintenant, qu'est-ce que je fais ?*

— Bonsoir, sir John, dit un homme en uniforme de vice-amiral de la Royal Navy.

Ryan essaya de dissimuler son soulagement. Evidemment, il avait été repassé à un autre guide ; cela devait faire partie d'une procédure d'accueil. Jack examina l'homme de plus près, alors qu'ils se serraient la main. Sa tête lui disait quelque chose.

— Je suis Basil Charleston.

Aha !

— Bonsoir, amiral.

Ryan l'avait croisé pendant sa première semaine à Langley, et son accompagnateur de la CIA lui avait dit que c'était « B.C. », ou simplement « C », le chef du service secret britannique appelé naguère MI-6. Que faisait-il là ?

— Vous avez sûrement soif, dit un autre homme en arrivant avec un verre de champagne. Bonjour. Je m'appelle Bill Holmes.

— Vous travaillez ensemble, messieurs ? demanda Jack en goûtant le vin pétillant.

— Le juge Moore m'a dit que vous étiez un garçon intelligent, dit Charleston.

92

— Pardon ? Le juge comment ?

— Bien joué, Ryan, approuva Holmes avec un sourire. Il paraît que dans votre jeunesse vous jouiez au football, au football américain, bien sûr. Dans une équipe de ce qu'on appelle Junior Varsity ?

— Varsity et Junior Varsity, mais seulement au lycée. Je n'étais pas assez grand pour la division universitaire, répondit Ryan en s'efforçant de masquer son malaise, car « Junior Varsity » était le nom du projet pour lequel il avait été engagé en consultation par la CIA.

— Et vous allez me dire que vous ne savez rien de l'individu qui a écrit *Agents et Agences* ? dit Charleston en souriant.

Jack réprima un sursaut.

— Amiral, je ne peux pas parler de ça sans...

— La copie numéro seize est sur mon bureau. Le juge m'a prié de vous dire que vous êtes libre de parler du « traitement de textes fumant ».

Ryan laissa échapper sa respiration. Le mot était initialement de James Greer. Quand Jack avait proposé le « piège à canari » au directeur adjoint de la CIA, l'amiral James Greer en avait plaisanté, en employant ces mots-là. Ryan était libre de parler. Probablement. Son briefing de sécurité à la CIA n'avait pas évoqué ce type de situation.

— Excusez-moi, amiral. Personne ne m'a jamais dit que j'étais libre de parler à ce sujet.

Charleston passa en un instant de la jovialité au sérieux.

— Ne vous excusez pas, mon garçon. On doit prendre au sérieux ces questions. Ce rapport que vous avez rédigé était de premier ordre. Je ne savais pas ce qu'était ce truc que le juge appelait le « piège à canari ». Il m'a dit que vous sauriez me l'expliquer mieux que lui. Vous savez qui je suis, naturellement ?

— Oui, amiral. Je vous ai vu en juillet dernier, à l'Agence. Vous sortiez de l'ascenseur au septième étage et je sortais du bureau du directeur adjoint des SR. Quelqu'un m'a dit qui vous étiez.

— Bien. Alors vous savez que tout cela ne sort pas de la famille. Que diable est ce « piège à canari » ?

— Eh bien, vous connaissez tous les problèmes qu'a la CIA avec les fuites. Alors que je terminais le premier jet du rapport, j'ai eu l'idée de rendre chaque copie unique.

— On fait ça depuis des années, dit Holmes. Il suffit de déplacer une virgule ici ou là. La chose la plus facile du monde. Si les journalistes sont assez stupides pour publier une photo du document, nous pouvons identifier la fuite.

— Oui, monsieur, mais les journalistes qui publient les fuites le savent aussi. Et ils ne montrent plus les documents qu'ils obtiennent de leurs sources, n'est-ce pas ? répliqua Ryan. Alors j'ai imaginé une variante. Il y avait quatre parties, dans *Agents et Agence*. Chacune comportait un résumé d'un paragraphe, écrit dans un style assez théâtral.

— Oui, j'ai remarqué, dit Charleston. Cela ne se lisait pas du tout comme un document de la CIA. Plutôt comme un des nôtres. Nous employons des hommes pour rédiger nos rapports, voyez-vous, pas des ordinateurs. Mais continuez.

— Chaque paragraphe-résumé a six versions différentes et la mixture de ces paragraphes est unique pour chaque copie numérotée du rapport. Il y a plus de mille permutations possibles mais seulement quatre-vingt-seize copies numérotées du document réel. La raison pour laquelle les paragraphes de résumé sont rédigés différemment, c'est d'inciter les journalistes à les citer mot à mot. Si les citations sont extraites de deux ou trois de ces paragraphes, nous savons quelle copie ce journaliste a eue en main et, par conséquent, d'où vient la fuite. On travaille en ce moment à une version encore plus raffinée du piège. Avec un ordinateur. On emploie un programme de dictionnaire pour jongler avec les synonymes et on peut rendre chaque copie du document absolument unique.

— Vous a-t-on dit si ça marchait ? demanda Holmes.

— Non, monsieur. Je n'avais rien à voir avec la sécurité, à l'Agence.

Grâce à Dieu ! pensa Ryan.

— Oh, ça a marché, assura sir Basil. Cette idée est follement simple... et follement brillante ! Et puis il y avait l'aspect substantif de la communication. Vous a-t-on dit que votre rapport concordait point par point avec une enquête que nous avons effectuée l'année dernière ?

— Non, amiral. A ma connaissance, tous les documents sur lesquels j'ai travaillé venaient de chez nous.

— Vous avez donc fait toutes ces déductions de votre propre chef ? Admirable !

— Est-ce que j'ai commis une gaffe, amiral ?

— Vous auriez dû accorder plus d'attention à ce Sud-Africain. Vous n'aviez peut-être pas assez de renseignements à ce sujet, bien sûr. Nous le surveillons très étroitement, en ce moment.

Ryan vida son verre de champagne et réfléchit à cette question. Il avait eu quand même pas mal de renseignements sur M. Martens... *Qu'est-ce qui m'a échappé ?* Il ne pouvait pas le demander, pas maintenant. Indélicat. Mais il pouvait quand même demander...

— Est-ce que les Sud-Africains ne...

— J'ai peur que la collaboration qu'ils veulent bien nous accorder soit moins bonne que par le passé et Erik Martens est un type très précieux pour eux. On ne peut guère leur en vouloir, vous savez. Il a le chic pour procurer ce qu'il faut à leurs militaires et cela limite les possibilités de pression du gouvernement, fit observer Holmes. Il faut aussi considérer la filière israélienne. Il leur arrive de s'écarter du droit chemin mais nous avons trop d'intérêts communs pour secouer sérieusement ce bateau.

Ryan le reconnut. La défense israélienne avait l'ordre de faire rentrer le plus d'argent possible, ce qui était à l'occasion en contradiction avec les vœux des alliés d'Israël. *Je me souviens des relations de Martens mais quelque chose d'important a dû m'échapper... Quoi ?*

— Je vous en prie, ne prenez pas cela comme une critique, dit Charleston. Pour un premier essai, le rapport était excellent. La CIA doit vous reprendre. C'est un des rares rapports de l'Agence sur lequel je n'ai pas failli m'endormir. A défaut d'autre chose, vous pourriez peut-être apprendre à écrire à leurs analystes. Ils vous ont sûrement demandé de rester, non ?

— Ils me l'ont demandé, amiral. Je n'ai pas trouvé que c'était une très bonne idée.

— Réfléchissez encore, conseilla aimablement sir Basil. Cette idée de Junior Varsity était bonne, comme le programme Equipe-B dans les années soixante-dix. Nous aussi, nous faisons venir à la boutique des universitaires de l'extérieur, afin d'avoir un œil neuf pour examiner les données qui tombent en cascades sur notre paillasson. Le juge Moore, votre nouveau directeur, est une réelle bouffée d'air frais. Un type épatant. Il connaît bien le métier mais il en a été éloigné pendant assez longtemps pour avoir de nouvelles idées. Vous en êtes une, mon cher Ryan. Votre place est dans le métier, mon garçon.

— Je n'en suis pas tellement sûr, amiral. Mon doctorat d'histoire et...

— Moi aussi, j'en ai un, intervint Bill Holmes. Les diplômes ne comptent pas. Dans les renseignements, nous cherchons la bonne tournure d'esprit. Vous semblez l'avoir. Evidemment, nous ne pouvons pas vous recruter, nous, n'est-ce pas ? Je serais assez déçu si Arthur et James ne faisaient pas une nouvelle tentative. Je vous en prie, pensez-y.

Ryan y avait pensé. Il n'en dit rien. Il hocha simplement la tête, l'air songeur, perdu dans ses propres réflexions. *Mais j'aime enseigner l'histoire...*

— Le héros du jour !

Un autre homme vint se joindre au groupe.

— Ah, bonsoir, Geoffrey, dit Charleston. Ryan, je vous présente Geoffrey Watkins, du Foreign Office.

— Comme David Ashley est du Home Office ? demanda Ryan en prenant la main tendue.

— A vrai dire, je passe le plus clair de mon temps ici, répondit Watkins.

— Geoff est l'agent de liaison entre le Foreign Office et la famille royale. Il s'occupe des mises au courant, se mêle du protocole et, dans l'ensemble, se rend insupportable, expliqua Holmes avec un sourire. Combien de temps maintenant, Geoff ?

Watkins fronça les sourcils en réfléchissant.

— Un peu plus de quatre ans, je crois. Il me semble que ce n'était que la semaine dernière. Rien du prestige qu'on pourrait imaginer. Je ne fais guère que transporter la boîte des dépêches et essayer de me cacher dans les coins.

Ryan sourit.

— Ridicule ! protesta Charleston. Un des esprits les plus aigus du Foreign Office. Sinon on ne vous aurait pas gardé ici.

Watkins fit un geste embarrassé.

— J'avoue que je suis assez occupé.

— Vous devez l'être, dit Holmes. Voilà des mois que je ne vous ai pas vu au tennis club.

— Monsieur Ryan, le personnel du palais m'a prié de vous exprimer son admiration pour ce que vous avez fait...

Il débita quelques phrases pompeuses, pendant une minute ou deux. Watkins avait trois centimètres de moins que Ryan et frisait la quarantaine. Ses cheveux bruns soigneusement coupés grisonnaient aux tempes et il avait la pâleur des personnes qui voient rarement le soleil. Il avait l'aspect d'un diplomate. Son sourire était si parfait qu'il devait le répéter devant la glace. C'était un de ces sourires qui veulent dire n'importe quoi ou, plutôt, rien du tout. Il y avait cependant de l'intérêt dans ses yeux bleus. Comme cela était déjà arrivé assez souvent, depuis quelques semaines, cet homme cherchait visiblement à savoir de quoi le Dr John Patrick Ryan était fait. Le sujet de cette investigation commençait à en avoir plus qu'assez mais ne pouvait guère s'en défendre.

— Geoff est un expert sur la situation en Irlande du Nord, dit Holmes.

— Personne n'est expert en ce domaine, réfuta Watkins en secouant la tête. Je me trouvais là-bas au commencement, en 1969.

J'étais sous l'uniforme, alors, sous les ordres de... enfin, ça n'a plus d'importance. A votre avis, monsieur Ryan, comment pensez-vous que nous devrions traiter le problème ?

— Voilà trois semaines qu'on me pose cette question, monsieur Watkins. Comment diable voulez-vous que je le sache ?

— Vous cherchez toujours des idées, Geoff ? demanda Holmes.

— La bonne idée est par là, quelque part, répliqua Watkins sans quitter Ryan des yeux.

— Je ne la détiens pas, assura Jack. J'enseigne l'histoire, rappelez-vous, je ne la fais pas.

— Rien qu'un prof d'histoire et ces deux types vous tombent dessus ?

— Nous voulions voir s'il travaillait vraiment pour la CIA, comme les journaux le disent, intervint vivement Charleston.

Jack comprit le signal. Watkins n'était pas habilité à tous les secrets et ne devait pas être mis au courant de ses relations passées avec l'Agence... mais il était bien capable de tirer ses propres conclusions, se dit Ryan. Néanmoins, le règlement c'était le règlement. *C'est bien pour ça que j'ai refusé l'offre de Greer*, pensa-t-il. *Tous ces règlements idiots. On ne doit parler à personne de ceci ou de cela, pas même à sa femme. Sécurité, sécurité, sécurité ! Connerie !* Oui, bien sûr, certaines choses devaient rester secrètes mais si personne ne les connaissait, comment pourrait-on les utiliser ? A quoi servait un secret dont on ne pouvait pas se servir ?

— Vous savez, ce sera bon de retourner à Annapolis. Les midships, au moins, croient que je suis professeur !

— Bien sûr, marmonna Watkins.

Qu'est-ce que vous êtes au juste, Ryan ? pensait-il. Depuis qu'il avait quitté l'armée en 1972 et était entré au Foreign Office, Watkins avait souvent joué à ce petit jeu d'identification. Il recevait de Ryan des signaux confus, complexes, et cela rendait le jeu plus intéressant.

— Comment passez-vous votre temps à présent, Geoff ? demanda Holmes.

— Vous voulez dire à part mes journées de douze heures ? J'arrive à lire parfois un livre. Je viens de reprendre encore une fois *Moll Flanders*.

— Vraiment ? J'ai commencé *Robinson Crusoe* il y a quelques jours. Le moyen le plus sûr de détourner son esprit du monde, c'est de retourner vers les classiques.

— Vous lisez les classiques, monsieur Ryan ? demanda Watkins.

— Je les lisais. J'ai été élevé par les Jésuites, vous savez. Ils ne vous laissent pas passer à côté des vieilleries.

Est-ce que *Moll Flanders* est un classique ? se demanda Jack. Ce n'est pas en latin, ni en grec et ce n'est pas de Shakespeare...

— Des vieilleries ! Quelle épouvantable attitude !

Watkins rit et Ryan riposta :

— Vous avez déjà essayé de lire Virgile dans le texte ?

— *Arma virumque cano, trojae qui primus oris... ?*

— Geoff et moi étions ensemble à Winchester, expliqua Holmes. *Contiquere omnes, inteque ora tenebant...*

Les deux anciens d'une « public school » éclatèrent de rire ensemble.

— J'avais de bonnes notes en latin ! se défendit Ryan. Seulement j'ai tout oublié.

— Encore un colon philistin, observa Watkins.

Ryan se dit que M. Watkins ne lui plaisait pas du tout. Cet homme le harcelait délibérément pour provoquer ses réactions et Jack s'était depuis longtemps lassé de ce jeu.

— Navré. Par chez moi, nous avons des priorités quelque peu différentes.

— Bien sûr, reconnut Watkins.

Le sourire n'avait absolument pas changé. Jack s'en étonna, sans trop savoir pourquoi.

— Vous n'habitez pas loin de l'Académie navale, je crois ? Est-ce qu'il n'y a pas eu un incident là-bas, dernièrement ? demanda sir Basil. J'ai lu ça quelque part dans un rapport, il me semble. Il n'y avait pas beaucoup de détails.

— Ce n'était pas vraiment du terrorisme, rien que de la délinquance ordinaire. Deux midshipmen ont repéré un trafic de drogue, à Annapolis, et ils ont prévenu la police. Les garçons qui ont été arrêtés faisaient partie d'une bande de motards. Une semaine plus tard, certains membres de la bande ont décidé de régler leur compte aux midships. Ils sont passés sous le nez des Jimmy Legs, les gardes civils de la sécurité, vers 3 heures du matin et ils se sont introduits dans Bancroft Hall. Ils ont dû penser que ce n'était qu'un pavillon-dortoir comme dans n'importe quelle université mais ils étaient loin du compte. Les gamins de quart les ont aperçus, ils ont donné l'alerte et tout a explosé. Les intrus se sont perdus — Bancroft a au moins trois kilomètres de couloirs — et ont été coincés. C'est une affaire fédérale du fait que ça s'est passé dans des locaux du gouvernement. Ceux-là vont être au frais pendant un bon moment. La bonne nouvelle, c'est que la garde des marines a été renforcée à l'Académie et maintenant il est beaucoup plus facile d'y entrer et d'en sortir.

— Plus facile ? s'étonna Watkins. Mais...

Jack sourit.

— Avec des marines sur le périmètre, ils laissent beaucoup plus de portails ouverts. Un marine de garde bat à tous les coups une porte verrouillée.

— Tiens donc ! Je...

Quelque chose avait attiré l'attention de Charleston. Ryan était tourné du mauvais côté mais les réactions étaient assez évidentes : Charleston et Holmes commencèrent à s'écarter et Watkins s'esquiva. Jack se retourna et vit la reine sur le seuil, qui passait devant un laquais.

Le duc était à ses côtés et Cathy les suivait, à une distance diplomatique. La reine vint tout de suite à lui.

— Vous avez bien meilleure mine.

Jack essaya de s'incliner — pensant qu'il le devait — sans mettre en danger la vie de la souveraine avec son plâtre. Le poids de son bras plâtré avait tendance à l'entraîner vers la gauche.

— Merci, Votre Majesté. Je me sens beaucoup mieux.

— Rebonsoir, Jack, dit le duc. Mettez-vous à votre aise. C'est une soirée tout à fait intime. Pas de défilé, pas de protocole. Détendez-vous.

— Ma foi, le champagne est de bon secours.

— Excellent, déclara la reine. Je crois que nous allons vous laisser vous retrouver, Cathy et vous.

Elle s'éloigna avec le prince.

— Doucement sur l'alcool, Jack.

Cathy était absolument radieuse dans une robe de cocktail blanche si ravissante que Ryan oublia de se demander combien elle avait coûté. Ses cheveux étaient bien coiffés et elle était maquillée, deux choses que sa profession lui refusait d'habitude obstinément. Et, surtout, elle était Cathy Ryan. Il l'embrassa, sans se soucier du public.

— Tous ces gens...

— Qu'ils aillent se faire voire, murmura Jack. Comment va ma fille favorite ?

Les yeux de Cathy pétillèrent mais ce fut d'une voix froidement professionnelle qu'elle annonça :

— Comme une fille enceinte.

— Quoi ! Tu es sûre... quand ?

— J'en suis sûre, mon chéri, parce que *a)* je suis médecin, *b)* j'ai quinze jours de retard. Pour ce qui est du quand, Jack, rappelle-toi notre arrivée, dès que nous avons eu couché Sally... Ces lits d'hôtel inconnus, Jack. Ça marche à tous les coups.

Jack ne trouva rien à répliquer. Il lui enlaça les épaules de son bras valide et la serra contre lui aussi discrètement que son émotion le permettait. Si elle avait deux semaines de retard... eh bien, il savait que Cathy était aussi régulière que sa montre suisse. *Je vais encore être papa!*

— Nous tâcherons de faire un garçon, cette fois, dit-elle.

— Tu sais que ce n'est pas important, ça.

— Je vois que vous le lui avez annoncé.

La reine était revenue, silencieuse comme un chat. Le duc parlait à l'amiral Charleston. *De quoi?* se demanda Jack.

— Félicitations, sir John.

— Merci, Votre Majesté, et merci pour beaucoup de choses. Jamais nous ne pourrons vous rendre toutes vos bontés.

Encore une fois, le sourire de jour de fête.

— C'est nous qui avons une dette. D'après ce que me dit Cathy, vous aurez au moins un souvenir tangible de votre visite dans notre pays.

— Certainement, Majesté, mais plus d'un.

Jack commençait à comprendre les règles du jeu.

— Est-il toujours aussi galant, Cathy?

— A vrai dire non, madame. Nous avons dû le surprendre dans un moment de faiblesse. Ou alors ce pays a une influence civilisatrice.

— C'est bon à savoir, après toutes les choses horribles qu'il a dites de votre petite Olivia. Savez-vous qu'elle refusait de se coucher sans m'embrasser et me souhaiter bonne nuit? C'est un amour de petit ange. Et il la traitait de danger public!

Jack soupira. Il ne comprenait que trop. Après trois semaines dans cet environnement, Sally faisait probablement les plus mignonnes révérences dans l'histoire de la civilisation occidentale. Le personnel du Palais devait se battre à qui s'occuperait d'elle. Sally avait un talent inné pour manipuler les personnes qui l'entouraient et elle l'avait mis en pratique sur son père, toute sa vie.

— Peut-être ai-je exagéré, madame.

— C'était de la diffamation! s'exclama la reine, les yeux brillant d'amusement. Elle n'a absolument rien cassé. Rien. Et de plus elle devient la meilleure écuyère que nous ayons vue depuis des années.

— Pardon?

— Des leçons d'équitation, expliqua Cathy.

— Tu veux dire, sur un cheval?

— Que monterait-elle d'autre ? demanda la reine.

— Sally ? Sur un cheval ?

Jack regarda sa femme. Cette nouvelle ne lui plaisait pas beaucoup. La reine vola à la défense de Cathy.

— Elle progresse admirablement. Ce n'est pas du tout dangereux, sir John. L'équitation est un sport magnifique pour les enfants. Il enseigne la discipline, la coordination, la responsabilité.

Sans parler d'un moyen fabuleux de rompre son joli petit cou, pensa Ryan. Mais il se répéta qu'on ne doit pas contredire une reine, surtout pas sous son propre toit.

— Vous devriez essayer de monter vous-même, reprit la souveraine. Votre femme monte.

— Nous avons assez de terrain, maintenant, dit Cathy. Tu adorerais ça.

— Je tomberais, oui.

— Eh bien, vous remonteriez jusqu'à ce que vous ne tombiez plus, déclara une femme qui avait plus de cinquante ans d'équitation derrière elle.

C'est la même chose que la bicyclette, se dit Ryan, seulement on ne tombe pas de haut d'un vélo et Sally est encore trop petite pour le vélo. Il était pris de panique quand il la voyait pédaler dans le jardin sur son tricycle. *Enfin quoi, elle est si petite que le cheval ne doit même pas savoir si elle est sur son dos ou non !* Cathy devina sa pensée :

— Les enfants doivent grandir. Tu ne peux pas la protéger de tout, toute sa vie.

— Oui, ma chérie, je sais.

Comment ça, je ne peux pas ? C'est mon métier !

Quelques minutes plus tard, tout le monde sortit du salon pour aller dîner. Ryan traversa le Salon bleu, une immense salle à colonnes qui lui coupa le souffle, et passa par une porte en miroirs à doubles battants dans la salle à manger d'apparat.

Le contraste était incroyable. Quittant une pièce d'un bleu discret ils entraient dans un flamboiement de rouge. Les murs étaient tapissés de soie. Le plafond voûté était ivoire et or et au-dessus de l'énorme cheminée blanche il y avait un grand portrait. De qui ? se demanda Ryan. Un roi, naturellement, du XVIIIe ou du XIXe siècle à en juger par sa culotte blanche ornée de la jarretière. Au-dessus de la porte par laquelle ils étaient entrés, il y avait le monogramme royal de la reine Victoria, VR, et il se demanda combien d'événements historiques s'étaient déroulés dans cette salle-là.

— Vous serez assis à ma droite, sir John, lui dit la reine.

Ryan jeta un rapide coup d'œil à la table. Elle était assez grande pour qu'il n'ait pas trop à craindre d'assommer Sa Majesté avec son bras gauche, ce qui serait désastreux.

Le pire, à ce dîner, ce fut que Ryan allait être éternellement incapable de se rappeler ce qu'on avait servi. Il s'était déjà bien entraîné à ne manger que d'une main, mais jamais il n'avait eu tant de spectateurs et il était sûr que tout le monde l'observait. Après tout, il était un Yankee et il aurait été un objet de curiosité même sans son plâtre. Il se répétait constamment de faire attention, de ne pas trop boire de vin, de surveiller son langage. De temps en temps, il regardait furtivement Cathy, à côté du duc à l'autre bout de la table, absolument radieuse. Il était un peu jaloux de la voir plus à son aise que lui. Il se demanda s'il serait là à présent, s'il était un jeune flic ou un simple soldat des Royal Marines qui s'était trouvé par hasard au bon endroit et au bon moment. Probablement pas. Il ne savait pas pourquoi mais il comprenait que quelque chose, dans cette institution de l'aristocratie, allait à l'encontre de sa nature américaine. En même temps, il ne lui déplaisait pas d'avoir été anobli, même si le titre n'était qu'honorifique. C'était une contradiction qui le troublait et le déroutait. *Toutes ces attentions sont trop séduisantes*, se dit-il, *et je serais heureux d'y échapper*. Vraiment ? Il but un peu de vin. *Je sais que ma place n'est pas ici, mais est-ce que je voudrais y être, à ma place ? Bonne question !* Le vin ne lui apporta pas la réponse. Il lui faudrait la chercher ailleurs.

Il regarda sa femme, qui paraissait fort bien s'adapter. Elle avait grandi dans une atmosphère à peu près similaire, dans une vaste demeure du canton de Westchester, dans une famille fortunée qui donnait beaucoup de réceptions où le beau monde se pavanait. C'était une vie qu'il avait rejetée et qu'elle avait abandonnée. Ils étaient tous deux heureux de ce qu'ils avaient, chacun avec sa carrière, mais est-ce que cette aisance ne voulait pas dire qu'elle regrettait... Ryan fronça les sourcils.

— Vous allez bien, Jack ? demanda la reine.

— Oui, madame, que Votre Majesté m'excuse. J'ai peur qu'il me faille un moment pour m'habituer à tout ceci.

— Jack, dit-elle tout bas, si tout le monde vous aime, et nous vous aimons tous, vous savez, c'est à cause de ce que vous êtes, de celui que vous êtes. Tâchez de ne pas l'oublier.

Ryan pensa que c'était sans doute les mots les plus gentils qu'on lui eût jamais dits. La noblesse était peut-être plus un état d'esprit qu'une institution. Il se dit que son beau-père devrait en tirer une leçon.

Trois heures plus tard, Jack suivit sa femme dans leur chambre, précédée d'un petit salon. Devant lui, le lit était déjà préparé, la couverture rabattue. Il dénoua sa cravate, déboutonna son col et poussa un long soupir.

— Tu ne plaisantais pas en parlant de transformation en citrouille.

— Je sais.

Une seule veilleuse était allumée et Cathy l'éteignit. La chambre ne fut plus éclairée que par les lointaines lumières de la rue, filtrant entre les lourds rideaux. Sa robe blanche ressortait dans l'obscurité mais Jack ne voyait de sa figure que l'arc de ses lèvres et le reflet de ses yeux. Son esprit combla les autres détails. Il la serra au creux de son bras valide en maudissant la monstruosité de plâtre qui lui emprisonnait le côté gauche. Elle laissa tomber sa tête sur la bonne épaule et il posa sa joue sur les fins cheveux blonds. Pendant une minute ou deux, ils gardèrent le silence. Il leur suffisait d'être seuls, ensemble dans une paisible obscurité.

— Je t'aime, bébé.

— Comment te sens-tu, Jack ?

C'était plus qu'une simple question sur sa santé.

— Pas mal. Assez bien reposé. L'épaule ne me fait plus grand mal. L'aspirine suffit à éliminer la douleur.

C'était une exagération mais Jack était habitué à l'inconfort.

— Ah, je vois comment ils s'y sont pris !

Cathy était en train de tâtonner sur le côté gauche de la veste. Les tailleurs avaient mis des bandes velcro sur le dessous, pour que le vêtement donne davantage l'impression d'habiller Jack que de dissimuler le plâtre. Sa femme les détacha rapidement et retira la veste. La chemise suivit.

— Je suis capable de faire ça moi-même, tu sais.

— Tais-toi, Jack. Je ne veux pas attendre toute la nuit que tu te déshabilles.

Il entendit ensuite le léger crissement d'une longue fermeture à glissière.

— Je peux t'aider ?

Un rire dans l'obscurité.

— J'aurai peut-être envie de remettre un jour cette robe. Et prends garde où tu mets ton bras.

— Je n'ai encore assommé personne.

— Tant mieux. Essayons de garder des états de service parfaits.

Un murmure de soie. Elle vint le prendre par la main.

— Nous allons te faire asseoir.

Une fois qu'il fut assis sur le bord du lit, la suite se passa facilement. Cathy s'assit à côté de lui. Il la sentit, fraîche et douce, un soupçon de parfum dans l'air. Il lui caressa l'épaule, fit lentement glisser sa main sur la peau satinée de l'abdomen.

— Tu vas avoir mon bébé, chuchota-t-il.

Il est là en ce moment, il pousse et se développe déjà. Il y a réellement un Dieu, et il y a vraiment des miracles.

Elle lui passa une main sur la figure.

— Tu sais, c'est bien vrai que je t'aime.

— Je sais, murmura-t-elle. Allonge-toi.

6
Procès et conflits

Les dépositions préliminaires durèrent environ deux heures. Ryan était assis sur un banc de marbre, à l'extérieur de la chambre numéro deux d'Old Bailey. Il essayait de travailler sur son ordinateur mais il n'arrivait pas à se concentrer et regardait sans cesse, de tous côtés, le palais vieux de cent soixante ans.

La sécurité était incroyablement sévère. Au-dehors, de nombreux agents en uniforme montaient la garde, de petits étuis à pistolet à la main. D'autres, en tenue ou non, occupaient les toits de l'autre côté de Newgate Street, comme des faucons guettant des lapins. A cette différence que les lapins étaient armés de mitraillettes et de bazookas RPG-7. Toute personne entrant dans le bâtiment devait passer au détecteur de métal, un appareil assez sensible pour bourdonner à la présence du papier d'étain d'un paquet de cigarettes, et presque tout le monde était fouillé. Ryan n'y avait pas échappé et il avait été tellement surpris de l'intimité de cette fouille qu'il avait demandé à l'agent s'il ne pensait pas qu'il allait un peu trop loin pour un premier rendez-vous. Le grand hall était fermé à toute personne étrangère à l'affaire et les procès de moindre importance avaient été disséminés dans l'une ou l'autre des dix-neuf chambres afin de faire de la place à l'affaire Miller.

Ryan ne s'était encore jamais trouvé dans un palais de justice. Il sourit à la pensée qu'il n'avait même jamais été arrêté pour excès de vitesse et que sa vie avait été bien terne jusqu'à présent. Les dalles de marbre — presque tout était en marbre — de ce grand hall lui donnaient un aspect de cathédrale et les murs étaient décorés d'aphorismes comme celui de Cicéron : « Le bien du peuple est la loi la plus haute », une phrase qu'il trouva particulièrement appropriée au lieu. Il se demanda si les membres de L'ULA pensaient de cette façon et justifiaient leurs activités conformément à ce qu'ils estimaient être le bien du peuple. *Qui ne le fait pas ?* se demanda Jack. *Quel tyran a jamais manqué de justifier ses crimes ?* Six ou sept autres témoins cités étaient assis près de lui. Il ne leur adressait pas la parole. Ses instructions étaient strictes : même une conversation banale, et les avocats de la défense pourraient arguer que les témoins s'étaient entendus entre eux. L'accusation avait consacré tous ses efforts à respecter soigneusement la procédure.

L'embuscade avait eu lieu moins de quatre semaines auparavant et le procès commençait déjà, ce qui était anormalement rapide selon les normes britanniques. La sécurité était totale. L'admission du public (qui se faisait par une autre partie du bâtiment) était sévèrement contrôlée. Mais, en même temps, le procès était traité comme une affaire de droit commun. Le nom d' « Ulster Liberation Army » n'avait pas été prononcé. Pas une fois le procureur n'avait employé le mot « terroriste ». La police ignorait — publiquement du moins — l'aspect politique. Deux hommes étaient morts, c'était donc un procès criminel pour meurtre avec préméditation, un point c'est tout. Même la presse jouait le jeu, en partant du principe qu'il n'y avait pas de manière plus méprisante de traiter l'accusé qu'en le reléguant au rang de criminel ordinaire et en lui refusant tout statut politique.

La vérité était tout autre, bien entendu, et tout le monde était au courant. Mais Ryan connaissait assez bien le droit pour savoir que les avocats se soucient rarement de la vérité. Les règles sont bien plus importantes. Il n'y aurait donc pas de spéculations officielles sur les motifs des criminels et la famille royale ne serait pas impliquée. On se contenterait de lire sa déposition disant qu'elle ne pouvait identifier le conspirateur vivant et n'avait donc aucun témoignage à offrir.

C'était sans importance. D'après les récits publiés dans la presse, tout était aussi clair que possible. Même Cathy n'était pas citée comme témoin. En plus des experts et médecins légistes qui avaient déposé la veille, la Couronne avait huit témoins oculaires. Ryan était le deuxième. En principe, le procès ne devait pas durer plus de quatre jours. Comme l'avait dit Owens à l'hôpital, il n'y aurait pas à « pinailler » avec ce gars-là.

— Monsieur Ryan ? Si vous voulez bien me suivre, monsieur.

Le traitement VIP continuait, même là. Un huissier en manches courtes et cravate vint le chercher et le conduisit dans le prétoire par une porte de côté. Un officier de police l'ouvrit, et prit l'ordinateur de Jack. *La vedette entre en scène,* se dit Ryan.

La chambre numéro deux d'Old Bailey était tapissée de boiseries du XIXᵉ siècle. Il y en avait tellement, en chêne massif, que la construction d'une salle semblable en Amérique aurait provoqué un tollé de protestations du Sierra Club à cause du nombre d'arbres que cela aurait coûté. La superficie était en revanche étonnamment réduite, impression accentuée par la présence d'une table installée au centre. Le banc du juge était une forteresse de bois, contiguë au box des témoins. L'honorable juge Wheeler trônait derrière, sur un des cinq fauteuils à haut dossier. Il était resplendissant, en toge écarlate et perruque de crin blanche tombant sur ses épaules étroites ; il avait véritablement l'air surgi d'un autre âge. Le box du jury était sur la gauche de Ryan. Huit femmes et quatre hommes étaient assis sur deux rangs égaux, chaque visage exprimant l'attente anxieuse. Au-dessus d'eux, c'était la galerie du public, perchée comme une tribune de chœur et construite en diagonale, si bien que Ryan voyait à peine les personnes assises. Les avocats étaient à sa droite, en robe noire, jabot du XVIIIᵉ et perruque plus petite. Il émanait de tout cela une atmosphère quasi religieuse qui mit Jack mal à l'aise alors qu'il prêtait serment.

Williams Richards, le procureur, était un homme de l'âge de Ryan, de même taille et de même charpente. Il commença par les questions d'usage, nom, lieu de résidence, profession, date d'arrivée, raison du voyage. Comme c'était à prévoir, Richards avait le sens du spectaculaire et quand vinrent enfin les questions concernant la fusillade, Ryan n'eut pas besoin de voir les visages pour sentir la surexcitation et l'impatience du public.

— Monsieur Ryan, pouvez-vous décrire, à votre façon, ce qui s'est passé ensuite ?

Jack fit cela en dix minutes, sans interruption, à demi tourné vers le jury. Il s'efforçait de ne pas regarder les jurés en face. L'endroit lui semblait mal choisi pour avoir le trac mais c'était bien ce qui lui arrivait. Il fixa son regard sur les panneaux de chêne juste au-dessus de leurs têtes, tout en racontant les événements. Il avait l'impression de les revivre et, lorsqu'il conclut, son cœur battait plus fort.

— Monsieur Ryan, pouvez-vous identifier l'homme que vous avez attaqué en premier ? demanda Richards.

— Certainement, répondit Ryan en montrant du doigt. Il s'agit de l'accusé.

Il le voyait nettement pour la première fois. L'homme s'appelait Sean Miller, un nom pas particulièrement irlandais, du point de vue de Ryan. Il avait vingt-six ans, il était petit, mince, soigneusement habillé d'un costume de ville, avec une cravate. Quand Ryan le désigna, il souriait à quelqu'un dans la tribune du public, peut-être un membre de sa famille. Et puis il baissa les yeux et Ryan l'examina avec attention. Quel genre d'individu, s'était demandé Jack pendant des semaines, était capable de préparer et d'exécuter un tel crime ? Qu'est-ce qu'il avait en plus ou en moins que la plupart des gens civilisés ? La figure étroite, marquée d'acné, était tout à fait normale. Miller aurait pu passer pour un jeune cadre de grande entreprise. Le père de Jack avait passé sa vie à s'occuper de criminels mais, pour lui, leur existence était un mystère. *Pourquoi êtes-vous différent ? Qu'est-ce qui vous a fait ce que vous êtes ?* avait-il envie de demander, sachant que même s'il recevait une réponse la question se poserait toujours. Puis il regarda Miller dans les yeux. Il chercha... quelque chose, une étincelle de vie, d'humanité, qui lui dirait que c'était bien là un autre être humain. Cela ne dura que deux secondes, sans doute, mais pour Ryan ce moment parut s'éterniser alors qu'il regardait au fond de ces yeux gris et voyait...

Rien. Rien du tout. Alors il commença un peu à comprendre.

— Il sera indiqué dans les minutes, dit le lord juge au greffier du tribunal, que le témoin a identifié l'accusé Sean Miller.

— Merci, milord, dit Richards.

Ryan en profita pour se moucher. Il avait attrapé un rhume pendant le week-end précédent.

— Etes-vous tout à fait à votre aise, monsieur Ryan ? demanda le juge, et Jack s'aperçut qu'il s'appuyait assez lourdement sur la barre.

— Excusez-moi, votre hon... milord... Ce plâtre est un peu fatigant.

— Huissier, un tabouret pour le témoin, ordonna le juge.

Les avocats de la défense étaient assis près de l'accusation, à environ cinq mètres de distance sur la même rangée de bancs de chêne aux coussins de cuir vert. L'huissier revint bientôt avec un simple tabouret de bois. Ryan s'y assit mais ce qu'il lui aurait vraiment fallu, c'était un crochet pour soutenir son bras gauche. Il s'habituait pourtant progressivement au poids. C'était la démangeaison constante qui le rendait fou et il n'y avait absolument rien à y faire.

Le principal avocat de la défense — un maître du barreau — se leva avec élégance. Il s'appelait Charles Atkinson, surnommé Charlie le Rouge à cause de son penchant pour les causes extrémistes et les criminels de gauche. Le bruit courait qu'il gênait le parti travailliste qu'il avait représenté jusqu'à ces derniers temps au parlement. Charlie le Rouge avait une quinzaine de kilos superflus et sa perruque était de travers au-dessus de sa figure rubiconde, curieusement maigre pour une charpente aussi corpulente. Ryan se dit que la défense des terroristes devait quand même bien rapporter et que c'était là une question sur laquelle Owens ferait bien d'enquêter. D'où vient votre argent, maître Atkinson ?

— S'il plaît à Votre Seigneurie, dit l'avocat en s'avançant vers Ryan, une liasse de notes à la main. Docteur Ryan... ou devrais-je dire sir John ?

— Comme il vous plaira, maître, répondit Jack avec un geste d'indifférence.

On l'avait mis en garde contre Atkinson. Un bougre très malin, lui avait-on dit. Mais il avait connu bien des bougres malins, quand il était agent de change.

— Vous avez été, je crois, *left*enant dans l'United States Marine Corps ? demanda l'avocat en prononçant le grade à l'anglaise.

— Oui, maître, c'est exact.

Atkinson consulta ses notes et se tourna vers le jury.

— Tous assoiffés de sang, les marines US, marmonna-t-il.

— Excusez-moi, maître. Assoiffés de sang ? riposta Ryan. Non, monsieur. La plupart des marines que j'ai connus étaient buveurs de bière.

Atkinson se retourna vers lui tandis que des rires fusaient dans le public. Il lui adressa un mince sourire assez menaçant. On avait averti Jack de se méfier, par dessus tout, de ses jeux de mots et de ses talents tactiques, mais il envoya promener ces mises en garde. Il rendit son sourire à l'avocat. *Vas-y donc, patate...*

— Pardonnez-moi, sir John. Simple façon de parler. Je voulais dire que les marines US ont une réputation d'agressivité. Je ne me trompe pas, n'est-ce pas ?

— Les marines sont une unité d'infanterie légère spécialisée dans les attaques amphibies. Nous sommes assez bien entraînés mais, tout bien considéré, nous ne sommes pas tellement différents des autres soldats, répondit Ryan en espérant déséquilibrer un peu son adversaire.

Les marines avaient une réputation d'arrogance, mais ce n'était que du cinéma. Quand on était réellement bon, lui avait-on appris à Quantico, on n'avait pas à être arrogant. Il suffisait généralement de faire savoir qu'on était un marine.

— Des troupes d'assaut ?

— Oui, maître, c'est exact.

— Vous avez donc commandé des troupes de choc ?

— Oui, maître.

— Essayez de ne pas être trop modeste, sir John. Quel genre d'hommes sont sélectionnés pour commander de tels groupes ? Agres-

109

sifs ? Déterminés ? Audacieux ? Ils doivent sûrement posséder davantage de ces qualités que le fantassin moyen ?

— En réalité, maître, dans mon édition du *Guide de l'officier de marine,* la principale qualité que le Corps demande à un officier est l'intégrité, répondit Ryan en souriant, car visiblement Atkinson avait mal étudié cet aspect-là. Je commandais un peloton, c'est sûr, mais comme me l'a expliqué mon capitaine quand je suis arrivé à bord, ma mission principale était d'exécuter les ordres qu'il me donnait et de me fier à mon sergent de peloton pour son expérience pratique. C'est ce qu'on appelle dans les affaires une position de niveau d'entrée.

Atkinson se rembrunit un peu. Cela ne se passait pas comme il s'y attendait.

— Ainsi, sir John, un *left*enant des marines américains est en réalité un chef de boy-scouts ? Ce n'est sûrement pas ce que vous voulez dire ? demanda-t-il avec un soupçon d'acidité dans la voix.

— Non, maître. Excusez-moi, je ne voulais pas donner cette impression, mais nous ne sommes pas non plus une bande de barbares agressifs. Ma mission était d'exécuter les ordres, d'être agressif si la situation l'exigeait et d'exercer mon jugement, comme n'importe quel officier. Mais je n'y suis resté que trois mois et j'apprenais encore comment devenir un officier quand j'ai été blessé.

— Bon, bon, alors quel genre d'entraînement avez-vous reçu ? grommela Atkinson furieux ou feignant de l'être.

Richards regarda Jack, en lui télégraphiant des yeux un avertissement. Il avait bien souligné, à plusieurs reprises, que Jack ne devait pas croiser le fer avec Charlie le Rouge.

— L'a, b, c du commandement, surtout. On nous apprenait à conduire les hommes sur le terrain. Comment réagir à une situation tactique donnée. Comment utiliser les armes du peloton et, dans une moindre mesure, les armes d'une compagnie de fusiliers. Comment faire intervenir un soutien extérieur de l'artillerie ou de l'aviation...

— Réagir ?

— Oui, maître, cela fait partie de l'instruction. Je ne me suis jamais trouvé dans une situation ressemblant de près ou de loin au combat, répondit Ryan en s'efforçant de faire durer le plus possible ses réponses, de garder un ton de voix posé, amical, informatif. A moins que l'on compte l'affaire qui nous occupe, naturellement. Mais nos instructeurs nous expliquaient très clairement que l'on n'a pas beaucoup le temps de réfléchir quand les balles sifflent. On doit savoir que faire et on doit le faire vite, ou risquer de faire tuer ses hommes.

110

— Excellent, sir John. Vous avez été entraîné à réagir rapidement et avec décision à un stimulant tactique, c'est bien ça ?

— Oui, maître, murmura Ryan, croyant voir venir le guet-apens.

— Donc, au cours de ce malheureux incident que nous jugeons ici, vous regardiez du mauvais côté, selon votre déposition.

— J'étais tourné du côté opposé à l'explosion, oui.

— Combien de temps avez-vous mis pour vous retourner et voir ce qui se passait ?

— Eh bien, maître, comme je l'ai expliqué dans ma déposition, mon premier mouvement a été de mettre ma femme et ma fille à l'abri. Ensuite j'ai regardé. Combien de temps cela a pris ?... Au moins une seconde, peut-être deux ou trois. Navré mais, comme je le disais, il est difficile de se rappeler ce genre de détail, on ne se chronomètre pas.

— Donc, quand vous avez *finalement* regardé, vous n'aviez pas vu ce qui venait de se passer ?

— C'est exact, maître.

O.K., Charlie, question suivante.

— Par conséquent, vous n'avez pas vu mon client tirer au pistolet ni lancer une grenade à la main ?

Astucieux, pensa Ryan, surpris que l'avocat tente ce coup-là. Mais il devait bien essayer quelque chose, après tout.

— Non, maître. Quand je l'ai vu, il courait autour de la voiture, venant de l'avant, là où se trouvait l'autre homme, celui qui a été tué. Un instant plus tard, il était au coin arrière droit de la Rolls, il me tournait le dos, le pistolet de la main droite pointé en avant et vers le bas, comme si...

— Une supposition de votre part, interrompit Atkinson. Comme si quoi ? Il pouvait y avoir plusieurs raisons. Mais lesquelles ? Comment pouvez-vous dire ce qu'il faisait là ? Vous ne l'avez pas vu descendre de la voiture qui a démarré par la suite. Il aurait aussi bien pu être un autre passant se précipitant à la rescousse, tout comme vous l'avez fait, n'est-ce pas ?

C'était visiblement destiné à surprendre Jack.

— Une supposition, maître ? Non, j'appelle ça du jugement. Pour qu'il se soit précipité à la rescousse, comme vous dites, il aurait fallu qu'il arrive de l'autre côté de la chaussée. Je doute que quelqu'un aurait pu réagir assez vite pour ça. De plus, je l'ai vu accourir directement de l'endroit où se trouvait l'homme à l'AK-47. S'il courait à la rescousse, pourquoi s'éloigner de lui ? S'il avait un pistolet, pourquoi ne pas l'abattre ? Sur le moment, je n'ai pas un instant envisagé cette possibilité et elle me paraît invraisemblable à présent, maître.

— Encore une fois, c'est *votre* conclusion, sir John, dit Atkinson comme s'il s'adressait à un enfant attardé.

— Vous m'avez posé une question, maître, et je me suis efforcé d'y répondre et d'étayer ma réponse.

— Et vous voulez nous faire croire que tout cela vous est passé par la tête en quelques secondes ? s'exclama Atkinson en regardant de nouveau le jury.

— Oui, maître, parce que c'est vrai, riposta Ryan avec conviction. C'est tout ce que je peux vous dire. C'est la vérité.

— Je suppose qu'on ne vous a pas dit que mon client n'a jamais été arrêté ni jamais accusé d'aucun crime ? ?

— Cela fait donc de lui un délinquant primaire.

— C'est au jury d'en décider ! Vous ne l'avez pas vu tirer une seule balle, n'est-ce pas ?

— Non, maître, mais son automatique avait un chargeur de huit balles et il n'en restait que trois quand je l'ai eu en main. J'ai tiré trois balles, ensuite le chargeur était vide.

— Et alors ? Quelqu'un d'autre a pu tirer avec cette arme. Vous n'avez pas vu l'accusé tirer, n'est-ce pas ?

— Non, maître.

— Donc le pistolet a pu être jeté par quelqu'un se trouvant dans la voiture. Mon client a pu le ramasser et, je le répète, faire exactement la même chose que vous. Tout cela aurait pu être vrai, vous n'aviez aucun moyen de le savoir.

— Je ne puis témoigner de choses que je n'ai pas vues, maître. En revanche j'ai bien vu la rue, les passants, la circulation. Si votre client a fait ce que vous dites, d'où venait-il ?

— Précisément ! Vous ne le savez pas !

— Quand j'ai vu votre client, maître, il semblait venir de la direction de la voiture arrêtée, dit Jack en désignant la table des pièces à conviction où se trouvait une maquette. Pour qu'il ait été sur le trottoir d'en face, ait ramassé l'arme et ait surgi à l'endroit où je l'ai vu... non, absolument impossible à moins qu'il soit un sprinter de classe olympique.

— Allons, nous ne le saurons jamais, vous y avez veillé. Vous avez réagi précipitamment, avouez-le. Vous avez réagi comme vous aviez été entraîné à réagir par les marines US, sans prendre le temps de juger de la situation. Vous vous êtes rué dans la mêlée avec témérité, vous avez attaqué mon client, vous lui avez fait perdre connaissance et puis vous avez tenté de le tuer !

— Non, maître, je n'ai pas tenté de le tuer. J'ai déjà...

112

— Alors pourquoi avez-vous tiré sur un homme sans connaissance, désarmé, sans défense ?

— Milord, interrompit Richards en se levant, nous avons déjà posé cette question.

— Le témoin peut répondre après réflexion, ordonna le juge Wheeler.

Personne ne pourrait prétendre que ce tribunal n'était pas impartial.

— Je ne savais pas qu'il était sans connaissance et je ne savais pas combien de temps il lui faudrait pour se relever. Alors j'ai tiré pour l'immobiliser. Je ne voulais pas qu'il se relève tout de suite.

— Je suis sûr que c'est ce qu'on a dit à My Lai.

— Ce n'était pas les marines, monsieur Atkinson ! riposta Jack.

L'avocat lui sourit.

— Je suppose que vos camarades étaient mieux entraînés que vous à se taire. Mais peut-être avez-vous vous-même subi ce genre d'entraînement...

— Non, maître, pas du tout.

Il te met en colère exprès, Jack, attention. Il reprit son mouchoir, se moucha encore une fois et deux inspirations profondes le calmèrent.

— Excusez-moi. Je crains que le climat local m'ait donné un bon rhume. A propos de ce que vous venez de dire... le Corps a un bien meilleur sens des relations publiques que ça, monsieur Atkinson.

— Vraiment ?... Et la Central Intelligence Agency ?

— Pardon ?

— La presse a bien annoncé que vous travaillez pour la CIA.

— Les seules fois où j'ai été payé par le gouvernement des Etats-Unis, maître, répondit Jack en choisissant ses mots avec le plus grand soin, l'argent venait du ministère de la Marine, d'abord en ma qualité de marine et plus tard, comme professeur à l'Académie navale américaine. Je n'ai jamais été employé par une autre agence gouvernementale, un point c'est tout.

— Donc, vous n'êtes pas un agent de la CIA ? Je vous rappelle que vous déposez sous serment.

— Non, monsieur, je ne le suis pas actuellement et je n'ai jamais été aucune espèce d'agent, sauf agent de change. Je ne travaille pas pour la CIA.

— Et ces rapports dans la presse, alors ?

— Vous n'avez qu'à interroger les journalistes. Je ne sais pas où ils ont trouvé cela. J'enseigne l'histoire. J'ai un bureau à Leahy Hall, à l'Académie navale. C'est plutôt loin de Langley.

— Langley ? Vous savez où est le siège de la CIA, alors ?

— Oui, maître. Tout le monde sait que j'y ai fait une conférence. J'avais fait la même un mois plus tôt à l'Ecole de guerre de la marine à Newport, dans le Rhode Island. Le sujet en était la nature de la prise de décision tactique. Je n'ai jamais travaillé pour la Central Intelligence Agency mais j'y ai donné une conférence. C'est peut-être l'origine de ces rapports.

— Je crois que vous mentez, sir John.

Pas tout à fait, Charlie.

— Vous êtes libre de croire ce que vous voulez, je n'y peux rien. Je ne puis que répondre à vos questions avec franchise.

— Et vous n'avez jamais rédigé un rapport officiel pour le gouvernement, intitulé *Agents et Agences ?*

Ryan s'interdit toute réaction. *Où diable avez-vous déniché ce renseignement, Charlie ?* Il répondit avec de grandes précautions :

— Maître, l'année dernière, l'été dernier plutôt, à la fin de l'année scolaire, j'ai été invité comme consultant contractuel d'une société privée qui travaille pour le gouvernement, la Mitre Corporation. J'ai été engagé à titre temporaire, dans le cadre d'un de leurs contrats de consultants avec le gouvernement américain. C'était un travail qui n'avait évidemment rien à voir avec cette affaire-ci.

— Evidemment ! Pourquoi ne laissez-vous pas le jury en décider ?

— Maître Atkinson, intervint le juge d'une voix lasse, insinuez-vous que ce travail effectué par le témoin a un rapport direct avec l'affaire que nous jugeons ?

— Je pense que nous aimerions l'établir, milord. J'ai l'impression que le témoin égare la cour.

— Très bien, monsieur Ryan, dit le juge, est-ce que ce travail que vous avez effectué avait un rapport quelconque avec une affaire de crime commis dans la ville de Londres, ou avec une des personnes impliquées dans ladite affaire.

— Non, monsieur le juge.

— Vous en êtes tout à fait certain ?

— Tout à fait, monsieur le juge.

— Etes-vous ou avez-vous jamais été l'employé d'une agence de renseignement ou d'un service de sécurité du gouvernement américain ?

— A part le corps des marines, non, monsieur le juge.

— Je vous rappelle votre serment de dire la vérité, toute la vérité et rien que la vérité. Avez-vous égaré la cour de quelque façon que ce soit, monsieur Ryan ?

— Non, monsieur le juge.

114

— Je vous remercie, monsieur Ryan. Je pense que cette question est réglée. Question suivante, maître Atkinson.

L'avocat devait certainement être furieux, pensait Ryan, mais il n'en montra rien.

— Vous dites que vous avez tiré sur mon client *uniquement* dans l'espoir qu'il ne se relèverait pas ?

Richards se leva.

— Milord, le témoin a déjà.

— Si Sa Seigneurie me permet de poser la question suivante, je crois que les faits seront plus clairs.

— Poursuivez, maître.

— Monsieur Ryan, vous dites que vous avez tiré sur mon client dans l'espoir qu'il ne se relèverait pas. Est-ce que le Marine Corps apprend à tirer pour mettre hors de combat ou pour tuer ?

— Pour tuer, maître.

— Par conséquent, vous avez agi là contrairement à votre entraînement ?

— Oui, maître. Il est assez évident que je n'étais pas sur un champ de bataille. J'étais dans une rue de la ville. L'idée ne m'est pas venue un instant de tuer votre client.

Et je le regrette bien, pensa Jack, *je ne serais pas ici*. Mais il se demanda s'il le pensait vraiment.

— Vous avez donc agi conformément à votre entraînement quand vous avez bondi dans la mêlée, sur le Mall, mais vous l'avez oublié quelques instants plus tard ? Pensez-vous que nous tous qui sommes ici allons le croire, raisonnablement ?

Atkinson avait enfin réussi à désorienter Jack. Il n'avait pas la moindre idée de ce que tout cela préparait.

— Je n'y ai pas réfléchi de cette manière mais c'est bien ce qui s'est passé, à peu près, avoua-t-il.

— Et ensuite, vous vous glissez au coin de l'automobile, vous voyez la seconde personne, que vous aviez vue plus tôt, et au lieu d'essayer de mutiler cet homme, vous le tuez froidement, sans avertissement. Dans ce cas, vous aviez retrouvé vos réflexes de marine. Vous ne trouvez pas cela inconséquent ?

— Non, pas du tout, maître. Dans chaque cas, j'ai employé la force nécessaire pour... eh bien, la force que je devais employer, à mon point de vue.

— Je crois que vous vous trompez, sir John. Je pense que vous avez réagi comme un officier à la tête brûlée des Marines US, d'un bout à l'autre. Vous vous êtes rué dans une situation que vous ne compreniez pas, vous avez attaqué un innocent et tenté de le tuer alors qu'il était sans défense et sans connaissance, à terre. Ensuite, vous avez froidement abattu quelqu'un d'autre sans penser un seul instant à le désarmer. Vous ne saviez pas alors, et vous ne savez pas maintenant, ce qui se passait réellement.

— Non, maître, ce n'était pas le cas du tout, à mon avis. Qu'est-ce que j'aurais dû faire avec le second homme ?

Atkinson vit une brèche et s'y jeta.

— Vous venez de dire à la cour que vous vouliez simplement mettre mon client hors de combat, alors qu'en fait vous avez tenté de le tuer. Comment voulez-vous nous faire croire ça, alors que votre action suivante n'avait absolument rien de pacifique ?

— Maître, quand j'ai vu McCrory, le second homme, pour la première fois, il était armé d'un fusil d'assaut AK-47. Affronter une mitrailleuse légère avec un pistolet...

— Mais à ce moment, il n'avait plus le Kalachnikov, n'est-ce pas ?

— Oui, maître, c'est vrai. S'il l'avait encore eu... je ne sais pas, je n'aurais peut-être pas contourné la voiture, j'aurais peut-être tiré de mon abri, de derrière la voiture, je veux dire.

— Ah, je vois ! s'exclama Atkinson. C'était une occasion d'affronter et de tuer un homme à la vraie manière des cowboys ! Dodge City sur le Mall !

— J'aimerais bien que vous me disiez ce que j'aurais dû faire, répliqua Jack non sans exaspération.

— Pour quelqu'un qui est capable de tirer droit dans le cœur au premier coup, pourquoi ne pas lui avoir fait sauter le pistolet de la main, sir John ?

Atkinson venait de commettre une faute. Ryan secoua la tête et sourit.

— J'aimerais bien que vous vous décidiez...

— Pardon ? fit l'avocat pris de court.

— Il y a une minute, monsieur Atkinson, vous disiez que j'avais tenté de tuer votre client. J'étais à un bras de portée mais je ne l'ai *pas* tué. Donc je suis plutôt mauvais tireur. Pourtant, vous voudriez que je fasse sauter un pistolet de la main d'un homme à une distance de cinq à six mètres ! Ou je suis un bon ou je suis un mauvais tireur, mais pas les deux à la fois... Quant à faire sauter une arme de la main de quelqu'un, c'est strictement du téléfilm. Avec un pistolet, on vise le centre de la cible. C'est ce que j'ai fait. Je me suis écarté de la voiture pour avoir une ligne de mire et j'ai visé. Si McCrory n'avait pas tourné son pistolet vers moi, je n'aurais probablement pas tiré. Mais il l'a tourné, il a tiré, comme vous pouvez le voir à mon épaule, et j'ai riposté. Il est vrai que j'aurais pu agir différemment, mais malheureusement je ne l'ai pas fait. J'avais... je n'avais pas beaucoup de temps pour agir. J'ai fait de mon mieux. Je regrette que cet homme ait été tué mais c'était aussi lui qui l'a voulu. Il a vu que je le visais et il a choisi de tirer. Il a tiré le premier, monsieur.

— Mais vous n'avez pas dit un seul mot, n'est-ce pas ?

— Non, je ne crois pas, avoua Jack.

— Est-ce que vous ne regrettez pas de n'avoir pas agi différemment ?

— Monsieur Atkinson, si cela peut vous faire plaisir, je ne cesse de passer et de repasser tout cela dans ma tête, depuis quatre semaines. Si j'avais eu plus de temps pour réfléchir, peut-être aurais-je fait autre chose. Mais je ne le saurai jamais, parce que je n'ai pas eu plus de temps... Je suppose que le mieux, pour tout le monde, serait que ce ne soit pas du tout arrivé. Mais ce n'est pas moi qui l'ai provoqué.

Jack se permit de regarder de nouveau Miller. L'accusé était assis sur une chaise de bois, les bras croisés, la tête légèrement penchée sur la gauche. Un sourire commença à se former au coin de sa bouche. Un sourire retenu, destiné à Ryan seul... *ou peut-être pas à moi seul*, pensa-t-il. Les yeux gris de Sean Miller ne cillaient pas, fixés sur lui, à dix mètres de distance. Ryan soutint ce regard, en prenant soin de rester impassible, et tandis que le greffier terminait sa transcription du témoignage et que le public de la tribune chuchotait, ils furent seuls tous les deux, chacun mettant à l'épreuve la volonté de l'autre. *Qu'y a-t-il derrière ces yeux ?* se demanda encore une fois Jack. Pas un faible, sûrement pas. Il y avait de la force, là. Et rien pour atténuer la force. Pas le moindre adoucissement de morale ou de conscience, rien que de la force et de la volonté. Avec quatre constables autour de lui, Sean Miller était aussi parfaitement prisonnier qu'un loup en cage et il regardait Ryan comme le ferait un loup derrière des barreaux. Le costume et la cravate étaient un camouflage, comme l'avait été son sourire à ses amis dans la galerie. Il ne pensait pas à eux, maintenant. Il ne pensait pas au verdict de cette cour. Il ne pensait pas à la prison, Jack le savait. Il ne pensait qu'à une chose nommée Ryan, une chose qu'il voyait juste hors de sa portée. Dans le box des témoins, la main droite de Jack était repliée sur ses genoux, comme pour saisir le pistolet sur la table des pièces à conviction, à un mètre ou deux.

Ce n'était pas un animal dans une cage, après tout. Miller avait de l'intelligence et de l'instruction. Il était capable de formuler un plan, mais aucune impulsion humaine ne le retiendrait une fois qu'il déciderait de passer à l'action. L'étude universitaire des terroristes, que Jack avait faite pour la CIA, les traitait comme des abstractions, des robots qui allaient et venaient, qu'il fallait neutraliser d'une façon ou d'une autre. Jamais il ne s'était attendu à en rencontrer un. Surtout, jamais il ne s'était attendu à en voir un qui le regarde de cette façon. Ne savait-il donc pas que Ryan n'avait fait qu'accomplir son devoir civique ?

Tu t'en fiches éperdument, hein ? Je suis un obstacle qui s'est trouvé sur ton chemin. Je t'ai blessé, j'ai tué ton ami, j'ai fait échouer votre mission. Tu veux te venger, hein ? se dit Jack. A l'insu de tout le monde, il essuya sur son pantalon une main moite de sueur.

Ryan eut peur, d'une peur qu'il n'avait encore jamais éprouvvée. Il lui fallut plusieurs secondes pour se répéter que Miller était entouré par quatre flics, que le jury le déclarerait coupable, qu'il serait condamné à la prison pour le restant de ses jours et que la vie carcérale transformerait la personne ou la chose qui vivait derrière ces pâles yeux gris.

Et j'ai été un marine, se dit-il. *Je n'ai pas peur de toi, je peux te régler ton compte, sale petit con. Je t'ai mis hors de combat une fois déjà.* Il rendit son sourire à Sean Miller, à peine un petit frémissement au coin de la bouche. *Pas un loup, un furet. Mauvais, mais pas de quoi céder à la panique.* Il se détourna, comme d'une cage dans un zoo, en se demandant ce que Sean Miller avait vu au travers de cette fanfaronnade silencieuse.

— Plus de questions, annonça Atkinson.

— Le témoin peut descendre, prononça le juge Wheeler.

Jack se leva de son tabouret et se retourna pour chercher la sortie. Ses yeux se posèrent une dernière fois sur Miller, assez longtemps pour noter que le regard et le sourire n'avaient pas changé.

En retournant dans le grand hall, il croisa un autre témoin qui entrait. Dan Murray l'attendait.

— Pas mal, déclara l'agent du FBI. Mais il faut faire attention quand on croise le fer avec un avocat. Il a failli vous faire trébucher.

— Vous croyez que ce sera grave ?

— Naaah ! Le procès n'est qu'une formalité, l'affaire est jugée.

— Il en aura pour combien ?

— La vie. Normalement, la vie ou la perpétuité, ça ne veut pas dire plus ici que chez nous, six à huit ans. Mais pour ce gosse, la vie sera la vie. Ah, vous voilà, Jimmy !

Owens vint les rejoindre.

— Comment s'est comporté notre garçon ?

118

— Il n'a pas remporté d'Oscar mais il a plu au jury, répondit Murray.

— Comment avez-vous vu ça ?

— Facile. Vous n'êtes jamais passé par là, n'est-ce pas ? Ils sont tous restés parfaitement immobiles, osant à peine respirer quand vous racontiez votre histoire. Ils ont cru tout ce que vous avez dit, en particulier sur vos scrupules de conscience. Vous représentez pour eux un honnête homme.

— J'en suis un, assura Ryan. Et alors ?

— Tout le monde ne peut pas en dire autant, fit observer Owens. Et les jurés savent très bien le remarquer. Enfin, la plupart du temps.

Murray approuva.

— Nous avons tous deux de bonnes... ou de moins bonnes histoires sur ce que peut faire un jury, mais tout bien considéré le système marche assez bien. Commandant Owens, si nous allions offrir une bière à ce gentilhomme ?

— Excellente idée, agent Murray.

Owens prit Ryan par le bras et l'entraîna vers l'escalier.

— Ce gosse est un petit salaud effrayant, vous ne trouvez pas ? demanda Jack qui voulait l'opinion de professionnels.

— Vous l'avez remarqué, hein ? dit Murray. Soyez le bienvenu dans le monde merveilleux du terrorisme international. Ouais, c'est un sacré petit dur, pas de doute. Ils le sont presque tous, au début.

— D'ici un an, il aura un peu changé. C'est un dur, d'accord, mais les durs sont souvent plutôt cassants, jugea Owens. Il leur arrive de craquer. Le temps travaille beaucoup pour nous, Jack. Et même sans ça, en voilà un de plus dont nous n'avons pas à nous inquiéter.

— Un témoin très sûr de lui, déclara le présentateur du journal télévisé. Le docteur Ryan a repoussé une attaque résolue de l'avocat de la défense, Charles Atkinson, et identifié l'accusé Sean Miller catégoriquement, le deuxième jour du procès des meurtres du Mall à Old Bailey...

L'image montrait Ryan descendant du palais de justice, encadré de deux hommes.

— Notre vieil ami Owens. Qui est l'autre ? demanda O'Donnell.

— Daniel E. Murray, représentant du FBI à Grosvenor Square, répondit son agent de renseignement.

— Ah ? Je n'avais jamais vu sa tête. Ainsi, c'est à ça qu'il ressemble. Ils allaient prendre un pot, probablement. Le héros et ses deux porte-enseigne. Dommage que nous n'ayons pas pu avoir un homme avec un RPG, là...

Ils avaient étudié James Owens, une fois, en cherchant les moyens de l'assassiner, mais l'homme avait toujours une voiture de poursuite et ne prenait jamais deux fois le même chemin. Sa maison était surveillée en permanence. Ils auraient pu le tuer, mais la fuite aurait été difficile et O'Donnell n'avait pas l'habitude d'envoyer des hommes en mission suicide.

— Ryan rentre chez lui demain ou après-demain.

— Ah ?

L'agent de renseignement se demanda d'où Kevin tenait ses informations.

— Dommage, hein ? Ce serait quand même superbe de le renvoyer chez lui dans un cercueil, Michael.

— Je croyais que ce n'était pas un objectif important ? dit Mike McKinney.

— C'est sûr, mais c'est un fier bonhomme. Il croise le fer avec notre ami Charlie, il sort d'Old Bailey en se pavanant pour aller boire une chope de bière. Foutu Américain, tellement sûr de tout !

Ah oui, ce serait bon de... mais Kevin secoua la tête.

— Nous avons d'autres projets à préparer. Sir John peut attendre, et nous aussi.

Murray conduisait sa voiture personnelle, un escorteur du groupe de protection diplomatique assis à sa gauche et une voiture de poursuite, pleine d'agents du C-13, qui essayait de ne pas se laisser distancer.

Ne quitte pas la chaussée des yeux, lui enjoignait mentalement Ryan, de toute la force de sa volonté. Il avait été très peu exposé, jusqu'à présent, à la circulation de Londres, et il avait pour la première fois l'occasion de constater que les conducteurs méprisaient cordialement les limitations de vitesse. Et rouler du mauvais côté n'arrangeait rien.

— Tom Hughes, c'est le gardien-chef, m'a dit ce qu'il projetait pour vous et j'ai pensé que vous voudriez être accompagné.

Par quelqu'un qui conduit comme il faut ! pensa Ryan alors qu'ils doublaient un camion du mauvais côté. A moins que ce soit le bon ? Allez savoir ! Tout ce qu'il savait, c'était qu'ils avaient manqué les feux arrière du poids-lourd de moins de cinquante centimètres. Les rues de Londres n'étaient pas d'une largeur impressionnante.

120

— Dommage que vous n'ayez pas pu visiter grand-chose.

— Cathy s'est bien promenée. Et j'ai beaucoup regardé la télé.

— Qu'est-ce que vous avez regardé, surtout ?

Jack pouffa.

— Des rediffusions de championnats de cricket.

— Vous êtes arrivé à comprendre les règles ? demanda Murray en tournant encore la tête.

— Il y a des règles ? s'exclama Ryan d'un air ahuri. Pourquoi gâcher ça avec des règles ?

— Ils disent qu'il y en a, mais j'avoue que je n'y ai jamais rien compris. Mais nous commençons à être à égalité, maintenant.

— Comment ça ?

— Le football devient très populaire, ici. Le nôtre, je veux dire.

— Vous voulez dire que j'aurais pu voir du football à la télé, et personne ne me l'a dit !

— Pas de chance, Jack, murmura Cathy.

— Enfin, nous y voilà.

Murray freina alors qu'ils tournaient pour descendre vers le fleuve. Jack eut l'impression qu'ils prenaient une rue à sens unique à contre-sens mais au moins ils roulaient plus lentement. Finalement, la voiture s'arrêta. Il faisait nuit. Le soleil se couchait de bonne heure, en cette saison.

— Voilà votre surprise.

Murray bondit de la voiture et ouvrit la portière, pour permettre à Ryan de faire son numéro de crabe s'extirpant d'une automobile.

— Ah, salut, Tom !

Deux hommes s'approchaient, tous deux en uniforme bleu et rouge de l'époque Tudor. Le premier, frisant la soixantaine, vint directement vers Jack.

— Sir John, Lady Ryan, soyez les bienvenus dans la Tour de Londres de Sa Majesté. Je suis Thomas Hughes et voici Joseph Evans. Je vois que Dan a réussi à vous faire arriver à l'heure.

Tout le monde serra des mains à la ronde.

— Oui, et nous n'avons même pas eu besoin de dépasser mach-1. Puis-je demander quelle est la surprise ?

— Mais ce n'en serait plus une, répliqua Hughes. J'espérais vous faire tout visiter moi-même, mais il y a quelque chose dont je dois m'occuper. Joe veillera à vos besoins et je vous rejoindrai bientôt.

Le gardien-chef s'éloigna, avec Dan Murray.

— Etes-vous déjà venu à la Tour ? demanda Evans.

Jack secoua la tête.

— Moi si, quand j'avais neuf ans, dit Cathy. Je ne me rappelle plus grand-chose.

Evans leur fit signe de l'accompagner.

— Nous essaierons de faire en sorte que vous n'oubliez pas cette visite.

— Vous êtes des soldats, n'est-ce pas ?

— A vrai dire, sir John, nous sommes tous d'anciens sergents-majors..., enfin, deux d'entre nous étaient sous-officiers. J'étais sergent-major au 1ᵉʳ Para, quand j'ai pris ma retraite. J'ai dû attendre quatre ans pour être accepté ici. Cet emploi intéresse beaucoup de monde, comme vous l'imaginez. La concurrence est vive.

Ryan jeta un bref coup d'œil aux décorations de la tunique d'Evans. Ces rubans étaient éloquents. Point n'était besoin d'une grande imagination pour deviner quel genre d'hommes étaient nommés à ces postes. Evans ne marchait pas, il défilait au pas cadencé avec cette fierté qu'on mettait trente ans à acquérir.

— Est-ce que votre bras vous cause du souci, monsieur ?

— Je m'appelle Jack et mon bras ne va pas trop mal.

— J'ai porté un plâtre tout comme celui-là, en 68, je crois. Accident d'entraînement, dit Evans avec une petite grimace. J'ai atterri sur une clôture de pierre. Ça m'a fait un mal de chien pendant des semaines.

— Mais vous avez continué de sauter. Et vous avez fait vos tractions d'une seule main, je parie.

— Naturellement, répliqua Evans et il s'arrêta. Bien. Cet imposant édifice, ici, est la Tour du Milieu. Il existait une construction extérieure, là où il y a la boutique de souvenirs. On l'appelait la Tour du Lion, parce que c'est là que se trouvait la ménagerie royale, jusqu'en 1834.

Mon premier château, pensa Jack en contemplant les murs de pierre.

— Est-ce qu'il y avait de vraies douves ?

— Oh oui, et bien déplaisantes. Le problème, voyez-vous, c'est qu'elles étaient conçues pour que la Tamise vienne les baigner chaque jour, pour les garder fraîches et propres. Malheureusement, l'ingénieur a dû se tromper dans ses calculs et une fois que l'eau est entrée, elle y est restée. Pis encore, les habitants y jetaient tous leurs détritus, naturellement, et les ordures y pourrissaient. Du point de vue tactique, ce n'était pas tellement mauvais, dans le fond. Rien que l'odeur des douves suffisait à éloigner tout le monde, à part les individus les plus aventureux. On a fini par les drainer en 1843 et maintenant ce fossé est réellement utile, comme terrain de football pour les enfants. A l'extrémité, il y a des portiques et des balançoires. Avez-vous des enfants ?

— Un et un neuvième, répondit Cathy.

— Vraiment ? C'est merveilleux ! Voilà un Yank qui sera au moins un petit peu britannique ! Moira et moi en avons deux, tous deux nés à l'étranger. Et maintenant, voici la Tour Byward.

— Il y avait des ponts-levis, non ? demanda Jack.

— Oui, les Tours du Lion et du Milieu étaient en réalité des îles entourées de cinq à six mètres d'eau nauséabonde. Vous remarquerez aussi que le chemin tourne à angle droit. C'était, naturellement, pour compliquer la manœuvre à ceux qui auraient voulu utiliser un bélier.

Jack considéra la largeur du fossé et la hauteur des murs, alors qu'ils passaient dans l'enceinte de la Tour proprement dite.

— Ainsi, personne n'a jamais pris cette forteresse ?

— Jamais. Il n'y a jamais eu de tentative sérieuse d'ailleurs et je ne voudrais guère essayer aujourd'hui.

— Il ne vous arrive pas d'avoir peur que quelqu'un vienne poser une bombe ?

— C'est arrivé, j'ai le regret de le dire, dans la Tour Blanche, il y a plus de dix ans. Des terroristes. La sécurité a été renforcée, depuis.

En plus des hallebardiers, il y avait des gardes en uniforme, comme ceux que Ryan avait vus sur le Mall, avec la même tunique rouge et le même bonnet à poils, armés du même fusil moderne. Le contraste était assez curieux avec le costume d'époque d'Evans, mais personne ne paraissait s'en étonner.

— Vous savez, bien entendu, que cet édifice a connu diverses destinations, au fil du temps. Il a été une prison royale jusqu'à la Seconde Guerre mondiale et Rudolf Hess y a été détenu. Mais savez-vous quelle est la première reine d'Angleterre qui y a été exécutée ?

— Anne Boleyn, répondit Cathy.

— Très bien. Alors vous savez peut-être que contrairement à toutes les exécutions privées, la sienne ne s'est pas faite à la hache. Le roi Henry a fait venir un bourreau spécial de France, qui s'est servi d'une épée.

— Pour que ça fasse moins mal ? dit Cathy avec un sourire en coin. Gentil de sa part.

— Oui, il était plein de considération, n'est-ce pas ? Et voici la Porte du Traître. Cela vous amusera peut-être de savoir qu'elle s'appelait à l'origine la Porte de l'Eau, autrement dit la *Water Gate*. Les prisonniers étaient conduits par là en bateau jusqu'à Westminster, pour y être jugés.

— Et ils revenaient ici pour leur coupe de cheveux ?

— Seulement les très importants. Ces exécutions-là, privées au lieu d'être publiques, avaient lieu dans le jardin de la Tour. Les exécutions publiques se faisaient ailleurs.

Evans les conduisit par la porte dans la Tour Sanglante, après avoir expliqué son histoire. Ryan se demanda si quelqu'un avait jamais consacré un ouvrage à l'histoire de la Tour de Londres, et dans ce cas, combien il avait de volumes.

Le jardin, ou Tower Green, semblait bien trop agréable pour avoir été un lieu d'exécutions. Même les écriteaux interdisant de marcher sur le gazon étaient accompagnés d'un « S'il vous plaît ». Deux des côtés étaient bordés de maisons de style Tudor (bien sûr) mais c'était du côté nord que l'on dressait l'échafaud pour les exécutions de la haute société. Evans expliqua toute la procédure, sans oublier de rappeler que l'exécuté payait le bourreau — d'avance — dans l'espoir qu'il ferait proprement son travail.

— La dernière femme à être exécutée ici, poursuivit Evans, fut Jane, vicomtesse Rochford, le 13 février 1542.

— Qu'est-ce qu'elle avait fait ? demanda Cathy.

— Ce qu'elle n'avait pas fait, plutôt. Elle avait négligé de dire au roi Henry VIII que sa cinquième femme, Catherine Howard, avait... euh... des relations amoureuses avec quelqu'un d'autre que son mari, révéla délicatement Evans.

— C'était vraiment un événement historique, dit Jack en riant. La dernière fois qu'une femme a été exécutée pour n'avoir *pas* parlé !

Cathy sourit à son mari.

— Et si je te cassais l'autre bras, Jack ?

— Oh ! Que dirait Sally ?

— Elle comprendrait.

— Voyez, sergent-major, comme les femmes se soutiennent entre elles !

— Je n'aurais pas survécu pendant trente et un ans comme soldat de métier si j'avais été assez fou pour me mêler de querelles de ménage, dit raisonnablement Evans.

Le reste de la visite dura une vingtaine de minutes. Le hallebardier les fit descendre en passant devant la Tour Blanche et tourner à gauche vers un périmètre interdit au public. Quelques instants plus tard, Ryan et sa femme se trouvèrent devant le propre pub des gardiens-hallebardiers, niché dans la citadelle du XIVe siècle. Des plaques de tous les régiments de l'armée britannique — et probablement les dons de beaucoup d'autres — tapissaient les murs. Evans les

124

quitta. Dan Murray reparut, un verre à la main, accompagné d'un autre homme.

— Jack, Cathy, je vous présente Bob Hallston.

— Vous devez avoir soif, dit Hallston.

— Vous pourriez me persuader de boire une bière, reconnut Jack. Cathy ?

— Quelque chose de non alcoolisé.

— C'est bien sûr ? demanda Hallston.

— Je ne suis pas prohibitionniste mais je ne bois pas quand je suis enceinte, expliqua-t-elle.

— Félicitations !

Hallston fit deux pas vers le bar et revint avec un verre de blonde pour Jack et du ginger ale pour Cathy.

— A votre santé, et à celle du futur bébé !

Cathy sourit, radieuse. *Les femmes enceintes ont quelque chose de particulier*, pensa Jack. La sienne n'était plus simplement jolie. Elle rayonnait. Il se demanda si c'était seulement pour lui.

— Il paraît que vous êtes médecin ?

— Je suis chirurgien ophtalmologue.

— Et vous, monsieur, vous enseignez l'histoire ?

— C'est ça. Si je comprends bien, vous travaillez ici, vous aussi ?

— Oui. Nous sommes trente-neuf. Nous sommes les gardes cérémoniaux du Souverain. Nous vous avons invités pour vous remercier d'avoir fait notre travail et pour vous faire participer à un petit rite qui a lieu tous les soirs.

— Depuis 1240, précisa Murray.

— L'année 1240 ? s'exclama Cathy.

— Oui, ce n'est pas quelque chose d'inventé pour les touristes. C'est authentique. Pas vrai, Bob ?

— Tout ce qu'il y a de plus authentique. Quand nous fermons pour la nuit, le musée devient le lieu le plus sûr d'Angleterre.

— Je veux bien le croire, dit Jack.

Ils ne perdent jamais l'allure, les vrais professionnels, pensa Ryan. *Ils vieillissent, ils prennent un peu de poids, mais on distingue encore la discipline qui les rend différents. Et la fierté, l'assurance discrète qui provient de ce que l'on a tout fait et que l'on n'a pas besoin de beaucoup en parler, sinon entre soi. Cela ne disparaît jamais.*

— Est-ce que vous avez beaucoup de marines, ici ?

— Deux, répondit Hallston. Nous essayons de les empêcher de se tenir par la main.

— Vraiment ! Ne soyez pas vache, j'étais un marine.

— Personne n'est parfait.

— Bon, alors, qu'est-ce que c'est que ce rite ?

— Eh bien, en l'an 1240, le type qui était chargé de tout boucler pour la nuit a été attaqué par des malandrins. Par la suite, il a refusé de faire son travail sans escorte militaire. Et depuis, tous les soirs, le gardien-chef ferme les trois portails principaux puis il dépose les clefs dans la Maison de la Reine, dans la Cour de la Tour. C'est toute une petite cérémonie. Nous avons pensé que votre femme et vous aimeraient y assister... Vous étiez au palais de justice, aujourd'hui, paraît-il. Comment ça s'est passé ?

— Je suis heureux d'en avoir fini, dit Ryan d'un air songeur.

Est-ce que Miller pense à moi, en ce moment, dans sa cellule ? Je parie que oui.

— Ce jeune Miller, dommage que vous ne puissiez pas l'amener sur votre billot pour une coupe extra-courte.

Hallston sourit froidement.

— Je doute qu'il y ait quelqu'un qui soit en désaccord avec vous. Nous trouverions même sûrement un volontaire pour abattre la hache.

— Il vous faudrait organiser une loterie, Bob, dit Murray en donnant encore un verre à Ryan. Vous vous inquiétez encore de lui, Jack ?

— Je n'ai jamais vu personne comme ce garçon.

— Il est en prison, Jack, lui rappela Cathy.

— Ouais. Je sais... Cette bière est excellente, sergent-major.

— C'est surtout pour ça qu'ils cherchent à se faire engager ici, s'esclaffa Murray.

— C'est une des raisons, reconnut Hallston avant de vider son verre. Presque l'heure.

Jack avala sa bière, la seconde, d'un trait. Evans reparut, en costume de ville, et les ramena dans la nuit froide. Le temps était clair, et la lune dessinait des ombres diffuses sur les créneaux. Une poignée d'ampoules électriques ajoutaient quelques îlots de clarté. Jack fut surpris de ce calme, au cœur d'une grande ville, aussi paisible que son domaine au bord de la Chesapeake. Sans réfléchir, il prit sa femme par la main alors qu'Evans les précédait vers la Tour Sanglante. Une petite foule y était déjà rassemblée, près de la Porte du Traître, et un gardien donnait des instructions, priait les visiteurs de ne pas faire de bruit et, surtout, de ne pas prendre de photos. Une sentinelle se tenait en faction avec quatre hommes armés, leur souffle illuminé par le bleu-blanc des projecteurs. C'était leur seul signe de vie. A part cela, ils paraissaient de pierre.

126

— Dans un instant, chuchota Murray.

Jack entendit une porte se fermer, dans l'obscurité. Il faisait trop noir pour y voir et les quelques lumières ne faisaient que gêner sa vision nocturne. Il entendit d'abord un tintement de clefs. Il aperçut ensuite un point lumineux qui grandit et devint une lanterne carrée avec une bougie à l'intérieur, portée par Tom Hughes, le gardien-chef. Le bruit de ses pas avait une régularité de métronome. Les quatre soldats se mirent en formation autour de lui et ils retournèrent au pas cadencé, dans l'obscurité au son de la petite musique de plus en plus lointaine des clefs et des souliers à clous sur les pavés, laissant la sentinelle à la Tour Sanglante.

Jack n'entendit pas de portails se fermer mais quelques minutes plus tard le tintement des clefs revint, et il entr'aperçut les gardiens dans les flaques de lumière. La scène lui parut incroyablement romanesque. Il enlaça la taille de sa femme et la serra contre lui. Elle leva la tête.

— Je t'aime, lui dit-il des lèvres alors que le tintement des clefs se rapprochait et elle lui répondit des yeux.

Sur leur droite, la sentinelle se mit en garde.

— Halte ! Qui va là ?

Ses mots se répercutèrent sous les vieilles pierres. Le groupe qui s'avançait s'arrêta immédiatement et Tom Hughes répondit :

— Les clefs.

— Quelles clefs ? demanda la sentinelle.

— Les clefs de la reine Anne !

— Passez, clefs de la reine Anne !

La sentinelle présenta les armes. Les gardiens, avec Hughes au milieu, reprirent leur marche et tournèrent à gauche, en direction de la cour, le Tower Green. Ryan et sa femme suivirent. Un peloton de fusiliers attendait sur les marches couronnant la petite éminence. Hughes et son escorte s'arrêtèrent. Le peloton leur présenta les armes et le gardien-chef se décoiffa.

— Dieu préserve la reine Anne !

— Amen ! répondit la garde.

Derrière eux, un clairon sonna *Last Post*, l'équivalent britannique de la sonnerie d'extinction des feux et de salut aux morts, symbole à la fois de la fin du jour et de la fin de la vie. La dernière note nostalgique s'attarda longuement dans le silence. Ryan courba la tête pour embrasser sa femme. Ce fut un moment magique qu'ils n'oublieraient pas de sitôt.

Le gardien-chef monta ranger les clefs en lieu sûr pour la nuit et la petite foule se retira.

127

— Tous les soirs, depuis 1240 ? demanda Jack.

— La cérémonie a été interrompue une fois, pendant le Blitz. Une bombe allemande est tombée dans le périmètre de la Tour, au moment où elle avait lieu. Le gardien-chef a été renversé par le souffle et la bougie de sa lanterne s'est éteinte. Il a dû la rallumer afin de continuer, expliqua Evans, sans dire si l'homme avait été blessé ou non : certaines choses sont plus importantes. Voulez-vous que nous retournions au pub ?

— Ce serait bien si nous avions quelque chose de ce genre chez nous, murmura Jack. Peut-être à Bunker Hill ou au Fort McHenry.

Murray acquiesça.

— Quelque chose qui nous rappelle pourquoi nous sommes là.

— La tradition est importante, reconnut Evans. Pour un soldat, c'est souvent une raison de tenir le coup. C'est quelque chose qui vous dépasse, qui dépasse vos camarades. Et ce n'est pas vrai uniquement pour les soldats, d'ailleurs.

— Le même sentiment existe dans toute faculté de médecine qui se respecte, vous savez, et c'est le cas à Hopkins.

— Dans le Corps aussi, dit Jack. Mais nous ne l'exprimons pas aussi bien que vous venez de le faire.

— Nous avons plus d'expérience, dit Evans en poussant la porte du pub. Et de la meilleure bière pour nous aider dans notre contemplation.

— Maintenant, si seulement vous appreniez à bien accommoder le bœuf…

— C'est ça, l'as, approuva en riant l'agent du FBI. Dites-leur bien leurs quatre vérités !

— Encore une bière pour un frère marine !

Un verre fut tendu à Ryan par un autre gardien.

— Vous n'en avez pas un peu assez de cette *prima donna* des paras ?

— Bert est un des marines dont je vous parlais, expliqua Evans.

— Je ne dis jamais de mal de quelqu'un qui paie à boire, répliqua Ryan à Bert.

— Voilà une attitude extrêmement raisonnable. Vous êtes sûr que vous n'étiez que lieutenant ?

— Et seulement pendant trois mois, dit Jack avant de raconter son accident d'hélicoptère.

— Ce n'était vraiment pas de chance, observa Evans. Ces foutus accidents d'entraînement. Plus dangereux que le combat.

— Ainsi, vous travaillez comme guides touristiques, ici ?

128

— C'est une partie de notre rôle. Un bon moyen de ne pas perdre la main et aussi de faire de temps en temps l'éducation d'un jeune lieutenant, à qui on peut donner de petits conseils.

— C'est ce qui nous manque vraiment, reconnut Evans. Apprendre à de jeunes officiers à être de bons soldats. Dites-moi, lieutenant Ryan, qu'avez-vous appris sur le Mall ?

— A ne pas me faire abattre. La prochaine fois, je tirerai en restant couvert.

— Excellent ! déclara Bob Hallston en les rejoignant. Et n'en laissez pas traîner un vivant derrière vous !

Cathy n'aimait pas du tout ce genre de conversation.

— Voyons, messieurs, vous ne pouvez pas simplement tuer les gens comme ça !

— Le lieutenant a pris un assez gros risque, madame, et ce n'est pas un risque dont on peut souvent s'éloigner sans mal. S'il y a jamais une prochaine fois... il n'y en aura pas, mais s'il y en avait une, il lui faudrait agir en policier ou en soldat, mais pas les deux. Vous avez beaucoup de chance d'être en vie, jeune homme. Vous avez ce bras pour vous le rappeler. C'est très bon d'être courageux, mais il vaut mieux être intelligent et c'est bien moins pénible pour ceux qui vous entourent, assura Evans en regardant le fond de sa chope. Dieu, combien de fois est-ce que j'ai dit ça ?

— Combien de fois l'avons-nous tous dit ? murmura Bert. Et le plus triste, c'est que trop d'entre eux n'écoutent pas. Mais ça suffit. Cette ravissante dame ne veut pas écouter les élucubrations de vieillards fatigués. Bob me dit que vous attendez un autre enfant. Dans deux mois, je serai grand-père pour la première fois !

— Oui, et il est déjà pressé de nous montrer les photos, railla Evans. Garçon ou fille, cette fois ?

— Il suffira que toutes les pièces soient là et toutes en bon état de marche.

Tout le monde fut d'accord. Ryan vida son troisième verre de bière de la soirée. Elle était assez fortement alcoolisée et commençait à lui monter un peu à la tête.

— Messieurs, si jamais l'un de vous vient en Amérique et se trouve dans la région de Washington, j'espère bien que vous nous ferez signe.

— Et la prochaine fois que vous serez à Londres, le bar sera ouvert.

Tom Hughes, le gardien-chef, s'était remis en civil mais il avait à la main sa coiffure d'uniforme, une espèce de chapeau dont le style datait de trois ou quatre siècles.

— Peut-être trouverez-vous dans vos bagages une place pour ce souvenir, sir John, avec nos remerciements à tous.

— J'en prendrai bien soin, promit Jack en acceptant le chapeau, mais il ne put se résoudre à le mettre sur sa tête ; il n'avait pas mérité ce droit.

— Et maintenant, je suis navré de vous dire que si vous ne partez pas tout de suite, vous allez rester coincés ici toute la nuit. A minuit, toutes les portes sont verrouillées !

Jack et Cathy serrèrent les mains à la ronde et suivirent dehors Hughes et Murray. Le retour entre les murs intérieur et extérieur fut silencieux. Il faisait froid. Jack se demanda si des fantômes erraient la nuit dans l'enceinte de la Tour. C'était presque...

— Qu'est-ce que c'est que ça ?

Il montrait du doigt le mur extérieur. Une forme spectrale allait et venait au sommet.

— Une sentinelle, répondit Hughes. Après la cérémonie des clefs, les gardiens endossent leur tenue camouflée.

Ils passèrent devant la sentinelle en faction à la Tour Sanglante, revêtue maintenant d'une combinaison léopard.

— A présent, leurs fusils sont chargés, n'est-ce pas ? demanda Jack.

— Ils ne serviraient pas à grand-chose s'ils ne l'étaient pas. C'est un endroit très sûr, ici, répliqua Hughes.

C'est bon de savoir qu'il en existe, pensa Ryan, et il se demanda aussitôt pourquoi il avait eu cette idée.

7

Retour supersonique

Le Speedway Lounge, au terminal 4 de l'aéroport de Heathrow était assez apaisant, ou l'aurait été si Jack n'avait pas eu peur de l'avion en général. Derrière les immenses vitres, il apercevait le Concorde qu'il allait prendre dans quelques minutes pour rentrer chez lui. Les ingénieurs avaient donné à leur appareil l'aspect d'une créature vivante, d'un immense oiseau de proie d'une redoutable beauté. Il attendait là en bout de piste, perché sur son train d'atterrissage curieusement élevé, et toisait impassiblement Ryan du haut de son nez pointu.

— J'aimerais bien que le Bureau me laisse faire la navette à bord de ce bébé-là, dit Murray.

— Il est joli, reconnut la jeune Sally.

Ce n'est qu'un foutu avion, se dit Jack. *On ne voit pas ce qui le fait tenir en l'air.* Il ne se souvenait pas si c'était le principe de Bernouilli ou l'effet Venturi, mais il savait que quelque chose d'*induit*, sinon vu, permettait à l'appareil de voler. Il se souvenait que ledit principe ou effet avait cessé de fonctionner au-dessus de la Crète et qu'il avait failli être tué ; et que dix-neuf mois plus tard, à la suite du même phénomène, ses parents étaient morts à quinze cents mètres de la piste d'atterrissage de l'aéroport international d'O'Hare à Chicago. Intellectuellement, il savait que son hélicoptère avait été victime d'une panne mécanique et que les avions de ligne étaient plus simples et plus faciles à maîtriser que les CH-46. Il savait aussi que le mauvais temps avait été responsable de l'accident de ses parents — et aujourd'hui le temps était clair — mais pour lui le vol avait quelque chose de monstrueux, d'anormal.

131

D'accord, Jack. Pourquoi ne pas en revenir à l'âge des cavernes et à chasser l'ours avec un pieu ? Qu'est-ce qu'il y a de normal à enseigner l'histoire, à regarder la télévision ou à conduire une voiture ? Idiot. Mais j'ai horreur de prendre l'avion, se rappela-t-il.

— Il n'y a jamais eu d'accident de Concorde, lui répéta Murray. Et les hommes de Jimmy Owens ont consciencieusement vérifié l'appareil.

La possibilité d'une bombe dans ce bel oiseau blanc n'était pas à écarter. Les experts en explosifs du C-13 avaient passé plus d'une heure, dans la matinée, à s'assurer que personne n'avait eu une telle idée et maintenant des policiers déguisés en « rampants » des British Airways entouraient l'avion. Mais Jack ne s'inquiétait pas d'une bombe. Des chiens savaient détecter les bombes.

— Je sais, répondit-il avec un faible sourire. Ce n'est qu'un manque de courage de ma part.

— Ce serait un manque de courage si vous n'y alliez pas quand même, fit observer Murray.

Il était surpris malgré lui que Ryan soit aussi nerveux. L'agent du FBI adorait voler. Un recruteur de l'armée de l'Air l'avait presque persuadé de devenir pilote, quand il était encore à l'université.

Non, c'est un manque d'intelligence si j'y vais, pensa Jack et une autre partie de son cerveau lui dit : *Tu n'es qu'une lavette. Tu fais un sacré marine !*

— C'est quand le lancement, papa ? demanda Sally.

— Dans une heure, lui dit sa mère. Et n'ennuie pas ton papa.

Le lancement, se dit Jack avec un sourire. *Enfin quoi, il n'y a pas de quoi avoir peur et tu le sais bien !* Il secoua la tête et but une gorgée de son verre, offert gracieusement par le bar. Il compta quatre agents de la sécurité dans la salle, qui cherchaient tous à ne pas se faire remarquer. Owens ne prenait pas de risques, en ce dernier jour de Ryan en Angleterre. Le reste était l'affaire des British Airways.

Une voix féminine désincarnée annonça le vol. Jack vida son verre et se leva.

— Merci pour tout, Dan.

— On peut partir, maintenant, papa ? demanda gaiement Sally et Cathy la prit par la main.

— Une minute ! protesta Murray en se penchant vers la petite fille. Je n'ai pas droit à un gros bisou d'adieu ?

— O.K., dit-elle et elle l'embrassa avec enthousiasme. Au revoir, monsieur Murray.

— Prenez bien soin de notre héros, dit-il à Cathy.

— Ne vous inquiétez pas.

Murray broya la main de Jack.

— Profitez du football, l'as. C'est ce qui me manque le plus !

— Je vous enverrai des cassettes.

— Ce n'est pas la même chose. Ainsi, vous retournez enseigner l'histoire, hein ?

— C'est mon métier.

— Nous verrons, dit énigmatiquement Murray. Comment diable allez-vous marcher avec ce truc-là ?

— Mal, avoua Jack en riant. J'ai l'impression que le toubib l'a lesté de plomb, à moins qu'il ait laissé des instruments dedans. Eh bien, nous y voilà.

Ils étaient arrivés à la porte d'embarquement. Murray leur dit au revoir et les quitta.

— Bienvenue à bord, sir John, dit une hôtesse. Vous êtes au 1-D. Avez-vous déjà volé en Concorde ?

— Non.

Ce fut tout ce qu'il put dire. Devant lui, Cathy se retourna en riant. Le couloir télescopique lui faisait l'effet de l'entrée d'un tombeau.

— Eh bien, attendez-vous à la plus grande sensation de votre vie, lui déclara l'hôtesse.

Merci bien ! Ryan faillit l'étrangler et puis il se souvint qu'il ne pouvait le faire d'une seule main. Il rit. Il n'y avait pas autre chose à faire.

Il dut se baisser pour ne pas se cogner la tête en haut de la porte. La cabine était petite, pas plus de deux mètres cinquante à trois mètres de large. Il se tourna vivement vers l'avant et vit l'équipage s'installer tant bien que mal dans l'étroit poste de pilotage, comme avec un chausse-pied. Une autre hôtesse rangeait des manteaux. Il dut attendre qu'elle l'aperçoive et s'avança en crabe, précédé par son plâtre.

— C'est ici, lui dit son guide personnel.

Jack se glissa à sa place, contre un hublot au premier rang. Cathy et Sally étaient déjà assises de l'autre côté de la travée. Le plâtre de Jack débordait largement au-dessus du fauteuil voisin. Personne n'aurait pu s'y asseoir. Heureusement, la British Airways ne lui ferait pas payer de supplément. Il essaya tout de suite de boucler sa ceinture mais ce n'était pas facile, d'une main. L'hôtesse l'y aida.

— Vous êtes bien installé ?

— Oui, mentit Jack, qui était terrifié.

— Parfait. Vous avez là une brochure d'information sur le Concorde, dit-elle en lui montrant un petit dossier de plastique gris. Voulez-vous un magazine ?

— Merci, j'ai un livre dans ma poche.

— Très bien. Je reviendrai après le décollage mais si vous avez besoin de quoi que ce soit, vous n'aurez qu'à sonner.

Jack resserra sa ceinture et regarda vers l'avant, la porte ouverte à gauche. Il pouvait encore s'échapper. Non, il savait bien qu'il ne le pouvait pas. Il s'adossa. Le siège était gris aussi, un peu étroit mais confortable. Sa place dans la première rangée lui offrait bien assez d'espace pour ses jambes. La paroi intérieure était blanche, d'un blanc cassé, et il pouvait regarder par le hublot. Il était petit, pas plus gros que deux livres de poche, mais cela valait mieux que pas de hublot du tout. Il regarda autour de lui. La cabine était au trois quarts occupée. Des voyageurs expérimentés, et riches, hommes d'affaires pour la plupart, presque tous plongés dans la lecture du *Financial Times*. Et aucun n'avait peur de voler. Cela se voyait à leur figure impassible. L'idée ne vint pas à Jack que la sienne était tout aussi impassible.

— Mesdames et messieurs, le capitaine Nigel Higgins, votre commandant de bord, vous souhaite la bienvenue à bord du vol 189 de la British Airways, le service de Concorde à destination de Washington et de Miami. Nous commencerons à rouler sur la piste dans cinq minutes environ. Le temps à notre premier arrêt, l'aéroport international Dulles à Washington, est excellent, clair, avec une température de 13°. Nous resterons en vol pendant trois heures et vingt-cinq minutes. Vous êtes priés de respecter l'interdiction de fumer quand le voyant sera allumé et nous vous demandons de garder votre ceinture attachée. Merci, conclut la voix à l'accent britannique.

La porte s'était refermée pendant cette allocution, remarqua aigrement Ryan. Une distraction habile, tandis qu'on éliminait l'unique voie d'évasion. Il ferma les yeux en se résignant à son sort. Ce qu'il y avait de bien, à l'avant, c'était que personne ne pouvait le voir, à l'exception de Cathy — Sally avait pris la place contre le hublot — et elle comprenait, ou du moins faisait semblant. Le personnel de cabine fit la démonstration des brassières de sauvetage, qui étaient rangées sous les sièges. Jack observa sans intérêt. La réputation de parfaite sécurité du Concorde signifiait que personne n'avait la moindre idée du moyen d'amerrir sans danger et sa propre position bien à l'avant de l'aile delta assurait que s'ils frappaient l'eau il serait dans la partie du fuselage qui se détacherait et coulerait à pic comme un bloc de ciment. Mais c'était sans importance. L'impact en soi serait fatal.

Imbécile, si cet oiseau était dangereux, ils en auraient au moins perdu un, depuis le temps.

Le hurlement des réacteurs déclencha un afflux d'acide dans

l'estomac de Jack. Il referma les yeux. *Tu ne peux plus t'échapper.* Il se força à contrôler sa respiration et à se détendre. Ce fut singulièrement facile. Jack n'avait jamais été un voyageur crispé. Il avait plutôt tendance à devenir inerte.

Une voiture-remorque invisible poussa l'appareil à reculons. Ryan regarda par le hublot et vit défiler lentement le paysage. Heathrow était un complexe très étendu. Des appareils d'une dizaine de compagnies aériennes étaient visibles, stationnés devant des terminaux comme des paquebots le long d'un quai. *J'aurais préféré rentrer en bateau*, pensa-t-il, oubliant qu'il avait eu le mal de mer quand il était marine à bord du *Guam*. Le Concorde s'arrêta pendant quelques secondes puis se mit à rouler de lui-même. Ryan ne savait pas pourquoi le train d'atterrissage était si haut mais ce facteur provoquait un curieux balancement. Le commandant de bord parla de nouveau à l'interphone et dit quelque chose à propos de rétro-fusées que Ryan ne comprit pas ; il regardait décoller un 747 de la Pan Am. Le Concorde était indiscutablement plus joli. Il lui rappelait les modèles réduits de chasseurs qu'il assemblait quand il était enfant.

L'appareil exécuta un demi-tour en bout de piste et s'arrêta, en se balançant un peu sur son train avant.

— Position de départ, annonça l'interphone.

Quelque part à l'avant, le personnel de cabine s'attacha sur ses strapontins. Jack se carra dans son siège comme un condamné attendant son électrocution, les yeux tournés vers le hublot.

Les réacteurs devinrent assourdissants et l'appareil s'ébranla. Quelques secondes plus tard, le bruit augmenta encore et Ryan se sentit collé contre son dossier. L'accélération était impressionnante, le double de ce qu'il avait pu connaître. Il n'avait aucun moyen de la mesurer mais avait l'impression qu'une main invisible le poussait à la renverse alors qu'une autre pesait contre son plâtre et cherchait à le tourner de côté. L'hôtesse avait raison, c'était une sensation incroyable. L'herbe défilait à toute vitesse derrière le hublot et finalement le nez se souleva. Une dernière petite secousse annonça que le train quittait le sol. Jack guetta le bruit de sa rétractation dans le fuselage mais le tonnerre du décollage couvrait tout. Ils étaient déjà à trois cents mètres d'altitude et continuaient de monter à un angle apparemment impossible. Il se tourna vers sa femme. « Ouh là là », articula Cathy en souriant. Sally avait son nez collé au hublot.

L'angle de l'ascension diminua légèrement. Déjà, le personnel de la cabine était au travail, avec un chariot de boissons. Jack prit un verre de champagne. Il n'avait pas l'esprit à la fête mais les vins pétillants lui montaient vite à la tête. Cathy lui avait proposé une fois du valium, pour calmer sa peur de l'avion, mais il n'aimait pas prendre de médicaments. L'alcool, c'était différent, pensait-il. L'appareil montait toujours, sans à-coups, sans plus de secousses que s'il roulait sur une chaussée bien lisse.

Jack tira son livre de sa poche. C'était son seul calmant efficace, en vol. Il se carra sur sa droite, la tête bien calée au coin de son dossier et de la paroi, en reposant son bras plâtré sur le siège voisin, ce qui le soulageait un peu. Le coude droit planté sur l'accoudoir, il se força à se concentrer sur sa lecture. Il l'avait choisie avec soin, pour le vol, un des ouvrages d'Alistair Horne sur les conflits franco-allemands. Mais il découvrit bientôt une nouvelle raison de détester son plâtre. C'était difficile de lire en tournant les pages d'une seule main. Il devait à chaque fois poser le livre sur ses genoux.

Une nouvelle accélération annonça que deux autres paires de rétro-fusées avaient été actionnées, dans les moteurs Olympus. L'avion recommença à prendre de l'altitude en franchissant mach-1. Jack jeta un coup d'œil par le hublot. Ils étaient maintenant au-dessus de la mer. Il consulta sa montre. Moins de trois heures avant l'atterrissage à Dulles. *Tu peux quand même supporter n'importe quoi pendant trois petites heures, n'est-ce pas ?*

Comme si j'avais le choix ! Un voyant lumineux attira son attention et il fut surpris de ne pas l'avoir encore remarqué. Sur la paroi devant lui, un peu au-dessus de sa tête, il y avait un compteur de vitesse, en milles, qui indiquait 1 024, le dernier chiffre changeant rapidement.

Bon Dieu ! Je vole à plus de mille milles à l'heure ! Qu'est-ce que Robby dirait de ça ? Je me demande comment va Robby... Il était hypnotisé par ces chiffres. Bientôt, ils dépassèrent les 1 300 et s'arrêtèrent un moment sur 1 351. Deux mille cent soixante-quinze kilomètres à l'heure. Il fit rapidement un calcul de tête. Plus de six cents mètres à la seconde, presque aussi vite qu'une balle de fusil. Mais pourquoi y avait-il encore tant de bruit ? *Si nous sommes supersoniques, maintenant, comment se fait-il que nous ne laissons pas le son derrière nous ? Il faudra que je demande à Robby, il saura.*

Les petits nuages blancs étaient à des kilomètres sous les ailes et glissaient hors de vue à une allure perceptible. Le soleil étincelait sur les vagues qui ressortaient nettement comme des sillons bleus brillants. Une des choses qui agaçait le plus Jack, c'était cette dichotomie entre sa terreur du vol et sa fascination pour le monde vu du ciel. Il se replongea dans son livre, dans une époque où la locomotive à vapeur était le summum de la technologie humaine, où l'on voyageait au trentième de sa vitesse actuelle.

Le déjeuner fut servi quelques minutes plus tard. Ryan s'aperçut que le champagne lui avait ouvert l'appétit. Il avait rarement faim, à bord d'un avion, alors cela l'étonna. Le menu était fidèle à l'habitude exaspérante et déroutante des Britanniques de donner le nom de leurs plats en français, comme si la langue pouvait avoir un effet sur le goût. Jack s'aperçut vite que le goût n'avait nul besoin de fioritures linguistiques. Le saumon fit place à un steak étonnamment bon — en considérant que c'est un domaine dans lequel les Britanniques ne sont pas forts — suivi d'une salade acceptable, de fraises à la crème et d'un petit plateau de fromages. Un bon porto remplaça le champagne et Ryan s'aperçut que quarante nouvelles minutes s'étaient écoulées. Dans moins de trois heures il serait chez lui.

— Mesdames et messieurs, ici votre commandant de bord. Nous volons en ce moment à une altitude de croisière de cinquante-trois mille pieds et à une vitesse au sol de mille trois cent trente-cinq milles à l'heure. A mesure que nous consommons du carburant, l'appareil s'allégera et atteindra une altitude de pointe d'environ cinquante-neuf mille pieds. La température extérieure est de soixante degrés Celsius au-dessous de zéro et la température extérieure du fuselage d'environ cent degrés Celsius à cause de la friction de son passage dans l'air. Un des effets annexes de ce phénomène est que l'appareil se dilate et s'allonge en plein vol d'environ vingt-huit centimètres...

La fatigue du métal, pensa sombrement Ryan. *Il avait bien besoin de me dire ça !* Il toucha le hublot, qui lui parut chaud et il comprit que l'on pourrait faire bouillir de l'eau, sur l'enveloppe du fuselage. Il se demanda si cela avait un effet sur le reste de la charpente. Retournons au XIXe siècle, se commanda-t-il. De l'autre côté de la travée, sa fille dormait et Cathy était plongée dans un magazine.

Lorsque Jack regarda de nouveau sa montre, il restait moins d'une heure de vol. Le commandant parla de Halifax, en Nouvelle-Ecosse, sur leur droite. Jack regarda mais ne vit qu'une vague ligne foncée sur l'horizon du nord. L'Amérique... bonne nouvelle. Comme toujours, sa nervosité et le siège de l'appareil conspiraient pour lui rendre le dos raide et son plâtre n'arrangeait rien. Il éprouvait le besoin de se lever, de se dégourdir les jambes mais c'était une chose qu'il essayait de ne jamais faire à bord d'un avion. Le steward vint remplir son verre de porto et il remarqua que l'angle du soleil, à son hublot, n'avait pas changé depuis le départ de Londres. L'appareil volait vers l'ouest à l'allure de la rotation de la terre. Ils arriveraient à Dulles vers midi, leur apprit le pilote. Jack regarda de nouveau l'heure : quarante minutes. Il allongea les jambes et reprit son livre.

Il fut dérangé de nouveau par la distribution des formulaires de douane et d'immigration. Tout en rangeant son livre, Jack regarda sa femme dresser la liste de tous les vêtements qu'elle avait achetés. Sally dormait toujours, avec un visage presque angéliquement paisible. Une minute plus tard, ils arrivèrent au-dessus de la terre en franchissant la côte du New Jersey et mirent cap à l'ouest jusqu'en Pennsylvanie avant de virer au sud. L'avion avait perdu de l'altitude. Jack n'avait pas senti la décélération transonique mais les cumulus étaient beaucoup plus rapprochés qu'au-dessus de l'océan. *C'est bon, commandant Higgins, tâchez de poser cet oiseau par terre sans casse.* Il vit qu'on lui avait remis une étiquette de bagages en argent qu'il devait probablement garder en souvenir. Il décida de garder aussi son certificat de passager du Concorde, *un vétéran aguerri,* pensa-t-il ironiquement. *J'ai survécu au Concorde de la British Airways.*

Crétin, si tu avais pris le 747, tu serais encore au-dessus de l'océan.

Ils étaient maintenant assez bas pour voir les routes. La majorité des accidents d'avion ont lieu à l'atterrissage, mais Ryan ne voyait pas les choses de cette façon. Ils étaient presque chez eux. C'était la fin de la peur, et il regardait avec plaisir le Potomac par le hublot. Finalement, le Concorde redressa de nouveau son nez, à une vitesse terrible, pensa Jack, en descendant sans secousse vers le sol. Une seconde plus tard, il distingua la barrière d'enceinte de l'aéroport. Le choc lourd du train principal suivit aussitôt. Ils étaient au sol. Ils étaient sains et saufs. Tout ce qui se passerait maintenant s'apparenterait à un accident de la circulation, pas à une catastrophe aérienne, se dit-il. Ryan se sentait en sécurité dans une voiture parce qu'il était aux commandes. Il se souvint pourtant qu'aujourd'hui Cathy devrait conduire.

Le voyant des ceintures s'éteignit quelques instants après l'arrêt total de l'appareil et la porte avant s'ouvrit. Arrivés à bon port. Ryan se leva et s'étira. C'était bon d'être stable. Cathy tenait leur fille sur ses genoux et lui brossait les cheveux pendant que Sally se frottait les yeux.

— Ça va, Jack ?

— On est *déjà* arrivé ? demanda Sally.

Son père lui assura qu'ils étaient chez eux. Il alla vers l'avant. L'hôtesse qui l'avait accueilli lui demanda s'il avait apprécié le vol et Jack répondit oui, sans mentir. Maintenant que c'était fini ! Il trouva à s'asseoir dans le car et sa famille le rejoignit.

— La prochaine fois que nous ferons la traversée, c'est comme ça que nous irons, déclara-t-il.

138

— Pourquoi ? demanda Cathy, étonnée. Tu as aimé le vol ?

— Je te crois ! On ne reste en l'air que la moitié du temps !

Jack rit, en se moquant surtout de lui-même. Comme à chaque fois, le retour sur terre, bien en vie, lui causait une vive émotion. Il avait survécu et sa joie d'être vivant, d'être chez lui, faisait battre son cœur. Le pas des passagers descendant d'un avion est toujours plus léger que lorsqu'ils s'embarquent. Le car démarra. Le Concorde était réellement très beau, pensa-t-il alors qu'ils s'en éloignaient pour gagner l'aérogare.

— Combien as-tu dépensé en vêtements ? demanda Jack quand le véhicule s'arrêta à la porte d'arrivée, et Cathy lui tendit le formulaire. Tant que ça !

— Et alors ? Pourquoi pas ? Je peux payer ça avec mon argent à moi, non ?

— Bien sûr, bébé.

— Et il y a aussi trois costumes pour toi.

— Quoi ? Mais comment...

— Quand le tailleur a pris tes mesures, pour ce smoking, je lui ai commandé trois costumes. Tes bras sont de la même longueur, Jack. Ils t'iront dès que nous t'aurons débarrassé de ce maudit plâtre.

Ce qu'il y avait encore de bien, avec le Concorde, c'est qu'il transportait si peu de passagers que la récupération des bagages se passait comme un charme. Cathy trouva un chariot — que Sally tint à pousser — pendant que Jack prenait leurs valises. Le dernier obstacle était la douane, où ils durent payer plus de trois cents dollars pour les achats de Cathy. Mais moins d'une demi-heure après leur descente d'avion, Jack sortait de l'aérogare, en aidant Sally à pousser le chariot.

— Jack !

Un colosse venait vers eux, plus grand que le mètre quatre-vingt-cinq de Jack, et plus large d'épaules. Il marchait mal, à cause d'une prothèse de la jambe qui remontait au-dessus de l'emplacement de son genou gauche, cadeau d'un chauffard ivre. Il avait préféré pour pied artificiel une plaque d'aluminium, plutôt qu'un modelage d'apparence humaine : Oliver Wendell Tyler trouvait cela plus commode pour marcher. Mais sa main était tout à fait normale, bien que plutôt grande. Il saisit celle de Ryan et la serra.

— Heureux retour au bercail, mon petit vieux !

— Comment ça va, Skip ?

Jack dégagea sa main et compta mentalement ses doigts. Skip Tyler était un excellent ami mais il ne connaissait pas sa force.

— Ça va. Salut, Cathy. Et comment va Sally ?

— Très bien.

Sally leva les bras et fut soulevée comme elle le souhaitait. Mais un instant seulement ; elle gigota pour être posée par terre et retourner au chariot.

— Qu'est-ce que tu fiches ici ? demanda Jack, puis il pensa que Cathy avait dû téléphoner.

— Ne vous en faites pas pour la voiture, dit Tyler. Jean et moi l'avons récupérée et l'avons ramenée chez vous. Nous avons préféré venir vous chercher avec la nôtre, il y a plus de place. Elle est allée la chercher.

— Tu as pris une journée de congé, alors ?

— Quelque chose comme ça. Billings a repris tes cours pendant quinze jours. Pourquoi est-ce que je n'aurais pas le droit de prendre un après-midi ?

Un porteur s'approcha mais Tyler l'écarta d'un geste.

— Comment va Jean ? demanda Cathy.

— Encore six semaines.

— Ce sera un peu plus long pour nous.

— Vraiment ? s'écria Tyler, la figure illuminée. Super !

Il faisait frais, avec un beau soleil d'automne. Jean Tyler arriva au volant du grand break Chevrolet. Brune, grande et mince, Jean était enceinte de leurs troisième et quatrième enfants. L'échographie avait confirmé les jumeaux juste avant le départ des Ryan. Svelte comme elle l'était, le ventre énorme aurait pu la rendre grotesque si elle n'avait été aussi rayonnante. Cathy se précipita vers elle dès qu'elle descendit de voiture et lui chuchota quelque chose, que Jack devina. Les deux jeunes femmes s'embrassèrent chaleureusement. Skip ouvrit le hayon et jeta les bagages à l'intérieur comme si ce n'était que des feuilles de papier.

— Faut que j'admire ton à-propos, Jack. Tu reviens presque à temps pour les vacances de Noël, dit-il alors que tout le monde montait dans la voiture.

— Je n'avais pas prévu ça comme ça, tu sais.

— Comment va l'épaule ?

— Mieux, mon vieux, mieux.

— Je te crois aisément. Je m'étonne qu'ils aient réussi à te faire monter dans un Concorde. Ça t'a plu ?

— C'est plus vite fini.

— Ouais, c'est ce que tout le monde dit.

— Comment ça va, à l'école ?

— Bah, rien ne change jamais. T'as appris, pour le match ?

— Tiens, au fait, non.

Comment ai-je pu oublier ça ?

140

— Absolument formidable ! s'écria Tyler en tournant la tête et il entreprit de donner en différé tout le reportage de la partie. Vingt et un à dix-neuf ! Quelle façon de terminer la saison !

Skip Tyler était sorti d'Annapolis et avait été pilier dans l'équipe de la Marine nationale avant de devenir sous-marinier. Trois ans plus tôt, alors qu'il allait recevoir son premier commandement, il avait eu son accident. A la stupéfaction générale, Skip n'avait rien regretté. Après avoir passé son doctorat d'ingénieur au MIT, il était entré à l'université d'Annapolis où il était encore capable de repérer des talents et de jouer un peu les entraîneurs. Jack se demandait si Jean n'en était pas plus heureuse. C'était une fille ravissante, qui avait été secrétaire d'un cabinet d'avocats, et elle avait dû souffrir des absences forcées de Skip à bord de son sous-marin. Maintenant elle l'avait à la maison — il ne cavalait certainement pas bien loin car Jean était perpétuellement enceinte — et ils étaient rarement séparés. Même quand ils faisaient des courses dans un centre commercial, ils se tenaient par la main. Si jamais quelqu'un trouvait cela drôle, il se gardait bien de faire une réflexion.

— Qu'est-ce que tu vas faire, pour ton arbre de Noël, Jack ?

— Je n'y ai pas encore pensé, avoua Ryan.

— Je connais un endroit où nous pouvons en couper un tout vert. J'y vais demain. Tu veux venir ?

— Bien sûr. Nous avons aussi des achats à faire.

— Ah, dis donc, tu n'es vraiment pas dans le coup ! Cathy a téléphoné la semaine dernière. Jean et moi avons... nous avons terminé le plus important. Elle ne t'a rien dit ?

— Non. Merci, Skip.

En se retournant, Jack vit le petit sourire satisfait de sa femme.

— Bah, penses-tu ! Nous allons monter pour Noël chez les parents de Jean. Sa dernière occasion de voyager avant l'arrivée des jumeaux. Le professeur Billings dit que tu as un peu de travail qui t'attend.

Un peu ! pensa Ryan. Au moins deux mois de travail !

— Il faudra que cela attende qu'on ait ôté le plâtre, répondit Cathy pour lui. Je vais conduire Jack à Baltimore demain, nous demanderons au professeur Hawley de l'examiner.

— Faut pas se précipiter, avec ce genre de blessure, reconnut Skip qui avait malheureusement de l'expérience. Robby vous salue bien. Il n'a pas pu venir, il est à Pax River, aujourd'hui, dans un simulateur de vol. Rob et Sissy vont bien, ils étaient à la maison avant-hier. Tu as choisi un beau temps pour ton retour, aussi. Il a plu presque toute la semaine.

Retour au bercail, pensa Jack en écoutant son ami. Retour à toutes les conneries terre-à-terre routinières qui sont tellement irritantes... jusqu'à ce qu'on vous en prive. C'était bon que la pluie soit le seul sujet d'exaspération, de retrouver une journée marquée par le lever, le travail, les repas, le coucher. Se remettre au courant des programmes de télé, du football. Lire ses bandes dessinées dans son quotidien. Aider sa femme à la vaisselle. S'installer dans un bon fauteuil avec un livre et un verre de vin après avoir couché Sally. Jack se jura qu'il ne trouverait plus cette existence terne. Il venait de passer un mois dans la voie rapide et il était reconnaissant de l'avoir laissée à cinq mille kilomètres derrière lui.

— Bonsoir, monsieur Cooley, dit Kevin O'Donnell en levant les yeux de son menu.

— Bonsoir, monsieur Jameson. Quel plaisir de vous revoir, répondit le libraire en feignant parfaitement la surprise.

— Voulez-vous me tenir compagnie ?

— Bien volontiers. Merci.

— Qu'est-ce qui vous amène ici en ville ?

— Les affaires. Je passe la nuit chez des amis, à Cork.

C'était vrai mais c'était aussi une manière de dire à O'Donnell — localement connu sous le nom de Michael Jameson — qu'il apportait un message.

— Voulez-vous jeter un coup d'œil au menu ? proposa-t-il en le tendant à son vis-à-vis.

Cooley le prit, le parcourut rapidement et le rendit, en le refermant. Le geste avait été si discret que personne n'avait rien pu voir. « Jameson » à son tour fit glisser la petite enveloppe du menu sur ses genoux. La conversation qui suivit, pendant une heure, aborda un peu tous les sujets et fut agréable. Il y avait quatre Gardai à la table voisine mais, de toute façon, M. Cooley ne s'occupait pas d'affaires opérationnelles. Il n'était qu'un contact. Un faible, pensait O'Donnell mais il ne l'avait jamais dit à personne. Cooley ne possédait pas les qualités voulues pour les véritables opérations ; il était meilleur dans le rôle d'agent de renseignement. Il n'avait d'ailleurs jamais rien demandé. L'important était que Cooley, malgré ses idées politiques, ne fût connu dans aucun poste de police. Jamais il n'avait lancé un pavé ni un cocktail Molotov à un « Sarrasin ». Il préférait observer et laisser sa haine s'envenimer sans le moindre défoulement émotionnel. Calme, discret, Dennis était parfait pour sa mission. Et O'Donnell savait que s'il était incapable de verser du sang, il était aussi peu capable de verser des larmes. Un petit individu anodin, pensa O'Donnell. *Tu peux organiser une superbe opération de renseignement tant que tu n'as pas à te mouiller... Tu as déjà causé la mort de... combien ? Dix, douze personnes ?* L'homme était-il capable d'émotions ? Probablement pas, jugeait le chef. Parfait. Il avait son propre petit Himmler ou son propre Dzerjinski, se disait-il. Cooley avait un avenir dans l'Organisation. Le moment venu, on en aurait besoin.

Ils terminèrent leur conversation au café. Cooley insista pour se charger de l'addition : les affaires étaient excellentes. O'Donnell empocha l'enveloppe et ils quittèrent le restaurant. Il résista à la tentation de lire le rapport. Kevin était un homme sans aucune patience, aussi devait-il s'y forcer. L'impatience avait gâché plus d'opérations que l'armée britannique, il le savait. C'était encore une leçon de ses premiers jours dans la PIRA. Il conduisit sa BMW par les vieilles rues en respectant soigneusement la limitation de vitesse, sortit de la ville et s'engagea sur d'étroites routes de campagne pour regagner sa demeure sur la côte. Il fit quelques détours en gardant l'œil sur son rétroviseur. O'Donnell se savait en sécurité. Mais il savait aussi que c'était grâce à une vigilance constante qu'il le resterait. Sa voiture de luxe était au nom et à l'adresse du siège de sa société à Dundalk. C'était une véritable compagnie, avec neuf petits chalutiers et un excellent gestionnaire, un homme qui n'avait jamais été mêlé aux Troubles et dont les talents permettaient à O'Donnell de mener la vie d'un gentleman campagnard loin dans le sud.

Il lui fallut un peu moins d'une heure pour rejoindre l'allée privée flanquée d'une paire de piliers de pierre et encore cinq minutes pour atteindre sa maison surplombant la mer. Laissant sa voiture à l'extérieur — l'ancienne remise avait été transformée en bureaux par un entrepreneur local —, il alla directement à sa bibliothèque. McKenney l'y attendait en lisant une récente édition des poèmes de Yeats. Un autre amateur de livres, pensa Kevin, mais qui ne partageait pas l'aversion de Cooley pour le sang. Son allure calme, disciplinée, dissimulait une capacité d'action explosive. Un homme qui lui ressemblait beaucoup, ce Michael. Comme celle de Kevin dix à douze ans auparavant, sa jeunesse avait besoin d'être tempérée, d'où sa mission de chef du service de renseignement où il aurait l'occasion d'apprendre la valeur de la réflexion, la nécessité de réunir tous les renseignements possibles avant de passer à l'action. Encore une erreur de la PIRA : ils utilisaient des renseignements tactiques mais négligeaient les renseignements stratégiques... C'était une des raisons qui les lui avaient fait quitter... mais il retournerait au bercail. Ou, plus probablement, le bercail reviendrait à lui. Et il aurait alors son armée. Kevin avait déjà un plan, même si ses plus proches collaborateurs l'ignoraient, ou n'en connaissaient qu'une partie.

O'Donnell s'assit dans le fauteuil de cuir derrière son bureau et prit l'enveloppe qu'il avait glissée dans sa poche. McKenney alla discrètement au bar, dans le coin, pour servir à son supérieur un verre de whisky. Avec de la glace, un goût que Kevin avait acquis sous des climats plus chauds, quelques années plus tôt. Il posa le verre à côté d'O'Donnell qui le prit et en but une toute petite gorgée, sans un mot.

Le document comportait six feuillets et il en lut le texte tapé à simple interligne, lentement et posément. En dépit de sa réputation de combattant téméraire, le chef de l'ULA donnait souvent l'impression qu'il était fait de pierre, à voir comment il rassemblait, enregistrait et traitait l'information. Comme un ordinateur. Il mit vingt bonnes minutes à lire les six feuillets.

— Eh bien, notre ami Ryan est de retour en Amérique. Il est rentré par Concorde et sa femme s'était arrangée pour qu'un ami vienne les attendre à l'aéroport. Lundi prochain, je suppose qu'il reprendra ses cours devant ces intéressants jeunes gens et jeunes filles de l'Académie navale, dit O'Donnell en souriant. Son Altesse et sa ravissante jeune femme rentreront avec deux jours de retard. Il paraît que leur avion a eu des problèmes techniques, du moins c'est ce qu'apprendra le grand public. En réalité, ils aimeraient tant la Nouvelle-Zélande qu'ils veulent profiter un peu plus longtemps de leur intimité. A leur arrivée, la sécurité sera impressionnante. Tout bien considéré, d'ailleurs, leur sécurité va probablement être inviolable, au moins dans les prochains mois.

McKenney renifla avec mépris.

— Aucune sécurité n'est inviolable. Nous l'avons prouvé nous-mêmes.

— Nous ne voulons pas les tuer, Michael. N'importe quel imbécile peut faire ça, dit patiemment Kevin. Notre objectif est de les prendre vivants.

— Mais...

Ils n'apprendraient donc jamais!

— Il n'y a pas de mais, Michael. Si je voulais les tuer, ils seraient déjà morts et ce salaud de Ryan avec eux. C'est facile de tuer, mais ce n'est pas ce que nous souhaitons.

— Oui, chef, marmonna McKenney. Et Sean?

— Ils vont le cuisiner dans la prison de Brixton pendant encore une quinzaine de jours. Nos amis du C-13 ne veulent pas l'avoir hors de leur portée pour le moment.

144

— Est-ce que ça veut dire que Sean...

— Tout à fait invraisemblable, interrompit O'Donnell. Malgré tout, je crois l'Organisation plus forte avec lui que sans lui, pas toi ?

— Mais comment le saurons-nous ?

— On s'intéresse beaucoup à notre camarade, en haut lieu, répondit le chef en guise d'explication.

McKenney hocha la tête, l'air songeur, dissimulant son irritation que le commandant ne partage pas sa source de renseignement avec son propre chef des SR. Cette source restait le plus profond de tous les secrets de l'ULA. Il préféra ne pas approfondir. McKenney avait ses propres sources et son adresse à se servir de ses informations augmentait de jour en jour. Il était agacé d'avoir toujours à attendre si longtemps avant d'agir mais il reconnaissait à part lui — d'abord de mauvaise grâce puis avec plus de conviction — qu'une bonne préparation avait permis la parfaite réussite de plusieurs opérations épineuses. Et une mauvaise l'avait envoyé dans les Blocs-H de la prison de Kesh. La leçon qu'il avait tirée de cet échec, c'était que la révolution avait besoin de davantage de compétences. Il en venait à haïr plus encore que l'armée britannique l'inefficacité des dirigeants de la PIRA. Le révolutionnaire avait souvent plus à craindre ses amis que ses ennemis.

— Rien de nouveau avec nos collègues ? demanda O'Donnell.

— Si, justement, répondit McKenney avec vivacité, *nos collègues* désignant entre eux l'aile provisoire de l'IRA. Une des cellules de la brigade de Belfast va attaquer un pub après-demain. Depuis quelque temps, des types de l'UVF s'y retrouvent... Pas très malin de leur part, hein ?

— Je crois que nous pouvons laisser passer ce coup-là, jugea O'Donnell.

Ce serait une bombe, naturellement, et elle tuerait plusieurs personnes dont certaines seraient peut-être membres de l'Ulster Volunteer Force, qu'il considérait comme les forces réactionnaires de la bourgeoisie régnante, ni plus ni moins que des brutes, puisqu'ils n'avaient aucune idéologie. Tant mieux si des UVF étaient tués mais n'importe quel parpaillot aurait aussi bien convenu, vraiment, car en représailles, d'autres UVF se glisseraient dans un quartier catholique et tueraient une ou deux personnes au hasard, dans la rue. Les inspecteurs de la brigade criminelle de la RUC enquêteraient et, comme d'habitude, personne n'aurait rien vu et les quartiers catholiques conserveraient leur instabilité révolutionnaire. La haine était très utile. Encore plus que la peur, c'était la haine qui soutenait la Cause.

— C'est tout ?

— L'artificier, Dwyer, a encore disparu.

— La dernière fois que c'est arrivé... oui, l'Angleterre, n'est-ce pas ? Une nouvelle campagne ?

— Notre homme ne sait pas. Il y travaille mais je lui ai dit d'être prudent.

— Très bien.

O'Donnell se dit qu'il fallait y réfléchir ; Dwyer était un des meilleurs artificiers de la PIRA, un génie des détonateurs à retardement, une personne que la branche C-13 de Scotland Yard recherchait activement car sa capture porterait un coup sévère à la direction de l'IRA provisoire...

— Oui, il faut que notre homme soit extrêmement prudent, mais il serait utile de savoir où se trouve Dwyer.

McKenney reçut le message cinq sur cinq. Dommage pour Dwyer, mais ce collègue-là avait choisi le mauvais côté.

— Et le brigadier de Belfast ?

— Non, dit catégoriquement le chef.

— Mais il va encore s'échapper. Nous avons eu besoin d'un mois pour...

— Non, Michael. Le bon moment, rappelez-vous l'importance du bon moment. L'opération est un tout intégré, pas une simple collection d'événements.

Le commandant de la brigade — *Brigade !* pensa amèrement O'Donnell, *moins de deux cents hommes* — de Belfast de la PIRA était l'homme le plus recherché de l'Ulster. Pas seulement par les Britanniques, mais pour le moment O'Donnell devait le leur abandonner. *Dommage ! J'aurais vraiment voulu te faire payer personnellement, et cher, de m'avoir rejeté, Johnny Doyle, d'avoir mis ma tête à prix. Mais là encore, je dois être patient. Après tout, je veux plus que ta tête...*

— N'oublie pas non plus qu'il faut ménager nos gars. Si le moment choisi est si important, c'est que notre plan ne peut réussir qu'une fois. Nous devons être patients. Nous devons attendre le moment *exact*.

Mais quel moment exact ? Quel plan ? se demandait McKenney. Quelques semaines plus tôt, O'Donnell avait annoncé que le « moment » était proche, et puis il avait tout annulé sur un coup de téléphone de Londres, à la dernière minute. Sean Miller savait, ainsi qu'un ou deux autres, mais McKenney ne savait même pas qui étaient ces privilégiés. S'il y avait une chose à laquelle le chef tenait, c'était bien à la sécurité. L'agent de renseignement reconnaissait

146

qu'elle était importante, mais sa jeunesse rongeait son frein, dans la frustration de savoir que c'était important mais non de quoi il s'agissait.

— Difficile, n'est-ce pas, Mike ?

— Oui, chef, en effet, reconnut McKenney avec un sourire.

— Garde simplement en mémoire ce que l'impatience nous a valu, conseilla le chef.

8

Information

— Les remerciements du Bureau pour avoir repéré ce type, Jimmy.

— Je pense sincèrement que nous n'avons pas besoin de ce genre de touriste, Dan, répondit Owens.

Un citoyen de Floride qui avait détourné trois millions de dollars d'une banque d'Orlando avait commis l'erreur de passer par la Grande-Bretagne, en route vers un autre pays aux lois bancaires légèrement différentes.

— Mais je crois que la prochaine fois nous le laisserons faire un peu de shopping à Bond Street avant de l'arrêter. Vous pourrez appeler ça des honoraires. Des honoraires pour l'arrestation.

— Ha !

Le représentant du FBI ferma le dernier dossier. Il était 18 heures, heure locale. Dan Murray se carra dans son fauteuil. Derrière lui, de l'autre côté de la rue, les immeubles en briques de style georgien pâlissaient au crépuscule. Des hommes patrouillaient discrètement sur les toits, comme sur tous les bâtiments de Grosvenor Square. Mais l'ambassade américaine était moins gardée que fortifiée, tant il y avait eu d'alertes à la bombe depuis six ans. Des agents en tenue étaient en faction sur le devant de l'édifice, là où North Audley Street était barrée à la circulation. Le trottoir était décoré de « pots de fleurs » en béton qu'un char n'aurait pu surmonter qu'avec difficulté et le reste de l'immeuble était protégé par un glacis de béton en pente pour repousser les voitures piégées. A l'intérieur, derrière les vitres à l'épreuve des balles, un caporal des marines montait la garde à côté d'un coffre-fort mural contenant un revolver Smith & Wesson Magnum 357. Quelle époque ! pensait Murray. Le monde merveilleux du terrorisme international ! Il avait horreur de travailler dans un bâtiment qui avait l'air d'un bunker de la ligne Maginot, horreur d'imaginer qu'il y avait peut-être dans un des immeubles d'en face un Iranien, un Palestinien, un Libyen ou une autre espèce de fou terroriste armé d'un lance-roquettes RPG-7. Murray ne craignait pas pour sa vie. Il l'avait risquée plus d'une fois. Il avait horreur de l'injustice, de l'injure à son métier, que représentaient ces individus capables de tuer leur prochain pour des motifs politiques. *Mais ils ne sont pas fous, n'est-ce pas ? Les spécialistes du comportement disent qu'ils ne le sont pas. Ce sont des romantiques, des croyants, des gens qui se sont engagés pour un idéal et sont prêts à commettre n'importe quel crime pour l'imposer. Des romantiques ! je vous demande un peu !*

— Jimmy, vous vous rappelez le bon vieux temps où nous traquions les voleurs de banque qui ne commettaient des hold-up que pour de l'argent ?

— Je ne me suis jamais occupé d'eux. Je m'intéressais surtout aux cambriolages ordinaires avant qu'on m'envoie enquêter sur des meurtres. Mais c'est vrai que le terrorisme fait regretter le temps du simple gangster.

Owens se resservit du porto. Un des problèmes croissants de la police londonienne, la Metropolitan Police, c'était que l'usage criminel des armes à feu se répandait depuis que cet instrument était rendu populaire par les journaux télévisés du soir. Et si les rues et les parcs de Londres étaient infiniment plus sûrs que ceux d'Amérique, ils l'étaient bien de moins en moins. Les temps changeaient à Londres aussi, et cela ne plaisait pas du tout à Owens.

Le téléphone sonna. La secrétaire de Murray venait de partir, sa journée finie, et ce fut lui qui décrocha.

— Murray. Salut, Bob. Ouais, il est là. Bob Highland pour vous, Jimmy.

— Owens, dit le policier puis il posa brusquement son verre de porto et demanda par gestes un stylo et un bloc-notes. Où ça, exactement ? Et vous avez déjà... Très bien, excellent, j'arrive tout de suite.

— Qu'est-ce qui se passe ? demanda vivement Murray.

— Nous venons de recevoir un tuyau sur Dwyer. Une fabrique de bombes dans un appartement de Tooley Street.

— Est-ce que ce n'est pas juste en face de la Tour, sur l'autre rive de la Tamise ?

— Précisément. Je me sauve.

Owens se leva et prit son manteau.

— Vous permettez que je vous accompagne ?

— Dan, vous devez vous rappeler...

— De ne pas vous encombrer, oui.

Murray était déjà debout. Il porta involontairement la main à sa hanche gauche, où se serait trouvé son revolver d'ordonnance s'il n'avait pas été dans un pays étranger. Owens n'était jamais armé. Murray se demanda comment l'on pouvait être un policier et rester sans arme. Ensemble, ils sortirent du bureau et se hâtèrent dans le couloir, vers l'ascenseur. Deux minutes plus tard, ils étaient dans le parking souterrain de l'ambassade. Les deux agents de la voiture de poursuite d'Owens étaient déjà dans leur véhicule.

Dès que la voiture déboucha dans la rue, avec Murray à l'arrière, Owens prit sa radio.

— Vous avez du monde en route ? demanda Murray.

— Oui. Bob sera là-bas avec une équipe dans quelques minutes. Dwyer, bon Dieu ! Le signalement concorde parfaitement.

Malgré ses efforts pour le cacher, Owens était aussi surexcité qu'un enfant au matin de Noël.

— Qui vous a prévenus ?

— Anonyme. Une voix masculine, qui prétendait avoir vu des fils électriques, des trucs enveloppés dans de petits paquets, en regardant par la fenêtre.

— J'adore ça. Le voyeur au secours des flics, probablement effrayé que sa femme découvre ses manies. Enfin, on prend ce qu'on peut.

Murray riait. Il avait vu des affaires se résoudre pour moins que cela.

C'était l'heure des embouteillages et les sirènes de police n'y changeaient rien. Il leur fallut vingt minutes exaspérantes pour couvrir les huit kilomètres jusqu'à Tooley Street. Enfin la voiture s'élança sur le pont, Tower Bridge, et tourna à droite. Le chauffeur la gara sur le trottoir le long des deux autres véhicules de police.

C'était un petit immeuble de deux étages en briques noirâtres, dans un quartier ouvrier. A côté, il y avait un pub avec son menu griffonné sur une ardoise. Plusieurs clients se tenaient sur le seuil, chope de bière au poing, pour observer la police, et il y avait d'autres badauds de l'autre côté de la rue. Owens courut à la porte. Un inspecteur en civil l'attendait.

— Tout est calme, chef. Nous avons arrêté le suspect. Dernier étage, sur le derrière.

150

Le chef monta, Murray sur ses talons. Un autre inspecteur l'accueillit sur le dernier palier. Owens arborait un sourire cruel, satisfait.

— Tout est fini, chef, annonça Highland. Voici le suspect.

Maureen Dwyer était entièrement nue, étalée sur le plancher les bras en croix, dans une mare d'eau, avec autour d'elle des empreintes de pas mouillées venant de la salle de bains adjacente.

— Elle prenait un bain, expliqua Highland. Et elle avait laissé son pistolet sur la table de la cuisine. Sans problème.

— Est-ce que vous avez appelé une auxiliaire de police ?

— Oui, chef. Je m'étonne qu'elle ne soit pas encore là.

— La circulation, nota Owens. Aucune trace d'un compagnon ?

— Non, chef. Pas la moindre, répondit Highland. Rien que ceci.

Le tiroir du bas de l'unique commode de cet appartement misérable était par terre. Il contenait plusieurs pains de plastic, quelques détonateurs et, semblait-il, des minuteurs électriques. Un inspecteur rédigeait déjà un inventaire alors qu'un technicien photographiait toute la pièce avec un Nikon à flash électronique. Un troisième ouvrait une trousse. Tout serait étiqueté, rangé dans un sac en plastique transparent et mis de côté pour servir de pièces à conviction. On ne voyait que des sourires de satisfaction, sauf sur la figure de Maureen Dwyer pressée contre le plancher. Deux inspecteurs la surveillaient sans la moindre compassion, le revolver à la hanche.

Murray resta sur le seuil pour ne gêner personne ; il observait attentivement la procédure des agents d'Owens. Il n'y avait pas grand-chose à critiquer. La suspecte était neutralisée, l'immeuble bien gardé et les pièces à conviction rassemblées ; tout se passait selon le manuel. Une auxiliaire de police procéderait à la fouille des cavités pour assurer qu'elles ne cachaient rien de dangereux. C'était un peu dur pour la pudeur de Miss Dwyer mais Murray ne pensait pas qu'un juge s'en formaliserait. Maureen Dwyer était une terroriste connue, avec au moins trois ans de fabrication de bombes derrière elle. Neuf mois plus tôt, elle avait été vue quittant le lieu d'un attentat à Belfast quelques minutes avant que l'explosion d'une bombe tue quatre personne et en mutile trois autres. Non, il n'y aurait guère de pitié pour elle. Un des inspecteurs prit un drap du lit et le lui jeta pour l'en recouvrir des genoux aux épaules. La suspecte ne bougeait absolument pas et si elle respirait rapidement, elle ne faisait aucun bruit.

— Voilà qui est intéressant, dit un des hommes.

Il tira de sous le lit une valise. Après s'être assuré qu'elle n'était pas piégée, il l'ouvrit et en retira une trousse de maquillage complète et quatre perruques.

— Très chic, j'aimerais bien en avoir une comme ça, dit l'auxiliaire de police en se glissant à côté de Murray pour s'approcher d'Owens. Je suis venue aussi vite que j'ai pu, chef.

— Allez-y.

L'auxiliaire enfila un gant de caoutchouc pour sa fouille. Murray ne regarda pas. C'était une chose qui l'avait toujours un peu dégoûté. Quelques secondes plus tard, le gant fut ôté avec un claquement. Un inspecteur jeta des vêtements à Dwyer. Elle s'habilla aussi tranquillement que si elle avait été seule. Non, pensa Murray, seule elle aurait montré plus d'émotion. Dès qu'elle fut habillée, un agent lui mit les menottes. Il l'informa de ses droits, à peu près de la même façon qu'on le faisait en Amérique. Elle ne répondit pas. Elle toisa les policiers sans la moindre expression, pas même de la colère, et fut emmenée sans avoir prononcé un seul mot.

Voilà du sang-froid, ou je ne m'y connais pas, se dit Murray. Même avec ses cheveux mouillés, sans maquillage, elle était assez jolie. Un beau teint. Elle avait quatre à cinq kilos à perdre mais avec des vêtements bien coupés cela ne devait pas se remarquer. *On pourrait la croiser dans la rue ou s'asseoir à côté d'elle dans un bar et lui offrir un verre sans jamais soupçonner qu'elle transporte un kilo d'explosifs dans son sac à main*, pensa Murray. *Dieu soit loué, nous n'avons rien de pareil chez nous...* Il se demanda comment le Bureau se défendrait contre ce genre de menace, même avec toutes ses ressources, ses experts scientifiques, ses légistes et ses agents spéciaux ; ce n'était pas facile de traiter ce genre de crime. Pour toutes les polices, la règle du jeu consistait à attendre que l'adversaire commette une erreur. Le problème, c'était que celui-ci devenait de plus en plus habile, tirait profit de ses fautes. Comme dans toutes les compétitions. La police aussi. Mais les criminels avaient toujours l'initiative. Et les flics leur couraient derrière.

— Alors, Dan, pas de critiques ? Est-ce que nous sommes à la hauteur du FBI ? demanda Owens avec un brin de contentement.

— Ne vous fichez pas de moi, Jimmy !

Les choses étaient à peu près réglées. Les inspecteurs allaient s'appliquer à cataloguer les pièces à convictions, certains que leur affaire était maintenant dans le sac.

— Il me semble que vous la tenez bien. Vous ne pouvez pas savoir quelle chance vous avez de ne pas être handicapés par nos lois contre les fouilles et les arrestations illégales.

152

Sans parler de certains de nos juges !

— Fini, annonça le photographe.

— Excellent, répliqua le sergent Bob Highland qui dirigeait l'enquête sur les lieux.

— Comment êtes-vous arrivés si vite, Bob ? demanda Murray. Vous avez pris le métro ou quoi ?

— Pourquoi n'y ai-je pas pensé ? s'exclama Highland en riant. Nous avons dû avoir tous les feux verts. Nous étions là en onze minutes. Vous n'étiez pas si loin derrière nous. Nous avons enfoncé la porte et arrêté Dwyer en cinq secondes. C'est ahurissant, comme c'est facile quand on a les renseignements qu'il faut !

— Je peux entrer ?

— Certainement.

Murray alla directement au tiroir de commode contenant les explosifs. C'était un expert. Owens et lui s'accroupirent devant la collection.

— On dirait que c'est tchèque, ça, murmura l'agent du FBI.

— En effet, confirma un des inspecteurs. Des usines Skoda, ça se voit à l'emballage. Mais ça, c'est américain. California Pyronetics, détonateur électronique modèle trente et un.

Il en lança un — dans un sac en plastique — à Murray.

— Bon dieu, on les retrouve partout ! Une livraison en a disparu il y a un an et demi. Ils étaient destinés à une exploitation pétrolière du Venezuela et ils ont été volés près de Caracas, expliqua Murray tout en examinant de plus près le petit système noir. Les pétroliers les adorent. Sans danger, dignes de confiance, tout ce qu'il y a de sûr. C'est aussi bon que ce qu'utilise l'armée. A la pointe du progrès.

— Où en a-t-on encore retrouvé ? demanda Owens.

— Nous sommes sûrs de trois ou quatre endroits. Le problème, c'est qu'ils sont si petits qu'il n'est pas toujours facile d'identifier les restes. Une banque de Porto Rico, un poste de police au Pérou, ça c'était politique. L'autre, peut-être deux autres, avaient un rapport avec la drogue. Jusqu'à présent, c'était toujours de l'autre côté de l'Atlantique. A ma connaissance, c'est la première fois qu'ils ressurgissent par ici. Ces détonateurs ont des tas de numéros. Vous pouvez peut-être les comparer avec ceux du matériel volé. Je vais envoyer un télex ce soir, vous aurez une réponse dans l'heure suivante.

— Merci, Dan.

Murray compta cinq pains de plastic d'un kilo. Le tchèque avait une bonne réputation de qualité. C'était un explosif aussi puissant que ce que fabriquait Du Pont pour l'armée américaine. Un bloc, correctement placé, pouvait abattre un immeuble. Avec les minuteurs Pyronetics, Miss Dwyer aurait pu poser cinq bombes en différents endroits, les régler pour une explosion à retardement — jusqu'à un mois — et se trouver à mille kilomètres quand tout sauterait.

— Vous avez sauvé quelques vies ce soir, messieurs. Bravo.

Murray se redressa. L'appartement avait une seule fenêtre donnant sur le derrière. Elle avait un store, tiré jusqu'en bas, et des rideaux sales, bon marché. Il se demanda à combien se montait le loyer d'un tel logement. Pas grand-chose, il en était sûr. Le chauffage marchait au maximum et on commençait à étouffer.

— Ça gênerait quelqu'un si on laissait entrer un peu d'air ici ?

— Excellente idée, Dan, approuva Owens.

— Permettez, chef.

Un inspecteur ganté releva le store et ouvrit la fenêtre à guillotine. Les empreintes seraient relevées partout mais l'ouverture de la fenêtre ne dérangerait rien. Un vent léger rafraîchit l'appartement en un instant.

— Ah, ça va mieux !

Le représentant du FBI respira profondément, remarquant à peine les vapeurs de diesel des taxis de Londres...

Quelque chose n'allait pas.

Ce fut une surprise pour Murray. Quelque chose n'allait pas, mais quoi ? Il regarda par la fenêtre. Sur la gauche il y avait... probablement un entrepôt, un mur nu de quatre étages. Sur la droite, il distingua la silhouette de la Tour de Londres dominant la Tamise. C'était tout. Il tourna la tête et vit qu'Owens regardait dehors aussi. Le chef du C-13 se tourna vers Murray, l'air tout aussi perplexe.

— Oui, dit-il.

— Qu'est-ce qu'il a dit au juste, ce type au téléphone ? marmonna Murray, et Owens hocha la tête.

— Sergent Highland ?

— Oui, chef ?

— La voix au téléphone. Comment était-elle et qu'est-ce qu'on a dit exactement ? demanda-t-il en continuant de regarder dehors.

— Elle avait... l'accent des Midlands, il me semble. Une voix d'homme. Il a dit qu'il regardait par la fenêtre et qu'il a vu des explosifs et des fils. Nous avons tout enregistré, naturellement.

Murray allongea le bras et passa un doigt sur le rebord de la fenêtre, à l'extérieur. L'index revint noir.

— Ce n'est sûrement pas un laveur de carreaux qui a appelé.

Il se pencha. Il n'y avait pas d'escalier d'incendie.

— Quelqu'un sur le toit de l'entrepôt ? Non, dit Owens. L'angle n'est pas favorable, à moins qu'elle ait tout étalé par terre. C'est assez bizarre.

— Une effraction ? Quelqu'un qui aurait pénétré ici, vu tout le matériel et décidé de téléphoner, en bon citoyen ? hasarda Murray. Ça ne paraît guère vraisemblable.

— Allez savoir. Un amoureux éconduit ? Je crois que pour le moment, nous devons simplement remercier notre chance, Dan. Il y a là cinq bombes qui ne feront de mal à personne. Dégageons et envoyez ce télex à Washington. Sergent, messieurs, toutes mes félicitations pour un superbe travail de police. Continuez comme ça.

Owens et Murray sortirent discrètement de l'immeuble. Ils trouvèrent dehors une petite foule, tenue à l'écart par une dizaine de constables en uniforme. Une équipe du journal télévisé était sur place, avec ses projecteurs. Leur lumière vive empêchait de voir l'autre côté de la rue. Il y avait trois petits pubs, dans ce pâté de maisons. Sur le seuil de l'un d'eux se tenait un homme à la mine anodine, une pinte de bitter à la main. Sa mémoire enregistrait tous les visages. Il s'appelait Dennis Cooley.

Murray et Owens se rendirent à New Scotland Yard, d'où l'agent du FBI expédia son télex. Ils ne parlèrent pas de la seule anomalie de l'affaire, découverte par hasard, et Murray laissa Owens faire son travail. Le C-13 avait paré à un danger terroriste, de la meilleure façon, sans la moindre perte. Cela signifiait qu'Owens et ses hommes passeraient une nuit d'insomnie à rédiger des rapports pour les fonctionnaires du Home Office et des communiqués de presse pour Fleet Street, mais ils acceptaient volontiers cette corvée.

Le retour au travail de Ryan fut plus facile qu'il ne s'y attendait. Son absence prolongée avait obligé le département d'histoire à le remplacer pour ses cours et, ailleurs, c'était presque les vacances de Noël et les midships songeaient surtout au retour dans leur famille pour les fêtes. La routine se relâchait un peu et même les bizuths avaient droit à un répit à la suite de leur victoire en football contre l'armée. Pour Ryan ce premier jour se réduisit à une pile de lettres et de documents sur son bureau et quelques heures de tranquillité pour s'en occuper. Il était arrivé à 7 h 30 et, à 16 h 45 son travail d'écritures presque terminé, il avait l'impression de n'avoir pas perdu sa journée. Il achevait la rédaction des questions de l'examen qu'il allait faire passer en fin de trimestre quand il flaira une odeur de cigare bon marché et entendit une voix familière.

— Est-ce que tu as bien profité de tes vacances, mon vieux ?

demanda le capitaine de corvette Robert Jefferson Jackson, accoté contre l'encadrement de la porte.

— Il y a eu quelques moments intéressants, Robby. Mais c'est l'heure, il me semble ?

— Tu as bougrement raison !

Jackson posa sa casquette blanche sur le classeur et se laissa tomber sans cérémonie dans le fauteuil de cuir en face de son ami.

Ryan ferma la chemise sur le brouillon de ses questions d'examen et la rangea dans un tiroir. Un des agréments de son bureau était un petit réfrigérateur. Il l'ouvrit et y prit un magnum de Seven-Up ainsi qu'une bouteille vide de Canada Dry, puis une bouteille de whisky irlandais dans son bureau. Robby alla chercher deux verres sur la table près de la porte et les donna à Jack, qui procéda à un mélange de la couleur approximative du ginger ale. En principe, l'Académie interdisait de détenir de l'alcool dans son bureau mais le « ginger ale » était un subterfuge sur lequel on fermait les yeux. D'ailleurs, tout le monde reconnaissait que le club des officiers n'était qu'à une minute de marche. Jack offrit un verre à Jackson et rangea tous les ingrédients, ne laissant que la bouteille vide de ginger ale.

— A ton heureux retour, mon vieux ! dit Robby en levant son verre.

— C'est bon d'être rentré.

Tous deux trinquèrent.

— Je suis bien content que tu t'en sois tiré, Jack. Tu nous as un peu inquiétés, tu sais. Comment va ton bras ?

— Bien mieux. Tu aurais dû voir le plâtre que j'avais ! On me l'a ôté à Hopkins, vendredi dernier. J'ai appris une chose. C'est rudement difficile de se déplacer dans Annapolis avec un seul bras.

— Je veux bien te croire. Tu sais que tu es complètement cinglé ?

Ryan le reconnut. Il avait fait la connaissance de Jackson en mars, à un thé de l'Académie. Robby portait les ailes dorées de l'aéronavale. Il avait été affecté au centre d'essais en vol de la Marine à Patuxent River, dans le Maryland, comme instructeur à l'école des pilotes d'essai jusqu'à ce qu'un relais défectueux l'éjecte à l'improviste de son Buckeye d'entraînement, par un beau matin ensoleillé. Comme il n'y était pas préparé, il s'était cassé une jambe. La fracture avait été assez grave pour l'interdire de vol pendant six mois et la Marine lui avait trouvé une affectation temporaire d'instructeur à Annapolis, où il était actuellement dans le département d'ingénierie. Une mission que Jackson considérait presque comme un travail de galérien.

Il était plus petit que Ryan et beaucoup plus foncé, quatrième fils d'un pasteur baptiste du sud de l'Alabama. Quand ils avaient fait connaissance, Jackson portait encore un plâtre et il avait demandé à Ryan s'il aimerait s'essayer au kendo. Jack n'avait jamais pratiqué ce sport japonais, une escrime où des pieux de bambou remplacent les sabres de samouraïs mais il avait déjà fait du bâton dans les marines et pensait que ce ne serait pas très différent. Il avait accepté le défi en s'imaginant que sa portée plus longue serait un net avantage, compte tenu, en plus, de la mobilité réduite de Jackson. Mais il avait vite appris que Robby était d'une rapidité stupéfiante. Le temps que les bleus disparaissent, ils étaient amis intimes.

De son côté, Ryan avait fait connaître au pilote la saveur fumée du whisky irlandais et c'était devenu pour eux une tradition de se retrouver l'après-midi dans l'intimité du bureau de Jack pour boire un verre ou deux.

— Quoi de neuf sur le campus ? demanda Ryan.

— On fait toujours la leçon aux garçons et aux filles.

— Et ça commence à te plaire ?

— Pas précisément. Mais ma jambe est enfin remise en état. Je passe mes weeks-ends à Pax River, pour prouver que je sais encore piloter. Tu sais, tu as causé un sacré remue-ménage, par ici.

— Quand j'ai été blessé ?

— Ouais, j'étais avec le superintendant quand il a reçu l'appel. Il a branché le haut-parleur et nous avons entendu un type du FBI qui demandait si nous connaissions un prof fou à lier qui jouait aux gendarmes et aux voleurs à Londres. J'ai dit bien sûr, je connais l'idiot, mais ils voulaient quelqu'un du département d'histoire pour confirmer ce que je disais et, surtout, ils voulaient le nom de ton agent de voyage. Mais tout le monde était parti déjeuner et j'ai dû aller récupérer le professeur Billings au Club-O. Le super a dû cavaler aussi. Tu as failli gâcher le dernier jour de golf du patron avec le gouverneur.

— Figure-toi que ça a bien failli gâcher ma journée aussi.

— Est-ce que ça s'est passé comme ils l'ont dit dans les journaux ?

— Probablement. La presse brit n'a pas trop brodé.

Jackson hocha la tête, en tapotant son cigare sur le bord du cendrier.

— Tu as de la chance de ne pas être revenu en colis postal, mon vieux.

— Ne commence pas, Robby. Encore un gars qui me traite de héros et je te l'aplatis...

— De héros ? Merde, non ! Si tous les Moldo-Valaques comme toi étaient aussi stupides, mes ancêtres auraient importé les tiens. Personne ne t'a jamais dit que ce close-combat à mains nues, c'était *dangereux* ?

— Si tu avais été là, je te parie que tu aurais fait la même...

— Pas question ! Dieu de dieu, est-ce qu'il existe quelque chose au monde de plus con qu'un marine ? Le close-combat, ça tache de sang les habits, ça ternit le brillant des souliers. Jamais de la vie, petit ! Quand je tuerai, moi, ce sera avec des obus et des missiles, tu sais, à la manière civilisée... La manière sûre ! conclut Jackson en riant.

— Comme de piloter un avion qui décide tout à coup de vous éjecter sans préavis, railla Jack.

— D'accord, je me suis amoché la jambe, mais quand j'ai mon Tomcat sanglé contre mon dos, je file peinard à plus de six cents nœuds. Celui qui voudra me coller une balle dedans, mon bonhomme, il pourra mais faudra qu'il se donne du mal.

Ryan secoua la tête. Il subissait un sermon sur la sécurité, de la part d'un homme qui exerçait le métier le plus dangereux du monde, aviateur de carrière et pilote d'essai par-dessus le marché !

— Comment vont Cathy et Sally ? demanda Robby plus sérieusement. Nous voulions faire un saut dimanche mais nous avons dû monter à Philadelphie à l'improviste.

— C'était un peu dur pour elles, mais elles s'en sont bien remises.

— Tu as une famille dont tu dois te soucier, Jack. Laisse les opérations de sauvetage aux professionnels.

Le plus curieux chez Robby, pensa Jack, c'était sa prudence. En dépit de toutes les histoires et les plaisanteries sur sa vie de pilote de chasse, il ne prenait jamais de risques inutiles. Il avait connu des pilotes qui en prenaient. Beaucoup étaient morts. Il n'y avait pas un homme portant ces ailes dorées qui n'avait pas perdu un ami et Jack se demanda comment Robby le ressentait, depuis le temps. Une chose était certaine, il exerçait un métier dangereux mais il réfléchissait à fond avant de placer ses jetons. Partout où allait son corps, son esprit y était déjà passé.

— C'est passé, Rob. Tout ça, c'est derrière moi et il n'y aura pas de prochaine fois.

— Mettons un cachet là-dessus. Avec qui est-ce que je boirais ? A part ça, est-ce que le pays t'a plu ?

— Je n'en ai pas vu grand-chose mais Cathy s'en est donné à cœur joie, tout bien considéré. Je crois qu'elle a visité tous les châteaux... et ne parlons pas des nouveaux amis que nous nous sommes faits.

— Ça devait être vraiment intéressant, ça.

158

Robby rit tout bas. Il éteignit son cigare. Ils étaient toujours bon marché, noirâtres, tordus, horriblement nauséabonds et Jack pensait que Jackson ne les fumait que pour parfaire son image de pilote de chasse.

— Pas difficile de comprendre pourquoi ils se sont pris d'amitié pour toi.

— Ils se sont pris d'une grande amitié pour Sally, aussi. Ils ont commencé à lui apprendre à monter à cheval, dit aigrement Jack.

— Ah oui ? A part ça, comment sont-ils ?

— Ils te plairaient, assura Ryan.

Jackson sourit.

— Ouais. Je m'en doute. Le prince pilotait des Phantoms, alors ce doit être un type bien, et son papa en connaît aussi un bout sur le manche à balai, paraît-il. On m'a dit que tu es revenu en Concorde. Tu as aimé ?

— Je voulais justement te demander. Comment se fait-il que ce soit si bruyant ? Si on dépasse mach-2, pourquoi est-ce qu'on ne laisse pas tout le bruit derrière soi ?

Jackson secoua tristement la tête.

— En quoi c'est fait, un avion ?

— En aluminium, je suppose ?

— Tu supposes que la vitesse du son est plus grande dans du métal que dans l'air, peut-être ?

— Ah ! Le son voyage à travers la cabine de l'avion.

— Bien sûr, les bruits de moteurs, des pompes à carburant, de divers autres appareils.

— D'accord, dit Ryan, et il classa cette information dans sa mémoire.

— Tu n'as pas apprécié, hein ?

Robby était amusé par l'attitude de son ami à l'égard des avions.

— Mais pourquoi est-ce qu'on me harcèle toujours avec ça ? protesta Ryan en s'adressant au plafond.

— Parce que c'est comique, Jack. Tu es la dernière personne restant au monde qui a peur de voler.

— Ecoute, Rob, j'y vais bien, non ? Je monte à bord, je boucle ma ceinture, j'y vais, quoi !

— Je sais. Pardonne-moi. Mais c'est si facile de te taquiner à cause de ça... Tu as été très bien, Jack. Nous sommes fiers de toi. Mais pour l'amour du ciel, sois prudent, d'accord ? Ces conneries de héros peuvent faire tuer des gens.

— Je t'entends.

— C'est vrai ce qu'on m'a dit de Cathy ? demanda Jackson.

— Ouaip. Le médecin l'a confirmé le jour où on m'a enlevé le plâtre.

— Bravo, papa ! Je crois que ça s'arrose... mais léger, cette fois, dit Robby en tendant son verre, et Jack le servit. Il me semble que la bouteille rend l'âme.

— C'est mon tour d'acheter la prochaine, je crois.

— Il y a si longtemps, je ne m'en souviens pas. Mais je veux bien te croire sur parole.

— Alors, comme ça, on te recolle dans des avions ?

— Lundi prochain ils me laisseront remonter dans un Tomcat. Et l'été prochain, je referai le métier pour lequel je suis payé.

— Tu as tes ordres ?

— Ouais, tu as devant toi le prochain XO de VF-41, annonça Robby en levant son verre très haut.

— Officier exécutif de l'escadrille de chasse 41, traduisit Ryan. C'est épatant, ça, Rob.

— Oui, pas mal du tout, si l'on considère que je suis un rampant depuis sept mois.

— Et tout de suite sur les porte-avions ?

— Non, nous serons un moment sur la plage, à Oceana, en Virginie. L'escadrille est déployée en ce moment sur le *Nimitz*. Quand le bâtiment revient pour le radoub, les chasseurs restent à terre pour les cours de perfectionnement. Ensuite, nous nous redéploierons peut-être à bord du *Kennedy*. Ils redistribuent les affectations de l'escadrille. Tu sais, Jack, ça va être rudement bon de réendosser ce chasseur ! Ça fait trop longtemps que je suis ici.

— Vous allez nous manquer, Sissy et toi.

— Allez donc ! Nous ne partons pas avant l'été. On me fait terminer l'année scolaire. Et puis Virginia Beach n'est pas si loin. Vous n'avez qu'à descendre nous rendre visite, bon dieu. Tu n'auras pas besoin de voler, Jack. Tu peux conduire, assura Jackson.

— Alors vous serez probablement là pour le nouveau bébé.

— Tant mieux.

— Est-ce que vous allez quelque part pour Noël, Sissy et toi ?

— Pas que je sache. Je ne peux pas, d'ailleurs. Pendant presque toutes les vacances, je vais piloter à Pax.

— Alors venez partager notre repas de Noël, vers les trois heures.

— La famille de Cathy ne...

— Non, dit Ryan en rangeant ses affaires.

Robby secoua la tête.

160

— Il y a des gens qui ne comprennent rien.

— Oh, tu sais ce que c'est. Je refuse d'adorer le Tout-Puissant Dollar !

— Tiens, ça me fait penser. Il y a une petite boîte près de Boston qui va monter en flèche.

Jack dressa l'oreille.

— Oui ?

— Ça s'appelle Holoware, Ltd., je crois. Ils ont découvert une nouvelle puce pour les ordinateurs des chasseurs, quelque chose de vraiment chouette, ça supprime un tiers du temps de traitement, ça vous sort des solutions d'interception comme par magie. C'est installé sur le simulateur, à Pax, et la Marine va en acheter bientôt.

— Qui est au courant ?

Jackson éclata de rire.

— La compagnie ne le sait pas encore. Le capitaine Stevens à Pax vient juste de recevoir la nouvelle des types de l'état-major. Bill May là-bas — j'ai volé avec lui, dans le temps — a fait marcher ce truc-là pour la première fois il y a un mois et ça lui a tellement plu qu'il a presque obtenu des gars du Pentagone qu'ils passent outre à toute la paperasserie et aux conneries et qu'ils achètent ça. Ça a traîné, bien sûr, mais maintenant le DCNO-Air est sur le coup et il paraît que l'amiral Rendall est vraiment enthousiasmé. Encore trente jours et cette petite compagnie va avoir un cadeau de Noël. Un peu à retardement, mais ça remplira un gros soulier. Histoire de rire, tiens, ce matin j'ai regardé dans le journal et ils sont là, cotés en bourse, sur la liste de l'American Exchange. Tu veux peut-être vérifier ?

— Et toi ?

— Je ne joue jamais à la bourse mais toi, ça t'arrive encore de t'amuser un peu à ça, non ?

— Un peu. Ce n'est pas secret ni rien ? demanda Jack.

— Pas à ma connaissance. La partie classée secret, c'est la programmation de la puce, et ils ont un très bon système de classification pour ça, personne n'y comprend rien. Skip Tyler pourrait peut-être piger, mais pas moi. Il faut avoir une tête à penser en uns et en zéros. Faut que je me sauve. Sissy a un récital, ce soir.

— Bonne nuit, Rob.

— Basse altitude, vitesse réduite, Jack.

Robby rit et referma la porte derrière lui. Jack se renversa en arrière dans son fauteuil, pendant un moment. Il souriait tout seul. Enfin il se leva et rangea quelques papiers dans sa serviette.

— Ouais, se dit-il à haute voix. Rien que pour lui montrer que je sais encore.

Il prit son manteau, sortit du bâtiment, pour descendre en passant devant le Preble Memorial. Sa voiture, une VW Rabbit de cinq ans, était garée dans Decatur Road. Elle était très pratique pour les rues étroites d'Annapolis et il refusait d'avoir une Porsche comme celle dont sa femme se servait pour faire la navette avec Baltimore. C'était idiot, il l'avait dit cent fois à Cathy, d'avoir trois voitures pour deux personnes. Une Rabbit pour lui, une 911 pour elle et un break pour la famille. Stupide. La suggestion de Cathy, qu'il vende la Rabbit et se serve du break était inacceptable, naturellement. Le petit moteur à essence démarra au quart de tour. Jack le trouva trop bruyant et se dit qu'il lui faudrait vérifier le pot d'échappement. Il se dégagea de son créneau, tourna à droite comme toujours dans Maryland Avenue en passant par le portail trois du vilain mur sombre qui entourait le périmètre de l'Académie. Un marine en faction le salua au passage. Ryan s'étonna ; c'était la première fois.

Ce n'était pas facile de conduire. Quand il changeait de vitesse, il devait tourner la main gauche à l'intérieur de l'écharpe pour tenir le volant pendant qu'il manipulait le levier de vitesse. L'heure de pointe n'arrangeait rien. Plusieurs milliers de fonctionnaires se ruaient hors des divers bâtiments officiels et les rues embouteillées donnaient à Ryan trop d'occasions de s'arrêter pour repartir en première. Sa Rabbit avait cinq vitesses, plus la marche arrière et quand il arriva au feu tricolore de Central Avenue, il se demandait pourquoi il n'avait pas acheté une voiture automatique. La réponse était simple : économie de carburant, mais est-ce que quelques litres de moins aux cent valaient le tracas ? Il rit en se moquant de lui-même, alors qu'il roulait vers l'est en direction de la baie de Chesapeake et tournait à droite dans Falcon's Nest Road.

Il y avait rarement de la circulation, par là. Falcon's Nest Road se terminait en impasse pas très loin de chez les Ryan et, de l'autre côté de la route, il n'y avait que quelques fermes, sans trace d'activité en ce début d'hiver. Les courtes tiges sèches du maïs s'alignaient dans la terre brune durcie. Il tourna à gauche dans son allée. Les Ryan possédaient quinze hectares, au sommet de Peregrine Cliff. Leur plus proche voisin, un ingénieur nommé Art Palmer, se trouvait à huit cents mètres, au-delà de pentes boisées et d'un ruisseau boueux. Les falaises avaient plus de quinze mètres de haut à l'endroit ou habitait Jack, sur la côte occidentale de la baie — au sud elles étaient à peine plus hautes — et elles étaient en grès friable, le rêve d'un paléontologue. De temps en temps, une équipe arrivait d'une université ou d'un muséum local pour gratter et découvrir une dent de requin fossile, qui aurait appartenu à une créature aussi grande qu'un sous-marin de poche, ou des vestiges d'ossements d'animaux encore plus invraisemblables qui rôdaient dans ces parages il y a cent millions d'années.

L'ennui, c'était que les falaises étaient soumises à l'érosion. La maison des Ryan était construite à une trentaine de mètres du bord et leur fille avait des ordres stricts — deux fois renforcés par une fessée — de ne pas s'en approcher. Pour tenter de protéger la paroi rocheuse, les services écologiques de l'État avaient persuadé Ryan et ses voisins de planter du kudzu, une herbe prolifique du sud de l'Amérique qui avait complètement stabilisé la falaise. Mais elle s'attaquait maintenant aux arbres poussant près du bord et Jack devait constamment désherber pour leur éviter l'asphyxie. Bien sûr, en cette saison ce n'était pas un problème.

Le terrain de Ryan était à moitié découvert, à moitié boisé. La partie la plus proche de la route avait été cultivée autrefois, mais difficilement à cause de la pente qui entravait la bonne marche d'un tracteur. Il y avait maintenant des arbres, de vieux chênes rabougris et d'autres espèces caduques dont les branches dépouillées se tendaient comme des bras squelettiques vers le ciel. En arrivant près du garage-abri, il vit que Cathy était déjà rentrée ; sa Porche était garée à côté avec le break familial. Il dut laisser la Rabbit dehors.

— Papa !

Sally ouvrit la porte et courut, sans veste, à la rencontre de son père.

— Il fait trop froid ! lui cria-t-il.

— Mais non !

Elle s'empara de la serviette de Jack et la porta à deux mains, en soufflant, sur les trois marches du perron.

Ryan ôta son manteau et l'accrocha dans la penderie du vestibule. Comme tout le reste, c'était difficile, d'une seule main. Il trichait un peu, à présent. Comme pour conduire la voiture, il commençait à se servir de sa main gauche, en prenant soin quand même de ne pas fatiguer son épaule. La douleur avait complètement disparu mais Ryan était certain qu'elle reviendrait au galop s'il ne faisait pas attention. Et Cathy le traiterait de tous les noms. Il la trouva dans la cuisine. Elle fouillait dans une armoire en fronçant les sourcils.

— Bonsoir, ma chérie.

— Bonsoir, Jack. Tu es en retard.

— Toi aussi.

Il l'embrassa. Cathy renifla son haleine. Elle fronça le nez.

— Comment va Robby ?

— Très bien... et je n'en ai bu que deux petits, très légers.

— Mmm-mmm, marmonna-t-elle en se retournant vers l'armoire. Qu'est-ce que tu veux, pour dîner ?

— Fais-moi la surprise !

— Tu es d'un grand secours ! Je devrais te laisser le préparer.

— Ce n'est pas mon tour !

— Je savais bien que j'aurais dû passer au Giant, maugréa-t-elle.

— Comment allait le travail, ajourd'hui ?

— Une seule opération. J'ai assisté Bernie pour une transplantation de cornée et puis j'ai dû emmener les résidents pour les rondes. Une journée terne. Demain, ce sera mieux. Bernie te salue bien, au fait. Ça te dit quelque chose, des francforts et des haricots ?

Cela fit rire Jack. Depuis leur retour, ils se nourrissaient presque exclusivement de denrées bien américaines, et il était un peu tard pour se mettre à faire de la grande cuisine.

— D'accord. Je monte me changer et taper deux trois trucs sur l'ordinateur.

— Attention à ton bras, Jack.

Elle me le répète cinq fois par jour, pensa-t-il en soupirant. *N'épousez jamais un médecin !*

La maison des Ryan était construite comme un bateau. Le living-room avait un plafond en carène dont le faîte était à cinq mètres cinquante du sol, soutenu par une énorme poutre apparente. Un mur de fenêtres en verre triple donnait sur la baie, avec une grande terrasse de bois au-delà des portes coulissantes. Le mur opposé était occupé par une cheminée monumentale en briques. La chambre de maître était au-dessus du living-room, en mezzanine avec une fenêtre donnant dans la grande pièce. Ryan monta les quelques marches. L'architecte avait ménagé de nombreux placards et de grandes penderies encastrées. Ryan choisit une tenue décontractée et accomplit la corvée du changement de costume d'une seule main. Il faisait encore des expériences, en cherchant les meilleures façons de s'y prendre.

Cela fait, il redescendit jusqu'au niveau le plus bas où il avait sa bibliothèque. Elle était vaste. Jack lisait beaucoup et il achetait aussi des livres qu'il n'avait pas le temps de lire mais qu'il mettait de côté pour le jour où il en aurait le loisir. Il avait un grand bureau, contre les fenêtres donnant sur la baie, avec son ordinateur personnel, un Apple, et tout son matériel accessoire. Ryan l'alluma et tapa ses instructions. Ensuite il mit son modem en ligne et appela CompuServe. L'heure garantissait un accès facile et il sélectionna Micro-Quote II sur la liste des services.

Quelques instants plus tard, il avait sous les yeux le profil des actions en bourse de Holoware Ltd. depuis trois ans. Elles étaient agréablement discrètes, entre deux et six dollars, mais cette dernière cote remontait à deux ans ; c'était une compagnie qui avait paru très prometteuse ; seulement, à un moment donné, les investisseurs avaient perdu confiance. Jack prit une note, élimina le programme et en introduisit un autre, Disclosure II, pour jeter un coup d'œil au dossier des opérations de bourse de la compagnie et à son dernier rapport annuel. O.K., se dit-il. La société gagnait de l'argent mais pas beaucoup. Un des problèmes, dans les affaires high-tech, c'était que la majorité des investisseurs voulaient des rapports immédiats sinon ils passaient à autre chose, en oubliant que tout ne progresse pas si vite. Cette compagnie avait trouvé un petit créneau, quelque peu précaire, et elle était prête à tenter un coup d'audace. Ryan calcula de tête, au jugé, ce que vaudrait le contrat de la Marine et le compara avec le total des revenus...

Bien, se dit-il avant de refermer son ordinateur. Il téléphona ensuite à son agent de change. Ryan s'adressait à un cabinet de courtage discount qui avait des employés en service vingt-quatre heures sur vingt-quatre. Il traitait toujours avec le même.

— Salut, Mort, c'est Jack. Comment va la famille ?

— Ah, monsieur Ryan. Tout va bien chez nous, merci. Que pouvons-nous faire pour vous ce soir ?

— Une boîte appelée Holoware, une de la bande high-tech de la Route 128 près de Boston. Elle est à l'AMEX.

— O.K.

Jack entendit taper sur un clavier. Tout le monde se servait d'ordinateurs.

— La voilà. Elle part à quatre et sept-huitièmes, pas très active... jusqu'à ces derniers temps. Depuis un mois, il y a une modeste activité.

— De quel genre ? demanda Ryan, car c'était un autre signe à guetter.

— Ah oui, je vois. La compagnie se rachète un peu. Rien de formidable, mis elle rachète ses propres actions.

Bingo ! se dit Jack en souriant. *Merci, Robby, tu m'as donné un sacré tuyau !*

— Combien pensez-vous pouvoir m'en prendre ?

— Ce n'est pas une action bien impressionnante.

— Combien de fois me suis-je trompé, Mort ?

— Combien en voulez-vous ?

— Au moins vingt-K et s'il y en a plus, je veux tout ce que vous pourrez trouver.

Il n'avait aucun moyen de mettre la main sur plus de cinquante mille actions mais Ryan prit sur-le-champ la décision de saisir tout ce qu'il pourrait. S'il perdait, ce n'était jamais que de l'argent, et il y avait plus d'un an qu'il n'avait pas eu d'intuition comme celle-là. Si la compagnie obtenait le contrat de la Marine, la valeur des actions décuplerait. Ils avaient dû avoir le tuyau, eux aussi. Si Ryan avait deviné juste, en rachetant ses propres actions avec ses minces ressources la compagnie augmenterait son capital de façon spectaculaire, permettant une rapide expansion des opérations. Holoware misait sur l'avenir, et misait gros.

Il y eut cinq secondes de silence au téléphone.

— Qu'est-ce que vous savez, Jack ? demanda finalement le courtier.

— Ce n'est qu'une simple intuition.

— D'accord... vingt-K plus... Je vous rappelle demain matin à 10 heures. Vous pensez que je devrais... ?

— C'est un coup de dés, mais je crois que c'est un bon coup.

— Merci. Ce sera tout ?

— Oui. Il faut que j'aille dîner. Bonsoir, Mort.

— A bientôt.

Les deux hommes raccrochèrent. A l'autre bout du fil, le courtier se dit qu'il pourrait bien y aller de mille actions, aussi. Ryan se trompait parfois, mais quand il avait raison, il avait raison sur une grande échelle.

— Le jour de Noël, murmura O'Donnell. Parfait.

— C'est ce jour-là qu'ils vont déplacer Sean ? demanda McKenney.

— Il quitte Londres par camion à 4 heures du matin. Voilà une sacrée bonne nouvelle. J'avais peur qu'ils se servent d'un hélicoptère. Pas un mot sur la route qu'ils prendront..., dit le chef en poursuivant sa lecture, mais ils vont le faire passer par le ferry de Lymington à 8 h 30. Excellent moment, quand on y pense. Trop tôt pour les embouteillages. Tout le monde sera en train d'ouvrir ses cadeaux et de s'habiller pour aller à la messe. Le camion aura aussi bien le bac pour lui tout seul. Qui s'attendrait à un transfert de prisonnier le jour de Noël ?

166

— Alors, comme ça, nous allons faire évader Sean ?

— Michael, nos hommes ne nous servent à rien quand ils sont dans le trou, n'est-ce pas ? Alors toi et moi allons prendre l'avion demain matin. Je pense que nous ferons une petite promenade en voiture pour aller à Lymington voir un peu ce ferry-boat.

9
Jour de fête

— Dieu que ce sera plaisant d'avoir de nouveau deux bras ! s'exclama Ryan.

— Plus que deux semaines, trois au plus, lui rappela Cathy. Et garde ta main dans ton écharpe, s'il te plaît !

— Oui, ma chérie.

Il était 2 heures du matin et tout allait mal... et bien. La tradition Ryan voulait — une tradition qui ne remontait qu'à trois ans, mais tradition quand même — qu'une fois Sally couchée et endormie ses parents descendent à pas de loup au sous-sol, dans le débarras — une petite pièce cadenassée — pour rapporter les jouets et les assembler. Les années précédentes, cette cérémonie s'était accompagnée de deux bouteilles de champagne. Le montage des jouets était un exercice tout à fait différent quand les monteurs étaient à moitié ivres. C'était leur façon de se détendre, pour entrer dans l'état d'esprit de Noël.

Jusqu'à présent, tout s'était bien passé. Jack avait emmené sa fille à la messe des enfants de 19 heures à St. Mary, et l'avait mise au lit vers 21 heures. Elle n'était venu pointer son nez que deux fois, au coin du mur de la cheminée, avant qu'un ordre péremptoire la renvoie une fois pour toutes dans sa chambre, son ours dans les bras. A minuit, elle fut jugée suffisamment endormie pour que ses parents fassent un peu de bruit. Ainsi commença le rallye jouets, comme disait Cathy. Tous deux ôtèrent leurs chaussures pour faire moins de bruit sur les marches de bois et descendirent. Naturellement, Jack avait oublié la clef du cadenas et il dut remonter la chercher dans la chambre. Cinq minutes plus tard, la porte fut ouverte et tous deux firent quatre voyages, les bras chargés, pour déposer au pied de l'arbre une pile de boîtes multicolores, à côté du coffret à outils de Jack.

— Tu sais quels sont les mots les plus obscènes de notre langue, Cathy ? demanda Ryan près de deux heures plus tard.

— A monter soi-même, répliqua-t-elle en pouffant. L'année dernière, c'est moi qui ait dit ça.

— Un petit Phillips.

Jack tendit la main. Cathy y plaqua le tournevis, comme un instrument chirurgical. Tous deux étaient assis sur la moquette, près de l'arbre de deux mètres cinquante, entourés d'un croissant de jouets, certains dans des cartons, d'autres déjà assemblés par le père exaspéré d'une petite fille.

— Tu devrais me laisser faire ça.

— C'est un travail d'homme, déclara Jack et il posa le tournevis pour boire un peu de champagne.

— Espèce de sale sexiste ! Si je te laissais faire ça tout seul, ça ne serait pas fini avant Pâques !

Elle a raison, se dit Jack. Quand on était à moitié ivre, l'assemblage n'était pas tellement difficile. Ce n'était pas exagérément difficile non plus de n'avoir qu'une main pour travailler. Mais manchot *et* à moitié bourré... Les sacrées vis ne voulaient pas rester dans le plastique et les instructions pour monter un moteur V-8 étaient sûrement plus claires que ça !

— Pourquoi diable une poupée a-t-elle besoin d'une maison ? demanda Jack d'une voix plaintive. Enfin quoi, elle a déjà une maison, non ?

— Vous ne comprenez rien à rien, dit Cathy d'un air compatissant. Il faut croire que les hommes n'ont jamais dépassé le stade des battes de base-ball, des jouets simples, tout d'une pièce.

Jack tourna lentement la tête.

— Ma foi, le moins que tu pourrais faire, ce serait de boire encore un peu de vin.

— Un seul, c'est ma limite hebdomadaire. Et j'en ai bu un grand verre.

— En me forçant à boire le reste.

— C'est toi qui as acheté la bouteille, accusa-t-elle en la soulevant. Et un magnum, par-dessus le marché.

Ryan ramena son attention sur la maison de Barbie. Il croyait se rappeler le temps où la poupée Barbie avait été inventée, une poupée très simple, avec des rondeurs. L'idée ne lui était jamais venue, alors, qu'il aurait un jour une petite fille à lui. Les choses qu'on fait pour ses gosses ! se dit-il en soupirant puis il rit tout seul. Bien sûr et nous sommes ravis. Demain tout ceci sera un souvenir comique, comme la nuit de Noël de l'année dernière quand j'ai failli me passer le tournevis à travers la main. Il savait bien que s'il n'avait pas recruté sa femme pour l'aider, le père Noël serait en train de préparer sa tournée suivante avant qu'il ait fini. Il respira profondément et serra les dents.

— Au secours.

Cathy regarda l'heure.

— Il t'a fallu quarante minutes de plus que je m'y attendais.

— Je dois baisser.

— Pauvre bébé, forcé de boire tout ce champagne tout seul ! dit-elle en venant l'embrasser sur le front. Tournevis !

Il le lui donna. Elle jeta un coup d'œil au plan et au mode d'emploi.

— Pas étonnant ! Tu as pris une vis courte alors qu'il en faut une longue.

— J'oublie toujours que je suis le mari d'un mécano hors de prix.

— Voilà le bon esprit de Noël, Jack !

— Un mécano hors de prix ravissant, très intelligent et adorable.

— Comme ça, c'est mieux.

— Qui sait bien mieux manier les outils que moi, d'une main.

Elle tourna la tête pour révéler le genre de sourire qu'une femme réserve uniquement au mari qu'elle aime.

— Donne-moi encore une vis, Jack, et je te pardonnerai.

Cathy acheva de visser le toit en plastique orangé et prit un peu de recul.

— Voilà, ça y est. C'est le dernier, je crois ?

— Le dernier. Merci de tes bons offices, mon trésor.

— Est-ce que je t'ai jamais raconté... non, je ne crois pas. C'était une des dames d'honneur. Je n'ai jamais compris quel était leur honneur. Enfin bref cette comtesse... elle sortait tout droit d'*Autant en emporte le vent*.

Cathy pouffa. C'était son qualificatif préféré pour désigner les femmes inutiles.

— Elle m'a demandé si je faisais des travaux d'aiguille.

Pas une chose à dire à ma femme, pensa Jack en réprimant un large sourire.

— Et tu as répondu...

— Seulement sur les globes oculaires, dit-elle avec un sourire mielleux.

— Aïe ! J'espère que ce n'était pas à table !

170

— Jack ! Tu me connais mieux que ça ! Elle était assez gentille, quand même, et elle jouait bien du piano.

— Aussi bien que toi ?

— Non.

Elle sourit. Jack allongea le bras et pinça le bout du nez de sa femme.

— Cathy Ryan, docteur en médecine, femme libérée, professeur de chirurgie ophtalmologiste, pianiste classique internationalement renommée, épouse et mère, ne se laisse marcher sur les pieds par personne.

— Excepté son mari.

— Veux-tu me dire quand j'ai gagné une bataille de mots contre toi ?

— Nous ne faisons pas la guerre, Jack, mais l'amour.

— Je ne discuterai pas sur ce point, dit-il avant d'embrasser les lèvres offertes de sa femme. Combien de gens sont encore amoureux, à ton avis, après avoir été mariés aussi longtemps que nous ?

— Rien que les gros veinards, vieux ronchon. Aussi longtemps que nous ! Vraiment ?

Jack l'embrassa encore et se leva. Il contourna avec précaution la mer de jouets pour aller prendre sous l'arbre une petite boîte enveloppée de papier de Noël vert. Il s'assit à côté de sa femme, épaule contre épaule, et laissa tomber la boîte sur ses genoux.

— Joyeux Noël, Cathy.

Elle ouvrit le paquet aussi avidement qu'une enfant mais proprement, en coupant le papier avec ses ongles. Elle découvrit une boîte en carton glacé blanc et, à l'intérieur, une autre recouverte de feutre. Elle l'ouvrit lentement.

C'était un collier en or massif, large de plus d'un centimètre, conçu pour être porté à ras du cou. Le prix se devinait au travail d'orfèvrerie et au poids. Cathy Ryan respira profondément. Son mari retint son souffle. La mode et ce qui plaisait aux femmes n'étaient pas son fort. Il s'était fait conseiller par Sissy Jackson et par une très patiente vendeuse dans la bijouterie. Le collier plaisait-il ?

— Je ferai bien de ne pas nager avec ça au cou.

— Mais tu n'auras pas à l'enlever pour opérer, dit Jack. Attends.

Il prit le bijou dans l'écrin et le mit autour du cou de Cathy Il réussit à fermer d'une seule main le fermoir, du premier coup.

— Tu t'es entraîné ! Tu t'es entraîné, rien que pour pouvoir me le mettre toi-même, n'est-ce pas ?

Elle caressait le collier d'une main, tout en regardant son mari au fond des yeux.

— Pendant une semaine, au bureau, avoua-t-il. Et ç'a été la croix et la bannière aussi, pour faire le paquet.

— Il est merveilleux ! Ah, Jack !

Elle lui noua les bras autour du cou et il l'embrassa, au creux de sa gorge.

— Merci, bébé. Merci d'être ma femme. Merci de me donner des enfants. Merci de me permettre de t'aimer.

Cathy battit des paupières sur une larme ou deux. Cela donnait à ses yeux un éclat qui fit de Jack l'homme le plus heureux de la terre.

— C'est juste quelque chose que j'ai vu comme ça, en passant, dit-il négligemment alors qu'il avait cherché en fait pendant neuf heures, dans sept joailleries de trois centres commerciaux. Et ça m'a dit : « J'ai été fait pour elle. »

— Mon chéri, je ne t'ai rien acheté qui puisse se comparer...

— Tais-toi. Tous les matins quand je me réveille, quand je te vois à côté de moi, je reçois le plus beau cadeau du monde.

— Tu n'es qu'un petit crétin sentimental sorti tout droit d'un roman... mais ça ne me gêne pas.

— Il te plaît ? demanda-t-il avec un reste d'inquiétude.

— Idiot ! Je l'adore !

Ils s'embrassèrent encore. Jack avait perdu ses parents depuis longtemps. Sa sœur vivait à Seattle et le reste de sa famille, des cousins éloignés, habitait Chicago. Tout ce qu'il aimait était dans cette maison : une femme, un enfant et le tiers d'un autre. Il avait fait sourire sa femme dans la nuit de Noël et cette année pouvait figurer dans les registres comme une réussite.

A peu près au moment où Ryan commençait à assembler la maison de poupée, quatre camionnettes bleues identiques quittaient la prison de Brixton, à cinq minutes d'intervalle. Pendant les trente premières minutes, elles errèrent chacune de leur côté par le dédale de petites rues de la banlieue de Londres. Dans chacune, deux officiers de police regardaient par les petites fenêtres de la porte arrière si aucune voiture ne suivait le parcours sans but apparent.

On avait choisi un bon jour. C'était un petit matin typique de l'hiver anglais. Les véhicules traversaient des nappes de brouillard ou de pluie froide. Une tempête modérée soufflait de la Manche et, mieux que tout, il faisait très noir. La haute latitude de l'île garantissait que le soleil ne se lèverait pas avant quelques heures et les camionnettes bleu foncé étaient invisibles dans la nuit.

La sécurité était tellement stricte que le sergent Bob Highland ne savait même pas qu'il était dans le troisième véhicule à sortir de la prison. Il savait seulement qu'il était assis à un mètre ou deux de Sean Miller et que leur destination était le petit port de Lymington. On avait eu le choix entre trois ports, pour les conduire dans l'île de Wight, et trois différents modes de transport : le bac ordinaire, l'aéroglisseur ou l'hydrofoil. On aurait également pu choisir un hélicoptère de la Royal Navy à Gosport, mais Highland n'eut besoin que d'un coup d'œil au ciel sans étoiles pour écarter ce dernier moyen. D'ailleurs, la sécurité était en béton. Trente personnes seulement savaient que Miller était transféré ce matin. Miller lui-même n'en savait rien, deux heures plus tôt, et il ne savait toujours pas où il allait. Il ne l'apprendrait qu'une fois dans l'île.

Depuis des années, le système des prisons britanniques accumulait les déconvenues. Les vieilles bâtisses à l'aspect redoutable, construites dans des endroits aussi désolés que Dartmoor ou la Cornouaille s'étaient révélées des passoires dont il était incroyablement facile de s'évader ; en conséquence, de nouvelles centrales à sécurité maximum, Albany et Parkhurst, avaient été construites dans l'île de Wight. Cela présentait de nombreux avantages. Par définition, une île est plus facile à garder et celle-ci n'avait que quatre points d'entrée normaux. Et, ce qui était plus important, il y régnait un esprit de clan, plus encore qu'en Angleterre, qui faisait que tout étranger ou inconnu lâché dans la nature serait immédiatement remarqué et fort probablement signalé. Les nouvelles prisons étaient un peu plus confortables que celles du siècle passé. Mais en plus des meilleures conditions de vie pour les prisonniers, elles étaient équipées d'une multitude de systèmes pour rendre toute évasion très difficile. Des caméras de télévision couvraient chaque centimètre carré de mur, des signaux d'alarme électroniques étaient installés dans les endroits les plus invraisemblables et des gardes équipés d'armes automatiques patrouillaient sans arrêt.

Highland s'étira et bâilla. Avec un peu de chance, il serait rentré chez lui en début d'après-midi et sauverait au moins une partie de son Noël en famille.

— Je ne vois rien du tout qui nous concerne, dit l'autre policier, le nez contre le petit rectangle de verre à la porte. Rien qu'une poignée de véhicules et personne qui nous suit.

— Plains-toi, marmonna Highland.

Il se retourna pour regarder Miller. Le prisonnier était assis tout à l'avant sur le banc de gauche. Il avait des menottes aux poignets reliées par une chaîne aux fers qu'il avait aux pieds. Ainsi entravé, il ne distancerait jamais un enfant de deux ans. Miller était assis, la tête renversée en arrière contre la paroi de la fourgonnette, les yeux fermés tandis que le véhicule cahotait. Il paraissait endormi mais Highland ne se laissait pas abuser. Miller s'était de nouveau replié sur lui-même, perdu dans une espèce de contemplation.

A quoi pensez-vous, monsieur Miller ? avait-il envie de demander. Il n'avait d'ailleurs pas manqué de poser des questions. Presque tous les jours depuis l'incident du Mall, Highland et plusieurs autres inspecteurs s'étaient assis à une table de bois bancale en face de ce jeune homme, pour essayer d'engager la conversation. Il était fort, celui-là, Highland le reconnaissait. Il n'avait prononcé qu'un seul mot inutile, il y avait neuf jours à peine. Un gardien avait pris le prétexte d'un problème de plomberie dans la cellule de Miller pour le transférer temporairement dans une autre. Elle était occupée par deux « droit commun ». L'un attendait d'être jugé pour une série de sanglantes attaques à main armée, l'autre pour le meurtre d'un commerçant de Kensington. Ils savaient tous deux qui était Miller et le détestaient assez pour traiter le jeune homme d'une façon qui, dans leur idée, les absoudrait de leurs crimes, qu'ils ne regrettaient guère, dans le fond. Quand Highland était arrivé pour un nouvel interrogatoire infructueux, il avait trouvé Miller par terre, à plat ventre, sans pantalon et le voleur le sodomisait avec une telle brutalité que le policier avait eu presque pitié du terroriste.

Le « droit commun » s'était retiré sur l'ordre de Highland et, une fois la porte ouverte, c'était Highland lui-même qui avait aidé Miller à se relever et qui l'avait soutenu pour le conduire à l'infirmerie. Et là Miller lui avait adressé la parole, l'avait regardé comme un être humain. Un simple petit mot, articulé par des lèvres meurtries, fendues :

— Merci.

Le flic au secours du terroriste, Highland imaginait les manchettes à la une. Le gardien avait protesté de son innocence, naturellement. Il y avait bien une tuyauterie défectueuse dans la cellule de Miller — la fiche d'ordre des travaux avait été égarée, vous comprenez — et le gardien avait été appelé pour calmer une perturbation ailleurs. Il n'avait pas entendu le moindre bruit venant de ce bloc de cellules. Pas le moindre. La figure de Miller était en bouillie et il n'aurait certainement pas de problèmes de selles pendant quelques jours. Mais la compassion de Highland pour lui avait été de courte durée. Il était seulement encore furieux contre le gardien. Il avait été choqué dans son professionnalisme. Ce que le gardien avait fait était tout simplement un premier pas possible vers un retour au chevalet et aux brodequins. La loi n'était pas seulement destinée à protéger la société des criminels mais à protéger la société d'elle-même. C'était une vérité que la plupart des policiers eux-mêmes ne comprenaient pas bien, mais c'était l'unique leçon que Highland avait apprise en cinq ans passés à la brigade antiterroriste, même si elle était dure à accepter.

La figure de Miller portait encore des traces mais il était jeune et cicatrisait vite. Pour quelques brèves minutes seulement, il avait été une victime, une victime humaine. Maintenant, il était redevenu un animal.

Le policier se retourna vers la petite fenêtre arrière. Le trajet était ennuyeux puisqu'il ne devait y avoir ni radio ni conversation, pour éviter toute distraction. Il regretta de n'avoir pas mis du café au lieu de thé dans son Thermos. La fourgonnette traversa Woking, passa ensuite par Aldershot et Farnham. Ils étaient maintenant dans la région des gentilhommières de l'Angleterre méridionale. Tout autour d'eux s'étendaient des domaines aux demeures majestueuses, appartenant à l'aristocratie du cheval, et des demeures infiniment moins majestueuses pour ceux qui étaient à leur service. *Dommage qu'il fasse nuit,* pensait Highland, on pourrait faire une belle promenade. En réalité, le brouillard stagnait au fond des nombreuses vallées, la pluie crépitait sur le toit de la camionnette et le chauffeur devait être extrêmement prudent pour négocier les virages de ces étroites routes sinueuses caractérisant la campagne anglaise. Le seul avantage était l'absence totale de circulation. De temps en temps, Highland apercevait une lumière solitaire, au-dessus d'une porte lointaine, mais c'était tout.

Une heure plus tard, le véhicule utilisa l'autoroute M-27 pour contourner Southampton puis bifurqua vers le sud par une route secondaire de « classe A » en direction de Lymington. Tous les quelques kilomètres, ils traversaient un petit village. Çà et là, ils s'animaient. Des voitures étaient garées devant des boulangeries et leurs conducteurs allaient acheter du pain encore chaud pour le repas de Noël. Les premières messes commençaient mais il n'y aurait pas de véritable circulation avant le lever du soleil, et ce ne serait pas avant deux heures encore. Le mauvais temps empirait. Ils n'étaient plus qu'à quelques kilomètres de la côte et le vent soufflait par rafales à plus de trente nœuds. Il dissipait le brouillard mais amenait des nappes de pluie glaciale et secouait la camionnette.

— Sale jour pour faire une balade en mer, grogna le second policier à l'arrière.

175

— Il n'y en a que pour une demi-heure, lui dit Highland, l'estomac déjà un peu révulsé à cette perspective.

Né dans un pays de marins, Bob Highland avait horreur de voyager sur l'eau.

— Par un temps pareil ? Une heure, oui !

L'homme se mit à fredonner une chanson de marins et Highland commença à regretter l'énorme petit déjeuner qu'il s'était préparé avant de partir.

Une fois que nous aurons livré le jeune M. Miller, se répéta-t-il, *à la maison pour Noël et deux jours de congé. J'aurai salement mérité ça !* Une demi-heure plus tard, ils arrivèrent à Lymington.

Highland y était venu une fois, il s'en souvenait mais ne voyait rien. Le vent soufflait maintenant de la mer à près de soixante-dix kilomètres à l'heure, avec de fortes rafales du sud-ouest. D'après la carte, il se souvenait que la plus grande partie de la traversée vers l'île de Wight se faisait sur des eaux abritées, un terme relatif mais sur lequel on pouvait néanmoins compter un peu. Le ferry-boat *Cenlac* les attendait à quai. Le capitaine avait été averti une heure plus tôt à peine qu'un passager spécial était en route. Cela expliquait la présence de quatre policiers armés placés en divers endroits du bateau. Une opération discrète, certainement. Elle ne gênait pas les autres passagers dont beaucoup étaient chargés de paquets au contenu évident.

Le bac largua ses amarres à 8 h 30 précises. Highland et l'autre policier restèrent dans la fourgonnette pendant que le chauffeur et l'agent assis à l'avant en descendaient. *Plus qu'une heure*, se dit Highland, *et ensuite quelques minutes pour amener Miller à la prison avant de rentrer tranquillement à Londres. Je pourrai même m'allonger et dormir un moment.* Le repas de Noël était prévu pour 16 heures.

Le *Cenlac* entra dans le Solent, le chenal entre l'Angleterre et l'île de Wight. Si ces eaux-là étaient abritées, Highland préférait ne pas penser à ce que devait être le large. Le *Cenlac* n'était pas tellement grand et manquait un peu de stabilité. La tempête du chenal le prenait par le travers, comme la mer, et il accusait déjà une gîte de quinze degrés.

Le sergent jura et regarda Miller. L'attitude du terroriste n'avait pas du tout changé. Il était assis comme une statue, la tête toujours appuyée contre la paroi, les yeux fermés, les mains sur ses genoux. Highland essaya de l'imiter. Il n'y avait rien à gagner à regarder par le petit carreau. Il n'était plus besoin de s'inquiéter de la circulation. Il s'adossa et cala ses pieds sous le banc de gauche. Il avait lu une fois qu'en fermant les yeux on se défendait contre le mal de mer. Il n'avait rien à craindre de Miller. Il n'était pas armé lui-même et les clefs des

176

menottes étaient dans la poche du chauffeur. Alors il ferma les yeux et laissa son oreille interne s'accommoder du roulis sans la troubler par la vision de l'intérieur immobile de la camionnette. Cela alla un peu mieux. Son estomac commençait à l'informer de son insatisfaction mais ce n'était pas trop grave. Highland espéra qu'en mauvaise mer, plus au large, ça n'empirerait pas.

Quelques minutes plus tard, un crépitement d'armes automatiques le fit sursauter. Des cris suivirent, des cris de femmes et d'enfants, suivis de clameurs masculines. Quelque part, un avertisseur se mit à fonctionner, sans s'arrêter. D'autres coups de feu claquèrent. Highland reconnut l'aboiement bref de l'automatique d'ordonnance d'un policier, auquel riposta instantanément le staccato d'une mitraillette. Cela ne dura pas plus d'une minute. La corne de brume du *Cenlac* se mit à lancer des appels réguliers et lugubres et se tut au bout de quelques secondes tandis que l'avertisseur continuait de hurler. Les cris diminuèrent. Ce n'était plus des cris d'alarme aigus mais des hurlements de terreur. Encore quelques salves de pistolets-mitrailleurs et puis un silence qui fit encore plus peur à Highland que le bruit. Il regarda par la vitre et ne vit rien qu'une voiture et la mer noire au-delà. Il y avait sûrement autre chose à voir et il savait quoi. Vainement, sa main se glissa sous sa veste, pour le pistolet qui n'y était pas.

Comment ont-ils su... comment est-ce que ces salauds ont su que nous étions ici ?

De nouveaux cris retentirent, des ordres auxquels personne ne désobéirait, si les interpellés voulaient survivre à cette journée de Noël. Highland crispa les poings. Il se retourna vers Miller. Le terroriste le dévisageait, à présent. Le sergent aurait préféré un sourire cruel à l'expression flegmatique de ce jeune visage impitoyable.

Une main secoua la porte de métal.

— Ouvrez cette bon dieu de porte ou nous tirons dedans !

— Qu'est-ce qu'on fait ? demanda l'autre policier.

— On ouvre la porte.

— Mais...

— Mais quoi ? On attend qu'ils collent un revolver sur la tête d'un bébé ? Ils ont gagné.

Highland tourna la poignée. Les deux battants s'ouvrirent à la volée.

Il y avait trois hommes, là, la figure couverte par des passe-montagnes. Ils avaient des armes automatiques.

— Voyons un peu vos pistolets, dit le plus grand.

Highland remarqua l'accent irlandais mais n'en fut pas étonné.

— Nous ne sommes armés ni l'un ni l'autre, répondit-il en levant les deux mains.

— Dehors. Un à la fois et à plat sur le pont.

Highland sauta de la fourgonnette et se mit à genoux ; un coup de pied le jeta à plat ventre. Il sentit son collègue tomber à côté de lui.

— Salut, Sean, dit une autre voix. Tu ne croyais pas qu'on t'avait oublié, dis ?

Sean Miller garda le silence. Highland fut surpris. Il écouta le tintement des chaînes quand le prisonnier descendit. Il vit les souliers d'un homme qui s'approchait du véhicule, probablement pour l'aider.

Le chauffeur doit être mort, pensa Highland. Le tueur avait ses clefs. Il entendit tomber les menottes. Miller se frottait les poignets, en manifestant enfin un peu d'émotion. Il sourit au pont avant de regarder le sergent.

Il ne servait à rien de l'observer. Autour d'eux, il y avait au moins trois morts. Un des hommes en cagoule souleva une tête affaissée sur le volant d'une voiture et l'avertisseur se tut. A cinq ou six mètres, un homme avait les mains crispées sur son ventre en sang et gémissait tandis qu'une femme, probablement la sienne, essayait de le soigner. D'autres passagers étaient couchés sur le pont par petits groupes, tous surveillés par un terroriste armé ; ils avaient les mains croisées sur la nuque. Highland remarqua que les terroristes n'échangeaient aucune parole inutile. C'était des hommes entraînés. Tout le bruit venait des civils. Des enfants pleuraient, et leurs parents se comportaient mieux que les adultes sans enfants : ils devaient avoir du courage pour protéger leurs petits alors que les autres ne craignaient que pour leur propre vie. Plusieurs geignaient.

— Vous êtes Robert Highland, dit calmement le plus grand. Le sergent Highland du célèbre C-13 ?

— C'est ça.

Il savait qu'il allait mourir. Il lui parut terrible de mourir un jour de Noël. Mais s'il devait mourir, il n'avait plus rien à perdre. Il n'implorerait pas, il ne supplierait pas.

— Et qui est-ce que vous seriez, vous ?

— Des amis de Sean, bien sûr. Vous vous figuriez vraiment que nous l'abandonnerions à votre engeance ? Vous n'avez rien à dire ?

La voix était cultivée, en dépit de la familiarité du son. Highland aurait eu quelque chose à dire mais il savait que cela ne servirait à rien. Il n'allait pas les distraire en les maudissant. Il comprenait un peu mieux Miller, tout à coup. Cette idée le choqua au point d'en oublier sa terreur. Maintenant il savait pourquoi Miller n'avait pas parlé. *C'est fou les idioties qui vous passent par la tête dans un moment pareil,* pensa-t-il. C'était presque comique mais, plus que tout, c'était écœurant.

— Finissez-en et tirez-vous.

Il ne voyait que les yeux de l'homme grand et cela le privait de la satisfaction de voir ses réactions. Cela le mit en colère. Maintenant que la mort était certaine, il était furieux, il rageait contre ce qui n'avait pas d'importance. L'homme tira de sa ceinture un pistolet automatique et le tendit à Miller.

— Celui-là est à toi, Sean.

Sean prit l'arme de la main gauche et regarda une dernière fois Highland.

Pour ce petit salaud, je pourrais aussi bien être un lapin !

— J'aurais dû te laisser dans ta cellule, gronda-t-il d'une voix désormais dépourvue d'émotion.

Miller le considéra un moment, attendant qu'une réplique appropriée lui vienne à l'esprit. Une citation de Joseph Staline lui revint à la mémoire. Il leva son arme.

— La gratitude, monsieur Highland... est une maladie de chiens.

Il tira deux balles, d'une distance de cinq mètres.

— Viens, dit O'Donnell sous son passe-montagne.

Un autre homme en noir apparut sur le pont des voitures. Il courut vers son chef.

— Les deux moteurs sont hors d'état.

O'Donnell consulta sa montre. Tout s'était passé presque à la perfection. Un bon plan, à part le sale temps. La visibilité était de moins d'un mille et...

— Le voilà, il arrive sur l'arrière, cria un homme.

— Patience, les gars.

— Qui êtes-vous, bon dieu ? demanda le flic à leurs pieds.

Pour toute réponse, O'Donnell tira une courte salve. Un autre chœur de hurlements s'éleva, rapidement couvert par ceux du vent. Le chef tira un sifflet de son chandail et souffla dedans. Le groupe d'assaut se forma autour de lui. Ils étaient sept, plus Sean. Leur entraînement sautait aux yeux, pensa O'Donnell avec satisfaction. Chaque homme était tourné vers l'extérieur, son arme prête au cas où l'un de ces civils terrifiés tenterait quelque chose. Le capitaine du ferry-boat était sur une échelle, à une vingtaine de mètres, visiblement déjà inquiet d'avoir à piloter son bateau sans moteurs, dans une tempête. O'Donnell avait envisagé de tuer tout le monde à bord et de couler le bac, mais il avait rejeté cette idée en la jugeant contre-productive. Mieux valait laisser des survivants pour raconter l'histoire, autrement les Brits ne sauraient peut-être rien de sa victoire.

— Prêts ! annonça l'homme à l'arrière.

Un par un, les hommes armés s'avancèrent. Il y avait des creux de près de trois mètres et la mer serait encore plus mauvaise au-delà de l'abri de la pointe de Solent. C'était un risque qu'O'Donnell acceptait plus facilement que le capitaine du *Cenlac*.

— Allez ! ordonna-t-il.

Le premier de ses hommes sauta dans le Zodiac de dix mètres. L'homme aux commandes de l'embarcation se plaça à l'abri du bac et utilisa la puissance de ses moteurs hors-bord jumeaux pour rester contre la coque. Les hommes s'étaient tous entraînés dans une mer aux creux d'un mètre et, malgré les vagues plus violentes, la manœuvre se fit aisément. A mesure que chaque homme sautait dans l'embarcation il roulait sur tribord pour faire de la place au suivant. Le transbordement dura à peine plus d'une minute. O'Donnell et Miller sautèrent les derniers et dès qu'ils tombèrent sur le pont de caoutchouc, le canot s'écarta avec les moteurs à pleine puissance. Le Zodiac longea rapidement le flanc du bac, déboucha hors de son ombre dans le vent et vira au sud-ouest vers la Manche. O'Donnell se retourna vers le ferry-boat. Six ou sept personnes les regardaient s'éloigner. Il les salua du bras.

— Bon retour parmi nous, Sean ! cria-t-il à son camarade.

— Je ne leur ai pas dit un foutu mot, répondit Miller.

— Je le sais bien.

O'Donnell tendit au jeune homme un flacon de whisky. Miller le prit et avala deux bonnes gorgées. Il avait oublié que c'était si bon.

Le Zodiac ricochait à la surface des vagues, presque comme un aéroglisseur, propulsé par une paire de moteurs de cent chevaux. L'homme de barre était à son poste, au centre, les genoux fléchis pour absorber les secousses alors qu'il pilotait l'embarcation vers le point de rendez-vous. La flotte de chalutiers d'O'Donnell lui offrait un vaste choix de marins et ce n'était pas la première fois qu'il s'en servait pour une opération. Un de ses hommes fit le tour en rampant pour distribuer des brassières de sauvetage. Au cas fort peu probable où quelqu'un les verrait, ils auraient l'air d'une bordée du Special Boat Service des Royal Marines exécutant un exercice le matin de Noël. Les opérations de O'Donnell couvraient toujours toutes les éventualités et elles étaient toujours préparées dans les moindres détails. Miller était le seul de ses hommes à avoir jamais été capturé et maintenant ce record était réparé. Les terroristes rangèrent leurs armes dans des sacs en plastique, pour

180

éviter les dégâts de la corrosion. Quelques-uns causaient entre eux mais il était impossible de les entendre dans le vacarme du vent et des hors-bord.

Miller était tombé assez lourdement. Il se frottait l'arrière-train.

— Foutus pédés, gronda-t-il, heureux de pouvoir de nouveau parler.

— Qu'est-ce que tu dis ? demanda O'Donnell dans le tumulte.

Miller le lui expliqua, pendant une minute. Il était sûr que c'était une idée de Highland, quelque chose pour l'amollir, pour qu'il soit reconnaissant au flic. C'était pour cela que ses deux balles avaient visé le ventre du sergent. Inutile qu'il meure trop vite. Mais Miller ne dit pas cela à son chef. Kevin n'aurait pas approuvé.

— Où est ce fumier de Ryan ? demanda Sean.

— Rentré en Amérique, répondit O'Donnell en regardant sa montre et en soustrayant six heures. Bien au chaud et endormi dans son lit, je parie.

— Il nous a retardés d'un an, Kevin. Une année entière !

— Je pensais bien que tu dirais ça. Plus tard, Sean.

Le jeune homme hocha la tête et but encore un peu de whisky.

— Où allons-nous ?

— Là où il fera plus chaud qu'ici.

Le *Cenlac* dérivait devant le vent. Dès que le dernier terroriste avait quitté le bord, le capitaine avait envoyé son équipe vérifier s'il n'y avait pas de bombes. On n'en avait pas trouvé mais cela signifiait peut-être qu'elles étaient bien dissimulées et un bateau était idéal pour cacher tout ce qu'on voulait. Son mécanicien et un autre matelot essayaient de réparer un des moteurs diesel pendant que deux hommes de pont lançaient une ancre flottante qui traînait maintenant à l'arrière pour stabiliser le bateau sur la mer houleuse. Le vent les chassait plus près de la côte. Cela leur donnait une mer plus modérée mais toucher la côte par ce temps, ce serait la mort pour tout le monde à bord. Il songea à mettre à l'eau un de ses canots de sauvetage mais même cela supposait des dangers qu'il voulait éviter.

Seul dans le poste de pilotage, il contemplait ses radios… Avec elles il aurait pu lancer un appel de détresse ; un remorqueur, un navire marchand, n'importe quoi, serait accouru pour le haler jusqu'au port. Mais ses trois émetteurs étaient détruits, sans espoir de réparation, par tout un chargeur de balles de mitraillette.

Tremblant de rage impuissante, il se demandait pourquoi ces salauds les avaient laissés en vie. Son mécanien apparut à la porte.

— Peux pas réparer. Nous n'avons pas les outils nécessaires. Les fumiers savaient exactement ce qu'ils devaient casser.

— Ils savaient bien ce qu'ils faisaient, c'est sûr, gronda le capitaine.

— Nous aurons du retard à Yarmouth. Peut-être...

— Ils accuseront le temps. Nous serons sur les récifs avant qu'ils lèvent le petit doigt.

Le capitaine se retourna, ouvrit un tiroir et y prit un pistolet lance-fusées et une boîte en plastique de fusées étoiles.

— Deux minutes d'intervalle, dit-il. Je vais descendre voir comment vont les passagers. Si rien ne se passe avant... quarante minutes, nous mettrons les embarcations à la mer.

— Mais nous tuerons les blessés en les...

— Si nous ne le faisons pas, nous tuerons tout le monde !

Le capitaine descendit. Un des passagers était vétérinaire. Il y avait cinq blessés et il s'efforçait de les soigner, aidé par un des membres de l'équipage. Le pont des véhicules était mouillé et bruyant. Le roulis atteignait vingt degrés et un paquet de mer avait brisé une fenêtre. Un matelot se débattait pour boucher le trou avec de la toile. Voyant qu'il allait probablement y arriver, le capitaine alla se pencher sur les blessés.

— Comment vont-ils ?

Le vétérinaire leva des yeux angoissés. Un de ses patients allait mourir, les quatre autres...

— Il se peut que nous soyons obligés de les transporter dans les canots de sauvetage, bientôt...

— Ça les tuera. Je...

— Radio, dit entre ses dents un des blessés.

— Ne bougez pas, conseilla vivement le vétérinaire.

— Radio.

L'homme serrait des pansements contre son abdomen et il se retenait tout juste de hurler sa souffrance.

— Les salopards les ont détruites, répondit le capitaine. Je suis navré... nous n'en avons pas.

— Camion... radio dans la camionnette !

— Quoi ?

— Police, gémit Highland. Camionnette de police... transfert de prisonnier... radio !

— Dieu de Dieu !

Le capitaine se tourna vers la fourgonnette. La radio risquait de ne pas marcher, de l'entrepont du bac. Il remonta quatre à quatre au poste de pilotage et donna un ordre à son mécanicien.

Ce fut assez facile. Le mécanicien utilisa ses outils pour retirer la

182

radio VHP de la camionnette. Il parvint à la brancher sur une des antennes du ferry-boat et en quelques minutes le capitaine put s'en servir.

— Qui appelle ? demanda le dispatcheur de la police.

— Le *Cenlac*, bougre d'abruti ! Nos radios de marine sont kaput. Nous dérivons, moteurs détruits, à trois milles au sud de Lisle Court, et nous avons besoin de secours immédiat !

— Ah, d'accord. Bougez pas.

Le sergent de service à Lymington connaissait bien la mer. Il décrocha son téléphone et fit courir son doigt le long de sa liste de numéros d'urgence, jusqu'à ce qu'il trouve le bon. Deux minutes plus tard, il reprenait la communication avec le bac.

— Nous avons un remorqueur qui fait route vers vous, en ce moment. Vous confirmez votre position à trois milles au sud de Lisle Court ?

— Parfaitement. Mais nous dérivons au nord-est. Notre radar fonctionne toujours. Nous pouvons guider le remorqueur à son approche. Mais bon dieu, dites-lui de se grouiller ! Nous avons des blessés à bord.

Le sergent sursauta et se redressa tout droit sur sa chaise.

— Répétez ça... Répétez la dernière phrase !

Le capitaine expliqua l'affaire, le plus brièvement possible maintenant que des secours étaient en chemin. A terre, le sergent téléphona à son supérieur, puis au commissaire local. Un autre appel fut lancé vers Londres. Un quart d'heure après, un équipage de la Royal Navy faisait chauffer les moteurs d'un hélicoptère Sea King de sauvetage, à Grosport. Ils volèrent d'abord jusqu'à l'hôpital naval de Portsmouth pour embarquer un médecin et un infirmier, puis ils changèrent de cap, dans les dents de la tempête. Il fallut vingt terribles minutes pour trouver le ferry ; le pilote se débattait aux commandes contre les sautes de vent brutales et le copilote restait penché sur l'écran du radar pour distinguer le profil du bac. Cela, c'était le plus facile.

Le pilote dut imprimer à son appareil une vitesse de quarante nœuds rien que pour rester au-dessus du bateau et le vent ne cessait de changer toutes les quelques secondes, en se déplaçant de quelques degrés dans une direction ou une autre, en modifiant sa vitesse de dix nœuds d'un côté ou de l'autre et le malheureux devait lutter avec ses instruments pour demeurer tant soit peu en vol plané. A l'avant, le chef d'équipage enroula d'abord la chaise d'hélitreuil autour du médecin, en le retenant à la porte ouverte. Par l'interphone, le pilote ordonna au chef de larguer. On avait au moins une cible assez grande. Deux hommes d'équipage attendaient sur le pont supérieur du ferry-boat pour recevoir le médecin. Ils ne l'avaient encore jamais fait mais l'équipage de l'hélicoptère était bien entraîné ; ils laissèrent descendre l'homme, d'abord rapidement, puis beaucoup plus lentement pour les deux derniers mètres. Un matelot le saisit et le libéra. L'infirmier suivit en maudissant le sort et la nature, du départ à l'arrivée. Lui aussi atterrit sans encombre et l'hélicoptère remonta d'un bond pour s'écarter de la surface dangereuse.

— Lieutenant-médecin Dilk, docteur.

— Vous êtes le bienvenu, répondit aussitôt le vétérinaire. Je suis plus habitué à soigner des chevaux et des chiens, vous savez. Un poumon perforé, les trois autres sont des blessures au ventre. Un est mort. J'ai fait de mon mieux, mais... Fumiers d'assassins !

Une corne de brume annonça l'arrivée du remorqueur. Le lieutenant Dilk ne prit pas la peine de regarder quand le capitaine et son équipage attrapèrent l'avant-câble et halèrent la remorque. Le vétérinaire et le médecin administraient de la morphine et s'efforçaient de stabiliser les blessés.

L'hélicoptère avait déja disparu vers le sud-ouest pour sa seconde mission dangereuse de la journée. Un autre appareil, des marines armés à bord, décollait au même instant de Grosport, pendant que le premier cherchait à la surface, à l'œil nu et au radar, un canot pneumatique noir de dix mètres de type Zodiac. Des ordres étaient arrivés du Home Office à une vitesse record et, pour une fois, c'était des ordres que des hommes en uniforme connaissaient bien et pour lesquels ils étaient équipés : *Localiser et détruire*.

— Le radar n'offre aucun espoir, annonça le copilote à l'interphone.

Le pilote acquiesça. Par temps calme, ils auraient eu une bonne chance de repérer l'embarcation mais le renvoi d'une mer démontée et de panaches d'écume rendait impossible toute détection radar.

— Ils ne peuvent pas être allés bien loin et la visibilité n'est pas tellement mauvaise pour nous. Nous allons quadriller et repérer ces salopards à l'œil nu.

— Par où allons-nous commencer ?

— Au large des Needles, et puis vers l'intérieur jusqu'à la baie de Christchurch, ensuite nous chercherons vers l'ouest s'il le faut. Nous attraperons les salauds avant qu'ils touchent la côte et les marsouins les attendront sur la plage. Tu as entendu les ordres.

— Ouais.

Le copilote activa son écran de navigation tactique pour créer un schéma de recherche. Quatre-vingt-dix minutes plus tard, il fut évident qu'ils n'avaient pas cherché où il fallait. Surpris, déconcertés, les hélicoptères rentrèrent à Grosport les mains vides. Le premier pilote entra dans le baraquement et y trouva deux officiers de police supérieurs.

— Eh bien ?

— Nous avons tout fouillé des Needles à la baie de Poole, rien n'a pu nous échapper, déclara le pilote en indiquant son plan de vol sur la carte. Ce type d'embarcation est capable de filer vingt nœuds dans ces conditions de mer, tout au plus et avec un équipage expérimenté, expert. Nous n'aurions pas dû les manquer.

Le pilote but quelques gorgées de thé chaud, en considérant la carte d'un air stupéfait. Il secoua la tête.

— Non, nous n'avons pas pu les manquer, pas possible ! Pas avec deux appareils en l'air !

— Et s'ils ont mis cap au large ? S'ils sont allés vers le sud ?

— Mais où ? Même s'ils avaient assez de carburant pour traverser la Manche, ce dont je doute, seul un fou tenterait ça. Il y avait des creux de sept mètres, là-bas, et le vent fraîchissait encore. Du suicide, conclut le pilote.

— Ma foi, nous savons qu'ils ne sont pas fous, ils sont bien trop malins pour ça. Ils n'auraient pas pu vous échapper, accoster avant que vous les rattrapiez ?

— Aucune chance. Aucune, déclara catégoriquement le pilote.

— Alors où diable sont-ils, bon dieu ?

— Je regrette mais je n'en sais rien du tout. Ils ont peut-être sombré.

— Vous croyez ça, vous ? demanda le policier.

— Non.

James Owens fit demi-tour et alla regarder par la fenêtre. Le pilote avait raison, la tempête s'aggravait. Le téléphone sonna.

— Pour vous, monsieur, annonça le sous-officier qui décrocha.

— Owens. Oui ? marmonna-t-il et son expression changea, passant de la tristesse à la rage noire. Merci. Tenez-nous au courant... C'était l'hôpital. Un autre blessé est mort. Le sergent Highland est en salle d'opération en ce moment. Une des balles a touché la colonne vertébrale. Ça fait un total de neuf morts, je crois. Messieurs, y a-t-il quelque chose que vous puissiez nous suggérer ? En ce moment, je ne demanderais pas mieux que d'embaucher une diseuse de bonne aventure !

185

— Ils ont peut-être mis cap au sud, des Needles, et puis viré vers l'est et accosté à l'île de Wight ?

Owens secoua la tête.

— Nous avons du monde là-bas. Rien.

— Alors ils ont pu avoir rendez-vous avec un navire.

— Il y a un moyen de vérifier ça ?

— Non. Il y a bien un radar de contrôle de circulation des navires, à Douvres, mais pas ici. Nous ne pouvons pas aborder tous les bateaux, n'est-ce pas ?

— D'accord. Merci de vos efforts, messieurs, et plus particulièrement d'avoir envoyé aussi rapidement votre médecin. On me dit que cela a permis de sauver de nombreuses vies.

Le chef Owens sortit du baraquement. Ceux qui restèrent s'émerveillèrent de son sang-froid. Une fois dehors, le policier contempla le ciel plombé et pesta contre la malchance mais il était trop consumé de rage pour extérioriser ses sentiments. Owens avait l'habitude de dissimuler ce qu'il pensait et ressentait. L'émotion, avait-il coutume de répéter à ses hommes, n'avait pas place dans le travail de la police. C'était faux, naturellement, et comme beaucoup de policiers Owens ne réussissait qu'à retourner sa colère contre lui. Cela expliquait la boîte de comprimés qu'il avait toujours dans sa poche et les périodes de silence que sa femme avait appris à supporter. Il porta machinalement la main à la poche de sa chemise pour prendre une cigarette qui n'y était pas et grommela contre lui-même, en son for intérieur... Il s'attarda un moment, seul dans le parking, comme si la pluie froide pourrait calmer sa fureur. Mais cela ne servait qu'à lui faire prendre froid et il ne pouvait se le permettre. Il aurait à répondre de cette affaire, à en répondre au préfet de police de Londres, au Home Office. Quelqu'un — *pas moi, grâce à Dieu* — aurait aussi à en répondre à la Couronne.

Cette pensée le frappa durement. Il avait manqué à sa mission envers *eux*. Deux fois. Il n'avait pas su détecter ni empêcher l'assaut initial sur le Mall et seule une chance incroyable, l'intervention de l'Américain, avait sauvé la situation. Ensuite, alors que tout avait bien marché, cet échec. Jamais rien de semblable ne s'était produit. Owens en était responsable. Tout s'était passé pendant son service. Il avait personnellement organisé le transfert. Il avait choisi la méthode, établi la procédure de sécurité. Choisi le jour. Choisi la route, désigné les hommes, tous morts à présent à l'exception de Highland.

Comment ont-ils su ? se demanda-t-il encore une fois. *Ils savaient quand. Ils savaient où. Comment ? Voilà par où il faut commencer.* Le nombre de personnes détenant ces informations était connu d'Owens.

Il y avait eu une fuite. Il se rappela le rapport qu'Ashley lui avait ramené de Dublin. « Si bonne que vous ne le croiriez pas », avait dit ce salaud de la PIRA de la source de renseignements d'O'Donnell. Murphy se trompait, pensait maintenant le policier. Tout le monde le croirait, à présent.

— On rentre à Londres, dit-il à son chauffeur.

— Excellente journée, Jack, dit Robby, du canapé où il était assis.
— Pas mauvaise du tout, reconnut Ryan.

Devant eux, Sally jouait avec ses nouveaux jouets. Elle aimait particulièrement la maison de poupée, ce qui faisait plaisir à Jack. Elle avait tiré ses parents du lit à 7 heures du matin. Jack et Cathy commençaient à être fatigués ; ils n'avaient eu que cinq heures de sommeil. C'était un peu dur pour une femme enceinte, avait-il pensé une heure plus tôt alors que Robby et lui desservaient la table et mettaient en marche le lave-vaisselle à la cuisine. Maintenant, leurs femmes étaient sur l'autre canapé et bavardaient en laissant leurs hommes boire du cognac.

— Tu ne voles pas demain ?

Jackson secoua la tête.

— L'oiseau est tombé en panne, il faudra un jour ou deux pour réparer. D'ailleurs, que serait Noël sans un bon cognac ? Je serai de retour demain dans le simulateur et les règlements ne m'empêchent pas de boire avant. Je ne me harnache pas avant 3 heures de l'après-midi, alors je devrais être bien dégrisé.

Robby n'avait bu qu'un verre de vin à table et s'était limité à un seul petit verre de Hennessy.

— J'ai besoin de m'étirer un peu, annonça Jack en se levant, et il entraîna son ami vers l'escalier.

— Tu t'es couché à quelle heure, hier soir, vieux ?
— Nous avons dû veiller jusqu'à 2 heures, et même un peu plus.

Robby se retourna pour s'assurer que Sally n'était pas à portée de voix.

C'est la plaie de jouer au père Noël, non ? Si tu as été capable d'assembler tous ces jouets toi-même, je devrais peut-être te mettre au travail sur mon appareil défaillant.

— Attends que j'aie retrouvé mes deux bras.

Jack retira le gauche de l'écharpe et l'allongea alors qu'ils descendaient à la bibliothèque.

— Qu'est-ce que Cathy dit de ça ?
— Ce que les médecins disent toujours. Tu sais, quoi, si on guérit

trop vite, ils perdent de l'argent ! dit Jack en faisant tourner son poignet. Ce truc-là s'ankylose, tu ne t'imagines pas.

— Quelle est ton impression ?

— Assez bonne. Je crois que je retrouverai totalement l'usage de ma main. Elle ne m'a pas encore laissé tomber. Tu veux voir les informations ? demanda Jack après avoir consulté sa montre.

— Bien sûr.

Il alluma sa petite télévision. Le câble était enfin arrivé dans sa région et il était déjà branché sur CNN. C'était très agréable de capter les nouvelles nationales et internationales quand on le voulait. Jack se laissa tomber dans son fauteuil à pivot tandis que Robby en prenait un autre, dans le coin. Ce n'était pas encore tout à fait l'heure. Jack laissa le son en sourdine.

— Comment marche le livre ?

— Ça avance. J'ai toute l'information. Plus que quatre chapitres à écrire et deux que je dois un peu modifier, et ce sera fini.

— Qu'est-ce que tu as dû changer ?

— Je me suis aperçu que j'avais de mauvais renseignements. Tu avais raison à propos de ce problème de repérage des porte-avions japonais.

— Oui, ça ne me paraissait pas correct. Ils étaient bons mais pas à ce point-là. Parce que, après tout, nous les avons bien eus, à Midway.

— Et aujourd'hui ?

— Ha ! Je te jure, Jack, si jamais quelqu'un essaie de s'amuser avec moi et mon Tomcat il ferait bien de rédiger son testament. On ne me paie pas pour perdre, petit ! déclara Jackson avec un sourire de fauve.

— Une telle confiance fait plaisir.

— Il y a de meilleurs pilotes que moi, reconnut Robby. Trois, en fait. Pose-moi encore la question dans un an, quand j'aurai repris le collier.

Jack éclata de rire mais son rire s'arrêta net quand il vit l'image sur le petit écran.

— C'est lui... je me demande pourquoi...

Il monta le volume du son.

— ... tués, dont cinq officiers de police. Des recherches intensives sont en cours sur terre, en mer et dans les airs, pour retrouver les terroristes qui ont fait évader leur camarade alors qu'on le transférait d'une prison britannique dans l'île de Wight. Sean Miller avait été condamné il y a trois semaines à peine, à la suite de son audacieuse attaque contre le prince et la princesse de Galles à deux pas du palais de Buckingham. Deux policiers et un terroriste avaient été tués avant que

188

l'assaut soit interrompu par un touriste américain, John Ryan d'Annapolis, dans le Maryland.

L'image changea pour montrer un hélicoptère de la Royal Navy,
survolant la Manche en pleine tempête et cherchant visiblement quelque
chose. Puis fut rediffusé le reportage sur Miller sortant d'Old Bailey.
Juste avant d'être embarqué dans le car de police, Miller s'était tourné
face à la caméra et maintenant, plusieurs semaines après, ses yeux
plongeaient de nouveau dans ceux de John Patrick Ryan.

— Oh, mon Dieu..., murmura Jack.

10

Plans et menaces

— Il ne faut pas vous en vouloir, Jimmy, dit Murray. Et Bob va s'en tirer. C'est quelque chose, ça.

— Certainement, répliqua ironiquement Owens. Il y a même cinquante pour cent de chances pour qu'il puisse remarcher. Mais les autres, Dan ? Cinq hommes de valeur disparus et quatre civils avec eux.

— Et peut-être aussi les terroristes.

— Vous n'y croyez pas plus que moi.

Cela avait été un coup de chance fortuit. Un dragueur de mines de la Royal Navy qui effectuait un sondage de la Manche au sonar avait découvert un nouvel objet sur le fond et immédiatement envoyé une caméra en plongée pour l'identifier. La bande vidéo révélait les restes d'un canot pneumatique, un Zodiac de dix mètres avec deux moteurs hors-bord de cent chevaux. Il avait manifestement coulé à la suite d'une explosion près des réservoirs mais il n'y avait aucune trace des hommes qui s'étaient trouvés à bord, ni de leurs armes. Le capitaine du dragueur avait immédiatement compris l'importance de la découverte et alerté ses supérieurs. Une équipe de récupération s'apprêtait à plonger pour renflouer l'épave.

— C'est une possibilité. Un d'eux a pu faire une fausse manœuvre, le bateau a explosé, les salauds ont bu le bouillon...

— Et les cadavres ?

— Ils ont nourri les poissons, dit Murray avec un petit sourire. Ça fait une belle image, non ?

190

— Vous qui êtes tellement joueur... quelle somme iriez-vous parier sur cette hypothèse ?

Owens n'était pas d'humeur à plaisanter. Murray voyait bien que le chef du C-13 considérait toujours l'affaire comme une défaite personnelle.

— Pas grand-chose, reconnut le représentant du FBI. Alors vous pensez qu'un navire les a repêchés ?

— C'est la seule solution raisonnable. Neuf navires marchands étaient assez près pour avoir été mêlés à l'affaire. Nous en avons la liste.

Murray l'avait aussi. Elle avait déjà été envoyée à Washington, où le FBI et la CIA l'étudieraient.

— Mais pourquoi ne pas repêcher le bateau aussi ?

— Evident, il me semble. Et si un des hélicoptères les avait vus faire ? Ou bien c'était trop difficile étant donné les conditions atmosphériques. Ou ils n'ont pas voulu se donner ce mal. Ils doivent avoir d'importantes ressources financières, vous ne croyez pas ?

— Quand est-ce que la Marine va renflouer l'épave ?

— Si le temps le permet, après-demain, dit Owens.

C'était le seul sujet de satisfaction. Ils auraient ainsi un indice concret. Tout ce qui était fabriqué dans le monde portait une marque de fabrique et un numéro de série. Il y aurait, quelque part, une trace de la vente. C'était ainsi que commençaient beaucoup d'enquêtes réussies, par une petite facture, dans un magasin, qui aboutissait souvent à l'arrestation et à la condamnation des plus dangereux criminels. D'après la bande vidéo, les moteurs avaient l'air de hors-bord américains Mercury. Le FBI avait déjà été alerté, pour suivre cette piste dès que l'on aurait les numéros de série. Murray avait déjà appris que c'étaient les moteurs les plus vendus dans le monde entier. Cela rendrait les recherches plus difficiles mais c'était quand même quelque chose, et cela valait mieux que rien.

— Pas de nouvelles du côté de la fuite ? demanda Murray, touchant le point le plus sensible.

— Celui-là ferait bien de prier que nous ne le trouvions pas, gronda Owens.

Pour le moment, cela ne risquait pas d'arriver. Trente et une personnes au total étaient au courant de l'heure et de l'itinéraire de transfert du prisonnier et cinq d'entre elles étaient mortes ; même le conducteur de la fourgonnette n'avait été mis au courant qu'au dernier moment. Cela laissait vingt-six suspects, des membres du C-13, deux personnages haut placés de la police métropolitaine, dix du Home Office et divers autres en passant par quelques hommes du MI-5 et du service de sécurité. Chacun avait une position d'habilitation au secret, de haut niveau. *Mais une habilitation ne veut rien dire*, pensait Owens. Par définition, la fuite ne pouvait venir que d'un salaud qui serait jugé absolument digne de confiance.

Et cette fois, c'était différent. C'était de la trahison, *pis* que de la trahison — à vrai dire, Owens n'aurait jamais cru cela possible avant la dernière semaine. Le responsable de la fuite devait aussi avoir participé à l'attaque contre la famille royale. Trahir les secrets de la sécurité nationale était un crime épouvantable. Mais mettre en danger la famille royale, c'était un crime si incompréhensible qu'Owens ne parvenait pas à le croire possible. Il ne s'agissait pas d'une personne à l'état mental douteux. C'était quelqu'un de très intelligent, possédant une considérable faculté de dissimulation, quelqu'un qui avait trahi une confiance à la fois personnelle et nationale. Il y avait eu un temps, dans ce pays, où ces gens-là mouraient sous la torture. Owens n'en était pas fier mais à présent il comprenait pourquoi c'était arrivé, avec quelle facilité on pouvait envisager un tel châtiment. La famille royale était adorée par le peuple. Et quelqu'un, probablement un de ses proches, l'avait trahie, livrée à une petite bande de terroristes. Owens voulait cette personne. Il voulait la voir morte, la regarder mourir. Il ne pouvait y avoir d'autre châtiment pour ce genre de crime.

Son professionnalisme reprit pourtant le dessus. *Nous ne trouverons pas le salaud en souhaitant sa mort. Pour le retrouver, il faut un travail de police, appliqué, laborieux, une enquête approfondie.* Owens s'y entendait. Ni lui ni les hommes d'élite chargés de l'enquête n'auraient de repos tant qu'ils n'auraient pas réussi. Et aucun ne doutait de la réussite finale.

— Vous avez quand même deux atouts, Jimmy, dit Murray qui devinait les pensées d'Owens.

Ce n'était pas difficile. Tous deux avaient eu à résoudre des affaires ardues et les polices diffèrent peu, tout autour du monde.

— Sûrement, reconnut Owens en souriant presque. Ils n'auraient pas dû révéler leur jeu. Ils auraient dû tout faire pour protéger leur source. Nous pouvons comparer les listes de ceux qui savaient que Son Altesse venait au palais cet après-midi-là, avec ceux qui savaient quand le jeune M. Miller était conduit à Lymington.

— Sans oublier les standardistes qui ont fait passer les communications téléphoniques, lui rappela Murray. Et les secrétaires et collègues qui ont pu entendre quelque chose, et les amants ou maîtresses qui auraient pu l'apprendre, au cours de conversations horizontales.

— Merci de tout mon cœur, Dan ! On a besoin d'encouragements dans un moment pareil.

L'Anglais alla ouvrir l'armoire de Murray et y trouva une bouteille de whisky, un cadeau de Noël, pas encore débouchée en cette veille de Jour de l'An.

— Vous avez raison, ils auraient dû protéger leur source de renseignements. Je sais que vous l'attraperez, Jimmy. Je suis prêt à parier là-dessus.

Owens remplit les verres. Il était heureux de voir que l'Américain avait finalement appris à boire son whisky décemment. En un an, Owens avait fait perdre à Murray l'habitude de mettre de la glace dans tout. C'était une honte de gâcher un bon malt écossais. Il fronça les sourcils, saisi d'une autre pensée.

— Qu'est-ce que cela nous dit de Sean Miller ?

Murray écarta les bras.

— Il est plus important que vous le pensiez, peut-être ? Ils avaient peur que vous le brisiez, lui soutiriez des informations ? Ou ils voulaient peut-être simplement garder leur record intact. Ou autre chose encore ?

Owens hocha la tête. En plus des étroites relations que leur travail à Scotland Yard et au FBI avait nouées entre eux, il appréciait à sa juste valeur l'opinion de son collègue. Tous deux étaient des policiers expérimentés, mais on pouvait faire confiance à Murray pour voir les choses sous des angles un peu différents. Deux ans plus tôt, Owens avait été surpris de constater à quel point c'était précieux. De même, en plusieurs occasions et sans en avoir pleinement conscience, Murray s'était servi de l'esprit de déduction de son ami.

— Mais alors, quel serait son rôle ? se demanda Owens à haute voix.

— Allez savoir. Chef des opérations ?

— Bien jeune pour ça.

— Jimmy, le gars qui a lâché une bombe atomique sur Hiroshima était colonel de l'Air Force et il n'avait que vingt-neuf ans. Et quel âge a cet O'Donnel ?

— Bob Highland est de votre avis.

Owens contempla son verre pendant un moment, le front rembruni.

— Bob est un malin, aussi. J'espère que vous pourrez le remettre dans la rue.

— Sinon, nous pourrons toujours l'utiliser dans un bureau. Il a un trop bon cerveau pour le laisser perdre. En attendant, il faut que je file. Veille de Jour de l'An, Dan. A quoi buvons-nous ?

— C'est évident. A une enquête réussie. Vous allez mettre la main sur cette source, Jimmy, et ce type va vous donner tous les renseignements qu'il vous faut, dit Murray en levant son verre. A une affaire classée.

— Oui.

Tous deux vidèrent leur verre.

— Jimmy, faites-vous plaisir et accordez-vous une soirée de congé. Videz cette vieille tête et repartez d'un bon pied demain matin.

Owens sourit.

— Je vais essayer. Mais un dernier mot. Ça m'a frappé sur la route, en venant. Ces types de l'ULA ont transgressé toutes les règles, n'est-ce pas ?

— C'est assez vrai, reconnut Murray en rangeant ses dossiers sous clef.

— Ils n'y en a qu'une qu'ils ont toujours respectée.

Murray se retourna.

— Ah oui ? Laquelle ?

— Ils n'ont jamais rien tenté en Amérique.

— Aucun terroriste ne s'y hasarde, répliqua Murray en écartant cela d'un geste indifférent.

— Aucun n'avait de raison de le faire.

— Et alors ?

— Ecoutez, Dan, l'ULA a des raisons, maintenant, et ils n'ont jamais beaucoup hésité à transgresser les règles. Ce n'est qu'une intuition, pas davantage. Enfin... Bonne nuit et bonne et heureuse année, agent spécial Murray.

Owens reprit son manteau. Ils se serrèrent solennellement la main.

— Chef Owens, toutes mes amitiés à Emily.

Dan le raccompagna à la porte et retourna dans son bureau pour s'assurer que tous ses dossiers secrets étaient bien à l'abri. Il faisait nuit noire, dehors, et il n'était que 17 h 45.

— Jimmy... pourquoi avez-vous dit ça ? demanda-t-il à l'obscurité.

Il se rassit dans son fauteuil à pivot.

Jamais aucun groupe terroriste n'avait opéré aux Etats-Unis. Bien sûr, ils récoltaient de l'argent, là-bas, dans les quartiers et les saloons irlandais de Boston et de New York, ils faisaient quelques discours sur leur vision d'avenir d'une Irlande libre et unifiée, sans jamais se donner la peine de préciser qu'avec leur engagement dans le marxisme-léninisme, leur vision de l'Irlande était un nouveau Cuba. Ils avaient toujours été assez avisés pour comprendre que les Irlando-Américains n'appréciaient pas beaucoup ce petit détail. Et puis il y avait le trafic

194

d'armes. C'était en grande partie du passé. La PIRA et l'INLA se procuraient actuellement la majorité de leurs armes sur le marché mondial ouvert. Selon certains rapports, aussi, une partie de leurs partisans avaient été entraînés dans des camps militaires soviétiques, mais on ne pouvait pas reconnaître la nationalité d'un homme d'après une photo par satellite, pas plus qu'on ne pouvait reconnaître un visage. Ces rapports-là n'avaient jamais été suffisamment confirmés pour être publiés dans la presse.

Le fond de l'histoire était quand même que la PIRA et l'INLA n'avaient jamais commis de crime violent en Amérique. Jamais. Pas une seule fois.

Mais Jimmy a raison, se dit-il. *L'ULA n'a jamais hésité à transgresser une règle. La famille royale était intouchable pour tout le monde, mais pas pour l'ULA.* Il secoua la tête. Rien ne suggérait qu'ils transgresseraient cette règle-là. Ce n'était pas là-dessus qu'on pouvait faire démarrer une enquête.

— Mais qu'est-ce qu'ils manigancent ? se demanda-t-il tout haut.

Personne n'en savait rien. Même leur nom était une anomalie. Pourquoi s'appelaient-ils « armée de libération de l'*Ulster* » ? C'était un mouvement nationaliste irlandais, mais « Ulster » était le préfixe des groupes réactionnaires *protestants.* Ce que faisaient les terroristes n'était pas toujours sensé mais cela au moins devait avoir un sens. Tout ce qui concernait l'ULA était anormal. Ils faisaient des choses que personne d'autre ne ferait, ils se donnaient un nom que personne n'adopterait.

Ils faisaient des choses que personne d'autre ne ferait. C'était ce qui rongeait Jimmy, Murray en était sûr. Pourquoi opéraient-ils de cette façon ? Il devait y avoir une raison. En dépit de la folie de leurs actes, les terroristes étaient raisonnables, selon leurs normes. Quelque énigmatique qu'apparût leur raisonnement pour d'autres, il avait sa propre logique interne. La PIRA et l'INLA agissaient selon cette logique. Ces mouvements annonçaient même leur dessein et leurs actions concordaient avec ce qu'ils disaient vouloir : rendre l'Irlande du Nord ingouvernable. S'ils y réussissaient, les Britanniques finiraient par en avoir assez et s'en iraient. Leur objectif, par conséquent, était d'entretenir indéfiniment le conflit et d'attendre que l'autre côté plie bagage. C'était conceptuellement logique.

Mais l'ULA n'avait jamais dit ce qu'elle voulait. Pourquoi ? Pourquoi gardait-elle ses objectifs secrets ? Et d'ailleurs, pourquoi l'existence d'un groupe terroriste devrait-elle rester secrète, s'il procédait à des opérations ? Alors pourquoi n'avaient-ils jamais proclamé leur existence, sauf au sein de la communauté PIRA/INLA elle-même ?

Ça ne peut pas être complètement irraisonné, se dit Murray. *Il est impossible qu'ils agissent totalement sans raison aucune, tout en étant aussi efficaces qu'ils l'ont été.*

Murray jura. La réponse était là, il la sentait flotter au bord de son esprit mais il n'arrivait pas à la saisir. Il quitta enfin son bureau. Deux marines patrouillaient déjà dans les couloirs, s'assurant que les portes étaient bien fermées à clef. Dan les salua en marchant vers l'ascenseur tout en cherchant encore à assembler les pièces du puzzle. Il regrettait qu'Owens soit parti si tôt. Il avait besoin de lui parler de tout cela. A eux deux, peut-être pourraient-ils y découvrir un sens. *Non*, se dit-il, *pas peut-être.* Ils trouveraient. Il y avait une raison.

Il était prêt à parier que Miller la connaissait.

— Quel endroit abominable ! dit Sean Miller.

Le coucher de soleil était magnifique, presque aussi beau qu'en mer. Le ciel était dégagé de toute pollution urbaine et les dunes lointaines se profilaient en créneaux irréguliers derrière lesquels le soleil se cachait. Le plus curieux, c'était la gamme des températures, bien sûr. A midi, le thermomètre avait atteint 33° — et les autochtones trouvaient que c'était un temps frais ! — mais à présent, le soleil couché, un vent froid se levait et bientôt la température tomberait au-dessous de zéro. Le sable ne conservait pas la chaleur et, dans l'air pur et sec, elle s'évaporait et montait vers les étoiles.

Miller était fatigué. La journée avait été dure : entraînement. Depuis près de deux mois, il n'avait pas touché une arme. Ses réactions s'en ressentaient, son tir était abominable et sa forme physique ne valait guère mieux. Il avait même pris quelques kilos, avec la nourriture de prison, ce qui l'avait bien étonné. Il lui faudrait les perdre en une semaine. Le désert était bon pour ça. Comme la plupart des hommes nés sous de plus hautes latitudes, Miller avait du mal à supporter ce genre de climat. Son activité physique lui donnait soif mais il n'avait pas faim quand il faisait si chaud. Alors il buvait de l'eau et laissait son corps se nourrir sur lui-même. Il perdrait du poids et s'endurcirait plus vite là que partout ailleurs. Mais cela ne lui faisait pas apprécier le pays.

Quatre autres de leurs hommes étaient restés avec lui mais le reste du commando de sauvetage était immédiatement reparti, via Rome et Bruxelles, une nouvelle série de tampons ajoutée sur leurs passeports de « touristes ».

— Ce n'est pas l'Irlande, reconnut O'Donnell.

Son nez se fronçait à l'odeur de la poussière et de sa propre sueur.

196

Pas la même que chez lui. Aucune senteur de brume et de tourbe, de feu de coke dans un âtre, rien de l'ambiance alcoolisée du pub local.

C'était encore un autre inconvénient irritant : pas d'alcool. Les gens du cru avaient piqué une nouvelle crise d'Allah et décidé que même leurs camarades de la communauté terroriste internationale s'abstiendraient de transgresser la loi du Coran. Exaspérant.

Le camp était rudimentaire. Six baraquements dont un garage. Une base d'hélicoptère inutilisée, une route à demi recouverte de sable par la dernière tempête. Un puits profond pour l'eau. Un polygone de tir. Rien d'autre. Par le passé, jusqu'à cinquante personnes s'y étaient relayées. Plus maintenant. C'était le propre camp de l'ULA, bien séparé de ceux qu'utilisaient d'autres groupes. Sur un tableau noir, dans le baraquement numéro un, il y avait un horaire donnant les heures de passage des satellites de reconnaissance américains ; tout le monde savait quand il fallait se cacher et tous les véhicules du camp étaient à l'abri.

Deux phares apparurent à l'horizon, au sud, roulant vers le camp. O'Donnell nota leur arrivée mais n'en dit rien. L'horizon était loin. Il enfila son blouson pour se protéger du froid qui tombait, en regardant les lumières glisser de gauche à droite, leurs faisceaux coniques suivant le contour des dunes. Il constata que le conducteur prenait son temps. Dans ce climat, c'était difficile de se donner du mal. Les choses se feraient demain, si Dieu le voulait.

Le véhicule était une Land Cruiser Toyota, la voiture à quatre roues motrices qui avait remplacé presque partout la Land Rover. Le conducteur la mena tout droit dans le garage avant d'en descendre. O'Donnell regarda l'heure. Le prochain passage de satellite était dans trente minutes. Plutôt juste. Il se leva et entra dans le baraquement n° 3. Miller le suivit, en saluant de la main l'homme qui venait d'arriver. Un soldat en uniforme, du personnel permanent du camp, ferma la porte du garage.

— Heureux de te voir sorti, Sean, dit le visiteur qui portait une petite sacoche.

— Merci, Shamus.

O'Donnell leur ouvrit, sans façons.

— Merci, Kevin.

— Tu arrives juste à temps pour dîner.

— Ma foi, on ne peut pas avoir de la chance à tous les coups, répliqua Shamus Padraig Connolly, en regardant autour de lui. Pas de biques dans le coin ?

— Pas ici, assura O'Donnell.

— Tant mieux.

Connolly ouvrit sa sacoche et en retira deux bouteilles.

— J'ai pensé qu'une petite goutte de pur ne vous déplairait pas.

— Comment est-ce que tu as passé ça sous le nez des salopards ? demanda Miller.

— Je leur ai dit que j'apportais un pistolet, naturellement.

Tout le monde rit pendant que Miller allait chercher des verres et de la glace. Dans ce pays, on se servait toujours de glace.

— Quand es-tu censé arriver au camp ? demanda O'Donnell, faisant allusion à celui de la PIRA, à quatre-vingts kilomètres.

— J'ai des ennuis de voiture, je passe la nuit avec nos amis en uniforme. L'ennui, c'est qu'ils ont confisqué mon whisky.

— Foutus païens ! s'exclama Miller en riant.

Les trois hommes trinquèrent.

— Comment c'était, dans le trou, Sean ? demanda Connolly une fois la première tournée avalée.

— Ç'aurait pu être pire. Une semaine avant que Kevin vienne me chercher, j'ai passé un sale moment avec des truands, les flics les avaient incités bien sûr, et ils s'en sont payés. Foutus pédés ! A part ça, bof, c'est très amusant de rester assis là et de les regarder parler et parler et parler comme une bande de vieilles peaux.

— Tu ne pensais tout de même pas que Sean parlerait, dis ? demanda O'Donnell.

Son sourire déguisa ses sentiments ; bien sûr qu'ils s'en étaient tous inquiétés ; ils s'étaient surtout inquiétés de ce qui arriverait quand les gars de la PIRA et de l'INLA, à la prison de Parkhurst, lui mettraient la main dessus.

— Alors, quelles nouvelles de Belfast ? demanda le chef de l'ULA.

— Johnny Doyle n'est pas très content d'avoir perdu Maureen. Les hommes s'agitent, pas trop, note bien, mais ça cause. Ton opération de Londres, Sean, au cas où on ne te l'aurait pas dit, a fait lever les verres dans les Six Comtés.

Peu importait à Connolly que la majorité des habitants d'Irlande du Nord, protestants et catholiques, aient été dégoûtés par l'attentat. Sa petite communauté de révolutionnaires représentait pour lui le monde entier.

— On ne se soûle pas pour un échec, dit aigrement Miller en pensant : « Ce salaud de Ryan ! »

— Mais c'était une tentative superbe. Il est évident que vous avez joué de malchance, mais c'est tout, et nous sommes tous esclaves de la fortune.

O'Donnell fronça les sourcils. Son visiteur était trop poétique à

198

son goût bien que, comme se plaisait à le faire observer Connolly, Mao lui-même ait écrit des poèmes.

— Est-ce qu'ils vont essayer de faire évader Maureen ?

Cela fit rire Connolly.

— Après ce que tu as fait avec Sean ? Risque pas ! Comment diable est-ce que tu as réussi ce coup-là, Kevin ?

— Il y a des moyens.

O'Donnell n'en dit pas plus. Sa source de renseignements avait l'ordre formel de ne rien faire du tout pendant deux mois. La librairie de Dennis était fermée, en ce qui le concernait. La décision de se servir de lui pour obtenir des renseignements en vue de l'opération de sauvetage n'avait pas été facile à prendre. C'était le problème, ses professeurs le lui avaient bien enfoncé dans la tête, il y avait des années. Paradoxalement, le renseignement le plus utile est souvent trop dangereux pour la source pour qu'on s'en serve.

— Enfin, vous avez attiré l'attention de tout le monde. Si je suis ici, c'est pour mettre nos gars au courant de votre opération.

Kevin s'esclaffa.

— Sans blague ! Et qu'est-ce que M. Doyle pense de nous ?

Connolly pointa sur lui un doigt comiquement accusateur.

— Vous avez une influence contre-révolutionnaire dont l'objectif est de briser le mouvement. L'opération du Mall a eu de graves répercussions de l'autre côté de l'Atlantique. Nous allons... pardon, ils vont envoyer quelques-uns des leurs à Boston, dans un mois, pour remettre les pendules à l'heure, pour dire aux Yanks qu'ils n'ont rien à voir avec ça.

— L'argent, nous n'avons pas besoin de leur sale argent ! s'écria Miller. Et ils peuvent se mettre leur foutu soutien moral au...

— Faut pas offenser les Américains, dit sentencieusement Connolly.

O'Donnell leva son verre pour un toast.

— Au diable les putains d'Américains !

Alors qu'il vidait son deuxième verre de whisky, les yeux de Miller s'ouvrirent tout à coup en grand.

— Kevin, nous n'allons pas faire grand-chose dans le Royaume-Uni avant un moment...

— Ni dans les Six Comtés, dit O'Donnell. C'est le moment de nous terrer, je pense. Nous allons nous concentrer sur l'entraînement, et attendre notre prochaine occasion.

— Dis-moi, Shamus, quelle est l'efficacité des types de Doyle, à Boston ?

Connolly haussa les épaules.

— Colle-leur assez d'alcool dans le ventre et ils croiront tout ce qu'on leur dira, et ils jetteront leurs dollars dans le chapeau, comme toujours.

Miller sourit, pendant quelques secondes. Il remplit lui-même son verre, cette fois, tandis que les autres continuaient de causer. Il commença à élaborer un plan dans sa tête.

Murray avait effectué diverses missions pour le Bureau, au cours de ses nombreuses années de service, de la chasse aux voleurs de banques, à ses débuts, à la fonction de professeur de procédures d'enquête à l'Académie du FBI à Quantico, en Virginie. Une des choses qu'il répétait toujours à ses jeunes élèves, c'était l'importance de l'intuition. La police était un art autant qu'une science. Le Bureau avait d'immenses ressources scientifiques pour traiter et évaluer les pièces à conviction, mais tout bien considéré rien ne remplaçait le cerveau d'un agent expérimenté. L'expérience, c'était ce qui comptait, Murray le savait, la façon de rassembler et de raccorder les indices, de pénétrer dans l'esprit de son objectif pour tenter de prévoir sa prochaine manœuvre. Mais plus encore que l'expérience, il y avait l'intuition. Ces deux qualités devaient se compléter. C'était le plus dur, pensait Murray en rentrant en voiture de l'ambassade jusque chez lui. Parce que l'intuition risquait de trop vagabonder s'il n'y avait pas assez de faits concrets à quoi se cramponner.

— Vous apprendrez à vous fier à votre instinct, dit Murray en s'adressant à la circulation et en citant ses propres notes de cours. L'instinct ne remplace jamais les indices et la procédure mais il peut être un instrument très utile pour adapter les uns à l'autre... Ah, Dan, tu aurais fait un sacré jésuite !

Il rit tout seul, sans remarquer le regard surpris venant de la voiture à sa droite.

Si c'est tellement comique, pourquoi est-ce que ça t'inquiète ?

L'instinct de Murray tirait avec insistance une petite sonnette d'alarme. Pourquoi Jimmy avait-il dit ça ? Manifestement, cela l'inquiétait aussi mais.. quoi ? De quoi s'agissait-il ?

Merde !

Ses mains se crispèrent sur le volant et sa bonne humeur fit place à un renouveau de frustration. Il pourrait en parler à Owens le lendemain ou le surlendemain, mais la petite sonnerie lui disait que c'était plus urgent que cela.

Pourquoi était-ce tellement urgent ? Il n'y avait rien, aucune raison précise de s'énerver à ce point.

200

Murray se rappela la première affaire qu'il avait résolue, plus ou moins seul, dix mois après avoir été lâché sur le terrain comme agent spécial. Tout avait commencé par un sentiment comme celui qu'il éprouvait maintenant. Une espèce de migraine intellectuelle, rien de plus. Et puis, il avait trouvé le bon angle de vision, celui auquel personne d'autre n'avait pensé.

Fait avéré numéro un : l'ULA transgressait toutes les règles. Fait avéré numéro deux : aucune organisation terroriste irlandaise n'avait jamais effectué une opération aux Etats-Unis. Point final. S'ils organisaient une op en Amérique... eh bien, ils étaient indiscutablement furieux contre Ryan mais ils n'avaient rien tenté contre lui en Angleterre, pas davantage aux USA. Et si Miller était en réalité leur chef des opérations... *Non*, se dit Murray, *les terroristes ne prennent pas les choses à cœur, personnellement. Ces salauds-là sont de vrais professionnels.* Ils devraient donc avoir une meilleure raison que la vengeance.

Ce n'est pas parce que nous ne connaissons pas leurs raisons qu'ils n'en ont pas, Danny. Murray se demanda tout à coup si son intuition ne se transformait pas en paranoïa, en vieillissant. Il eut l'impression qu'il allait devenir fou, à raisonner de la sorte.

Il tourna à gauche dans Kensington Road, le quartier élégant où se trouvait son domicile officiel. Le problème, comme toujours, était de se garer. Même quand il avait été affecté à la section du contre-espionnage du bureau de New York, il n'avait pas eu autant de difficultés. Il trouva un créneau d'à peine cinquante centimètres plus long que sa voiture et passa cinq minutes à manœuvrer pour l'y glisser.

Une fois chez lui, Murray accrocha son manteau à la patère près de la porte et se rendit directement dans le living-room. Sa femme le trouva au téléphone, avec une expression féroce. Elle se demanda ce qui lui arrivait.

Il fallut quelques secondes à la communication transatlantique pour aboutir dans le bureau voulu.

— Bill, ici Dan Murray... Oui, oui, nous allons bien. Je voudrais que vous fassiez quelque chose. Ce type, Jack Ryan, vous savez ?... Oui. Dites-lui... Ah, zut, comment est-ce que je vais dire ça ? Dites-lui qu'il devrait peut-être surveiller ses arrières... Je le sais bien, Bill... Je ne peux pas vous dire, quelque chose me tracasse mais je ne peux pas... Quelque chose comme ça, oui... Je sais qu'ils n'ont encore jamais fait ça, Bill, mais ça me tracasse quand même... Non, rien de particulier, je suis incapable de mettre le doigt dessus, mais Jimmy Owens a évoqué cette possibilité et maintenant ça me turlupine... Ah, vous avez déjà le rapport ? Bon, alors vous voyez ce que je veux dire.

Murray renversa la tête en arrière et considéra un instant le plafond.

— Appelez ça une intuition, un instinct, ce que vous voudrez mais ça m'inquiète. Je veux qu'on agisse en ce sens... Comment va la famille ?... Ah oui ? Formidable ! Eh bien, ce sera une heureuse année pour vous. O.K., salut et merci, dit-il, et il raccrocha. Eh bien, je me sens un peu mieux.

— La soirée est à 21 heures, lui dit sa femme.

Elle avait l'habitude de le voir rapporter du travail à la maison et se chargeait de lui rappeler ses obligations mondaines.

— Je ferais bien d'aller me changer, alors.

Il se leva et alla embrasser sa femme. Il se sentait réellement mieux. Il avait au moins fait quelque chose, probablement rien d'utile, sinon que le Bureau allait penser qu'il perdait un peu son sang-froid, mais cela lui était égal.

— L'aînée de Bill est fiancée. Elle va épouser un jeune agent du bureau de D.C.

— Quelqu'un qu'on connaît ?

— Un petit nouveau.

— Nous devons bientôt partir.

— D'accord, d'accord.

Il passa dans la chambre et se dépêcha de se changer pour la grande réception de l'ambassade.

11

Avertissements

— Comme vous le voyez, la décision qu'a prise alors Nelson a eu à long terme pour effet l'abandon des tactiques officielles paralysantes de la Royal Navy, dit Ryan en refermant son dossier. Rien ne vaut une victoire décisive pour donner une leçon aux gens. Il y a des questions ?

Jack venait de reprendre ses cours. Il y avait quarante élèves dans la salle, tous de troisième année, qui suivaient son cours d'introduction à l'histoire navale. Personne n'avait de question à poser et il en fut surpris : il ne se savait pas si bon professeur. Au bout d'un moment, un des étudiants se leva. C'était George Winton, un joueur de football de Pittsburgh.

— Professeur Ryan, dit-il gravement, j'ai été prié de vous présenter ceci, au nom de la classe.

Winton s'avança et lui offrit une petite boîte qu'il tenait derrière son dos. Il y avait un feuillet dactylographié, dessus. Le jeune homme se mit au garde-à-vous.

— Citation à l'ordre de la nation : Pour services rendus dépassant l'exercice du devoir d'un touriste — même d'un marine sans cervelle — la classe confère au professeur John Ryan le ruban de l'ordre de la Cible violette, dans l'espoir que la prochaine fois il restera à couvert, de peur d'entrer dans l'histoire au lieu de l'enseigner.

Winton ouvrit la boîte et en souleva un large ruban violet portant en lettres d'or le mot FEU ! Au ruban était suspendue une cible en cuivre de même largeur. Le midship l'épingla à l'épaule de Ryan de telle façon que la cible recouvrait presque l'endroit où il avait reçu la balle. La classe se leva et applaudit tandis que Ryan serrait la main du porte-parole.

Il toucha sa « décoration », la regarda et leva les yeux vers ses élèves. Ils convergèrent sur lui pour le féliciter.

— En avant toute ! cria un aspirant sous-marinier.

— *Semper fi !* s'exclama un futur marine.

Ryan leva les mains. Il avait encore à s'habituer à l'usage de son bras gauche. Maintenant qu'il pouvait s'en servir, son épaule redevenait douloureuse mais le médecin de Hopkins lui avait assuré que la raideur s'atténuerait progressivement et qu'il ne conserverait qu'un très léger handicap.

— Merci, mes amis, merci, mais vous aurez quand même à passer l'examen la semaine prochaine !

Tout le monde rit et les garçons et filles sortirent de la salle pour se rendre à leur cours suivant. Pour Ryan, c'était le dernier de la journée. Il rassembla ses livres et ses notes et remonta à son bureau de Leahy Hall.

Le sol était couvert de neige en cette froide journée de janvier. Jack dut faire attention aux plaques de verglas sur l'allée de briques. Le campus de l'Académie navale était magnifique. L'immense quadrilatère bordé par la chapelle, au sud, Bancroft Hall à l'est et les bâtiments des classes sur les autres côtés, étincelait comme un tapis blanc quadrillé par les allées dégagées allant d'un endroit à un autre. Les étudiants — les gosses comme les appelait Ryan à part lui — allaient et venaient comme toujours, un peu trop sérieux à son goût. Ils avaient tous les souliers parfaitement cirés, marchaient le dos bien droit et portaient leurs livres sous le bras gauche, la main droite restant libre pour saluer. Car on saluait beaucoup. Au sommet de la colline, à la porte numéro 3, un marine de première classe montait la garde avec le « Jimmy legs » civil. Une journée normale au bureau, se dit Ryan. C'était agréable de travailler là. Les midships étaient égaux aux étudiants des plus grandes universités, toujours empressés à poser des questions et, une fois qu'on avait gagné leur confiance, capables des blagues et des canulars les plus ahurissants. C'était une chose qu'un visiteur à l'Académie ne soupçonnerait jamais, tant était grave leur maintien.

Jack entra dans la chaleur de Leahy Hall et monta rapidement à son bureau, en riant de la décoration absurde sautillant sur son épaule. Il trouva Robby assis dans le fauteuil.

— Qu'est-ce que c'est que ça ? demanda le pilote.

Tout en posant ses livres, Jack le lui expliqua et Robby se mit à rire.

— Ça fait plaisir de voir que les gosses savent se détendre un peu, même en période d'examens. Et toi, quoi de neuf ? demanda-t-il ensuite.

— Ça va très bien, je pilote de nouveau un Tomcat. Quatre heures pendant le week-end. Ah, mon vieux ! Je te jure, Jack, ce bébé me parlait. Je l'ai emmené au large, je l'ai fait monter à mach — 1,4, j'ai fait un ravitaillement en vol et je suis revenu pour des atterrissages simulés sur porte-avions et... Ah, c'était bon, Jack ! Plus que deux mois et j'aurai repris ma vraie place !

— Si longtemps, Rob ?

— Piloter cet avion, c'est censé ne pas être si facile que ça, sans quoi ils n'auraient pas besoin d'un type de ma classe pour le faire, dit gravement Robby.

— Ce doit être dur d'être aussi humble.

Avant que Robby trouve une riposte on frappa à la porte ouverte et un homme passa sa tête à l'intérieur.

— Professeur Ryan ?

— Oui. Entrez donc.

— Je suis Bill Shaw, du FBI.

Le visiteur entra et présenta sa carte d'identité. A peu près de la même taille que Robby, il était mince et devait avoir dans les quarante-cinq ans. Ses yeux étaient si enfoncés qu'ils lui donnaient presque l'air d'un raton laveur, le genre d'yeux qu'on a après des journées de travail de seize heures. Elégant, il donnait une impression de grand sérieux.

— Dan Murray m'a demandé de passer vous voir.

Ryan se leva pour serrer la main tendue.

— Voici le capitaine de corvette Jackson.

— Enchanté, dit Robby.

— J'espère que je n'interromps rien ?

— Pas du tout. Nous avons tous deux fini d'enseigner pour la journée. Asseyez-vous donc. Que puis-je pour vous ?

Shaw regarda Jackson mais ne dit rien.

— Bon, eh bien, si vous avez à causer tous les deux, je peux aller faire un tour...

— Ça va, Rob. Nous sommes entre amis, monsieur Shaw. Puis-je vous offrir quelque chose ?

— Non, merci.

L'homme du FBI tira une chaise de la porte vers le bureau.

— Je travaille dans l'unité du contre-terrorisme au siège du FBI. Dan m'a demandé de... eh bien, vous savez que l'ULA a fait évader son gars, Miller...

— Oui, j'ai vu ça à la télé. Est-ce qu'on sait où ils l'ont emmené ? demanda Jack qui avait repris tout son sérieux.

Shaw secoua la tête.

— Ils ont complètement disparu.

— Une sacrée opération, remarqua Robby. Ils ont fui vers le large, hein ? Un bateau les a repêchés, peut-être ? hasarda-t-il, et cela lui valut un regard aigu. Vous avez vu mon uniforme, monsieur Shaw ? Je gagne ma vie là-bas au-dessus de l'eau.

— Nous n'en sommes pas sûrs, mais c'est une possibilité.

— Quels bateaux y avait-il dans les parages ? insista Jackson.

Pour lui, ce n'était pas un problème de police. C'était une affaire navale.

— On se renseigne.

Jackson et Ryan échangèrent un coup d'œil. Robby prit un de ses cigares et l'alluma.

— J'ai reçu un coup de fil de Dan, la semaine dernière, reprit Shaw. Il est un peu, et je tiens à bien souligner un peu, un peu inquiet à la pensée que l'ULA pourrait... eh bien, ces gens-là n'ont guère de raisons de vous aimer, professeur Ryan.

— Dan affirme qu'aucun de ces groupes n'a jamais opéré par ici.

— C'est parfaitement exact. Ce n'est jamais arrivé. Je suppose que Dan vous a expliqué pourquoi. L'IRA provisoire continue de recevoir de l'argent d'ici, malheureusement. Pas beaucoup mais tout de même un peu. Et des armes. Il y a même des raisons de croire qu'ils ont des missiles sol-air...

— Quoi ! s'exclama Jackson.

— Il y a eu plusieurs vols de missiles Redeye, le portatif que l'armée déploie en ce moment. Ils ont été volés dans deux arsenaux de la Garde nationale. Ce n'est pas nouveau. Le RUC a capturé des mitrailleuses M-60 qui sont arrivées en Ulster par la même voie. Ces armes ont été volées ou achetées à des sergents-fourriers qui oubliaient pour qui ils travaillaient. Nous en avons condamné plusieurs, l'année dernière, et l'armée est en train d'instaurer un nouveau système de contrôle. Un seul missile a refait surface. Il y a quelques mois, ils — la PIRA — ont essayé d'abattre un hélicoptère de l'armée britannique. Rien n'a été publié dans la presse d'ici, surtout parce qu'ils ont raté leur coup et aussi parce que les Brits ont pu étouffer l'affaire. Enfin bref, s'ils se mettaient à effectuer des opérations de terrorisme par ici, il est probable que la source d'argent et d'armes serait vite tarie. La PIRA le sait et il est logique que l'ULA le sache aussi.

— D'accord, dit Jack. Ils n'ont jamais opéré ici. Mais Murray vous a demandé de venir ici pour m'avertir. Pourquoi ?

— Il n'y a aucune raison particulière. Si c'était venu d'un autre que Dan, je ne me serais pas dérangé, mais Dan est un agent très expérimenté et il se faisait un peu de souci en pensant que vous devriez être mis au courant de ce... ce n'est même pas un soupçon. Appelez ça une précaution, comme on vérifie l'état des pneus avant de prendre la route.

— Alors, qu'est-ce que vous me voulez, au juste ? demanda Jack avec une légère irritation.

— L'ULA s'est évaporée. Cela ne veut pas dire grand-chose, bien sûr. C'est surtout sa façon de disparaître. Ils ont réussi une opération assez audacieuse et ils ont disparu comme ça, dit Shaw en claquant des doigts.

— Info, murmura Jack.

— Pardon ?

— Ça a recommencé. L'affaire de Londres, que j'ai interrompue, résultait d'une excellente information. Cette opération-là aussi, n'est-ce pas ? On transférait Miller secrètement. Mais ils ont pénétré la sécurité brit, on dirait.

— Je ne connais pas les détails mais vous avez fort probablement raison, reconnut Shaw.

Jack prit un crayon de la main gauche et le roula entre ses doigts.

— Est-ce que nous avons une idée de ce que nous aurions à affronter ici ?

— Ces hommes sont des professionnels. C'est mauvais pour les Brits et la RUC mais bon pour vous.

— Comment ça ? demanda Robby.

— Leur ressentiment contre le professeur Ryan est plus ou moins une affaire personnelle. Agir contre lui n'aurait rien de professionnel.

— Autrement dit, quand vous racontez à Jack qu'il n'a pas trop à s'en faire, vous misez sur le comportement professionnel des terroristes.

— Dans un sens, oui, commandant. On peut dire aussi que nous avons une longue expérience de ce genre d'individus.

— Mmm, ouais. En mathématique, on appelle ça un raisonnement inducteur : c'est une conclusion induite, plus que déduite d'un indice particulier. Comme pour la plupart des rapports opérationnels de renseignement, dit Jackson en regardant l'homme du FBI dans les yeux, on ne peut pas distinguer les bons des mauvais avant qu'il soit trop tard. Excusez-moi, monsieur Shaw, mais je dois vous avouer que nous, sur le terrain, ne sommes pas toujours impressionnés par ce que nous recevons des services de renseignement.

— Je savais que c'était une erreur de venir ici, dit Shaw. Ecoutez, Dan m'a dit au téléphone qu'il n'avait pas le moindre commencement de preuve qu'il risque d'arriver quelque chose d'inhabituel. Je viens de passer deux jours à repasser tout ce que nous savons de ce groupe et il n'y a vraiment aucun indice. Il réagit à son instinct.

Robby approuva de la tête, cette fois. Les pilotes aussi se fient à leur instinct. Et le sien lui disait en ce moment quelque chose.

— Alors, demanda calmement Jack, qu'est-ce que je dois faire ?

— La meilleure défense contre les terroristes, c'est d'éviter la régularité. Passez tous les jours par un chemin un peu différent, pour venir à votre travail. Changez un peu vos heures de départ. Quand vous roulez, gardez un œil sur le rétroviseur. Si vous voyez le même véhicule, trois ou quatre jours de suite, relevez le numéro et téléphonez-moi. Je me ferai un plaisir de le faire passer par l'ordinateur, ce n'est pas compliqué. Il n'y a probablement aucune raison de s'inquiéter mais soyez simplement un peu plus vigilant. La chance aidant, dans quelques jours ou quelques semaines nous serons à même de vous appeler et de vous dire d'oublier tout ça. Je suis presque certain de vous alarmer inutilement, mais vous savez ce qu'on dit : Prudence est mère de sûreté, n'est-ce pas ?

— Et si vous obtenez des renseignements ?

— Je vous téléphonerai cinq minutes plus tard. Le Bureau n'aime pas envisager que des terroristes puissent opérer chez nous. Nous nous donnons beaucoup de mal pour l'éviter et, jusqu'à présent, nous y avons bien réussi.

— Quel est le pourcentage de chance, là-dedans ? demanda Robby.

— Moins que vous ne le pensez. Eh bien voilà, professeur Ryan. Je suis vraiment navré de vous avoir inquiété, sûrement pour rien. Voici ma carte. Si jamais je peux faire quelque chose pour vous, n'hésitez pas à m'appeler.

— Merci, monsieur Shaw.

Jack prit la carte et regarda partir son visiteur. Il garda le silence pendant quelques secondes. Puis il feuilleta son carnet d'adresses et forma un numéro, 011-44-1-499-9000. Il dut attendre quelques instants avant la première sonnerie.

— Ambassade américaine, répondit la standardiste.

— L'attaché juridique, s'il vous plaît.

— Ne quittez pas.

Jack attendit. Quinze secondes plus tard, la standardiste revint au bout du fil.

— Le bureau ne répond pas. M. Murray est rentré chez lui pour… Non, excusez-moi. Il est en voyage et sera absent pour le reste de la semaine. Y a-t-il un message ?

Jack réfléchit un instant.

Non, merci. Je rappellerai la semaine prochaine.

Robby regarda son ami raccrocher. Jack pianota du bout des doigts sur l'appareil en se rappelant l'expression de Sean Miller. *Il est à cinq mille kilomètres d'ici, Jack,* se rappela-t-il.

— Peut-être, souffla-t-il.

— Hein ?

— Je ne t'ai jamais parlé de celui que j'ai… capturé, je crois.

— Celui qu'ils ont fait évader ? Celui que nous avons vu à la télévision ?

— Rob, est-ce que tu as jamais vu… comment dire ? Est-ce que tu as jamais vu quelqu'un qui t'a fait automatiquement peur ?

— Je crois savoir ce que tu veux dire, dit Robby en éludant la question.

Il ne savait trop comment répondre. Comme pilote, il avait assez souvent connu la peur mais il y avait toujours eu l'entraînement et l'expérience pour la vaincre. Jamais il n'avait eu peur d'un homme.

— Au procès, je l'ai regardé et j'ai compris que…

— C'est un terroriste, il tue des gens. Moi aussi, ça m'inquiéterait, dit Jackson, et il se leva pour aller regarder par la fenêtre. Bon dieu ! Et ils les appellent des professionnels ! Moi, je suis un professionnel. J'ai un code de conduite, je m'entraîne, je m'exerce, j'obéis à des normes et à des règlements.

— Ils sont vraiment forts, dit Jack. C'est ce qui les rend dangereux. Et cette ULA est imprévisible. C'est ce que Dan Murray m'a dit.

Jackson revint vers Ryan.

— Nous allons voir quelqu'un.

— Qui ?

— Ne demande rien et viens.

Jackson avait la voix autoritaire, quand il le voulait. Il se coiffa de sa casquette blanche d'officier.

Tous deux descendirent et sortirent, en passant devant la chapelle et la masse impressionnante de Bancroft Hall. Ryan aimait le campus de l'Académie, à l'exception de ce bâtiment. Il reconnaissait qu'il était nécessaire que les midships aient un avant-goût de la vie militaire mais il n'aurait pas aimé, étudiant, vivre de cette façon. Les quelques midships qu'ils croisèrent saluèrent Robby, qui leur répondit avec panache alors qu'ils marchaient dans un silence total. Ryan croyait presque entendre les pensées qui se bousculaient dans la tête de l'aviateur. Il leur fallut cinq minutes pour arriver à la nouvelle annexe Lejeune, en face de la caserne Halsey.

Le grand édifice de marbre et de verre contrastait avec la pierre grise de Bancroft. L'Académie navale des Etats-Unis était un complexe gouvernemental et, par conséquent, exempté des canons du bon goût architectural. Les deux hommes passèrent au rez-de-chaussée devant un groupe de midships en survêtement de sport et Robby précéda son ami dans l'escalier du sous-sol. Jack n'y était encore jamais venu. Ils suivirent un couloir mal éclairé se terminant en cul-de-sac. Ryan crut entendre claquer des coups de pistolet de petit calibre. Effectivement, Jackson ouvrit une lourde porte d'acier et pénétra dans la nouvelle salle de tir de l'Académie. Ils aperçurent une silhouette solitaire debout dans l'allée centrale, le bras droit tendu armé d'un automatique 22.

Le sergent-major Noah Breckenridge était le prototype du sous-officier des marines. Un mètre quatre-vingt-sept, quatre-vingt-dix kilos et pas d'autre graisse que celle des hot-dogs de son déjeuner. Il portait une chemise kaki à manches courtes. Ryan l'avait aperçu mais ne lui avait jamais parlé, bien que la réputation de Breckenridge fût bien connue. Depuis vingt-huit ans dans les marines, il était allé partout où peut aller un marine, il avait fait tout ce que peut faire un marine et ses décorations s'alignaient sur cinq rangs, parmi lesquelles la Navy Cross qu'il avait gagnée comme tireur d'élite au Viêt-nam, dans la première Force de reconnaissance. Il était renommé pour sa maîtrise des armes. Tous les ans, il participait aux championnats nationaux à Camp Perry, dans l'Ohio, et les cinq dernières années il avait remporté la coupe du président pour son tir au Colt 45 automatique. Ses souliers étaient si brillants qu'on avait du mal à déterminer si le cuir était noir. Ses boutons de cuivre étincelaient et ses cheveux étaient coupés si courts que s'il y avait du gris, on ne le voyait pas. Il avait débuté dans la carrière comme simple fusilier, il avait été un marine d'ambassade et un marine en mer. Il avait enseigné à l'école des tireurs d'élite, il avait été moniteur à Parris Island et instructeur d'officiers à Quantico.

Ryan et Jackson le regardèrent prendre un nouveau pistolet dans un carton et y introduire un chargeur. Il tira deux balles, puis il examina la cible au moyen d'une petite longue-vue. Les sourcils froncés, il tira de la poche de sa chemise un minuscule tournevis et modifia la mire. Deux nouvelles balles, vérification, nouveau réglage. Encore deux coups. Le pistolet était maintenant parfaitement réglé et retourna dans la boîte du fabricant.

210

— Comment ça va, Gunny ? demanda Robby.

— Bonjour, commandant, dit aimablement Breckenridge avec son accent traînant du Mississippi. Et comment ça va pour vous aujourd'hui ?

— Je n'ai pas à me plaindre. J'ai là quelqu'un que je veux vous faire connaître. Jack Ryan.

Ils se serrèrent la main. Contrairement à Skip Tyler, Breckenridge connaissait sa force et la disciplinait.

— Salut. C'est vous le gars qui était dans les journaux.

— En effet.

— Enchanté de vous connaître, monsieur. Je connais le type qui vous a instruit à Quantico.

Cela fit rire Jack.

— Comment va ce vieux Fils de Kong ?

— Willie a pris sa retraite, maintenant. Il a un magasin d'articles de sports à Roanoke. Il se souvient de vous. Paraît que vous étiez un rapide et j'imagine que vous n'avez rien oublié de ce qu'il vous a appris.

Breckenridge toisa Jack avec une sorte de satisfaction bienveillante, comme si l'action de Ryan à Londres était une nouvelle preuve que tout ce que faisait ou disait le corps des marines, tout ce à quoi il avait consacré sa vie, avait vraiment une signification. Il n'aurait d'ailleurs jamais cru le contraire mais des incidents comme celui-là renforçaient sa foi dans l'image du corps.

— Si les journaux n'ont pas menti, vous avez drôlement bien travaillé, lieutenant.

— Pas si bien que ça, sergent-major.

— Gunny. Tout le monde m'appelle Gunny.

— Quand tout a été fini, avoua Ryan, j'étais plutôt secoué.

Cela amusa Breckenridge.

— Pensez donc, ça nous arrive à tous, allez. Ce qui compte, c'est de faire le boulot. Ce qui vient après, on s'en fout. Alors, qu'est-ce que je peux faire pour vous, messieurs ? Vous voulez vous entraîner un peu aux petits calibres ?

Jackson lui expliqua ce qu'avait dit l'agent du FBI. La figure du sergent-major s'assombrit et il serra les dents. Au bout d'un moment, il secoua la tête.

— Ça vous flanque un peu la trouille, hein ? Je ne peux pas trop vous le reprocher, lieutenant. Les terroristes, bah ! Un terroriste n'est jamais qu'un voyou avec un fusil-mitrailleur. C'est tout, un voyou bien armé. Pas besoin d'en avoir beaucoup dans le ventre pour tirer dans le dos de quelqu'un ou arroser la salle d'embarquement d'un aéroport.

Bon. Alors, comme ça, vous allez penser à trimbaler de quoi vous protéger, hein ? A la maison aussi ?

— Je ne sais pas… mais je suppose que vous êtes l'homme à voir.

Ryan n'y avait pas encore réfléchi mais il était évident que Robby l'avait fait pour lui.

— Comment vous étiez, à Quantico ?

— Je me suis qualifié au 45 automatique et au M-16. Rien de spectaculaire, mais je me suis qualifié.

— Est-ce que vous faites encore du tir ? demanda Breckenridge.

Etre simplement qualifié, ce n'était pas très prometteur, pour un tireur d'élite.

— Je ne chasse pas trop mal le canard et l'oie sauvage. Mais j'ai manqué cette saison. Je n'ai eu que deux bons après-midi à la palombe, en septembre. Je ne suis pas mauvais tireur pour la plume, Gunny. Je me sers d'un Remington 1100 automatique, calibre 12.

Breckenridge approuva.

— Bon pour un début. Voilà votre arme pour la maison. Rien ne vaut un fusil de chasse à courte portée, à part un lance-flammes. Vous avez un canon à gros plomb ? Non ? Faut en faire monter un. A part ça, la plupart des gens vous conseilleront d'utiliser de la chevrotine double-zéro mais j'aime mieux le numéro quatre. Plus de plombs et vous ne cédez pas de portée. Vous pouvez quand même frapper à quatre-vingt-dix mètres et c'est tout ce qu'il vous faut. L'important, c'est que tout ce que vous touchez avec de la chevrotine s'écroule, un point c'est tout… Tenez, je pourrais même vous procurer des balles fléchettes.

— Qu'est-ce que c'est que ça ?

— C'est un truc expérimental qu'ils essaient à Quantico pour l'usage militaire, et peut-être dans les ambassades. Au lieu des plombs, vous tirez une soixantaine de fléchettes, d'un diamètre de calibre trois environ, et faut voir ce que font ces petites garces pour le croire. Vilain, vilain. Bon, alors voilà pour la maison. Mais il vous faut une arme de poing sur vous, pas vrai ?

Ryan réfléchit. Il lui faudrait demander un permis. Il pensa qu'il pourrait en demander un à la police de l'Etat… ou peut-être à un certain bureau fédéral. Cette question-là tournait déjà dans sa tête.

— Peut-être, dit-il enfin.

— Bon. Nous allons faire une petite expérience.

Breckenridge alla dans son bureau et revint avec une boîte en carton.

— Lieutenant, voici un pistolet d'entraînement High-Standard, un 22 monté sur une crosse de 45.

212

Ryan le prit, éjecta le chargeur et ramena la culasse pour s'assurer que le pistolet n'était pas chargé. Breckenridge le regarda faire et approuva de la tête. Le père de Jack lui avait appris la sécurité sur le stand de tir, il y avait plus de vingt ans. Il soupesa ensuite l'arme, la prit bien en main et visa pour se faire au poids. Chaque arme est un peu différente. Celle-ci était un pistolet de tire à la cible, avec un excellent équilibre et une bonne mire.

— Ça m'a l'air d'aller, dit-il. Un peu plus léger qu'un Colt, pourtant.

— Voilà qui va l'alourdir, dit Breckenridge en tendant un chargeur. Il y a cinq balles. Introduisez le chargeur mais ne mettez pas de balle dans le canon avant que je vous le dise, monsieur. Placez-vous à l'allée quatre. Détendez-vous. C'est une belle journée dans le parc, aujourd'hui, pas vrai ?

— Ouais, et c'est comme ça que tout ce bordel a commencé, grommela Ryan.

Gunny s'approcha d'un tableau électrique et éteignit presque toutes les lumières de la salle.

— C'est bon, lieutenant, nous allons garder l'arme braquée face à la cible et vers le sol, d'accord ? Faites passer votre première balle dans le canon et détendez-vous.

Jack ramena la culasse de la main gauche et la laissa claquer en avant. Il ne se retourna pas, se dit de se détendre et de jouer le jeu. Il entendit le déclic d'un briquet. Robby allumait sans doute un de ses cigares.

— J'ai vu une photo de votre petite fille dans les journaux, lieutenant. Une bien jolie petite personne.

— Merci, Gunny. J'ai vu une des vôtres sur le campus. Mignonne mais pas toute petite. Il paraît qu'elle est fiancée à un midship ?

— Oui, monsieur. C'est ma petite dernière, dit Breckenridge, la dernière de mes trois. Elle doit se marier...

Ryan faillit sauter au plafond quand tout un chapelet de pétards explosa à ses pieds. Il allait se retourner quand Breckenridge lui hurla :

— Là, là, là, c'est votre cible !

Une lumière s'alluma, éclairant une silhouette-objectif à quinze mètres. Une petite partie de l'esprit de Ryan savait que ce n'était qu'un exercice, mais le reste ne pensait même pas. Le 22 se redressa et parut se braquer de lui-même sur la cible de carton. Il tira les cinq balles en moins de trois secondes. Le bruit des détonations se répercutait encore quand il posa l'automatique sur la table d'une main tremblante.

— Dieu de Dieu, sergent !

La salle se ralluma. Elle sentait la poudre et le sol de ciment était jonché des débris de papier des pétards. Jack vit que Robby se tenait à l'abri, sur le seuil du bureau, et que Breckenridge était juste derrière lui, prêt à lui saisir la main droite s'il faisait un geste inconsidéré.

— Une des autres choses que je fais, en dehors de mon service, c'est instruire la police d'Annapolis. Vous savez, c'est vraiment la plaie d'essayer de trouver un bon moyen de simuler les conditions de combat. Ça, c'est ce que j'ai trouvé. Bon, allons jeter un coup d'œil à la cible.

Breckenridge appuya sur un bouton et un moteur électrique dissimulé actionna la poulie de l'allée quatre.

— Merde, gronda Ryan en examinant la cible.

— Pas si mauvais, jugea Breckenridge. Nous avons quatre balles dans le carton. Deux dans le blanc, deux dans le noir, toutes les deux dans la poitrine. Votre objectif est au sol, lieutenant, et il est plutôt salement blessé.

— Deux balles sur cinq... Ce doit être les deux dernières. Je me suis un peu ressaisi et j'ai mis plus de temps.

— J'ai remarqué, oui. Votre première balle s'est perdue en haut sur la gauche, en manquant le carton. Les deux suivantes ont frappé là, et là. Les deux dernières ont assez bien fait mouche. Ce n'est pas trop mal, lieutenant.

— J'ai fait bien mieux que ça à Londres.

Ryan n'était pas convaincu. Les deux trous à l'extérieur de la cible noire se moquaient de lui et une balle n'avait même pas trouvé l'objectif...

— A Londres, si la télé a bien dit comment ça s'est passé, vous avez eu une seconde ou deux pour réfléchir à ce que vous alliez faire.

— Oui, c'est à peu près ça, reconnut Ryan.

— Vous voyez, lieutenant, c'est ça le plus important. Cette seconde ou deux, c'est ce qui fait toute la différence, parce que vous avez un peu de temps pour réfléchir. Si tant de flics se font tuer, c'est qu'ils n'ont pas ce petit bout de temps de réflexion alors que les malfrats ont déjà tout réfléchi. Cette petite seconde vous permet de vous faire une idée de ce qui se passe, de choisir votre objectif et de décider de ce que vous allez faire. Là, tout de suite, je vous ai fait passer par les trois à la fois. Votre première balle s'est perdue. La deuxième et la troisième ont été meilleures et les deux dernières assez bonnes pour mettre l'adversaire à terre. Ce n'est pas mauvais du tout, jeune homme. C'est à peu près aussi bien que pour un flic entraîné... mais il vous faudra être meilleur que ça.

— Que voulez-vous dire ?

— La mission d'un flic est de maintenir l'ordre. La vôtre est de rester en vie. C'est un peu plus facile. Ça, c'est la bonne nouvelle. La mauvaise, c'est que ces salopards ne vont pas vous accorder deux secondes de réflexion à moins que vous les y forciez ou que vous ayez beaucoup de chance.

Breckenridge fit signe aux deux hommes de le suivre dans son bureau. Il se laissa lourdement tomber dans un vieux fauteuil à pivot. Comme Jackson, c'était un fumeur de cigare. Il en alluma un d'une qualité supérieure à ce que fumait Robby mais qui empestait quand même.

— Deux choses, que vous avez à faire. La première, je veux vous voir ici tous les jours pour un carton de 22 ; tous les jours pendant un mois, lieutenant. Vous devez apprendre à mieux tirer. Le tir, c'est comme le golf. Pour être bon, faut faire ça tous les jours. Faut y travailler, et vous avez besoin de quelqu'un pour vous apprendre ça comme il faut. Pas de problème, je suis là. Deuxièmement, vous devez vous arranger pour gagner un peu de temps pour vous, si les malfrats viennent vous chercher.

— Le FBI lui a conseillé de conduire comme le font les types des ambassades, dit Jackson.

— Ouais, c'est bien pour commencer. Pareil qu'en Indo, pas de routine régulière. Et s'ils tentent de vous attaquer chez vous ?

— La maison est assez isolée, Gunny, répondit Robby.

— Vous avez un système d'alarme ?

— Non, mais c'est facile à installer, assura Ryan.

— Ce serait une bonne idée. Je sais pas comment est construite votre maison mais si vous pouvez vous gagner quelques secondes, et avec votre fusil de chasse, lieutenant, vous serez capable de leur faire regretter d'être venus ou tout au moins de tenir le coup jusqu'à l'arrivée de la police. Comme je disais, l'essentiel c'est de rester en vie. Et votre famille ?

— Ma femme est médecin et elle est enceinte. Ma petite fille... eh bien vous avez dû la voir à la télévision.

— Est-ce que votre femme sait tirer ?

— Je crois bien qu'elle n'a jamais touché une arme de sa vie.

— J'ai une classe féminine de tir d'autodéfense, ça fait partie de mon travail pour la police locale.

Ryan se demanda quelle serait la réaction de Cathy à une telle suggestion. Mais il écarta cette question pour le moment.

— Quel genre de pistolet pensez-vous que je devrais me procurer ?

— Si vous passez demain, je vous en ferai essayer deux ou trois. Vous voulez surtout quelque chose qui vous mette à l'aise ? N'allez pas acheter un 44 Magnum, d'accord ? Moi, j'aime les automatiques. Il vous faut quelque chose qui est agréable à manier, pas un truc qui vous esquinte la main et le poignet. J'aime bien le Colt 45 mais ça fait vingt et quelques années que je tire avec ce petit bébé-là.

Breckenridge saisit la main droite de Ryan et la manipula en tous sens.

— Je crois que je vais vous faire débuter avec un Browning 9 millimètres. Votre main me paraît assez grande pour bien le tenir. Le Browning a un chargeur de treize balles, il faut avoir une main assez forte pour bien le contrôler. Il a un bon cran de sûreté, aussi. Si vous avez un gosse à la maison, lieutenant, il faut penser à la sécurité, hein ?

— Pas de problème. Je peux le ranger là où elle ne pourra pas l'attraper. Nous avons une grande penderie et je peux les mettre tout en haut, à plus de deux mètres. Est-ce que je peux m'entraîner avec un gros calibre, ici ?

Le sergent-major rit.

— Le fond de cible que nous avons là était une plaque du blindage d'un croiseur. Nous utilisons principalement des 22 mais mes gardes s'entraînent tout le temps au 45. J'ai l'impression que vous tirez assez bien au fusil de chasse. Quand vous serez aussi adroit au pistolet, vous le serez avec n'importe quelle arme à feu. Faites-moi confiance, monsieur, c'est mon métier.

— Quand voulez-vous que je vienne ici ?

— Disons vers quatre heures, tous les après-midi ?

— Entendu.

— Pour ce qui est de votre femme... Ecoutez, amenez-la un samedi, peut-être. Je la ferai asseoir et je lui parlerai des armes. Des tas de femmes ont simplement peur du bruit, et puis il y a toutes ces conneries à la télé. S'il n'y a pas moyen de faire autre chose, nous l'entraînerons au fusil de chasse. Vous dites qu'elle est toubib, elle doit être intelligente. Allez savoir, ça lui plaira peut-être. Vous seriez étonné, le nombre de filles qui s'y mettent.

Ryan secoua la tête. Cathy n'avait jamais touché le fusil de chasse et chaque fois qu'il le nettoyait, elle gardait Sally hors de la pièce. Jack n'y avait jamais fait grande attention et il aimait autant ne pas être gêné par la petite fille. Les enfants et les armes à feu ne font pas bon ménage. Chez lui, son Remington était généralement démonté et enfermé avec les munitions au sous-sol. Que dirait Cathy à la pensée d'avoir un fusil chargé dans la maison ?

216

Et si tu te mets à te promener avec un pistolet ? Quelle va être sa réaction ? Et si les salopards s'intéressaient aussi à elles deux... ?

— Je sais ce que vous pensez, lieutenant, dit Breckenridge. Mais le commandant me dit que le FBI ne pense pas vraiment que ça peut arriver, pas vrai ?

— Oui.

— Alors disons que vous prenez une police d'assurance, d'accord ?

— C'est aussi ce qu'il a dit, reconnut Ryan.

— Ecoutez, nous recevons ici des rapports des SR. Mais oui, c'est vrai. Depuis que ces petits cons de motards se sont introduits ici, nous recevons des rapports des flics et du FBI, et même des garde-côtes. Certains de leurs gars viennent s'entraîner ici, à cause de tout ce trafic de drogue qu'ils surveillent. Je garderai une oreille ouverte, aussi.

Les renseignements... Tout était une bataille de renseignements. Il fallait savoir ce qui se passait si on voulait se défendre. Jack se tourna vers Robby, tout en se disant qu'il était en train de prendre une décision qu'il cherchait à éviter depuis son retour d'Angleterre. Il avait encore le numéro dans son bureau.

— Eh bien, merci, Gunny. Nous n'allons pas vous déranger plus longtemps.

Breckenridge les raccompagna jusqu'à la porte.

— Demain 16 heures, lieutenant. Et vous, commandant Jackson ?

— Je m'en tiendrai aux missiles et aux canons, Gunny. C'est plus sûr. Bonsoir.

— Bonsoir, commandant.

Robby raccompagna Jack à son bureau. Ils durent faire l'impasse sur le whisky quotidien. Jackson avait des courses à faire en rentrant chez lui. Après le départ de son ami, Jack contempla le téléphone pendant quelques minutes. Depuis plusieurs semaines, il luttait contre son désir de se renseigner sur l'ULA. Mais ce n'était plus de la simple curiosité. Il ouvrit son répertoire téléphonique à la page des « G ». Il pouvait appeler directement Washington mais son doigt hésita avant de taper chaque touche.

— Ici Mrs. Cummings, répondit une voix féminine à la première sonnerie.

Ryan respira profondément.

— Bonjour, Nancy. Ici le professeur Ryan. Le patron est là ?

— Je vais voir. Vous pouvez patienter une seconde ?

— Oui.

Ils n'avaient pas de ces systèmes d'attente musicale, rien que le silence et un vague bourdonnement électronique à écouter. Jack se demanda s'il avait raison et s'avoua, une fois de plus, qu'il n'en savait rien.

— Jack ? dit une voix bien connue.

— Bonsoir, amiral.

— Comment va la petite famille ?

— Très bien, merci, amiral.

— Elles se sont bien remises de toute l'aventure ?

— Oui, amiral.

— Et il paraît que votre femme attend un autre enfant ? Félicitations.

Comment diable peut-il le savoir ? se demanda Jack. Il ne fit pas de réflexion, c'était inutile. Le directeur adjoint des SR était censé tout savoir, et il avait pu l'apprendre d'un million de façons.

— Merci, amiral.

— Alors, qu'est-ce que je peux faire pour vous ?

— Amiral... Je... J'aimerais me renseigner sur cette bande de l'ULA.

— Oui, je le pensais bien. J'ai là sur mon bureau un rapport sur eux, de l'unité anti-terrorisme du FBI, et ces derniers temps nous coordonnons tout avec le SIS. Je serais ravi de vous revoir ici, Jack. Peut-être même d'une manière plus permanente. Avez-vous réfléchi à notre proposition, depuis la dernière fois ? demanda innocemment Greer.

— Oui, amiral, mais... eh bien, je suis pris jusqu'à la fin de l'année scolaire, répondit Jack pour gagner du temps.

Il n'avait aucune envie d'affronter maintenant cette question-là. Si on l'y forçait, il dirait non et cela lui ôterait toute chance d'aller à Langley.

— Je comprends. Prenez votre temps. Quand voulez-vous venir ?

Pourquoi me facilitez-vous tellement les choses ?

— Demain matin ? Mon premier cours n'est qu'à 2 heures de l'après-midi.

— Pas de problème. Soyez au portail principal à 8 heures. On vous y attendra. A demain.

— Au revoir, amiral.

Jack raccrocha, en se disant que cela avait été facile. Trop facile. *Qu'est-ce qu'il manigance ?* Il chassa cette pensée car il avait réellement grande envie de voir ce que la CIA avait. Peut-être davantage d'éléments que le FBI. De toute façon il glanerait plus de renseignements qu'il n'en avait déjà.

218

Le retour en voiture fut un peu inquiétant. Jack surveilla son rétroviseur après s'être souvenu qu'il avait quitté l'Académie par la route habituelle. Le diable, c'est qu'il reconnaissait certaines voitures familières. C'était un problème, quand on faisait la navette aux mêmes heures, tous les jours. Il y avait au moins vingt voitures qu'il avait déjà vues. Une secrétaire de direction au volant d'une Camaro Z-28. C'était sûrement une secrétaire de direction, d'après son élégance. Et puis un jeune avocat dans sa BMW ; la marque faisait de lui un avocat, pensait Ryan, en se demandant comment il avait collé des étiquettes à ces habitués de son chemin. *Et si une nouvelle voiture apparaît ? Comment pourras-tu savoir si c'est un terroriste ?* Aucune chance, se dit-il. Miller, en dépit de toute la menace de son expression, aurait l'air tout à fait banal en costume et cravate, un jeune employé comme un autre se débattant dans les embouteillages d'Annapolis...

Paranoïaque, je suis paranoïaque, se répéta-t-il. Il en viendrait bientôt à examiner la banquette arrière de sa voiture avant d'y monter, pour voir si quelqu'un n'y serait pas caché, comme à la télévision, avec un pistolet ou un garrot ! Il se demanda si tout cela n'était pas une perte de temps stupide. Et si Murray se montrait trop prudent ? Le Bureau enseignait sans doute à ses hommes à prendre toutes les précautions dans ce genre d'affaires. Est-ce que je dois effrayer Cathy avec ça ? Et si c'est pour rien ?

Et si ça ne l'est pas ?

C'est pour ça que je vais à Langley demain, se dit-il.

Ils envoyèrent Sally au lit à 20 h 30, dans son petit pyjama de bébé en flanelle, qui lui gardait les pieds bien au chaud. Elle était un peu trop grande pour cela, maintenant, pensait Jack, mais sa femme y tenait car leur fille avait l'habitude de rejeter toutes les couvertures pendant la nuit.

— Comment s'est passé le travail, aujourd'hui ? demanda-t-elle.

— Les mids m'ont donné une médaille.

Jack raconta la scène et tira ensuite de sa serviette l'ordre de la Cible violette. Cathy trouva cela amusant. Le sourire disparut quand il lui parla de la visite de M. Shaw du FBI. Il répéta toute leur conversation, sans rien omettre des propos de l'agent.

— Alors il pense qu'il n'y aura pas vraiment de problème ?

— Nous ne pouvons pas le négliger.

Cathy se détourna un moment. Elle ne savait que penser de cette nouvelle information. *Bien sûr,* se dit son mari, *et moi non plus.*

— Qu'est-ce que tu vas faire, alors ? demanda-t-elle enfin.

— D'abord, je vais téléphoner à une société de sécurité et faire installer un système d'alarme ici. Ensuite, j'ai déjà remonté mon fusil de chasse et il est chargé...

— Non, Jack, pas dans la maison, pas avec Sally ! protesta immédiatement Cathy.

— Il est sur la plus haute étagère dans ma penderie. Il est chargé mais il n'y a pas de balle dans le canon. Elle ne peut absolument pas l'atteindre, même en montant sur un tabouret. Il restera chargé, Cathy. Je vais aussi m'entraîner au tir, avec le fusil, et acheter peut-être un pistolet. Et... eh bien, je veux que tu apprennes aussi à tirer.

— Non ! Je suis médecin ! Je n'emploie pas d'armes à feu.

— Elles ne mordent pas, dit-il patiemment. Je veux simplement te faire connaître un type qui apprend aux femmes à tirer. Accepte simplement de le voir.

— Non.

Cathy n'en démordait pas. Jack respira profondément. Il lui faudrait une heure pour la persuader, mais il n'avait pas du tout envie de perdre une heure sur ce sujet, maintenant.

— Alors tu vas téléphoner à la compagnie de sécurité demain matin ?

— Non, il faut que j'aille quelque part.

— Où ça ? Tu n'as pas de cours avant l'après-midi.

Jack soupira.

— Je dois aller à Langley.

— Qu'est-ce qu'il y a, à Langley ?

— La CIA.

— Quoi !

— Tu te souviens, l'été dernier ? Je recevais de la Mitre Corporation des honoraires de consultant ?

— Oui.

— Tout mon travail se faisait au siège de la CIA.

— Mais... mais tu as dit en Angleterre que tu n'avais jamais...

— C'était de Mitre que venaient les chèques. C'était pour eux que je travaillais. La CIA était l'endroit où je travaillais.

— Tu as menti ! s'exclama Cathy abasourdie. Tu as menti dans un tribunal !

— Non. J'ai dit que je n'avais jamais été employé par la CIA et je ne l'ai jamais été.

— Tu ne m'en as jamais rien dit.

— Tu n'avais pas besoin de le savoir, répliqua Jack en se disant que ce n'était pas une bonne réponse.

— Je suis ta femme, bon dieu ! Qu'est-ce que tu faisais là-bas ?

— Je faisais partie d'une équipe d'universitaires. Tous les trois ou quatre ans, ils font venir des gens de l'extérieur pour examiner leurs dossiers, une espèce de vérification des personnes qui travaillent là régulièrement. Je n'étais pas un espion, ni rien. Je faisais tout mon travail assis à un petit bureau dans un cagibi du deuxième étage. J'ai rédigé un rapport et voilà tout.

Il était inutile de lui expliquer le reste.

— C'était sur quoi, ce rapport ?

— Je ne peux pas te le dire.

— Jack !

Elle était vraiment en colère, maintenant.

— Ecoute, bébé, j'ai signé un accord précisant que je ne parlerais jamais de ce travail à aucune personne non habilitée au secret. J'ai donné ma parole, Cathy.

Cela la calma un peu. Elle savait que son mari était extrêmement pointilleux sur la parole donnée. C'était même une de ses qualités. Cela l'agaçait qu'il s'en serve pour se défendre mais elle savait que c'était un mur qu'elle ne pouvait franchir. Elle tenta de s'y prendre autrement.

— Alors pourquoi est-ce que tu y retournes ?

— Je veux consulter les renseignements qu'ils ont. Tu devrais comprendre de quels renseignements il s'agit.

— Sur ces gens de l'ULA ?

— Eh bien, disons simplement que pour le moment je ne m'inquiète pas trop du péril jaune.

— Mais tu te fais réellement du souci, à présent ?

Elle commençait à s'inquiéter aussi.

— Ma foi, je l'avoue.

— Mais pourquoi ? Tu me dis que le FBI t'a assuré qu'ils ne...

— Ah, je ne sais pas... Si, je le sais bien ! C'est ce salaud de Miller, celui qui était jugé. Il veut me tuer.

Ryan contempla le tapis. C'était la première fois qu'il disait cela à haute voix.

— Comment le sais-tu ?

— Parce que je l'ai vu sur sa figure ! Je l'ai vu, Cathy, et j'ai peur... et pas seulement pour moi.

— Mais Sally et moi...

— Est-ce que tu crois sincèrement qu'il se préoccupe de ça ? répliqua Ryan avec colère. Ces fumiers tuent des gens qu'ils ne connaissent même pas. Ils le font presque histoire de rire. Ils veulent changer le monde, et ils se fichent éperdument de ceux qui se trouvent sur leur chemin. Ils s'en foutent !

— Mais pourquoi aller à la CIA ? Est-ce qu'elle peut te… nous protéger ? Je veux dire…

— Je tiens à savoir un peu ce qui motive ces gens.

— Mais le FBI le sait, n'est-ce pas ?

— Je veux voir le dossier de mes yeux. J'ai fait un assez bon travail, là-bas. Ils m'ont même demandé de… eh bien, d'y accepter un poste permanent. J'ai refusé.

— Tu ne m'en as jamais rien dit !

— Maintenant, tu le sais.

Jack parla encore quelques minutes, pour expliquer ce que Shaw lui avait dit. Cathy devrait être vigilante, en allant à l'hôpital et en en revenant. Cela la fit enfin retrouver le sourire. Sa Porsche 911 était une véritable bombe de six cylindres. Comment faisait-elle pour n'avoir jamais de contravention pour excès de vitesse, cela avait toujours été un mystère pour son mari. Sa beauté n'y était pas pour rien, certainement, et puis elle devait exhiber sa carte de Johns Hopkins et dire qu'elle était attendue pour une opération d'urgence. Quoi qu'il en soit, elle conduisait une voiture dont la vitesse de pointe était de plus de deux cents à l'heure et qui se manœuvrait comme un charme. Elle conduisait des Porsche depuis l'âge de seize ans et Jack la savait capable de foncer avec cette petite voiture de sport verte par les chemins de campagne, à une vitesse qui l'obligeait, lui, à se cramponner et à serrer les dents. Il reconnut que c'était probablement une meilleure défense qu'un pistolet.

— Alors, tu le feras ?

— Est-ce que c'est vraiment nécessaire ?

— Excuse-moi de t'avoir entraînée dans cette histoire. Jamais… Je ne me serais jamais douté qu'une chose pareille pourrait arriver. J'aurais sans doute mieux fait de rester tranquille, grogna-t-il.

Cathy lui caressa la nuque.

— Tu ne peux rien y changer, maintenant. Ils se trompent peut-être. Tu le disais toi-même, ils sont simplement un peu paranoïaques.

— Ouais…

12

Retour au foyer

Ryan partit de chez lui bien avant 7 heures. Il prit d'abord la route US 50 en direction de l'ouest, vers D.C. Il y avait des embouteillages, comme d'habitude : tous les travailleurs se rendaient vers les diverses agences fédérales qui avaient fait du pittoresque district de Columbia une pseudo-ville de passage. Il quitta l'autoroute pour l'I-495, le périphérique de Washington, en direction du nord, au milieu d'une circulation encore plus dense, dont les bouchons étaient signalés par radio d'un hélicoptère. C'était plaisant de savoir pourquoi on roulait à vingt-cinq à l'heure sur une route conçue pour faire du cent quinze.

Il se demanda si Cathy faisait ce qu'elle devait faire. Le problème, c'était qu'elle n'avait pas tellement de possibilités différentes, pour aller à Baltimore. Le jardin d'enfants où allait Sally se trouvait dans Ritchie Highway, ce qui interdisait d'emprunter l'autre chemin direct. D'un autre côté, Ritchie Road était une route toujours encombrée mais rapide et il ne serait pas facile d'y intercepter Cathy. A Baltimore même, elle avait un plus grand choix d'itinéraires pour se rendre à Johns Hopkins et elle avait promis d'en changer constamment. Ryan regarda les voitures devant lui et marmonna un juron. En dépit de ce qu'il avait dit à Cathy, il ne s'inquiétait pas outre mesure pour sa famille. C'était lui qui avait fait échouer l'opération des terroristes et si leurs mobiles étaient vraiment personnels, il était leur unique objectif. Peut-être. Finalement, il traversa le Potomac et s'engagea sur l'autoroute George-Washington. Un quart d'heure plus tard, il prenait la bretelle de sortie de la CIA.

Il arrêta sa Rabbit devant le poste de garde. Un agent de sécurité en uniforme en sortit et lui demanda son nom, bien qu'il ait déjà vérifié le numéro minéralogique sur une liste d'ordinateur. Ryan lui remit son permis de conduire et le garde compara scrupuleusement la figure de Jack avec la photo avant de le lui rendre et de lui remettre un laissez-passer.

— Le parking des visiteurs est sur la gauche, et puis...

— Merci, je suis déjà venu.

— Bien, monsieur.

Le garde lui fit signe de passer.

Le siège de la CIA était construit derrière la première chaîne de collines dominant la vallée du Potomac, là où il y avait eu une forêt luxuriante. La plupart des arbres avaient été conservés pour dissimuler le bâtiment. Jack tourna à gauche et monta par un chemin sinueux. Le parking des visiteurs était gardé aussi, cette fois par une femme qui lui indiqua un emplacement et vérifia à son tour son identité avant de le diriger vers l'entrée principale. Sur sa droite, il y avait la Bulle, une construction en forme d'igloo contenant un amphithéâtre relié au bâtiment principal par un passage souterrain. Ryan y avait fait une conférence, une fois, sur la stratégie navale. Devant lui, l'immeuble de la CIA dressait ses sept étages de pierre blanche, ou peut-être de béton précontraint. Il n'était jamais allé y regarder de près. Dès qu'il entra, l'ambiance « barbouze » le frappa comme un coup de massue. Il vit huit agents de la sécurité, en civil ceux-là, mais la veste déboutonnée suggérant la présence d'un pistolet. En réalité, ils étaient équipés de radios mais Jack était sûr que des hommes armés n'étaient pas loin. Des caméras sur les murs diffusaient leurs images dans une salle de surveillance centrale. Il ne savait pas où elle était. A vrai dire, la seule partie du bâtiment qu'il connaissait était sur le chemin conduisant à son ancien cagibi, et de là aux toilettes et à la cafétéria. Il était monté plusieurs fois au dernier étage, mais toujours accompagné puisque son laissez-passer de la sécurité ne l'habilitait pas à ce niveau.

— Professeur Ryan, dit un homme dont le visage disait quelque chose à Jack sans qu'il puisse y mettre un nom. Marty Cantor. Je travaille en haut.

Ryan se souvint de lui, alors qu'ils se serraient la main. Cantor était le principal assistant de l'amiral Greer, un ancien de Yale. Il donna à Jack un autre laissez-passer.

— Je n'ai pas besoin de passer par la salle des visiteurs ? demanda Jack en indiquant la gauche.

— On s'est occupé de tout. Vous pouvez me suivre.

Cantor le conduisit au premier poste de contrôle de sécurité. Il prit son propre laissez-passer pendu à son cou et le glissa dans la fente. Une petite barrière rayée d'orangé et de jaune, comme celles des parkings souterrains, se releva et se rabaissa quand Ryan mit sa carte dans la fente. Un ordinateur, dans une salle du sous-sol, vérifia le code électronique et jugea qu'il pouvait faire entrer Ryan dans l'immeuble. La barrière remonta. Jack était déjà mal à l'aise. *Exactement comme avant*, pensa-t-il, *comme une prison... Non, la sécurité dans une prison n'est rien à côté de celle d'ici.*

Il remit le laissez-passer à son cou, en y jetant un bref coup d'œil. Un photo en couleur, prise l'année précédente, et un numéro mais pas de nom. Aucun des laissez-passer de la CIA ne comportait de nom. Cantor partit d'un pas vif sur la droite puis tourna à gauche vers les ascenseurs. Ryan remarqua le kiosque où l'on pouvait acheter un Coca ou une bouchée Snickers. Il était tenu par des aveugles, ce qui était un autre aspect sinistre de la CIA. Les aveugles représentaient un moindre risque, supposait-il, mais il se demanda comment ils venaient à leur travail, tous les jours. Le bâtiment était étonnamment négligé, le carrelage jamais très brillant, les murs d'un jaune-beige terne. Même les fresques étaient de second ordre. Beaucoup de gens étaient surpris que l'Agence dépense si peu pour son décor et son entretien. L'été précédent, Jack s'était aperçu que ceux qui travaillaient là tiraient une espèce de fierté perverse de l'aspect miteux de l'édifice.

Partout, les employés marchaient avec une espèce de hâte anonyme, si vite que la plupart des coins de couloir étaient garnis de miroirs ronds pour avertir d'une collision possible avec un collègue... ou pour prévenir que quelqu'un au-delà du coin tendait l'oreille.

Pourquoi es-tu venu ici ?

Jack chassa cette pensée et entra dans l'ascenseur. Cantor appuya sur le bouton du haut. Une minute plus tard, la porte s'ouvrait dans un autre corridor terne. Ryan se rappela vaguement le chemin. Cantor tourna à gauche, puis à droite. Ils croisaient des gens marchant à une vitesse qui aurait impressionné un recruteur pour l'épreuve de marche des Jeux Olympiques. Cela fit sourire Jack, jusqu'à ce qu'il s'aperçoive que personne d'autre ne souriait. Un endroit sérieux, la Central Intelligence Agency.

La direction générale de la CIA avait son couloir privé — avec un tapis, celui-là — parallèle au principal et menant vers les bureaux à l'est. Comme toujours, il était surveillé. On examina Ryan et son laissez-passer, sans réaction. Cantor le mena à la bonne porte et l'ouvrit.

L'amiral James Greer était en civil, comme d'habitude, calé dans son fauteuil pivotant, étudiant un dossier en buvant son inévitable café. Ryan ne l'avait jamais vu autrement. Agé d'environ soixante-cinq ans, c'était un homme grand, à l'allure patricienne, dont la voix pouvait être à volonté dure ou courtoise. Il avait l'accent du Maine et, en dépit de toute son élégance, Ryan savait que c'était un fils de paysan qui avait travaillé pour se payer des études à l'Académie navale et qui avait passé ensuite quarante ans sous l'uniforme, d'abord comme officier sous-marinier puis comme spécialiste du renseignement. Greer était un des hommes les plus intelligents que Ryan eût connus. Et l'un des plus subtils. Jack était convaincu que ce vieux monsieur aux cheveux gris savait lire dans la pensée des autres. Cela faisait sûrement partie de ses qualifications au poste de directeur adjoint des SR, Deputy Director, Intelligence, ou DDI. Toute l'information recueillie par des espions, des satellites, ou Dieu savait quoi encore, atterrissait sur son bureau. Si Greer ignorait une chose, elle ne valait pas la peine d'être connue. Au bout d'un moment, il leva les yeux.

— Bonjour, Ryan, dit-il en se levant. Je vois que vous êtes ponctuel.

— Oui, amiral. Je me suis souvenu des difficultés sur la route, l'été dernier.

Sans en être prié, Marty Cantor servit du café à tout le monde. Ils s'assirent autour d'une table basse. *Ce qu'il y a d'agréable, chez Greer, se rappela Jack, c'est qu'il a toujours de l'excellent café.*

— Comment va ce bras, mon garçon ?

— Redevenu presque normal, amiral. Je peux vous dire quand il va pleuvoir, cependant. Il paraît que ça passera, mais c'est comme de l'arthrite.

— Et comment va votre famille ?

Il ne laisse rien passer, pensa Jack, mais il avait son mot à dire aussi.

— Un peu tendue pour le moment. J'ai annoncé la nouvelle à Cathy hier soir, avec ménagements. Ça ne lui fait guère plaisir mais à moi non plus.

Venons-en au fait, amiral.

— Alors, qu'est-ce que nous pouvons faire pour vous, au juste ? demanda Greer en changeant d'attitude, redevenant l'agent de renseignement professionnel.

— Je sais que c'est beaucoup demander mais j'aimerais voir ce qu'a l'Agence sur ces individus de l'ULA.

— Pas grand-chose, intervint Cantor. Ces types brouillent leurs pistes comme de vrais pros. Et ils sont extraordinairement bien financés. Ce n'est qu'une supposition, naturellement, mais c'est certainement vrai.

— D'où vient votre information ?

Cantor regarda Greer et reçut un signe de tête affirmatif.

— Avant que nous allions plus loin, professeur, nous devons parler de classification.

— Oui, murmura Jack, résigné. Qu'est-ce que je dois signer ?

— Nous nous en occuperons avant votre départ. Nous allons vous montrer à peu près tout ce que nous avons. Ce que vous devez savoir tout de suite, c'est que ces documents sont classés SI.

— Bon, ce n'est pas une surprise.

Ryan soupira. *Special intelligence.* Ce mot de code désignait un niveau de classification encore plus élevé que celui d'ultra-secret. Il fallait être individuellement approuvé pour avoir accès aux renseignements identifiés par un code particulier. Ryan n'avait encore vu que deux fois des informations d'une telle teneur. *Et pourtant ils vont tout étaler sous mes yeux*, pensa-t-il en regardant Cantor. *Greer doit réellement vouloir que je revienne, pour m'ouvrir une telle porte.*

— Bien mais, comme je disais, d'où proviennent-ils ?

— En partie des Brits, ou plutôt de la PIRA via les Brits. En partie de nouveaux renseignements des Italiens...

— Des Italiens ? s'exclama Ryan avant de comprendre les implications. Ah oui ! Oui, bien sûr, ils ont beaucoup de monde par là, en bas dans les sables, non ?

— L'un d'eux a identifié votre ami Sean Miller la semaine dernière. Il descendait d'un navire qui se trouvait, assez miraculeusement, dans la Manche le jour de Noël, dit Greer.

— Mais nous ne savons pas où il est ?

— Un nombre inconnu de complices et lui se dirigeaient vers le sud, expliqua Cantor en souriant. Mais, bien sûr, tout le pays est au sud de la Méd, alors ce n'est pas d'un très grand secours.

— Le FBI a tout ce que nous avons, les Brits aussi, dit Greer. C'est peu de chose comme base d'enquête mais nous avons une équipe qui passe tout ça au peigne fin.

— Merci de me laisser jeter un coup d'œil, amiral.

— Nous ne faisons pas ça par pure bonté d'âme, fit observer l'amiral. J'espère que vous y trouverez quelque chose d'utile. Cette affaire a aussi son prix pour vous. Si vous voulez, vous serez un employé de l'Agence avant la fin de la journée. Nous pouvons même nous arranger pour vous faire octroyer un permis fédéral de port d'arme.

— Comment savez-vous...

— Mon métier est de savoir, mon garçon.

Le vieux monsieur riait. Ryan ne trouvait pas la situation drôle du tout, mais il reconnaissait que l'amiral n'avait pas tort.

— Quand pourrais-je commencer ?

— Quel est votre emploi du temps ?

— Ça peut s'arranger, dit Jack sans trop se compromettre. Je pourrais être ici mardi matin et peut-être travailler un jour plein par semaine, plus deux demi-journées, le matin. La plupart de mes cours sont dans l'après-midi. Les vacances semestrielles ne vont pas tarder et alors il me sera possible de vous consacrer une semaine entière.

— Très bien. Vous mettrez les détails au point avec Marty. Allez vous occuper de la paperasse. Ça fait plaisir de vous revoir, Jack.

— Merci, amiral.

Greer regarda la porte se fermer avant de retourner s'asseoir à son bureau. Il attendit quelques secondes, pour laisser à Ryan et Cantor le temps de dégager le couloir, puis sortit à son tour et gagna le bureau de coin, celui du directeur de Central Intelligence.

— Alors ? demanda le juge Arthur Moore.

— Nous l'avons, annonça Greer.

— Où en est la procédure d'habilitation ?

— Impeccable. Il était un peu trop astucieux en effectuant des opérations boursières, dans le temps, mais quoi, son métier le voulait.

— Rien d'illégal ?

L'Agence n'avait pas besoin d'un homme qui risquerait de faire l'objet d'une enquête de la commission des opérations de bourse. Greer secoua la tête.

— Du tout. Simplement très astucieux.

— Parfait. Mais il ne verra rien de ce dossier des terroristes tant que la procédure d'habilitation ne sera pas achevée.

— D'accord, Arthur.

— Et ce ne sont pas les directeurs adjoints qui font notre recrutement, fit observer le DCI.

— Vous êtes vraiment dur ! Est-ce qu'une bouteille de bourbon va tellement écorner votre compte en banque ?

Le juge rit. Le lendemain de l'évasion de Miller, Greer avait fait un pari. Moore avait horreur de perdre — il avait été avocat d'assises avant de devenir magistrat — mais c'était agréable de savoir que son DDI avait une bonne tête pour les pronostics.

— Et Cantor va lui obtenir un permis de port d'arme, aussi.

228

— Vous êtes sûr que c'est une bonne idée ?

— Je crois, oui.

— Ainsi, c'est décidé ? demanda Miller.

O'Donnell considéra le jeune homme. C'était un bon plan, il le reconnaissait, un plan efficace. Audacieux, et même brillant. Mais Sean avait permis à ses sentiments personnels d'influencer son jugement. Et cela, c'était moins bon.

Il se tourna vers la fenêtre. La campagne française était obscure, à trente mille pieds sous l'appareil de ligne. Tout ces paisibles habitants, dormant dans leurs maisons, et bien au chaud et à l'abri. L'avion était presque vide, c'était un vol *red-eye*. L'hôtesse somnolait à quelques rangées à l'avant et il n'y avait personne pour écouter leur conversation. Le bruit des réacteurs empêchait toute écoute électronique et ils avaient pris grand soin de brouiller leur piste. D'abord le vol à destination de Bucarest, puis de Prague et de là vers Paris ; et maintenant le vol de retour en Irlande, avec uniquement des tampons français sur leurs passeports. O'Donnell était un homme prudent, au point de transporter des notes concernant ses réunions d'affaires fictives en France. Ils passeraient la douane assez facilement, il en était sûr. Il était tard, et les employés du contrôle des passeports devaient rentrer chez eux tout de suite après l'arrivée de ce vol.

Sean avait un passeport flambant neuf, avec les visas nécessaires, naturellement. Ses yeux étaient devenu marron, grâce à des lentilles de contact, ses cheveux avaient changé de couleur et de coiffure, une barbe bien taillée modifiait la forme de son visage. Sean avait horreur de cette barbe qui le démangeait et cela fit sourire O'Donnell dans la pénombre. Il faudrait bien que le gamin s'y habitue.

Sean ne disait plus rien. Bien calé dans son fauteuil, il feignait de lire le magazine qu'il avait trouvé dans la poche du siège. Cette affectation de patience faisait plaisir à son chef. Le jeune homme avait suivi ses cours de perfectionnement avec passion, perdu ses kilos superflus, il s'était refamiliarisé avec les armes, s'était entretenu avec des agents de renseignement d'autres nations et il avait supporté leurs critiques de l'opération manquée de Londres. Ces « amis » n'avaient pas voulu reconnaître le facteur chance et avaient déclaré qu'une autre voiture pleine d'hommes aurait été indispensable pour assurer le succès. Sean avait écouté poliment, sans rien dire. Et maintenant il attendait patiemment la décision à propos de l'opération qu'il avait proposée. *Il a peut-être appris quelque chose dans cette prison anglaise*, pensa Miller.

— Oui, répondit-il.

Ryan signa le formulaire en accusant réception du plein chariot de documents. Il était de retour dans le même cagibi où il avait travaillé l'été dernier, sans fenêtre, au deuxième étage du bâtiment principal de la CIA. Sa table de travail était ce qui se faisait de plus petit — dans les ateliers des prisons fédérales — et le fauteuil à pivot de moins cher. Le chic CIA.

Le messager empila les dossiers sur un coin du bureau de Ryan et poussa son chariot hors de la minuscule pièce. Jack se mit au travail. Il ôta le couvercle du gobelet en plastique, ajouta au café tout le contenu d'un petit carton de crème et deux enveloppes de sucre en poudre. Il tourna le café avec un crayon, comme il le faisait souvent, une habitude que sa femme détestait.

La pile avait plus de vingt centimètres d'épaisseur. Les dossiers étaient dans des enveloppes géantes, chacune portant un code alpha-numérique au tampon noir. Les chemises qu'il retira de l'enveloppe du dessus étaient ornées de bolduc rouge afin de marquer leur importance. Ces dossiers-là devaient être mis sous clef dans des classeurs sûrs, tous les soirs, et ne jamais traîner sur un bureau où une personne non autorisée risquerait de leur jeter un coup d'œil. A l'intérieur, les papiers étaient maintenus en place par des agrafes et tous numérotés. Le nom de code de la première chemise, dactylographié sur une étiquette collée, était : FIDELITY. Ryan savait que ces codes étaient choisis au hasard par ordinateur et il se demanda combien il y avait de dossiers et de noms. Il hésita un instant, avant d'ouvrir la chemise, comme si le geste l'engageait irrévocablement à devenir un employé de la CIA... comme si le premier pas dans cette voie n'avait pas été déjà fait.

Ça suffit, se dit-il et il ouvrit le dossier. C'était le premier rapport officiel de la CIA sur l'ULA et il remontait à un an à peine.

Ulster Liberation Army, c'était le titre. Le sous-titre : « Genèse d'une anomalie. »

« Anomalie ». C'était le mot que Murray avait employé. Le premier paragraphe du rapport révélait avec une franchise désarmante que les renseignements contenus dans les trente feuillets suivants, à simple interligne, relevaient davantage de la spéculation que de la réalité, basés principalement sur des informations obtenues de membres de la PIRA arrêtés et condamnés. Ryan fronça les sourcils. Pas précisément des preuves dignes de foi. Les deux rédacteurs du rapport, toutefois, avaient fait un remarquable travail de recoupement. L'histoire la plus invraisemblable, racontée par quatre sources différentes, prenait de l'intérêt. C'était particulièrement vrai du fait que l'IRA provisoire était, techniquement parlant, une unité professionnelle, magnifiquement organisée selon le classique système des cellules. Comme un service secret. A l'exception d'une poignée de gens au sommet, les détails de n'importe quelle opération n'étaient connus que de ceux qui avaient réellement *besoin de savoir.*

Par conséquent, disait le rapport, *si les détails d'une opération sont largement connus, cela ne peut être que parce qu'il ne s'agit pas d'une opération de la PIRA.* Tordu, pensa Jack, mais néanmoins assez convaincant. C'était d'ailleurs ainsi qu'avaient été souvent identifiées l'INLA, les opérations de la principale rivale de la PIRA l'armée irlandaise de libération nationale moins bien organisée, qui avait tué lord Mountbatten. La rivalité entre les deux groupes avait assez souvent tourné à l'aigre encore que la seconde, avec son manque d'unité intérieure et son organisation de style amateur, fût beaucoup moins efficace.

Il y avait un an à peine que l'ULA était sortie de l'ombre pour prendre vaguement forme. Pendant sa première année d'activités, les Britanniques l'avaient prise pour un groupe spécial d'action de la PIRA, une troupe de choc, hypothèse qui avait été infirmée quand un membre arrêté de la PIRA avait nié avec indignation toute complicité dans ce qui s'était révélé un attentat de l'ULA. Les auteurs de ce rapport avaient ensuite examiné plus attentivement les opérations attribuées à l'ULA, en cherchant les manières d'agir qui pouvaient la distinguer des autres organisations. Tout d'abord, l'ULA utilisait en moyenne plus d'hommes que la PIRA.

C'était intéressant... Ryan sortit de la pièce, alla acheter au kiosque au bout du couloir un paquet de cigarettes. Une minute plus tard, il était de retour à son bureau et tâtonnait sur la serrure à combinaison.

Plus de monde par opération. C'était contraire aux procédures ordinaires de sécurité. Plus il y avait de personnes mêlées à une opération, plus les risques étaient grands de la voir échouer. Qu'est-ce que cela voulait dire ? Ryan alluma une de ses cigarettes et examina trois opérations différentes, en cherchant lui-même, de son côté, des similitudes.

Au bout de dix minutes, ce fut clair. L'ULA était organisée plus militairement que la PIRA. Au lieu des petits groupes indépendants, caractéristiques du terrorisme urbain, elle offrait une structure militaire classique. La PIRA comptait fréquemment sur un seul assassin, un « tireur désigné » — un terme populaire à la CIA l'année précédente — qui avait sa propre arme et se mettait à l'affût comme un chasseur, parfois pendant des jours, pour tuer un objectif spécifique. Mais l'ULA était différente. D'abord, ses membres ne s'attaquaient pas à des objectifs individuels. Ils se fiaient, semblait-il, à une équipe de reconnaissance et un groupe d'assaut, travaillant en étroite collaboration ; le mot clef, là, étant « semblait-il » puisque tout cela était déduit de bien minces informations. Quand ils commettaient un attentat, ils n'avaient aucun mal à prendre la fuite. Planification et moyens financiers.

Structure militaire classique. Cela impliquait une très grande confiance de l'ULA en ses adhérents... et en sa sécurité. Jack commença à prendre des notes. Dans le rapport, les faits avérés étaient rares — il en compta six — mais l'analyse intéressante. L'ULA révélait un très haut degré de professionnalisme. Au lieu d'un petit nombre d'agents spécialisés, il apparaissait qu'elle requérait de tous ses membres une parfaite connaissance des armes. Et cette uniformité de la compétence était intéressante.

Entraînement militaire ? nota Ryan. *De quelle qualité ? Accompli où ?* Il examina le rapport suivant, postérieur de quelques mois. La CIA s'était mise à considérer un peu plus attentivement l'ULA, depuis sept mois. Juste après son départ d'ici, constata Jack. Coïncidence ?

Ce rapport-là concernait surtout Kevin O'Donnell, chef supposé de l'ULA. La première chose que vit Ryan fut une photo prise par un groupe des SR britanniques. L'homme était assez grand mais anonyme par ailleurs. La photo était datée de quelques années plus tôt et la légende précisait que l'homme aurait subi une opération de chirurgie plastique pour changer de visage. Jack examina quand même la photo. Elle avait été prise à l'enterrement d'un membre de la PIRA abattu par l'Ulster Defense Regiment. L'expression était assez solennelle, avec des yeux durs. Il se demanda ce que l'on pouvait déduire de la photo d'un homme assistant à l'enterrement d'un camarade, la posa de côté et lut la biographie de l'individu.

Un milieu ouvrier. Son père était conducteur de camions. Sa mère était morte quand il avait neuf ans. Écoles catholiques, naturellement. Plutôt bon élève. Il avait été diplômé de l'université avec mention, en sciences politiques. Il avait suivi tous les cours sur le marxisme que cet établissement proposait et avait un peu milité en marge des groupements pour la défense des droits de l'homme, à la fin des années 60 et au début des années 70. Cela lui avait valu d'attirer l'attention de la RUC et des services secrets britanniques. Et puis, ses études terminées, il avait disparu pendant un an pour reparaître en 1972 après le fiasco du Dimanche Sanglant au cours duquel des paras de l'armée britannique avaient perdu tout contrôle et tiré sur une foule de manifestants, tuant quatorze personnes dont aucune n'était armée.

— Il y a une coïncidence, se murmura Ryan.

Les paras continuaient d'affirmer que quelqu'un, dans la foule, leur avait tiré dessus et qu'ils n'avaient fait que riposter pour se défendre. Un rapport officiel britannique soutenait cette version... naturellement. Ryan haussa les épaules. C'était peut-être vrai, après tout. La plus grosse faute qu'avaient commise les Anglais avait été d'envoyer l'armée en Irlande du Nord. Ce qu'il fallait là-bas, c'était de bons flics pour rétablir l'ordre, pas une armée d'occupation. Mais il n'y avait pas eu de choix. Les soldats avaient donc été envoyés, plongés dans une situation à laquelle leur entraînement ne les avait pas préparés... et vulnérables à la provocation.

A cela, les antennes de Ryan frémirent.

Diplômé de sciences politiques, O'Donnell avait donc disparu et resurgi un an plus tard, immédiatement après le désastreux Dimanche Sanglant. Il était identifié bientôt après, par un indicateur, comme le chef de la sécurité intérieure de la PIRA. Il n'avait pas été affecté à ce poste sur la foi de ses études universitaires. Le terrorisme, comme toutes les professions, exige un apprentissage. Ce Kevin Joseph O'Donnell avait gagné ses éperons. Comment ? Etait-il un des metteurs en scène de la provocation ? Dans ce cas, où en avait-il appris les méthodes ? Est-ce que cette année sur laquelle manquait toute information avait un rapport ? Avait-il été entraîné à la tactique de l'insurrection urbaine... en Crimée, peut-être ?

Trop grande coïncidence, se dit Jack. L'idée de l'entraînement, par les Soviétiques, du noyau dur de la PIRA et de l'INLA avait tellement été rabâchée qu'elle en avait perdu toute crédibilité. Et puis les militants irlandais avaient pu élaborer leurs propres tactiques eux-mêmes, ou les lire dans des livres. Les ouvrages ne manquaient pas, sur l'art et la manière d'être un guérillero urbain. Jack en avait lu plusieurs.

Il sauta quelques passages pour arriver à la seconde disparition d'O'Donnell. Là, les renseignements des sources britanniques semblaient plus complets. O'Donnell avait été un chef de la sécurité intérieure remarquable. Près de la moitié des personnes qu'il avait tuées étaient des indicateurs. A la fin du rapport, sur quelques pages nouvelles, Jack trouva les renseignements que David Ashley avait recueillis à Dublin, quelques mois auparavant... *Il s'est laissé un peu emporter...* O'Donnell s'était à la fin servi de sa position pour éliminer des militants dont la politique ne concordait pas exactement avec la sienne. Cela s'était su et il avait disparu pour la seconde fois. Comme toujours, les renseignements n'étaient pas concrets, mais ils confirmaient quand même ce que Murray lui avait dit à Londres.

O'Donnell avait certainement dû convaincre quelqu'un de fournir à son organisation au berceau un financement, un entraînement et un soutien. Son organisation, se répéta Ryan. D'où avait-elle surgi ? Il y avait un hiatus de deux ans entre la disparition d'O'Donnell de l'Ulster et la première opération identifiée de l'ULA. Deux années entières. Les renseignements des services secrets britanniques suggéraient la chirurgie plastique. Où ? Qui l'avait payée ? Il n'était pas allé se faire charcuter dans un vague dispensaire perdu d'un pays du tiers monde. Ryan décida de demander à Cathy de se renseigner auprès de ses confrères de Hopkins. Deux ans pour changer de figure, trouver un soutien financier, recruter des hommes, établir une base d'opérations et commencer à porter des coups... *Pas mal*, estima Jack.

Encore un an avant que le nom du groupement émerge...

Ryan se retourna en entendant le déclic de sa serrure. C'était Marty Cantor.

— Je croyais que vous aviez arrêté de fumer, dit-il en voyant la cigarette et Ryan l'éteignit aussitôt.

— Ma femme le croit aussi. Dites-moi, vous avez lu tous ces documents ?

— Ouais. Le patron m'a fait tout parcourir pendant le week-end. Qu'est-ce que vous en pensez ?

— Je pense que cet O'Donnell est redoutable. Il a organisé et entraîné son groupement comme une véritable armée. Le mouvement est assez réduit pour qu'il connaisse tout le monde personnellement. Ses antécédents idéologiques indiquent qu'il recrute avec grand soin. Il a une très grande confiance en ses hommes. Et il est capable de réfléchir et de tracer des plans comme un soldat. Qui l'a entraîné ?

— Personne ne le sait. Mais je crois que vous surestimez ce facteur.

— Je sais, reconnut Ryan. Ce que je cherche c'est... je ne sais pas, une impression. J'essaie de deviner ce qu'il pense. Et ce serait bien, aussi, de savoir qui le finance... Quelles sont les chances qu'il ait des gens au sein de la PIRA ?

— Que voulez-vous dire ?

— Il prend ses jambes à son cou pour sauver sa peau quand il apprend que les dirigeants de la PIRA le cherchent. Deux ans plus tard, il reparaît avec sa propre organisation. D'où viennent ses troupes ?

— Des copains de la PIRA, manifestement, jugea Cantor.

— Bien sûr. Des gens à qui il savait pouvoir se fier. Mais nous savons aussi que c'est un type du contre-renseignement, pas vrai ?

Cantor n'avait pas encore parcouru ce chemin-là.

— Je ne comprends pas, dit-il.

— Qu'est-ce qui menace le plus O'Donnell ?

— Tout le monde le veut...

— Qui veut le tuer ? demanda Jack en reformulant la question. Les Brits ont aboli la peine capitale. Mais pas la PIRA.

— Alors ?

— Alors, si vous étiez O'Donnell et si vous recrutiez des gens au sein de la PIRA, et si vous saviez qu'elle aimerait avoir votre tête, vous laisseriez des gens à l'intérieur pour vous rencarder, non ?

— Logique, murmura Cantor.

— Ensuite, quel est l'objectif politique de l'ULA ?

— Nous n'en savons rien.

— Dites pas de conneries, Marty ! La plupart des renseignements contenus dans ces documents viennent de la PIRA, n'est-ce pas ? Comment diable est-ce que ces gens savent ce que manigance l'ULA ? D'où leur viennent leurs informations ?

— Vous poussez, Jack, avertit Cantor. Moi aussi, j'ai vu les documents. Dans l'ensemble, tout est négatif. Les membres de la PIRA à qui on a difficilement soutiré des renseignements ont surtout dit que certaines opérations n'étaient pas les leurs. Si on en déduit que l'ULA en est responsable, ce n'est qu'une simple conjecture. Je ne trouve pas que tout ça soit aussi clair que vous le pensez.

— Non, les deux types qui ont rédigé ce rapport ont bien mis l'empreinte de l'ULA sur ces opérations. Ce que l'ULA possède, c'est un *style* personnel, Marty !

— Vous venez de construire un argument circulaire. O'Donnell vient de la PIRA, donc il a dû recruter là-bas, donc il doit avoir des gens à l'intérieur, etc. Vos arguments sont logiques mais essayez de vous souvenir qu'ils s'appuient sur des fondations très branlantes. Et si l'ULA était réellement un groupe spécial d'action de l'IRA provisoire ? Est-ce que ce ne serait pas dans l'intérêt de la PIRA d'avoir un tel groupe ?

Cantor était un superbe avocat du diable, une des raisons pour lesquelles il était le plus proche collaborateur de Greer.

— D'accord, il y a du vrai là-dedans, avoua Ryan. Quand même, ce que je dis est logique, en supposant que l'ULA existe bien.

— Je vous l'accorde, c'est logique. Mais pas prouvé.

— Mais c'est la première chose logique que nous ayons sur ces zigotos. Et qu'est-ce que ça nous dit d'autre ?

Cantor sourit ironiquement.

— Vous me le direz quand vous l'aurez trouvé.

— Est-ce que je peux parler de ça à quelqu'un ?

— Qui, par exemple ?

— L'attaché juridique à Londres, Dan Murray. Je crois qu'il est habilité au maximum à ce sujet.

— Oui, en effet, et il travaille aussi pour nous. D'accord, vous pouvez discuter de ça avec lui, ça ne sortira pas de la famille.

— Merci.

Cinq minutes plus tard, Cantor était assis de l'autre côté du bureau de l'amiral Greer.

— Il sait vraiment poser les bonnes questions.

— Ah oui ? Qu'est-ce qui l'a fait tiquer ? demanda l'amiral.

— Les mêmes points qu'Emil Jacobs et son équipe. Que veut O'Donnell ? Est-ce qu'il a infiltré la PIRA ? Si oui, pourquoi ?

— Et Jack dit… ?

— … la même chose que Jacobs et le FBI. O'Donnell est, par entraînement, un espion du contre-renseignement. La PIRA veut sa peau et le meilleur moyen pour lui de la garder, c'est d'avoir des gens à lui dans la place pour l'avertir s'ils se rapprochent trop.

L'amiral acquiesça de la tête et réfléchit un moment, les yeux ailleurs. Ce n'était qu'une partie de la réponse. Il devait y avoir autre chose.

— C'est tout ?

— L'entraînement. Il n'a pas encore tout épluché. Je crois que nous devons lui laisser un peu de temps. Mais vous aviez raison, amiral. Il est vraiment intelligent.

Murray décrocha son téléphone et appuya sur le bouton voulu sans faire trop attention.

— Ouais ?

— Dan ? Jack Ryan.

— Comment ça va, prof ?

— Pas mal. Il y a quelque chose dont je veux vous parler.

— Balancez-moi ça.

— Je crois que l'ULA a infiltré la PIRA.

— Quoi ? s'écria Murray en se redressant. Holà, l'as ! Je ne peux pas...

Il regarda le téléphone. La ligne sur laquelle il parlait était...

— Nom de Dieu, qu'est-ce que vous foutez sur une ligne sûre ?

— Disons que je suis de nouveau au service du gouvernement, répondit modestement Ryan.

— Personne ne m'a prévenu !

— Alors, qu'est-ce que vous en pensez ?

— Je pense que c'est une possibilité. Jimmy a eu cette idée il y a trois mois. Le Bureau reconnaît que c'est assez logique. Il n'y a pas de preuve objective pour étayer l'hypothèse, mais tout le monde pense que ça se tient. Parce que, quoi, ce serait d'une bonne astuce de notre ami Kevin, s'il peut faire ça. Rappelez-vous que la PIRA a une très bonne sécurité intérieure, aussi, Jack.

— Vous m'avez dit que presque tout ce que vous savez de l'ULA vient de sources de la PIRA. Comment est-ce qu'ils obtiennent l'info ? demanda rapidement Ryan.

— Quoi ? Vous m'avez semé.

— Comment est-ce que la PIRA apprend ce que fait l'ULA ?

— Ah oui, d'accord. Ça, nous ne le savons pas.

C'était quelque chose qui troublait Murray, et aussi James Owens, mais les policiers ont l'habitude des sources anonymes.

— Pourquoi est-ce qu'ils feraient ça ?

— Dire à la PIRA ce qu'ils mijotent ? Nous n'en avons aucune idée. Si vous avez une suggestion, je suis tout ouïe.

— Pour recruter de nouveaux membres pour son équipe ? hasarda Ryan.

— Si vous réfléchissiez à ça pendant quelques secondes ? riposta immédiatement Murray.

Ryan venait de redécouvrir la théorie de la terre plate. Il y eut un moment de silence.

— Ah oui... alors il risquerait d'être infiltré.

— Bravo, l'as. Si O'Donnell les infiltre par mesure de sécurité pour se protéger, pourquoi faire venir dans sa bergerie des membres du groupe qui veut sa peau ? Si on veut se suicider, il y a des moyens plus simples, Jack.

Murray ne put s'empêcher de rire. Il croyait entendre Jack retomber à plat au bout du fil.

— D'accord, je suppose que je méritais ça. Merci.

— Désolé de pleuvoir sur votre cavalcade mais il y a deux ou trois mois que nous avons enterré cette idée.

— Il a bien dû recruter ses gens à la PIRA, pour commencer ! protesta Ryan à retardement.

Il se maudissait d'être aussi lent mais il se souvint que Murray était un expert sur ce sujet, depuis des années.

— D'accord, ça je veux bien, mais il en a gardé un nombre extrêmement réduit, dit Murray. Plus l'organisation prend de l'expansion, plus grand devient le risque que la PIRA l'infiltre, et le tue. Ils veulent réellement sa peau, Jack !

Murray se retint tout juste de révéler le marché que David Ashley avait conclu avec la PIRA. La CIA n'en savait encore rien.

— Comment va la famille ? demanda-t-il pour changer de conversation.

— Très bien.

— Bill Shaw dit qu'il est passé vous voir la semaine dernière ?

— Oui, c'est pour ça que je suis ici en ce moment. Vous m'avez amené à regarder par-dessus mon épaule, Dan. Rien d'autre que vous auriez découvert ?

Ce fut au tour de Dan d'être penaud.

— Plus j'y pense, plus on dirait que je me suis inquiété pour rien. Pas la moindre ombre de preuve, Jack. Ce n'était que de l'instinct, vous savez, un instinct de vieille femme. Navré. Je crois avoir réagi exagérément à quelque chose que Jimmy avait dit. J'espère que je ne vous ai pas fait trop peur.

— Ne vous en faites pas, dit Jack. Allons, il faut que je me tire d'ici. A un de ces jours.

— C'est ça. Au revoir, Jack.

Murray raccrocha et se remit à ses écritures.

Ryan en fit autant pendant quelques minutes. Il devait partir à midi afin d'arriver à l'heure pour son premier cours de la journée. Le messager revint avec son chariot et emporta les dossiers ainsi que les notes de Jack qui, naturellement, étaient classifiées aussi. Il partit aussitôt après, triant encore dans sa tête tout ce qu'il avait lu.

Ce que Jack ignorait, c'était que dans la nouvelle annexe du siège de la CIA se trouvait le quartier général du National Reconnaissance Office, une agence associant la CIA et l'Air Force responsable des renseignements donnés par satellites et, dans une mesure moindre, par les avions de reconnaissance à haute altitude.

La nouvelle génération de satellites utilisait des caméras de repérage de type télévision, au lieu de la pellicule photographique. Un des avantages, c'était que les caméras pouvaient fonctionner en permanence au lieu d'économiser la pellicule pour couvrir uniquement l'Union soviétique et les pays de l'Est. Cela permettait au NRO de recueillir une bien meilleure information de base et avait engendré des dizaines de nouveaux projets pour des centaines d'analystes, ce qui expliquait le bâtiment nouvellement construit derrière le siège de la CIA.

Le rapport d'un jeune analyste concernait la couverture des camps soupçonnés de servir à l'entraînement de terroristes. Le projet n'avait pas encore été approfondi ; des photos et des données avaient quand même été passées à la Task Force on Combating Terrorism, la force de choc contre le terrorisme. La TFCT était habituée aux photos par satellites, les plus courantes dans les milieux du gouvernement. On y poussa des « oh » et des « ah », on s'extasia sur la clarté des clichés, on apprit l'existence des nouveaux gadgets permettant aux caméras de prendre des images en dépit de mauvaises conditions atmosphériques, on constata qu'on pouvait réellement lire les numéros sur une plaque d'automobile... et on les oublia promptement en les jugeant sans importance, rien de plus que des photos de camps où des terroristes s'entraînaient peut-être. L'interprétation des photos de reconnaissance a toujours été un domaine restreint réservé aux seuls experts. Le travail d'analyse est tout simplement trop technique.

Et, comme c'est si souvent le cas, c'était le hic. Le jeune analyste était plutôt un technicien. Il rassemblait et collationnait les données mais ne les analysait pas réellement. Cela, ce serait le travail de quelqu'un d'autre, pour le jour où le projet serait accepté. Les camps qu'il examinait quotidiennement — il y en avait plus de deux cents — étaient surtout situés dans des déserts, ce qui était un remarquable coup de chance. Alors que tout le monde sait que dans la journée il règne dans les déserts une chaleur insoutenable, on sait moins qu'il y fait grand froid la nuit, la température tombant au-dessous de zéro dans bien des cas. Le technicien essayait donc de déterminer l'occupation des camps en se basant sur le nombre de bâtiments chauffés durant les nuits froides. Cela se voyait très bien à l'infrarouge ; des taches blanches brillantes sur le fond noir.

Un ordinateur emmagasinait les signaux numériques du satellite. Le technicien donnait un numéro de code aux camps, notait le nombre de bâtiments chauffés pour chacun et transférait ces données dans un second dossier-programme. Le camp 11-5-18, situé à 28° 32′ 47″ de latitude nord et 19° 07′ 52″ de longitude est, comportait six bâtiments dont un garage. Ce dernier contenait au moins deux véhicules ; bien que le baraquement ne soit pas chauffé, la signature thermique de deux moteurs à combustion interne s'irradiait nettement à travers le toit de tôle ondulée. Sur les cinq autres bâtiments, un seul était chauffé. La semaine précédente — le technicien vérifia — il y en avait trois. D'après l'imprimante, celui qui était chauffé maintenant abritait un petit groupe de garde et de maintenance, cinq hommes, croyait-on. Il y avait évidemment une cuisine car une partie du baraquement était toujours un peu plus chaude que le reste. Un autre de ces bâtiments était un grand réfectoire. Celui-là et les dortoirs étaient vides, à présent. Le technicien nota les renseignements appropriés et l'ordinateur les transposa sur un graphique linéaire. Le technicien n'avait pas le temps de vérifier les indications du graphique mais il supposait, à tort, que quelqu'un d'autre le faisait.

— Vous vous rappelez, lieutenant, dit Breckenridge. Inspirez profondément, expirez à moitié et pressez doucement la détente.

L'automatique Browning 9 mm avait une excellente mire. Ryan la braqua sur la cible ronde et fit ce que lui disait Gunny. Il le fit à la perfection. L'éclair et la détonation faillirent le surprendre. L'automatique éjecta la douille, fut prêt à tirer de nouveau tandis que Jack corrigeait le recul. Il tira de même quatre fois encore. Le pistolet se bloqua en s'ouvrant sur le chargeur vide et Ryan le posa sur la table. Il ôta ensuite ses protège-oreilles. Ils étaient moites de sueur.

— Deux neuf, trois dix et deux dans l'anneau X, annonça Breckenridge en s'écartant du scope. Pas si bien que la dernière fois.

— Mon bras est fatigué, expliqua Ryan.

Le pistolet pesait un peu plus d'un kilo. Ce n'était pas un bien grand poids, mais il fallait le tenir à bout de bras, absolument sans trembler, pendant une heure.

— Vous pourriez vous procurer des haltères de poignet, vous savez, comme ceux que les joggers emploient. Ça vous renforcera les muscles de l'avant-bras et du poignet.

Breckenridge glissa cinq balles dans le chargeur de Ryan et se plaça sur la ligne pour viser une cible neuve.

Le sergent-major tira les cinq balles en moins de trois secondes. Ryan regarda au petit télescope. Il y avait cinq trous dans l'anneau X, serrés comme les pétales d'une fleur.

— Ah merde, j'avais oublié à quel point un bon Browning pouvait être amusant! s'exclama Breckenridge en éjectant le chargeur pour le recharger. Et la mire est au poil, aussi.

— J'ai remarqué, marmonna Ryan, tout penaud.

— Faut pas vous en vouloir, lieutenant. Je faisais ça quand vous étiez encore en barboteuse.

Cinq autre balles firent toutes mouche, à quinze mètres.

— Pourquoi tirons-nous sur des cibles rondes, au fait ? demanda Jack.

— Je veux vous habituer à placer vos balles exactement là où vous le voulez. Nous travaillerons la fantaisie plus tard. Pour le moment, nous faisons des gammes. Vous avez l'air un peu plus détendu aujourd'hui, lieutenant.

— Oui, j'ai parlé au type du FBI qui est à l'origine de l'avertissement. Il pense maintenant qu'il a eu une réaction exagérée. Moi aussi, peut-être.

— Vous n'avez jamais été au combat, lieutenant. Moi si. Voici ce que j'y ai appris : le premier petit pincement que vous avez est généralement le bon. N'oubliez pas ça.

Jack acquiesça, sans y croire. Il avait bien travaillé dans la journée. Son examen des dossiers de l'ULA lui avait beaucoup appris sur l'organisation et absolument rien ne permettait de soupçonner qu'ils aient jamais opéré en Amérique. L'IRA provisoire avait beaucoup de relations américaines mais pas l'ULA, apparemment. Or, s'ils avaient l'intention de commettre quelque chose aux Etats-Unis, pensait Ryan, ils auraient besoin de contacts. Il était possible qu'O'Donnell fasse appel à quelques-uns de ses anciens camarades de la PIRA, mais cela semblait tout à fait improbable. C'était un homme dangereux mais uniquement sur son propre territoire. Et l'Amérique n'était pas son territoire. C'était ce que disaient les renseignements. Jack savait qu'il avait tort de tirer une conclusion aussi définitive après une journée de travail seulement, bien sûr. Il continuerait de chercher, d'étudier. Dans l'ensemble et au train où elle allait, son enquête durerait deux à trois semaines. Faute de mieux, Jack voulait examiner les relations entre O'Donnell et la PIRA. Il avait bien l'impression qu'il se passait quelque chose de bizarre, Murray avait bien l'air de le penser aussi, et il voulait parcourir l'information avec soin, dans sa totalité, en espérant découvrir une hypothèse plausible. Il devait quelque chose à la CIA, pour son amabilité.

La tempête était magnifique. Miller et O'Donnell regardaient par les petits carreaux plombés le vent de l'Atlantique soulever la mer en lames énormes couronnées d'écume, qui venaient s'écraser contre la falaise au sommet de laquelle se dressait la maison. Les brisants sur les rochers formaient les notes basses tandis que le vent hurlait et sifflait dans les arbres et que les gouttes de pluie jouait en pizzicati sur le toit et les carreaux.

— Pas un temps pour faire de la voile, dit O'Donnell avant de boire une gorgée de whisky.

— Quand est-ce que nos collègues vont en Amérique ?

— Dans trois semaines. Il n'y a guère de temps. Tu veux toujours faire ça ?

— C'est une occasion à ne pas rater, Kevin, répondit posément Miller.

— Est-ce que tu as un autre mobile ? demanda O'Donnell en pensant qu'il valait mieux tout mettre au clair.

— Pense aux ramifications. Les provisoires vont là-bas proclamer leur innocence et...

— Oui, je sais, c'est une belle occasion. Très bien. Quand veux-tu partir ?

— Mercredi matin. Nous devons agir vite. Même avec nos contacts, ce ne sera pas facile.

13
Visiteurs

Les deux hommes étaient penchés sur l'agrandissement de la carte entouré de plusieurs photos 20 × 25.

— Ça va être le plus dur, dit Alex. Ce coup-là, je ne peux pas t'aider.

— Où est le problème ?

Sean le voyait mais en posant la question il avait la possibilité de juger de l'habileté de son nouveau camarade. Il n'avait encore jamais travaillé avec un Noir et si, l'année précédente, il avait fait la connaissance d'Alex et de quelques membres de son groupe, ils restaient encore des inconnus, tout au moins sur le plan opérationnel.

— Il sort toujours par le portail trois, là. La rue, comme tu le vois, est sans issue. Il peut tourner au nord ou filer tout droit à l'est, en sortant. Il a fait les deux. Cette rue-là est assez large pour faire le boulot d'une bagnole, mais celle-ci... trop étroite et elle est dans le mauvais sens. Ça veut dire que le seul endroit sûr, c'est là, au coin. Des feux tricolores ici et là, dit Alex en montrant du doigt sur le plan. Ces deux rues sont étroites et il y a toujours des voitures en stationnement des deux côtés. Cet immeuble, c'est des appartements. Là il y a des maisons, luxueuses. Assez curieusement, il n'y a pas beaucoup de piétons, par là. Un homme ça passerait peut-être, deux ou plus, *nah*. Et c'est un quartier blanc. Un Noir se ferait remarquer. Faut que ton mec fasse celui-là tout seul, mon vieux, et faudra qu'il soit à pied. Probablement dans l'embrasure de cette porte, c'est la meilleure planque, mais faudra qu'il ait l'œil, sans quoi son objectif lui échappera.

— Comment est-ce qu'il s'en va ? demanda Sean.

— Je peux garer une voiture derrière ce coin, là, ou celui-là. Le minutage, c'est pas un souci. Nous pouvons attendre la bonne place toute la journée. Nous avons un choix de chemins d'évasion. Pas de problème non plus. A l'heure de pointe, les rues sont encombrées. C'est généralement bon pour nous. Les flics auront du mal à réagir et nous utiliserons une voiture qui aura l'air ordinaire, appartenant à un habitant de l'Etat. Ils ne peuvent pas les arrêter toutes. La fuite, c'est facile. Le problème, c'est ton type. Faut qu'il soit là sur place.

— Pourquoi ne pas le surprendre dans sa voiture à un autre endroit ?

Alex secoua la tête.

— Trop difficile. Les rues sont trop encombrées pour qu'on soit sûr et ce serait trop facile de le perdre. Tu as vu la circulation, Sean, et il ne passe jamais deux fois exactement par le même chemin. Si tu veux mon avis, tu devrais fractionner ton opération.

— Non, répliqua catégoriquement Miller. Nous la ferons comme je le veux.

— D'accord, mec, mais je te le dis, ton type est exposé.

Miller réfléchit quelques instants à cela. Enfin il sourit :

— J'ai exactement l'homme qu'il faut pour ça. L'autre partie ?

Alex prit un autre plan.

— Facile. La cible peut prendre n'importe quelle route, elles aboutissent toutes à cet endroit précis à exactement 16 h 45. Nous avons vérifié six fois, six jours dans les deux dernières semaines, ça n'a jamais varié de plus de cinq minutes. Nous ferons le boulot par là, près du pont. N'importe qui peut s'en occuper. Nous pouvons même le répéter pour toi.

— Quand ?

— Cet après-midi, ça te va ?

— C'est sûr. Route de fuite ?

— Nous te ferons voir. Autant en faire une vraie répétition.

— Excellent.

Miller était très satisfait. Cela avait été assez compliqué d'arriver jusque-là. Pas difficile mais compliqué, par six vols différents. Le voyage avait eu des côtés comiques. Sean Miller voyageait avec un passeport britannique, pour le moment, et un agent de l'immigration, à Miami, avait pris son accent de Belfast pour un accent écossais. Il s'était dit que si c'était là le niveau d'habileté de la police américaine, cette opération devrait aller comme sur des roulettes.

Ils procèderaient à la répétition dans la journée. Si les choses se présentaient bien, il convoquerait l'équipe et ils passeraient à l'action dans... quatre jours, estima-t-il. Les armes étaient déjà en place.

— Conclusions ? demanda Cantor.

Ryan souleva une liasse de soixante feuillets.

— Voilà mon analyse, pour ce qu'elle vaut... pas grand-chose, sans doute, avoua Jack. Je n'ai rien découvert de nouveau. Les rapports que vous aviez déjà étaient assez bons, étant donné le manque d'indices. L'ULA est vraiment une drôle de bande. D'un côté, leurs opérations n'ont pas de mobile apparent pour nous... mais ce genre d'habileté... Ils sont trop professionnels pour opérer sans un objectif, bon dieu !

— C'est assez vrai.

Ils étaient dans le bureau de Cantor, en face de celui du DDI. L'amiral Greer était en voyage.

— Vous n'avez rien découvert du tout ?

— J'ai mis à plat leurs opérations, géographiquement et chronologiquement. Pas de schéma évident. Le seul visible est le type d'opérations et l'exécution, mais ça ne veut rien dire. Ils aiment les gros objectifs, importants, mais on peut dire ça de tous les terroristes. C'est la raison d'être du terrorisme, s'attaquer au gros gibier. Ils se servent surtout d'armes du bloc soviétique, mais c'est le cas de la majorité des groupes. Nous supposons qu'ils sont bien financés. C'est logique, étant donné la nature de leur activité, mais encore une fois il n'y a rien de concret pour le confirmer. O'Donnell a le chic pour disparaître. Il y a trois années entières dont nous ne savons absolument rien, une juste avant qu'il refasse surface, à peu près au moment du Dimanche Sanglant, et deux autres après que les provisoires ont essayé de lui poinçonner son ticket. Deux ans de mystère complet. J'ai parlé avec ma femme de l'angle de la chirurgie plastique...

— Quoi ? s'exclama Cantor à qui cela ne plaisait pas du tout.

— Elle ne sait pas pourquoi je voulais ce renseignement. Ecoutez, Marty, ayez confiance en moi, quoi ! Je suis le mari d'un chirurgien ! Une de ses camarades de fac est un chirurgien de reconstitution, comme ils disent, et je lui ai fait demander par Cathy où l'on peut se refaire une figure. Il n'y a pas beaucoup d'endroits où cela se fasse vraiment, j'ai été surpris. J'ai une liste de ces spécialistes, là. Il y en a deux derrière le rideau de fer. Il se trouve que le vrai travail de pionnier s'est fait à Moscou avant la Seconde Guerre mondiale. Des gens de Hopkins sont allés à l'institut... Ça porte le nom de ce pionnier mais je ne me souviens plus... et ils ont remarqué là-bas diverses bizarreries.

— Quoi, par exemple ? demanda Cantor.

245

— Eh bien, deux étages où l'on ne peut pas du tout aller. Annette Disalvi, la copine de Cathy, y était il y a deux ans. On ne peut accéder aux deux derniers étages de l'institut que par des ascenseurs particuliers et les escaliers ont des grilles cadenassées. Ce qui est bizarre dans un hôpital. Ça m'a paru drôle, mais ce sera peut-être utile à quelqu'un d'autre.

Candor hocha la tête. Il connaissait cet hôpital mais les étages interdits étaient un élément nouveau. C'était quand même ahurissant, pensa-t-il, tous les petits bouts de renseignement nouveaux qui surgissaient si innocemment. Il se demanda aussi pourquoi une équipe chirurgicale de Hopkins avait été accueillie là-bas. Il prit note de se renseigner à ce sujet.

— Cathy dit que ce truc de la transformation d'une figure n'est pas aussi simple qu'on prétend. En général, le travail est destiné à corriger les dégâts d'un traumatisme, à la suite d'accidents de la route ou de choses comme ça. Il s'agit moins de transformer que de réparer. La chirurgie faciale étendue exige de multiples procédures et ne peut se faire qu'en plusieurs mois. Si O'Donnell a disparu pendant deux ans, une grande partie de son temps s'est passée chez le carrossier.

— Ah, fit Cantor en comprenant ce que cela signifiait. C'est donc un travailleur rapide, hein ?

— C'était ça que je voulais savoir, dit Jack avec un grand sourire. Il est resté hors de vue pendant deux ans. Il a dû passer au moins six mois dans des hôpitaux ou des cliniques. Donc, pendant les dix-huit autres mois, il a recruté son monde, installé une base d'opérations, commencé à recueillir des informations et monté son premier coup.

— Pas mal, jugea Cantor, l'air songeur.

— Ouais. Donc, il a dû avoir besoin de recruter du monde chez les provisoires. Et ils ont dû lui apporter des renseignements. Je parie que ses premières opérations ont été des trucs déjà envisagés par la PIRA et mis de côté pour une raison ou une autre. C'est pour ça que les Brits croyaient qu'ils faisaient partie de la PIRA, au début.

— Vous disiez que vous n'aviez rien trouvé d'important ! s'exclama Cantor. Cette analyse-là m'a l'air drôlement fouillée !

— Peut-être. Je n'ai fait que compiler de l'info que vous aviez déjà. Rien de nouveau, là, et je n'ai toujours pas répondu à ma première question. Je ne sais toujours pas ce qu'ils veulent. Ils manigancent quelque chose, mais du diable si je sais ce que c'est !

Ryan feuilleta son manuscrit d'une main agacée. Sa voix révélait sa frustration. Il n'était pas habitué à l'échec.

— Des contacts américains ?

246

— Aucun, pas le moindre à notre connaissance. J'avoue que ça me rassure beaucoup. Il n'y a pas le moindre indice de relations avec des organisations américaines et beaucoup de raisons pour qu'ils n'en aient pas. O'Donnell est trop astucieux pour s'amuser avec ses anciens contacts de la PIRA.

— Mais son recrutement ? objecta Cantor.

— Par ici, je veux dire, interrompit Jack. En qualité de chef de la sécurité intérieure, il doit savoir qui est qui, à Belfast et à Londonderry. Mais les filières des Américains avec les provisoires passent toutes par le Sinn Fein. Il faudrait qu'il soit fou, pour se fier à ceux-là. N'oubliez pas qu'il a tout fait pour restructurer les tendances politiques du mouvement et qu'il a échoué.

— D'accord. Je vois ce que vous voulez dire. Rapports possibles avec d'autres groupes ?

Ryan secoua la tête.

— Pas d'indications. Je veux bien croire à des contacts avec des groupements européens, peut-être même islamiques, mais pas ici. O'Donnell est un malin. Venir ici, ça suppose trop de complications. Ils ne m'aiment pas, c'est sûr, c'est visible. Mais le FBI a raison. Nous avons affaire à des professionnels. Je ne suis pas un objectif politique important. Un attentat contre moi n'aurait aucune valeur politique et ces oiseaux-là sont des animaux politiques, déclara Jack avec assurance. Dieu merci.

— Est-ce que vous savez que la PIRA — enfin, le Sinn Fein — a une délégation qui va arriver ici après-demain ?

— Pour quoi faire ?

— Le truc de Londres leur a fait beaucoup de tort, à Boston et à New York. Ils ont nié au moins cent fois toute participation à l'affaire et un groupe va venir passer une quinzaine de jours ici, pour expliquer ça directement aux milieux irlandais de chez nous.

— Ah merde ! gronda Ryan. Pourquoi ne pas leur fermer la frontière ?

— Pas facile. Ceux qui viennent ne figurent pas sur la liste à surveiller. Nous vivons dans une libre démocratie, Jack. Rappelez-vous ce que disait Oliver Wendell Holmes : la Constitution a été rédigée pour des hommes aux points de vue fondamentalement différents, quelque chose comme ça. En clair : « liberté de parole ».

Ryan ne put réprimer un sourire. L'idée que se faisait le monde en général de la Central Intelligence Agency était celle d'une bande de fascistes maladroits, un croisement entre la Mafia et les Marx Brothers. En réalité, Ryan s'était aperçu que tous ces agents étaient politiquement modérés, bien plus que lui. Si jamais la vérité se savait, la presse, naturellement, croirait à une sinistre ruse. Jack lui-même trouvait cela bizarre.

— J'espère qu'il y aura quelqu'un pour garder un œil sur eux, dit-il.

— Le FBI aura des agents dans tous les bars, éclusant leur John Jameson et chantant des ballades irlandaises. Et gardant un œil sur tout. Le Bureau s'y entend très bien pour ça. Ils ont à peu près mis fin au trafic d'armes. Il doit bien y avoir une demi-douzaine de personnes qui ont été mises à l'ombre pour avoir envoyé des armes et des explosifs là-bas.

— Parfait. Alors maintenant les malfrats se servent de Kalachnikov ou d'Armalites fabriqués à Singapour.

— Ça, déclara Cantor, ce n'est pas de notre responsabilité.

— Enfin bref, voilà tout ce que j'ai été capable de découvrir, Marty. A moins qu'il y ait d'autres renseignements dans le coin, c'est tout ce que je peux vous donner.

Jack lança le rapport sur les genoux de Cantor.

— Je vais lire ça et nous nous reverrons. Vous retournez faire vos cours d'histoire ?

— Hé oui, dit Jack en se levant pour prendre sa veste sur le dossier de la chaise. Et si quelque chose, sur ces types, aboutit ailleurs ?

— C'est le seul compartiment que vous pouvez voir, Jack.

— Je sais. Ce que je voudrais savoir, c'est comment vous reliez toutes les infos des compartiments différents ?

— C'est pour ça que nous avons des équipes de coordination et des ordinateurs, répondit Cantor, pensant, sans le dire, que le système ne marchait pas toujours.

— Si quelque chose de neuf surgit...

— C'est enregistré, assura Cantor. Ici comme au FBI. Si jamais nous avons le moindre souffle de quelque chose sur ces gars, vous serez averti le jour même.

— Bon à savoir.

Ryan s'assura que son laissez-passer était accroché à son cou, bien en vue, avant de sortir du cagibi.

— Merci, et soyez gentil de remercier l'amiral pour moi. Vous n'étiez pas obligés de faire ça. Je ne me sentirais pas aussi rassuré si quelqu'un m'avait simplement dit tout ce que j'ai pu voir de mes yeux. J'ai une dette.

— Vous aurez de nos nouvelles, promit Cantor.

Ryan hocha la tête et sortit. Oh oui, il aurait de leurs nouvelles, il

248

n'en doutait pas. Ils renouvelleraient leur offre et il la repousserait encore, bien à contrecœur, naturellement. Il s'était donné beaucoup de mal pour être humble et poli avec Cantor. En réalité, il pensait que ses soixante feuillets de rapport étaient un excellent travail d'organisation des renseignements que la CIA possédait sur l'ULA. Ceci compensait cela. Il pensait ne rien devoir du tout.

Cathy Ryan, chirurgien, menait une existence très contrôlée et structurée. Cela lui plaisait. En chirurgie, elle travaillait toujours avec la même équipe de médecins, d'infirmières et de techniciens. Ils savaient comment elle s'y prenait, comment elle aimait que les instruments soient disposés. Tous les chirurgiens ont leurs petites singularités et les ophtalmologistes sont les plus pointilleux. Son équipe la tolérait parce qu'elle était un des meilleurs chirurgiens de son âge et aussi une femme agréable. Elle était toujours d'humeur égale et s'entendait bien avec les infirmières, ce qui était assez inhabituel de la part des femmes-médecins. Son problème actuel était sa grossesse qui l'obligeait à éviter certains produits chimiques dans la salle d'opération. Son ventre commençait aussi à gêner sa position à la table ; en réalité, les chirurgiens des yeux opèrent assis mais le principe est le même. Cathy Ryan devait davantage allonger les bras et en plaisantait constamment.

Les mêmes traits de caractère influaient sur sa vie personnelle. Elle conduisait sa Porsche avec une précision mécanique, changeait toujours ses vitesses au moment voulu, prenait ses virages aussi parfaitement qu'un pilote de F 1. Il ne s'agissait pas chez Cathy Ryan d'une routine mais d'une recherche constante de la perfection. Sissy Jackson, qui était professeur de musique et pianiste professionnelle, lui avait dit une fois qu'elle jouait trop parfaitement du piano, que son jeu manquait d'âme. Cathy avait pris cela comme un compliment. Les chirurgiens ne signent pas leurs œuvres, ils les exécutent exactement comme il le faut, à chaque fois.

C'était pourquoi sa vie actuelle l'irritait. C'était agaçant d'avoir à passer tous les jours par un chemin différent pour aller à son travail. Mais elle en avait fait une gageure, en se donnant pour but de ne pas se laisser retarder par cette obligation. L'aller ou le retour ne durait jamais plus de cinquante-sept minutes, ni moins de quarante-neuf (sauf, bien sûr, pendant le week-end où la circulation était différente). Elle allait toujours chercher Sally à 16 h 45.

Ce jour-là, son chemin passait par la Route 3 puis par une route secondaire qui l'amenait dans Ritchie Highway à une dizaine de kilomètres au-dessus du jardin d'enfants des Giant Steps. Elle attrapa le feu vert et tourna le coin en seconde, puis elle passa rapidement en troisième et en quatrième. Le grondement félin du six cylindres lui parvenait comme un ronronnement. Cathy adorait sa Porsche. Elle n'avait jamais conduit autre chose avant son mariage et se demandait ce qu'elle ferait quand le deuxième enfant serait là — un break serait plus pratique pour les courses et les sorties en famille, malheureusement. Ce serait un problème, se dit-elle en soupirant. Tout dépendrait du domicile de la nourrice. Ou peut-être arriverait-elle enfin à persuader Jack d'engager une nurse. Il était un peu trop « peuple », à cet égard. Il avait résisté tant qu'il avait pu lorsqu'elle avait voulu engager une bonne à mi-temps pour l'aider dans la maison, ce qui était d'autant plus ridicule qu'il laissait tout traîner. La bonne l'avait un peu changé sur ce point. Juste avant son arrivée, Jack courait dans tous les coins pour ramasser ses affaires, pour qu'elle ne pense pas que les Ryan étaient une famille de souillons. Il était comique. *Oui*, pensa Cathy, *nous aurons une nurse. Après tout, Jack est un « Sir » maintenant !* Elle sourit aux voitures qu'elle croisait. Ce ne serait pas trop dur de le convaincre. Jack était très facile à manipuler. Elle déboîta et rétrograda pour doubler en trombe un camion. C'était facile, avec une Porsche.

Deux minutes plus tard, elle tournait à droite dans le parking du jardin d'enfants. La voiture de sport cahota sur le revêtement inégal et Cathy l'arrêta à la place habituelle. Elle verrouilla la portière en descendant, comme toujours. Sa Porsche avait six ans mais elle était méticuleusement entretenue. C'était un cadeau qu'elle s'était fait à la fin de son internat à Hopkins. Il n'y avait pas la moindre égratignure sur le vert anglais de la carrosserie lustrée.

— Maman !

Sally l'attendait à la porte. Cathy se baissa pour la prendre dans ses bras. Elle avait de plus en plus de mal à se pencher et surtout à se redresser avec sa fille pendue à son cou. Elle espérait que Sally ne se sentirait pas menacée par l'arrivée du bébé. Certains enfants étaient jaloux, elle le savait, mais elle lui avait déjà expliqué tout ce qui se passait et Sally lui avait paru heureuse à l'idée d'avoir un petit frère ou une petite sœur.

— Alors ? Qu'est-ce que ma grande fille a fait aujourd'hui ?

Sally aimait bien être appelée « grande fille » et Cathy s'en servait pour être sûre que toute rivalité serait ainsi minimisée à l'arrivée du « petit », garçon ou fille.

Sally gigota pour être posée et brandit un grand dessin, une composition abstraite en orangé et en violet, probablement peinte avec les doigts. La mère et la fille allèrent au vestiaire chercher manteau et cartable. Cathy remonta bien la fermeture du manteau ainsi que le capuchon ; il faisait à peine un ou deux degrés au-dessus de zéro. Cinq minutes s'écoulèrent, en tout, entre le moment où elle avait arrêté sa voiture dans le parking et où elle y retourna avec sa fille.

Elle n'était pas consciente de la régularité de son emploi du temps quotidien. Elle ouvrit la portière, fit asseoir Sally, s'assura que la ceinture était bien bouclée avant de refermer la portière à clef et de contourner le capot.

Elle jeta un bref coup d'œil autour d'elle. De l'autre côté de Ritchie Highway il y avait un petit centre commercial, un supermarché, un teinturier, une boutique vidéo et une quincaillerie. Une fourgonnette bleue était garée devant le supermarché. Elle l'avait déjà remarquée la semaine précédente. Mais elle ne s'en soucia pas. C'était un magasin commode et beaucoup de gens y passaient régulièrement, en rentrant chez eux.

— Salut, lady Ryan, dit Miller à l'intérieur de la fourgonnette.

Les deux vitres de la porte arrière — elles lui rappelaient le car de police de son transfert et cela le fit sourire — étaient en verre de couleur et permettaient d'observer l'extérieur sans être vu. Alex était allé acheter un pack de Coca, comme il le faisait assez régulièrement depuis quinze jours.

Miller consulta sa montre. Elle était arrivée à 16 h 46 et partait à 16 h 52. A côté de lui, un homme prenait des photos. Miller porta des jumelles à ses yeux. La Porsche verte serait facile à repérer et, en plus, elle avait une plaque personnalisée : CR. Alex lui avait expliqué que, dans le Maryland, on pouvait acheter pour sa voiture la plaque que l'on voulait.

Alex remonta au volant et mit en marche. La fourgonnette sortit du parking en même temps que la Porsche. Elle prit d'abord la direction du nord dans Ritchie Highway, mais fit rapidement demi-tour et fonça au sud à la poursuite de la Porsche. Miller vint s'asseoir à côté de lui.

— Elle prend ce chemin jusqu'à la Route 50, traverse par le pont sur la Severn et quitte la 50 pour la 2. Il faut la frapper avant. Nous allons la suivre, prendre la même bretelle de sortie et changer de voiture là où je t'ai montré. Dommage, ajouta Alex. Je commençais à bien aimer cette camionnette.

— Tu pourras t'en acheter une autre, avec ce qu'on te paye !

Un large sourire fendit la figure noire.

— Ouais, probable. Et avec un intérieur plus confortable.

Il tourna à droite dans l'échangeur pour s'engager dans la Route 50.

Elle était large, à voies multiples. La circulation y était de modérée à dense. Alex dit que c'était normal.

— Pas de problème pour faire le coup, affirma-t-il.

— Excellent, approuva Miller. Bon travail, Alex.

Même si tu as une grande gueule.

Cathy conduisait toujours plus prudemment quand Sally était à bord. La petite fille s'étirait le cou pour voir au-dessus du tableau de bord et, comme d'habitude, elle jouait de la main gauche avec sa ceinture de sécurité. Sa mère se détendait, à présent. Il lui fallait toujours à peu près ce laps de temps pour se remettre après une dure journée — il y en avait peu de faciles — à l'Institut ophtalmologique Wilmer. Elle avait pratiqué deux opérations et en aurait encore deux le lendemain. Cathy aimait son travail. Il y avait beaucoup de gens qui voyaient clair maintenant grâce à son habileté professionnelle : c'était une satisfaction qu'il était assez difficile de communiquer, même à Jack. Mais elle en payait le prix par de dures journées. La précision microscopique exigée par la chirurgie des yeux lui interdisait le café — elle ne pouvait risquer le moindre tremblement provoqué par la caféine — et lui imposait un degré de concentration que peu d'autres professions réclamaient. Il n'y avait guère de spécialités médicales plus difficiles. C'était pour cela qu'elle conduisait une Porsche, comme si la voiture canalisait son excès d'énergie. Elle était presque toujours de bonne humeur en rentrant chez elle. Ce soir, elle l'était plus encore parce que c'était au tour de Jack de préparer le dîner.

— O.K. ? demanda Alex en continuant de rouler à l'ouest sur la 50, vers Washington.

L'homme de l'arrière tendit à Miller un bloc à pince, avec le nouveau relevé horaire. Sept indications en tout y étaient portées, toutes sauf la dernière accompagnées d'une photo. Sean examina les chiffres. Un emploi du temps superbement régulier.

— Parfait, dit-il au bout d'un moment.

— Je ne peux pas te donner de point précis pour le coup, à cause de la circulation. Mais je dirais que nous devons essayer avant le pont.

— D'accord.

Cathy Ryan entra dans sa maison cinq minutes plus tard. Elle défit la fermeture du manteau de Sally et regarda sa « grande » petite fille l'enlever toute seule, ce qu'elle commençait à apprendre. Cathy le prit et l'accrocha avant de se déshabiller elle-même. Mère et fille allèrent à la

252

cuisine d'où leur venaient les bruits familiers d'un mari se débattant pour faire le dîner et d'une télévision branchée sur les informations.

— Papa, regarde ce que j'ai peint ! cria Sally en se précipitant.

— Oh, superbe ! dit Jack en prenant le dessin pour l'examiner avec un grand sérieux. Je crois que nous allons l'exposer, celui-là.

Tous avaient droit à l'accrochage. La galerie de tableaux était le devant du réfrigérateur. Il restait toujours une place pour une nouvelle œuvre. Sally ne le remarquait pas. Elle ne savait pas non plus que toutes ses créations étaient gardées, bien rangées dans un carton du placard de l'entrée.

— Bonsoir, bébé, dit Jack en embrassant ensuite sa femme. Comment ça s'est passé, aujourd'hui ?

— Deux transplantations de cornée. Bernie m'a assistée pour la seconde, c'était dur-dur. Demain j'ai une vitrectomie. Bernie te salue bien, au fait.

— Comment va sa petite ?

— Simple appendice, elle refera le singe la semaine prochaine, répliqua Cathy en contemplant la cuisine.

Elle se demandait souvent si cela valait la peine de laisser Jack préparer le dîner, tant il mettait la pièce sens dessus dessous. Il devait avoir préparé un rôti, mais elle n'en était pas sûre. Jack n'était pas un mauvais cuisinier — pour certains plats, il était même excellent — mais il n'avait aucun soin. Jamais il ne rangeait correctement les ustensiles. Cathy aimait avoir ses couteaux, ses fourchettes et tout le reste aussi bien disposé qu'un plateau d'instruments de chirurgie. Jack ne remettait jamais les choses à leur place et passait la moitié de son temps à chercher ce qu'il en avait fait.

Sally sortit de la cuisine et trouva une chaîne de télé qui ne diffusait pas d'actualités.

— Bonnes nouvelles, annonça Jack.

— Ah ?

— J'ai fini à la CIA, aujourd'hui.

— Qu'est-ce qui te fait sourire, alors ?

— Je n'ai absolument rien trouvé qui nous donne des raisons de nous inquiéter.

Jack s'expliqua, sans fournir de détails trop confidentiels.

— Ils n'ont jamais opéré ici. Ils n'ont pas de contacts ici, à notre connaissance. Mais surtout, nous ne sommes pas de bons objectifs pour eux.

— Pourquoi ?

— Nous ne sommes pas « politiques ». Les gens qu'ils attaquent, ce sont des policiers, des soldats, des juges, des maires, des gens comme ça...

— Sans parler d'un prince ou deux.

— Oui, enfin, nous n'en sommes pas non plus, pas vrai ?

— Alors, qu'est-ce que tu cherches à me dire ?

— C'est une bande redoutable. Ce jeune Miller... Je me sentirai mieux quand ils l'auront remis dans le trou. Mais ces types sont des pros. Ils ne vont pas monter une opération à cinq mille kilomètres de chez eux pour une simple vengeance.

Cathy prit la main de son mari.

— Tu en es sûr ?

— Aussi sûr qu'on peut l'être. Les renseignements n'ont rien de mathématique, mais on arrive à comprendre l'adversaire, à savoir comment sa tête fonctionne. Un terroriste tue pour marquer un point sur le plan politique. Nous ne sommes pas de la chair à canon politique.

Cathy lui sourit.

— Alors je peux me détendre, maintenant ?

— Je crois. Garde quand même un œil sur le rétro.

— Et tu ne vas plus trimbaler ce pistolet ? dit-elle, pleine d'espoir.

— Ecoute, bébé, j'aime tirer. J'avais oublié qu'un pistolet était si amusant. Je vais continuer d'aller tirer à l'Académie mais à part ça, non, je ne le porterai plus.

— Et le fusil de chasse ?

— Il ne fait de mal à personne.

— Je n'aime pas ça, Jack ! Au moins décharge-le, d'accord ?

Elle partit se changer dans la chambre.

— O.K.

Ce n'était pas très important. Il se promit de garder la boîte de cartouches à côté du fusil sur la plus haute étagère de la penderie. Sally ne pourrait jamais l'atteindre. Même Cathy aurait du mal. Il ne serait pas dangereux, là-haut. Jack reconsidéra toutes ses actions depuis trois semaines et demie et jugea qu'elles avaient été utiles. Le système d'alarme pour la maison n'était pas une mauvaise idée, après tout, et il aimait son Browning 9 mm. Il commençait à faire de bons cartons. S'il persévérait pendant un an, peut-être arriverait-il à se mesurer à Breckenridge.

Il jeta un coup d'œil dans le four. Encore dix minutes. Ensuite il monta le son de la télévision... *Ah merde, alors !*

« Venant se joindre à nous de notre studio de WGBH à Boston,

254

voici Padraig — ai-je bien prononcé ? — O'Neil, porte-parole du Sinn Fein et membre du parlement britannique. Monsieur O'Neil, pourquoi êtes-vous aux Etats-Unis en ce moment ?

— Beaucoup de mes confrères et moi avons déjà rendu visite aux Américains pour leur parler de l'oppression infligée au peuple irlandais par le gouvernement britannique : le refus systématique de toute expansion économique et des droits civiques les plus élémentaires, l'abrogation totale du système judiciaire, la brutalité persistante de l'armée britannique d'occupation contre le peuple d'Irlande, dit O'Neil d'une voix posée, raisonnable, en homme qui avait l'habitude de ce genre d'interview.

— Monsieur O'Neil, intervint une personnalité de l'ambassade de Grande-Bretagne à Washington, est le principal représentant politique de l'Armée républicaine irlandaise ou IRA. C'est une organisation terroriste qui est illégale tant en Irlande du Nord qu'en République d'Irlande. Sa mission aux Etats-Unis est, comme toujours, de récolter des fonds permettant à son organisation d'acheter des armes et des explosifs. Cette source de revenus de l'IRA a été gravement compromise par le lâche attentat contre la famille royale, l'année dernière, et la raison de son voyage actuel est de convaincre les Irlando-Américains que l'IRA n'a eu aucune part dans cette affaire.

— Qu'en pensez-vous, monsieur O'Neil ? dit l'interviewer.

L'Irlandais sourit benoîtement à la caméra.

— M. Bennett élude, comme toujours, les légitimes questions politiques. Ne refuse-t-on pas aux catholiques d'Irlande du Nord toute possibilité d'expansion économique ? La procédure légale n'a-t-elle pas été subvertie, en Irlande du Nord, pour des raisons politiques, par le gouvernement britannique ? Sommes-nous plus près de parvenir à un règlement politique de cette dispute qui remonte, dans sa phase moderne, à 1969 ? Non, j'ai le regret de le dire, ce n'est pas le cas. Mais si j'étais un terroriste, serais-je autorisé à entrer dans votre pays ? Je suis, en réalité, un membre du parlement britannique, élu par le peuple de ma circonscription parlementaire.

— Mais vous ne siégez pas au parlement, objecta l'interviewer.

— Pour me faire le complice du gouvernement qui assassine mes électeurs ? »

— Dieu de Dieu, dit Ryan, quel bordel !

Et il éteignit la télévision.

— Un homme si raisonnable, dit Miller dans la maison d'Alex, à proximité du périphérique de D.C. Dis à tes amis combien tu es raisonnable, Paddy O'Neil. Et quand tu feras la tournée des pubs, ce soir, ne manque pas de raconter à tes amis que tu n'as jamais fait de mal à personne d'autre qu'aux oppresseurs du peuple irlandais !

Sean regarda l'émission jusqu'au bout, puis demanda une communication transatlantique, pour le taxiphone d'un pub de Dublin.

Le lendemain matin — seulement cinq heures plus tard en Irlande — quatre hommes prirent l'avion pour Paris. D'une élégance soignée, ils avaient l'air de jeunes cadres supérieurs se rendant avec leurs attaché-cases à des réunions d'affaires à l'étranger. A Roissy international, ils prirent un vol de correspondance pour Caracas. De là, ils se rendirent par Eastern Air Lines à Atlanta où ils prirent un autre vol Eastern pour National Airport, de l'autre côté du Potomac, juste en face du mémorial de Thomas Jefferson. A leur arrivée, tous quatre étaient désorientés par le décalage horaire et épuisés d'être restés si longtemps assis dans des fauteuils d'avion. Ils se rendirent dans un hôtel pour y dormir et se remettre du voyage.

Le lendemain matin, une voiture vint les chercher.

14

Seconde chance

Il devrait y avoir une loi interdisant les lundis, pensa Ryan. Il commençait sa journée de la pire des façons, peut-être : un lacet cassé. Où étaient les lacets, dans cette maison ? Il ne pouvait pas le demander à Cathy, elle venait de partir avec Sally pour le jardin d'enfants et Hopkins. Il fouilla dans les tiroirs de la commode. Rien. La cuisine. Il descendit et traversa la maison pour aller regarder dans un tiroir de la cuisine où se trouvait tout un bric-à-brac. Cachée sous les bloc-notes, les aimants et les ciseaux il en trouva une paire… Non, blancs pour des baskets. Mais c'était par là. Il fouilla plus loin et finit par trouver. Il prit un lacet et laissa l'autre. Après tout, les lacets ne se cassaient qu'un à la fois.

Jack dut ensuite choisir une cravate. Ce n'était jamais facile, mais au moins sa femme n'était pas là pour lui tourner autour et critiquer son choix. Comme il portait un costume gris, il prit une cravate bleu marine à rayures rouges. Ryan mettait encore de bonnes vieilles chemises blanches à col boutonné, en coton. Les habitudes ont la vie dure. La veste du costume s'enfila aisément. C'était un de ceux que Cathy avait fait faire en Angleterre. C'était pénible à avouer, mais elle avait bien meilleur goût que lui pour l'habillement. Il se sourit dans la glace avant de descendre et se trouva beau garçon. Sa serviette l'attendait sur la table du vestibule. Il prit son pardessus dans la penderie, s'assura que ses clefs étaient dans la bonne poche, prit la serviette et sortit.

— Oups !

Il rouvrit la porte verrouillée et brancha le système d'alarme avant de repartir.

Le sergent-major Breckenridge passa devant la double rangée de marines et rien n'échappa à son œil exercé. Un soldat avait un peu de coton sur sa tunique bleu marine à col montant. Les souliers d'un autre avaient besoin d'un peu plus de cirage et deux d'entre eux devaient aller se faire couper les cheveux : on voyait à peine la couleur du crâne sous les cheveux d'un centimètre. Dans l'ensemble, il n'était pas trop mécontent de cette bande-là. Breckenridge n'était pas un gueulard. Il avait surmonté cela. Ses remontrances étaient devenues paternelles. Elles avaient néanmoins la force d'un commandement du bon Dieu. Il termina son inspection et renvoya le peloton de garde. Plusieurs partirent vers leur poste au pas cadencé. D'autres montèrent dans des camionnettes. Chacun portait son uniforme de parade et son ceinturon blanc à pistolet. Les pistolets n'étaient pas chargés mais de pleins chargeurs de cartouches ACP 45 étaient toujours à portée de la main.

Est-ce que j'en ai vraiment envie ? Il fallut à Ryan toute son énergie rien que pour se poser la question. Mais il n'avait plus d'excuses. A Londres, ses blessures l'en avaient empêché. De même, lors de ses premières semaines à la maison. Et puis il avait passé toutes ses matinées à la CIA. Mais maintenant, il ne lui restait plus d'excuses.

Rickover Hall, se dit-il. *Je m'arrêterai en arrivant à Rickover Hall.* Il lui fallait s'arrêter bientôt. L'air glacé du fleuve lui donnait l'impression de respirer des couteaux. Il avait le nez et la bouche en papier de verre et son cœur menaçait d'exploser. Depuis des mois, Jack n'avait plus fait de jogging et il payait le prix de sa paresse.

Rickover Hall lui semblait à mille kilomètres, et pourtant il savait bien qu'il n'avait plus que quelques centaines de mètres à courir. Au mois d'octobre dernier, il faisait trois tours du campus et il en était quitte pour une bonne suée. A présent il en était à la moitié de son premier tour et la fatigue rendait déjà ses jambes caoutchouteuses. Ses foulées n'étaient plus régulières. Il titubait un peu, signe infaillible d'un coureur qui a dépassé sa limite.

Plus que cent mètres, plus que quinze secondes, se dit-il. Tout le temps qu'il avait passé sur le dos, tout le temps où il était resté assis, les cigarettes fumées en cachette à la CIA, tout cela revenait le punir. Le parcours du combattant de Quantico n'était rien à côté de ça. *Oui, mais tu étais plus jeune*, lui dit son esprit avec une joie mauvaise.

Il tourna la tête et vit qu'il était à la hauteur du mur oriental du bâtiment. Il se redressa et ralentit, au pas, les mains sur les hanches et le thorax dilaté pour absorber tout l'oxygène possible.

— Ça va, prof ?

Un midship s'était arrêté et examinait Jack, qui voulut le détester à cause de sa jeunesse et son énergie. Mais il n'en eut même pas la force.

— Ouais, simple manque d'entraînement, répondit-il en haletant.

— Faut s'y remettre lentement, monsieur, déclara le garçon de vingt ans, et il repartit comme une fusée, laissant son professeur d'histoire tousser dans sa poussière.

Jack tenta de rire de lui-même mais cela ne fit qu'aggraver sa toux. Le suivant était une fille. Son grand sourire amusé n'arrangea rien.

Ne t'assieds pas. Quoi que tu fasses, ne t'assieds pas !

Il s'écarta du bord de la mer. La simple marche devenait un effort pour ses jambes flageolantes. Il ôta la serviette de son cou pour s'éponger la figure, puis s'étira en levant les bras. Il avait repris son souffle, à présent. L'oxygène affluait de nouveau dans ses membres et il avait moins mal. Dans dix minutes il se sentirait tout à fait bien. Il se promit d'aller un peu plus loin, le lendemain, jusqu'à la bibliothèque Nimitz. Quand viendrait le mois de mai, il ne se laisserait plus semer par les midships, du moins pas par les filles. Enfin, pas toutes. Il avait sur eux un handicap minimal de dix ans, qui ne ferait que s'aggraver.

Jack avait dépassé les trente ans ; prochain arrêt, quarante.

Miller assembla lentement la mitraillette. Il avait tout son temps. L'arme avait été soigneusement nettoyée et graissée, puis essayée la veille au soir dans une carrière, à trente-cinq kilomètres au nord de Washington. Ce serait son arme personnelle. Il l'aimait déjà. L'équilibre était parfait, la crosse pliante, une fois allongée, se tenait bien en main. La mire était facile à utiliser et le tir sur automatique total assez régulier. D'excellentes caractéristiques pour une aussi petite arme. Il ramena la culasse du plat de la main et pressa la détente, pour mieux la sentir le moment venu. La mitraillette devait peser dans les douze livres, un poids idéal, ni trop lourd ni trop léger. Miller laissa la culasse fermée sur une chambre vide et introduisit trente balles de 9 mm dans le chargeur. Puis il replia la crosse et vérifia l'emplacement du crochet à l'intérieur de son pardessus. C'était une modification standard de l'UZI, pour la porter dissimulée. Ce ne serait probablement pas nécessaire mais Miller prévoyait tout. La dure expérience lui avait appris à ne négliger aucune éventualité.

— Ned ?

— Oui, Sean ?

Eamon Clark, appelé Ned, n'avait pas cessé d'examiner des cartes, des plans et des photos depuis son arrivée en Amérique. C'était un des assassins les plus expérimentés d'Irlande, un des hommes que l'ULA avait fait évader l'année précédente de la prison de Long Kesh. Clark, jeune homme de bonne apparence, avait passé la veille à visiter en touriste l'Académie navale, avec son appareil photographique. Il avait naturellement photographié la statue de Tecumseh... tout en examinant attentivement le portail trois. Ryan gravirait la côte tout droit, ce qui lui laisserait environ quinze secondes pour se préparer. Cela exigerait de la vigilance mais Ned était patient. Et puis il connaissait l'emploi du temps de l'objectif. Le dernier cours de Ryan avait pris fin à 15 heures, cet après-midi, et il était arrivé au portail à l'heure prévue. Alex était en train de garer la voiture choisie pour son évasion dans King George Street. Clark avait des inquiétudes, mais il les gardait pour lui. Sean Miller avait été le cerveau de l'évasion qui avait fait de lui un homme libre. C'était maintenant sa première opération avec l'ULA : Clark estimait qu'il leur devait de la loyauté. D'ailleurs, la sécurité de l'Académie ne l'avait pas impressionné. Ned Clark se savait capable de travailler seul. Il l'avait prouvé sept fois.

Près de la maison, trois voitures étaient garées, la fourgonnette et deux breaks. La première serait utilisée pour la seconde partie de l'opération et les breaks conduiraient tout le monde à l'aéroport quand tout serait fini.

Miller s'assit dans un fauteuil et repassa dans sa tête toute l'opération. Comme toujours, il ferma les yeux et imagina chaque événement, puis il introduisit des variables : et si la circulation était anormalement dense ou anormalement fluide ? et si...

Un des hommes d'Alex entra et apporta un cliché Polaroïd à Miller.

— Juste à l'heure ? demanda Sean.

— Pile, mec.

La photo montrait Cathy Ryan conduisant sa fille par la main au jardin d'enfants, Giant Steps. Ce nom fit sourire Miller. Ce serait en effet un pas de géant. Il renversa sa tête en arrière et referma les yeux, pour s'en assurer.

— Parfait, dit Cathy en retirant son masque. Bon travail, les amis.

Elle se leva du tabouret et s'étira. La patiente fut emmenée dans la salle de réveil pendant que Lisa-Marie, l'infirmière, vérifiait les instruments. Cathy Ryan lui abaissa son masque. Et puis elle porta les deux mains à son ventre. Le petit bonhomme était en pleine forme, ce matin.

— Un joueur de football ? demanda Bernice, l'autre infirmière.

— Toute une équipe, oui. Sally n'était pas si active. Je crois que celui-là est un garçon, répondit Cathy tout en sachant que cela ne signifiait rien.

Il suffisait d'ailleurs que le bébé soit très actif. C'était toujours un signe positif. Elle sourit, pour elle-même, du miracle et de la magie de la maternité. Là, en elle, il y avait un nouvel être humain tout neuf attendant de naître et, à en juger par son agitation, impatient de voir le jour.

— Allons, j'ai une famille à rassurer.

Elle sortit de la salle d'opération sans prendre le temps de se changer. On faisait toujours beaucoup plus d'effet avec la blouse verte. La salle d'attente n'était qu'à quinze mètres. La famille Jeffers, le père et une des filles, attendaient dans le canapé en feuilletant les inévitables magazines, sans les lire. Ils se levèrent d'un bond dès que Cathy poussa la porte battante. Elle leur adressa son plus beau sourire, le moyen le plus rapide de transmettre son message.

— Elle va bien ? demanda le mari avec une anxiété tangible.

— Tout s'est passé à la perfection, affirma Cathy. Pas de problèmes du tout. Elle ira très bien.

— Quand est-ce qu'elle pourra...

— Une semaine. Nous devons être patients. Vous pourrez la voir dans une heure et demie environ. Alors, si vous alliez manger un morceau, tous les deux ? Ce serait bête que vous soyez épuisés alors que la patiente est en bonne santé. Je...

— Docteur Ryan, appela le haut-parleur. Docteur Caroline Ryan.

— Excusez-moi.

Cathy alla prendre la communication dans le poste des infirmières.

— Cathy, c'est Gene, des urgences. Nous avons un traumatisme majeur de l'œil. Un jeune Noir de dix ans, il est passé en vélomoteur à travers une vitrine. Son œil gauche est salement amoché.

— Envoyez-le à la six.

Cathy raccrocha le téléphone et retourna auprès des Jeffers.

— Il faut que je me sauve, j'ai une urgence. Votre femme va très bien. Je vous verrai demain.

Elle retourna aussi vite que possible à la salle d'opération.

— Réveillons-nous, nous avons une urgence qui monte. Traumatisme majeur de l'œil sur un gosse de dix ans.

Lisa-Marie était déjà en mouvement. Cathy décrocha le téléphone mural et appela le salon de repos des chirurgiens.

— Ici Ryan à Wilmer six. Où est Bernie ?

— Je vais le chercher.

Quelques instants plus tard :

— Docteur Katz.

— Bernie, j'ai un traumatisme majeur qui monte à la six. Gene Wood des urgences dit que c'est très moche.

— J'arrive.

Cathy se retourna.

— Terri ?

— Prête, répondit l'anesthésiste.

— Encore deux minutes, demanda Lisa-Marie.

Cathy alla se relaver les mains. Bernie Katz arriva avant qu'elle commence à se désinfecter. C'était un homme à l'allure tout à fait louche, à peine plus grand que Cathy, avec des cheveux trop longs et une moustache à la Bismarck mais c'était aussi un des meilleurs chirurgiens de Hopkins.

— Vous feriez mieux de piloter, pour celui-là, dit Cathy. Ça fait un moment que je n'ai pas fait de trauma majeur.

— Pas de problème. Comment progresse le bébé ?

— Au poil.

Ils furent interrompus par les cris de douleur aigus d'un enfant. Les chirurgiens passèrent dans la salle d'opération. Ils regardèrent impassiblement deux infirmiers sangler le petit garçon sur le billard. Le côté gauche de sa figure était en bouillie. L'équipe de reconstitution allait avoir du travail, plus tard. L'œil passait en premier. L'enfant avait essayé d'être courageux, jusque-là, mais il souffrait vraiment trop. Terri lui fit une première piqûre tandis que les deux infirmiers maintenaient le bras du blessé. Cathy et Bernie vinrent se pencher sur lui une minute plus tard.

— Moche, reconnut Bernie. Ce truc-là va demander du temps.

— Tout est prêt par ici, annonça l'infirmière chargée de la désinfection.

— Deux minutes de plus, conseilla l'anesthésiste.

— Gants, demanda Cathy, les mains en l'air.

Bernie les apporta et les lui enfila.

— Que s'est-il passé ?

— Il roulait sur le trottoir de Monument Street, expliqua un infirmier. Il a buté sur quelque chose et il est passé à travers la vitrine d'un magasin d'articles ménagers.

— Pourquoi n'était-il pas à l'école ? demanda Cathy en retournant examiner l'œil gauche de l'enfant, où elle vit des heures de travail et un résultat incertain.

— La journée du Président, docteur.

— Ah oui, c'est vrai.

Elle regarda Bernie Katz. Sa grimace était visible sous le masque.

— Je ne sais pas, Cathy. Ça devait être une vitrine bon marché, des tas d'éclats de verre. Je compte cinq pénétrations, dit-il en regardant à travers la loupe de son serre-tête. Ah dites donc, regardez celle-là qui va jusque dans la cornée. Bon, allons-y.

La Chevrolet entra dans un des parkings en étages de Hopkins. Du plus haut niveau, le conducteur avait une vue parfaite de la porte de l'hôpital vers le parking des médecins. Le garage était gardé, naturellement, mais il y avait beaucoup d'allées et venues et il n'était pas rare qu'une personne attende dans une voiture pendant qu'une autre allait rendre visite à quelqu'un de sa famille à l'intérieur. Il s'installa confortablement et alluma une cigarette, en écoutant de la musique à la radio.

Ryan prit du rosbif, un petit pain et choisit du thé glacé. Le Club des officiers avait une curieuse façon de calculer l'addition ; il posa son plateau sur une balance et la caissière le fit payer au poids. Jack régla les deux dollars et dix centimes. Le prix du déjeuner n'avait rien d'exorbitant mais il lui semblait que c'était vraiment là une méthode insolite. Il alla rejoindre Robby Jackson à une table de coin.

— Tu ne voles pas ? demanda-t-il à son ami.

— Tu rigoles ? Aujourd'hui, je peux me détendre. J'ai piloté samedi et dimanche.

— Je croyais que tu aimais ça.

— Oui, mais les deux jours, j'ai dû être en l'air avant 7 heures. Ce matin, j'ai pu dormir un peu. J'en avais besoin. Comment ça va chez toi ?

— Très bien. Cathy avait une importante opération ce matin, elle devait être là-bas à l'aube. L'ennui, quand on est marié avec un chirurgien, c'est qu'ils commencent toujours très tôt. C'est un peu dur pour Sally.

— Ouais, reconnut Robby. Comment progresse le bébé ?

— Super. Actif comme tout. Je n'ai jamais compris comment les femmes pouvaient supporter ça, les coups de pied.

— Je peux vous tenir compagnie ? demanda Skip Tyler en se glissant sur la banquette.

— Comment vont les jumeaux ? demanda tout de suite Jack.

La réponse fut un long gémissement : les poches sous les yeux de Tyler étaient suffisamment éloquentes.

— Le truc, c'est de les endormir tous les deux. On en a à peine calmé un que l'autre se déclenche comme une sirène d'incendie. Je ne sais pas comment fait Jean. Naturellement, elle peut arpenter la chambre avec eux. Quand moi, je fais ça, mes pas font tap-*toc*, tap-*toc*.

Ils rirent tous les trois. Skip Tyler n'avait jamais été particulièrement sensible à la perte de sa jambe.

— Et Jean tient bien le coup? demanda Robby.

— Pas de problème. Elle dort quand ils dorment enfin et c'est moi qui me tape tout le ménage.

— Bien fait pour toi, patate, dit Jack. Tu devrais apprendre à te retenir.

— C'est ma faute, si j'ai le sang chaud?

— C'est une façon de voir, reconnut Jack.

— Il paraît que tu as repris le jogging ce matin? dit Tyler en changeant de conversation.

— J'en ai entendu parler, moi aussi, s'exclama Robby en riant.

— Je suis encore en vie, mes amis.

— Un de mes midships m'a dit que demain ils vont te suivre avec une ambulance.

— Pourquoi faut-il que le lundi se passe toujours comme ça? se plaignit Jack.

Alex et Sean Miller effectuèrent une dernière reconnaissance sur la Route 50, en prenant soin de ne jamais dépasser la limitation de vitesse. Les voitures-radar de la police routière étaient là en nombre, ce jour-là, pour une raison ou une autre. Alex assura à son compagnon que vers 16 h 30 elles seraient rentrées. A l'heure de pointe, il y avait vraiment trop de voitures pour une surveillance efficace. A l'arrière de la fourgonnette il y avait deux autres hommes, tous deux armés.

— Ici, ce serait bien, je pense, dit Miller, et Alex fut d'accord.

— Oui, je crois que c'est le meilleur endroit.

Sean prit son chronomètre.

— La route de fuite?

— D'accord.

Alex changea de voie en continuant de rouler vers l'ouest.

— Souviens-toi que ça ira plus lentement, ce soir.

Miller hocha la tête. Il souffrait du trac habituel avant une opération. Repassant son plan dans sa tête, il envisagea toutes les éventualités, assis à l'avant de la camionnette, en observant les embouteillages à certaines sorties de l'autoroute. La chaussée était bien meilleure que celle des routes auxquelles il était habitué en Irlande, mais

264

là on roulait du mauvais côté de la route, à son avis, encore que les conducteurs aient de bien meilleures manières qu'en Europe. Il secoua la tête et concentra son attention sur la situation actuelle.

Après l'attaque, ils rejoindraient le véhicule de fuite en moins de dix minutes. Tout étant bien chronométré, Ned Clark les attendrait. Miller acheva sa révision, certain que son plan, bien que précipité, était bon.

— Vous êtes en avance, observa Brenckenridge.

— Eh bien oui, j'ai deux midships qui doivent venir cet après-midi pour revoir leurs copies d'examen. Ça pose un problème ? demanda Jack en prenant le Browning dans sa serviette.

Le sergent-major prit une boîte de balles de 9 mm.

— Non. Le lundi, on est toujours bousculé.

Ryan alla se placer à l'allée numéro trois et dégaina son pistolet. Il éjecta d'abord le chargeur vide et ramena la culasse. Ensuite, il vérifia le canon pour s'assurer qu'il n'y avait pas d'obstruction. Il savait que le mécanisme de l'arme était parfait, mais Breckenridge avait des règles de sécurité inviolables. Même le directeur de l'Académie devait s'y plier.

— O.K., Gunny.

— Je crois qu'aujourd'hui nous allons essayer le tir rapide.

Le sergent-major mit en place la cible voulue et la poulie électrique l'entraîna à quinze mètres. Ryan introduisit cinq balles dans le chargeur.

— Couvrez vos oreilles, lieutenant.

Breckenridge lui lança les protège-oreilles. Jack les mit. Il claqua le chargeur dans le pistolet et referma la culasse. L'arme était maintenant « en batterie », prête à tirer. Ryan la braqua et attendit. Quelques instants plus tard, la cible s'illumina. Jack redressa un peu le pistolet et plaça le cercle noir juste au-dessus du guidon avant, puis il pressa la détente. Les règles du tir rapide lui accordaient une seconde par coup. Il tira la première balle avec un léger retard mais cela arrivait à tout le monde. Le pistolet éjecta la douille et Ryan le rabaissa pour le deuxième coup, en concentrant son attention sur la cible. Quand il eut compté jusqu'à cinq, le chargeur était vide. Il ôta ses protège-oreilles.

— Il y a du progrès, lieutenant, annonça Breckenridge. Tout dans le noir : un neuf, quatre dix et un dans l'X. Encore une fois.

Ryan rechargea en souriant. Ses cinq coups suivants furent tous des dix. Il essaya la position Weaver à deux mains et en plaça quatre sur cinq dans l'X, un cercle de la moitié du diamètre de l'anneau des dix, utilisé en compétition pour le tie-break.

— Pas mal pour un civil, approuva Breckenridge. Café ?

— Merci, Gunny.

— Je veux que vous vous concentriez un peu plus sur votre second coup. Vous déviez un peu sur la droite, vous vous précipitez trop.

La différence, Ryan le savait, n'était que de cinq centimètres à quinze mètres. Le sergent-major était un perfectionniste. L'idée lui vint que Cathy et Breckenridge avaient le même genre de personnalité : on faisait les choses exactement comme il fallait ou alors on faisait tout de travers.

— C'est quand même malheureux que vous ayez été blessé, lieutenant. Vous auriez fait un bon officier, avec un bon sergent pour vous aider. On en a toujours besoin, bien sûr.

— Vous voulez que je vous dise, Gunny ? J'ai connu deux types à Londres que vous adoreriez.

Jack remit en place le chargeur de son automatique.

— Ryan est vraiment un garçon intelligent, n'est-ce pas ? dit Owens en rendant le document à Murray.

— Rien de vraiment nouveau là-dedans, avoua Dan, mais il a au moins l'esprit clair.

— Et, nos amis de Boston ? Où en est Paddy O'Neil ?

Owens était un peu irrité par ce sujet. Padraig O'Neil était une insulte au système parlementaire britannique, un porte-parole élu de l'IRA provisoire. En dix ans d'efforts, pourtant, ni la brigade anti-terroriste d'Owens ni la Royal Ulster Constabulary n'avaient pu associer son nom à une action illégale.

— Il boit beaucoup de bière, il parle à un tas de gens et il recueille un peu d'argent, comme toujours, répondit Murray en reprenant son verre de porto. Nous avons des agents qui le suivent partout. Il sait qu'ils sont là, bien sûr. S'il crache sur le trottoir, nous le collerons dans le premier avion en partance. Il le sait aussi. Il n'a pas transgressé une seule loi. Même son chauffeur... est un buveur d'eau. Ça me fait mal de le dire, Jimmy, mais ce type est blanc comme neige et il marque des points.

— Oh oui, c'est un garçon charmant, notre Paddy, grogna Owens. Faites un peu voir encore ce truc que votre Ryan a rédigé ?

— Les types du Cinq ont escamoté votre copie. Je pense qu'ils vous la rendront demain.

Owens grogna encore en se reportant au résumé, à la fin du document.

— Mais, c'est là... Dieu tout-puissant !

— Qu'est-ce qu'il y a ?

Murray se pencha dans son fauteuil.

— Le lien, le sacré lien. Il est là qui saute aux yeux !

— Qu'est-ce que vous racontez, Jimmy ? J'ai lu et relu ça...

— « Le fait que le personnel de l'ULA semble avoir été entièrement recruté parmi les éléments extrémistes de la PIRA elle-même, lut Owens à haute voix, pourrait avoir une autre signification. Il paraît probable que, puisque les membres de l'ULA ont été ainsi recrutés, certains " transfuges " en place de l'ULA soient restés au sein de la PIRA pour servir de sources de renseignement à leur actuelle organisation mère. Il s'ensuit que de tels renseignements seraient d'une nature opérationnelle en plus de leur valeur évidente de contre-renseignement. » Nous avons toujours supposé, dit posément Owens, qu'O'Donnell cherchait simplement à se protéger... mais il pourrait jouer un tout autre jeu.

— Je ne vous suis toujours pas, Jimmy.

Murray posa son verre et réfléchit un moment.

— Ah ! Maureen Dwyer ? Vous n'avez jamais élucidé ce tuyau, n'est-ce pas ?

Owens pensait à une autre affaire mais la question de Murray explosa devant ses yeux comme un éclair de magnésium. Le policier dévisagea son collègue américain pendant un moment, tandis que son cerveau triait à toute vitesse une foule d'idées.

— Mais pourquoi ? demanda Murray. Qu'ont-ils à gagner ?

— Ils peuvent mettre les dirigeants dans un grand embarras, compromettre des opérations.

— Mais quel bien est-ce que cela ferait à l'ULA ? O'Donnell ne peut vouloir baiser ses anciens amis uniquement pour s'amuser. L'ULA est trop sophistiquée pour ce genre de conneries.

— Oui. Nous venons de surmonter un obstacle pour trouver un autre mur devant nous. Quand même, cela nous donne de quoi interroger Miss Dwyer, il me semble.

— Ma foi, c'est une idée à creuser. L'ULA a infiltré la PIRA et parfois elle vous file un renseignement pour donner mauvaise mine aux provisoires.

Murray secoua la tête. *Est-ce que je viens de dire qu'une organisation terroriste essaie de nuire à la réputation d'une autre ?*

— Est-ce que vous avez assez de preuves pour étayer cette idée ? demanda-t-il.

— Je peux vous citer trois cas, l'année dernière, où des tuyaux anonymes nous ont donné des provisoires qui étaient en tête de notre liste. Dans aucun des trois cas nous n'avons trouvé qui était la source.

— Mais si les provisoires le soupçonnent... oh non, impossible. Ils veulent O'Donnell, n'importe comment, pour venger tous ceux qu'il a éliminés quand il faisait partie de l'organisation. D'accord, gêner la PIRA pourrait être un objectif en soi, à condition qu'O'Donnell essaie de recruter de nouveaux membres. Mais vous avez déjà rejeté cette hypothèse.

Owens jura tout bas. Les enquêtes criminelles, disait-il souvent, c'était comme un puzzle dont on n'avait pas toutes les pièces et dont on ne connaissait pas vraiment la forme. Si seulement ils n'avaient pas perdu Sean Miller ! Ils lui auraient peut-être soutiré quelque chose, depuis le temps. Son instinct lui disait qu'un seul petit indice lui permettrait de reconstituer le tableau. Mais sans cet indice, lui soufflait sa raison, tout ce qu'il entrevoyait n'était que de la spéculation. Une idée cependant l'obsédait.

— Dan, si vous vouliez gêner politiquement les dirigeants de la PIRA, comment et où le feriez-vous ?

— Allô, ici le professeur Ryan.

— Ici, Bernice Wilson, de Johns Hopkins. Votre femme m'a priée de vous dire qu'elle a une opération d'urgence et qu'elle aura probablement une demi-heure de retard, ce soir.

— Ah bon ! Merci.

Jack raccrocha. *Encore le lundi* ! pensa-t-il. Il se remit à discuter des copies d'examen avec ses deux midships. Sa pendulette de bureau marquait 16 heures. Rien ne pressait.

La garde changeait au portail trois. Le gardien civil s'appelait Bob Riggs. C'était un ancien capitaine d'armes de la Marine de plus de cinquante ans, avec un ventre de buveur de bière qui l'empêchait de voir ses souliers. Il souffrait beaucoup du froid et passait le plus de temps possible à l'abri dans le pavillon de garde. Il ne vit pas qu'un jeune homme s'était approché du coin opposé et disparaissait dans une embrasure de porte. Le sergent Tom Cummings, des marines, ne le vit pas non plus car il était en train de vérifier un rapport. La garde de l'Académie était un service plutôt ennuyeux pour Cummings, assez jeune pour rêver d'action. La journée avait été caractéristique d'un lundi. La garde précédente avait donné trois contraventions de stationnement. Il bâillait déjà.

A quinze mètres de là, une vieille dame s'approchait de l'entrée d'un immeuble. Elle s'étonna de voir là un beau jeune homme et elle laissa tomber son cabas en cherchant sa clef.

268

— Puis-je vous aider ? demanda-t-il.

Il avait un accent bizarre mais la dame le trouva aimable. Il lui tint son cabas pendant qu'elle ouvrait la porte.

— J'ai peur d'être un peu en avance, j'attends ma petite amie, vous comprenez ? expliqua-t-il avec un charmant sourire. Je regrette de vous avoir fait peur, madame. Je m'étais juste mis un peu à l'abri du vent.

— Vous ne voulez pas attendre à l'intérieur ? proposa-t-elle.

— Vous êtes très gentille, madame, mais non. Je risquerais de la manquer et c'est une surprise que je lui fais, vous savez ? Bonne journée, madame.

Il desserra la main sur le manche de son couteau, dans la poche de son manteau.

Le sergent Cummings acheva d'examiner les papiers et sortit. Il remarqua alors l'homme dans l'embrasure de porte. Il avait l'air d'attendre quelqu'un, jugea le sergent, à l'abri du vent. Ce qui était assez raisonnable. Le sergent consulta sa montre. 16 h 15.

— Je crois que ça y est, annonça Bernie Katz.

— Nous avons réussi, reconnut Cathy.

Il n'y avait que des sourires dans la salle d'opération. Il avait fallu plus de cinq heures mais l'œil du jeune garçon était réparé. Il faudrait sans doute une autre opération et il serait certainement obligé de porter des lunettes toute sa vie, mais c'était mieux que d'être borgne.

— Pour quelqu'un qui n'a rien fait de pareil depuis quatre mois, pas mal, Cath. Ce gosse aura ses deux yeux. Vous voulez l'annoncer à sa famille ? Faut que j'aille aux toilettes.

La mère de l'enfant attendait exactement au même endroit que la famille Jeffers plus tôt, avec la même expression anxieuse. A côté d'elle, se tenait un homme avec un appareil photographique.

— Nous avons sauvé l'œil, dit immédiatement Cathy.

Quand elle fut assise à côté de la mère le photographe — il prétendait être du *Baltimore Sun* — travailla avec son Nikon pendant plusieurs minutes. Pendant ce temps, Cathy expliqua l'opération à la mère, en s'efforçant de la rassurer. Ce n'était pas facile, mais elle en avait l'habitude.

Finalement, quelqu'un du service social la relaya et Cathy put enfin aller au vestiaire. Elle ôta sa blouse verte et la jeta dans une corbeille à linge. Bernie Katz était assis sur le banc et se massait le cou.

— J'aurais bien besoin de ça moi-même, dit-elle.

Elle s'étira et Katz tourna la tête pour admirer le panorama.

— Vous prenez une belle ampleur, Cath. Comment va le dos ?

— Raide. Tout comme pour Sally. Détournez votre regard, docteur, vous êtes un homme marié.

— Est-ce ma faute si les femmes enceintes sont sexy ?

— Je suis ravie de le paraître mais je ne me sens pas du tout sexy pour le moment, dit-elle en se laissant tomber sur le banc devant son casier. Je ne pensais pas que nous réussirions celle-là, Bernie.

— Nous avons eu de la chance. Heureusement, le bon Dieu veille sur les fous, les ivrognes et les petits enfants. La plupart du temps, au moins.

Cathy ouvrit son armoire. Dans la glace à l'intérieur de la porte, elle vit que ses cheveux ressemblaient à ceux de Méduse. Elle se fit la grimace.

— J'ai encore besoin de vacances.

— Vous venez d'en prendre !

— Exact.

Elle soupira et glissa ses jambes dans son pantalon, puis elle décrocha son chemisier.

— Et quand ce fœtus se décidera à devenir un bébé, vous en aurez d'autres.

La veste suivit.

— Bernie, si vous étiez en obstétrique, vos patientes vous étrangleraient pour ce genre de remarque.

— Quelle perte pour la médecine !

Cathy pouffa.

— Beau boulot, Bernie. Faites la bise à Annie pour moi.

— Bien sûr, et allez-y un peu mollo, hein ? Sinon je dirai à Madge North de vous tirer les oreilles.

— Je dois la voir vendredi. Elle dit que je vais très bien.

Cathy sortit et agita la main aux infirmières, en les félicitant encore une fois de leur travail superbe en salle d'opération. En prenant l'ascenseur, elle avait déjà ses clefs de voiture à la main.

La Porsche verte l'attendait. Elle ouvrit sa portière et jeta son sac à l'arrière avant de se glisser au volant. Le moteur de six cylindres démarra immédiatement. L'aiguille du compte-tours se stabilisa au ralenti en haut du cadran. Cathy laissa chauffer le moteur quelques secondes, pendant qu'elle bouclait sa ceinture et relâchait le frein à main. Le sourd grondement du moteur se répercutait entre les murs de béton du garage. Quand l'aiguille de la température commença à frémir, elle passa en marche arrière. Une minute plus tard, elle roulait vers Broadway. Elle jeta un coup d'œil à la pendule du tableau de bord et fit une grimace. Et elle devait passer à l'hypermarché avant de rentrer, en plus. Enfin, se dit-elle, elle avait sa 911 pour rattraper le temps perdu.

— L'objectif est en route, annonça une voix à la radio, trois étages au-dessus.

— Pas trop tôt, grommela Miller quelques minutes plus tard. Pourquoi est-ce qu'elle est en retard, bon dieu ?

La dernière heure avait été exaspérante pour lui. Il se dit de se détendre. Elle devait être en temps voulu au jardin d'enfants pour prendre la petite.

— Elle est toubib. Ça arrive, mec, lui dit Alex. Allez, roulons.

La voiture de fuite partit la première, suivie par la fourgonnette. La Ford serait au supermarché en face du Giant Steps dans exactement trente minutes.

— Il doit attendre une bien jolie femme, supposa Riggs en rentrant dans le poste de garde.

— Il est encore là ?

Riggs fut surpris. Trois semaines plus tôt, Breckenridge avait averti le peloton de garde d'une menace possible contre le professeur Ryan. Cummings savait que le prof d'histoire sortait toujours par ce portail, mais ce soir il était en retard. Le sergent voyait qu'il y avait encore de la lumière dans son bureau. La faction était ennuyeuse, certes, mais Cummings la prenait au sérieux. Trois mois à Beyrouth lui avaient appris tout ce qu'il avait besoin de savoir. Il ressortit et se posta de l'autre côté de la rue.

Il observa les voitures qui sortaient. Elles étaient presque toutes conduites par des civils mais celles qui l'étaient par des officiers avaient droit à un salut réglementaire du marine. Le vent était de plus en plus glacial. Cummings tapait dans ses mains en faisant les cent pas, sans jamais regarder franchement l'immeuble d'en face, sans avoir l'air de savoir qu'il y avait là quelqu'un. Il commençait à faire nuit et ce n'était pas facile de le voir, d'ailleurs. Mais quelqu'un était là.

— Plutôt rapide, marmonna l'homme dans la voiture de fuite.

Il consulta sa montre. Elle venait de gagner cinq minutes sur son meilleur temps. *Merde*, pensa-t-il, *ça doit être chouette d'avoir une de ces petites Porsche.* Il regarda la plaque. Oui, c'était la bonne. Il prit vivement sa radio.

— Salut, m'man, je suis là, dit-il.

— Pas trop tôt, répondit une voix masculine.

La fourgonnette était à huit cents mètres, en stationnement dans Joyce Lane, à l'ouest de Ritchie Highway.

Il vit la dame sortir du jardin d'enfants moins de deux minutes plus tard. Elle était pressée.

— Ça roule.

— O.K., lui répondit-on.

— Viens, Sally, nous sommes en retard. Attache-toi.

Cathy Ryan avait horreur d'être en retard. Elle redémarra. Depuis plus d'un mois, jamais elle n'était sortie aussi tard mais si elle se dépêchait, elle pourrait quand même être à la maison avant Jack.

C'était l'heure de pointe mais la Porsche était petite, rapide et nerveuse. Une minute après avoir quitté le parking, Cathy fonçait en faisant du slalom dans la circulation comme un pilote de course à Daytona.

En dépit de toute leur préparation, Alex faillit la manquer. Un dix-huit roues gravissait péniblement la côte dans la voie de droite quand la silhouette bien reconnaissable de la Porsche apparut à côté. Alex colla l'accélérateur au plancher et bondit sur la route, forçant le routier à bloquer à la fois ses freins et son avertisseur. Alex ne se retourna pas. Miller quitta le siège de droite et alla à l'arrière regarder par la vitre de la portière coulissante.

— Ouaih ! La dame est pressée ce soir !

— Tu peux la rattraper ? demanda Miller.

Alex se contenta de sourire.

— Nom de Dieu, vise un peu cette Porsche !

Le première classe Sam Waverly conduisait J-30, une voiture de la police routière revenant d'un après-midi de surveillance-radar sur la Route 50. Son collègue Larry Fontana de J-19 et lui retournaient à la caserne de police d'Annapolis, près de Rowe Boulevard, après une longue journée de travail quand ils virent la voiture de sport verte s'engager dans la rampe d'entrée de Ritchie Highway. Les deux policiers roulaient à environ cent cinq kilomètres/heure, un privilège accordé uniquement à la police. Leurs voitures étaient banalisées. Ainsi, leur radar et eux étaient impossibles à repérer avant qu'il soit trop tard. Ils travaillaient généralement par deux et se relayaient, l'un avec le radar, l'autre à quatre cents mètres plus bas pour faire signe aux chauffards et dresser contravention.

— Encore une ? s'écria Fontana à la radio.

Une fourgonnette venait de déboîter sur la voie de gauche en forçant le conducteur d'une Pontiac à freiner brutalement.

— On y va !

Ils étaient tous deux jeunes et si, contrairement à la légende, la police routière ne fixe pas des quotas de contraventions à ses agents, tout le monde savait que le plus sûr chemin de la promotion était d'en dresser beaucoup. Cela avait l'avantage de rendre les routes plus sûres, ce qui était la mission de ces policiers. Aucun des deux n'aimait vraiment en distribuer mais ils aimaient encore moins aller ramasser les morceaux en cas d'accident grave.

— D'accord, je prends la Porsche.

— Tu auras tout le plaisir, maugréa Fontana qui avait pu jeter un coup d'œil à la conductrice.

C'était beaucoup plus difficile qu'on l'imagine. Ils devaient d'abord chronométrer le véhicule pour déterminer dans quelle mesure la vitesse autorisée était dépassée — plus la vitesse était grande, plus lourde serait l'amende, naturellement — et ensuite se rapprocher et faire des appels de phares pour obliger le conducteur à se rabattre sur le bas-côté. Les deux véhicules poursuivis étaient maintenant à deux cents mètres en avant des voitures de police.

Cathy jeta un coup d'œil à sa pendule de bord. Elle avait réussi à gagner près de dix minutes. Elle regarda ensuite dans son rétroviseur pour guetter une voiture de police éventuelle. Elle ne voulait pas avoir de contravention. Il n'y avait apparemment que des voitures banales et des camions. Elle dut ralentir car la circulation devenait plus dense à l'approche du pont sur la Severn. Elle envisagea de passer sur la voie de gauche mais se ravisa. C'était parfois difficile de se rabattre sur la droite à temps pour prendre la sortie de la Route 2. A côté d'elle, Sally s'étirait le cou pour regarder par-dessus le tableau de bord et, comme d'habitude, elle jouait avec la boucle de sa ceinture de sécurité. Cathy ne dit rien, pour cette fois, et accorda toute son attention à la circulation, en levant un peu le pied.

Miller souleva le loquet de la portière et la tira de quelques centimètres. Un autre homme la maintint tandis qu'il s'accroupissait et faisait sauter le cran de sécurité de son arme.

Impossible de l'arrêter pour excès de vitesse, maintenant, pensa aigrement l'agent Waverly. Elle avait ralenti avant qu'il la chronomètre. Il était à cent mètres derrière. Mais Fontana pouvait dresser contravention à la fourgonnette pour déboîtage dangereux, et une sur deux, ce n'était pas trop mal. Waverly leva les yeux vers son rétroviseur. J-19 le rattrapait, il était sur le point d'arriver à sa hauteur. La fourgonnette bleue avait quelque chose de bizarre, il vit que... sa portière de côté n'était pas tout à fait normale.

— Vas-y ! cria Alex.

Cathy Ryan remarqua qu'une camionnette arrivait sur sa gauche. Elle lui jeta un coup d'œil distrait au moment où la porte de côté coulissait. Il y avait un homme à genoux, qui tenait quelque chose. Ce qu'elle comprit en un instant la glaça. Elle plaqua la pédale du frein au plancher une fraction de seconde avant de voir un éclair blanc.

— Quoi !

Waverly vit une langue de flamme de trente centimètres jaillir du flanc de la fourgonnette. Le pare-brise de la Porsche devint opaque et la petite voiture dérapa, se redressa et s'écrasa à plus de quatre-vingts kilomètres/heure sur le contrefort en béton du pont. Instantanément, les voitures des deux voies freinèrent. La fourgonnette continua de rouler.

— Larry, des coups de feu.. Des coups de feu tirés de la fourgonnette ! La Porsche a été touchée !

Waverly alluma ses phares et se dressa sur sa pédale de frein. La voiture de police dérapa vers la droite et faillit emboutir la Porsche.

— Cavale après la camionnette ! Cavale-lui après !

— Je suis dessus, répliqua Fontana.

Waverly comprit tout à coup que la langue de flamme qu'il avait vue ne pouvait venir que d'une mitraillette ou d'un pistolet-mitrailleur.

— Bon dieu de merde, marmonna-t-il.

Il reporta son attention sur la Porsche. De la vapeur montait du moteur.

— J-30, Annapolis, rapporte coups de feu tirés, apparemment par une arme automatique, et un accident de personnes Route 50 direction ouest au pont sur la Severn. Très grave accident, apparemment. J-19 à la poursuite du véhicule 2. Restez à l'écoute.

— J'attends, répondit le dispatcheur en se demandant ce qui se passait.

Waverly saisit son extincteur et courut vers l'épave. Il y avait des débris de verre et de métal à perte de vue. Le moteur, grâce à Dieu, n'avait pas pris feu. Il regarda ensuite à l'intérieur de la voiture.

— Oh mon Dieu !

274

Il repartit en courant vers son véhicule.

— J-30, Annapolis. Appel urgent. Officier demande réaction hélicoptère. Très grave accident, deux victimes, femme et enfant, blanches, sexe féminin, je répète nous avons un très grave accident sur la Route 50 direction ouest, rive est du pont sur la Severn. Officier réclame hélicoptère.

— J-19, Annapolis, appela ensuite Fontana. Je suis à la poursuite d'une camionnette de couleur foncée, immatriculation handicapé Henry-Six-Sept-Sept-Deux. Coups de feu tirés de ce véhicule. Officier réclame assistance.

Il décida de ne pas allumer ses phares pour le moment.

— Tu l'as eue ? cria Alex vers l'arrière.

Miller avait la respiration haletante. Il n'était pas sûr... il n'était pas sûr de son tir. La Porsche avait brusquement ralenti alors qu'il pressait la détente mais il avait vu la voiture s'écraser contre la pile du pont. Pas question que quelqu'un se tire de ce genre d'accident, il en était sûr.

— Ouais.

— O.K., alors filons.

Alex ne permettait pas à ses émotions d'entraver son travail. Cette opération, c'était des armes et de l'argent pour son mouvement. Dommage pour la bonne femme et la gosse, mais ce n'était pas sa faute si elles se faisaient de sales ennemis.

Le dispatcheur d'Annapolis était déjà à sa radio UHF pour appeler l'hélicoptère de la police, Trooper 1, un Bell Jet-Ranger II qui décollait à l'instant après un ravitaillement de l'aéroport international Baltimore-Washington.

— Bien reçu, répliqua le pilote en mettant cap au sud à pleine puissance.

L'infirmier dans le siège de gauche se pencha pour changer la fréquence de l'émetteur-récepteur et avertir ainsi les contrôleurs du trafic aérien que l'hélicoptère était en mission d'évacuation médicale.

— Trooper 1, J-30, nous sommes en route vers votre position. Temps estimé d'arrivée, quatre minutes.

Waverly n'accusa pas réception. Avec deux civils, il essayait de démonter la vitre de la Porsche avec un démonte-pneu. La conductrice et la pasagère étaient sans connaissance et il y avait du sang partout. La tête de la conductrice en était couverte. La petite fille gisait comme une poupée cassée. L'estomac de Waverly se serra comme une boule de glace sous son cœur battant. *Encore un enfant mort*, pensa-t-il. *Mon Dieu, mon Dieu, s'il vous plaît, pas un autre enfant!*

— Trooper 2 Annapolis, reçut ensuite le dispatcheur.
— Annapolis, où êtes-vous, Trooper 2?
— Nous sommes au-dessus de Mayo Beach, cap au nord. J'ai capté votre appel medivac. J'ai à bord le gouverneur et le ministre de la Justice. Est-ce que nous pouvons vous aider? A vous.

Le dispatcheur prit une décision rapide. Trooper 1 serait sur les lieux de l'accident dans trois minutes. J-19 avait besoin d'assistance en vitesse. C'était un vrai coup de chance. Il avait déjà six véhicules de police convergeant sur les lieux, plus trois autres de la police du canton d'Anne Arundel, du poste d'Edgewater.

— Trooper 2, contactez J-19.

— Trooper 2, précisez votre position J-19, graillonna la radio dans la voiture de Fontana.
— Route 50 direction ouest, je viens juste de passer Rowe Boulevard. Je suis à la poursuite d'une camionnette de couleur foncée avec immatriculation handicapé. J-30 et moi avons vu le feu d'armes automatiques tiré par ce véhicule, je répète, armes automatiques. J'ai besoin d'assistance, les amis.

Ce fut facile à repérer. Le sergent qui pilotait Trooper 2 aperçut l'autre hélicoptère qui décrivait des cercles au-dessus de l'accident, à l'est, et la Route 50 était presque complètement dégagée de voitures du lieu de l'accident jusqu'à Rowe Boulevard. La voiture de police et la camionnette étaient juste derrière la circulation en mouvement.

— Que se passe-t-il? demanda le gouverneur, de l'arrière.
L'infirmier le lui expliqua tandis que le pilote poursuivait sa recherche visuelle de... Là! *Je te tiens!*
— J-19, ici Trooper 2, je vous ai en visuel vous et la voiture sujet, annonça-t-il en descendant à cinq cents pieds. Trooper 2, Annapolis, je les ai. Fourgonnette noire ou peut-être bleue, roulant vers l'ouest sur la 50, voiture banalisée à sa poursuite.

Alex se demandait ce qu'était cette voiture. Aucune inscription, une voiture banale, carrosserie ordinaire, unicolore, terne. Oh-oh!
— C'est un flic derrière nous! cria-t-il.
Un des hommes de Miller regarda par le carreau. Les voitures banalisées n'étaient pas nouvelles, dans son pays.
— Débarrassez-vous de lui! gronda Alex.

Fontana restait à cinquante mètres derrière la fourgonnette. C'était assez loin, pensait-il, pour être hors de danger. L'agent écoutait sur sa radio le caquetage incessant des voitures supplémentaires qui répondaient à l'appel. La distraction de ces voix fit qu'il mit une seconde de trop à remarquer l'ouverture brutale de la portière arrière du véhicule. Il pâlit et freina pile.

Ce fut encore Miller qui s'en occupa. Dès que la porte fut ouverte il leva sa mitraillette et lâcha une salve de dix balles sur la voiture de police. Il la vit déraper en travers de la chaussée et se retourner. Il était trop surexcité même pour sourire, mais il débordait de joie. La portière se referma alors qu'Alex changeait de voie.

Fontana sentit la balle dans sa poitrine avant de s'apercevoir que le pare-brise s'émiettait autour de lui. Son bras droit s'abaissa pour tourner trop rapidement à droite. Les roues arrière bloquées provoquèrent un dérapage, un pneu éclata et la voiture se retourna. Fontana regarda avec fascination le monde tourner autour de lui. Comme la plupart des policiers, il ne se souciait jamais de sa ceinture de sécurité et il se rompit le cou sur le toit défoncé. Cela n'avait pas d'importance. La voiture qui le suivait vint s'écraser sur les débris, achevant le travail commencé par la mitraillette de Miller.

— Merde ! jura le pilote de Trooper 2. Trooper 2, Annapolis, J-19 est victime d'un accident grave sur la 50 à l'ouest de la sortie de la Route 2. Où diable sont les autres voitures ?

— Trooper 2, donnez état J-19.

— Il est mort, bon dieu ! Je suis sur cette foutue camionnette ! Où est le soutien ?

— Trooper 2, nous avons onze voitures qui convergent. Nous avons un barrage routier en cours d'installation sur la 50 à South Haven Road. Trois voitures se dirigent vers l'ouest sur la 50 à environ huit cents mètres derrière vous et deux autres en direction de l'est s'approchent de la sortie de General's Highway.

— Bien reçu, je suis sur la camionnette, répondit le pilote.

— Grouille, Alex ! glapit Miller.

— On y est presque, mec, répondit le Noir en prenant la voie de droite pour la sortie.

A environ quinze cents mètres, devant eux, il apercevait les phares tournants rouge et bleu de deux voitures de police arrivant vers lui dans la direction opposée, mais il n'y avait pas de bretelle de sortie sur l'autre voie, à cet endroit. *Pas de pot, cochons !* Il n'était pas très heureux d'avoir eu la Porsche mais un flic mort, ça faisait toujours du bien.

— C'est comme si on y était !

— Annapolis, Trooper 2, appela le pilote. La camionnette sujet bifurque au nord en quittant la 50...

Il donna un ordre bref. Les voitures de police venant en sens opposé ralentirent, puis elles foncèrent en travers du terre-plein central. Mais la bande médiane herbeuse était inégale : une seule des voitures parvint à la franchir et fonça à contresens vers la bretelle de sortie, tandis que l'autre s'embourbait.

Alex attrapa le feu vert au croisement de West Street et fonça vers le nord. Du coin de l'œil, il aperçut une voiture de la police cantonale coincée dans la circulation de l'heure de pointe, dans West Street à deux cents mètres sur sa droite, qui n'arrivait pas à se dégager malgré son gyrophare et sa sirène. *Trop tard, cochons !* Il fit encore deux cents mètres et tourna à gauche.

Le sergent pilotant Trooper 2 continuait de jurer tout haut sans se soucier du gouverneur et du ministre à l'arrière. Il vit la camionnette entrer dans le parking de cinquante hectares entourant le Mail d'Annapolis, alors que trois voitures de poursuite débouchaient de West Street.

— Merde, merde de merde !

Il poussa son levier de contrôle collectif et plongea vers le parking.

Alex choisit un créneau réservé aux handicapés et y gara la camionnette. Ses passagers étaient prêts et ils ouvrirent les portes dès l'arrêt du véhicule. Lentement, normalement, ils se dirigèrent vers l'entrée du centre commercial. Le conducteur leva des yeux surpris en entendant le claquement de l'hélicoptère. L'appareil planait à une soixantaine de mètres. Alex s'assura que son chapeau était bien enfoncé avant de passer la porte.

Le pilote de l'hélicoptère regarda à sa gauche l'infirmier, dont la main était crispée de rage sur le 357 qu'il portait dans un étui d'aisselle.

— Ils ont disparu, annonça l'infirmier à l'interphone.

— Comment ça, ils ont disparu ? s'exclama le ministre de la Justice furieux.

Au-dessous d'eux, une voiture de la police cantonale et une autre de la police de l'Etat s'arrêtaient dans un grincement de freins près de l'entrée. Mais derrière ces portes, il y avait au moins trois mille clients et la police n'avait pas le signalement des suspects. Les agents attendirent, pistolet au poing, sans savoir que faire.

Alex et ses hommes entrèrent dans les toilettes. Deux membres de leur organisation les attendaient avec des sacs à provisions. Chaque homme de la fourgonnette reçut un manteau différent. Ils se séparèrent, par deux, et sortirent se mêler à la foule. Ils prirent tout leur temps. Ils n'avaient aucune raison de se presser.

— Faites quelque chose ! s'écria le gouverneur.
— Quoi ? demanda le pilote. Que voulez-vous que nous fassions ? Qui arrêter ? Ils sont partis, ils ont disparu, ils pourraient aussi bien être en Californie, maintenant.

Le ministre en bafouillait encore de rage. Partis d'un meeting politique de routine à Salisbury, sur la côte est du Maryland, ils s'étaient trouvé mêlés à une poursuite passionnante, qui se terminait maintenant de manière tout à fait insatisfaisante. Il avait vu tuer un policier de la route sous ses yeux et ni lui ni les siens n'avaient pu faire quoi que ce soit. Finalement, le gouverneur jura avec véhémence. Son langage aurait choqué ses électeurs.

Trooper 1 planait sur le pont sur la Severn, son rotor tournant rapidement pour rester au-dessus des barrières de béton. L'infirmier, l'agent Waverly et un automobiliste qui s'était révélé un pompier bénévole chargeaient les deux victimes de l'accident dans des civières Stokes pour les transporter à bord. Un autre conducteur qui avait voulu les aider s'était trouvé pris de nausées. Une voiture de pompiers arrivait et deux autres agents de la police routière se préparaient à rétablir la circulation, dès que l'hélicoptère serait parti. Il y avait déjà un bouchon d'au moins six kilomètres. Alors que les agents prenaient position sur la route, ils entendirent à leur radio ce qui était arrivé à J-19 et à son conducteur. Ils échangèrent des regards mais pas de paroles. Cela viendrait plus tard.

En qualité de premier agent sur les lieux, Waverly prit le sac de la conductrice pour chercher son identité. Il avait beaucoup de formulaires à remplir, de personnes à avertir. Dans le sac, il trouva un dessin d'enfant, peint avec les doigts ; levant les yeux, il vit qu'on hissait le brancard de la petite fille dans la cabine de l'hélicoptère. Moins de trente secondes plus tard, l'appareil décollait. Waverly le regarda prendre de l'altitude, en murmurant une prière pour la petite fille qui avait dessiné cette sorte de vache bleue. Puis il se remit au travail. Il y avait un carnet d'adresses rouge, dans le sac. Il regarda le permis de conduire pour avoir un nom et feuilleta le carnet à la même lettre. Un nommé « Jack », sans nom de famille, s'y trouvait avec un numéro suivi de « travail ». Ce devait être le mari. Quelqu'un aurait à le prévenir.

— Approche Baltimore, ici Trooper 1 avec une medivac pour Baltimore.

— Trooper 1, bien reçu, vous êtes dégagé pour approche directe, arrivez sur la gauche par trois-quatre-sept et maintenez altitude actuelle, répondit l'aiguilleur du ciel de Baltimore-Washington International.

Le numéro de fréquence 5101 était net sur son écran radar et les urgences médicales avaient une priorité inconditionnelle.

— Hopkins Urgences, ici Trooper 1, arrivons avec fillette victime accident.

— Trooper 1, Hopkins. Détournez sur University. Nous sommes complets ici.

— Bien reçu. University, Trooper 1, recevez-vous. A vous.

— Trooper 1, ici University, nous recevons et nous sommes prêts pour vous.

— Bien reçu. ETA cinq minutes. Terminé.

— Gunny, ici Cummings au portail trois, dit le sergent au téléphone.

— Qu'est-ce qu'il y a, sergent ? demanda Breckenridge.

— Eh bien, y a un type, ça fait trois quarts d'heure qu'il est là au coin, juste de l'autre côté de la rue. Ça paraît bizarre, quoi, vous savez ?

— Vous avez appelé les flics ?

— Pour quoi faire ? répondit raisonnablement le sergent. Il n'a même pas craché sur le trottoir, que je sache.

— D'accord, je vais venir.

Breckenridge se leva. D'ailleurs, il s'ennuyait. Il mit sa casquette et traversa le campus. Il lui fallut cinq minutes, pendant lesquelles il salua six officiers et répondit à de nombreux saluts de midships. Originaire du Mississippi, il n'aimait pas le froid. Mais le printemps arrivait.

Il trouva Cummings dans le poste de garde. Un bon jeune sergent, ce Cummings. Breckenridge avait une charpente classique à la John Wayne, avec de larges épaules et une masse imposante. Cummings était un petit Noir, capable de courir toute la journée, ce que Gunny n'avait jamais pu faire. Breckenridge l'avait pris sous son aile, sans avoir l'air de rien. Le sergent-major savait que bientôt il ferait partie du passé du Corps. Cummings était son avenir.

— Salut, Gunny, dit le sergent.

— Le type à la porte ?

— Il est arrivé un peu après 16 heures. Il n'est pas du quartier...

Cummings s'interrompit. Il n'était après tout qu'un jeune sergent noir, aux galons tout neufs, s'adressant à un homme à qui les généraux parlaient avec respect.

— Je trouve ça drôle, quoi, c'est tout.

— On va lui accorder quelques minutes, pensa Breckenridge à haute voix.

— Dieu, j'ai horreur de faire préparer des examens.

— Alors sois indulgent, conseilla Robby en riant.

— Comme tu l'es ? demanda Ryan.

— J'enseigne un sujet difficile, technique, je dois poser des problèmes difficiles.

— Les ingénieurs ! Dommage que vous ne sachiez pas aussi bien lire et écrire que vous multipliez.

— Dis donc, t'as bouffé du lion à midi, Jack ?

— Ah, tu sais...

Le téléphone sonna. Jack décrocha.

— Professeur Ryan. Oui... Qui ? demanda-t-il et sa figure changea, sa voix devint prudente, Robby le vit se raidir brusquement. Vous en êtes sûr ?... Où sont-elles en ce moment ?... D'accord... euh, d'accord, oui, merci, je... euh... merci.

Jack resta figé pendant une seconde ou deux avant de raccrocher.

— Qu'est-ce qu'il y a ? demanda Robby.

— C'était la police... un accident...

— Où sont-elles ?

— On les a transportées par hélicoptère... on les a transportées à Baltimore. Il faut que j'y aille... Dieu, Robby...

Jack se leva en vacillant. Jackson fut immédiatement debout.

— Viens, je vais t'y conduire.

— Non, je...

— Fous-moi la paix, Jack. C'est moi qui conduis. Allez, grouille.

Il prit son manteau et lança le sien à Jack, de l'autre côté du bureau.

— On les a transportées par hélicoptère...

— Où ça ?... Où, Jack ?

— University.

Robby lui saisit le bras.

— Ressaisis-toi, Jack ! Calme-toi un peu.

L'aviateur pilota son ami dans l'escalier et hors du bâtiment. Sa Corvette rouge était garée à cent mètres.

— Toujours là, rapporta le gardien civil, en rentrant dans le poste.

— C'est bon, dit Breckenridge.

Il se leva, regarda l'étui à pistolet accroché dans le coin mais y renonça.

— Voilà ce que nous allons faire, déclara-t-il.

Dès le premier instant, Ned Clark n'avait pas aimé la mission. Mais il n'en avait rien dit. Sean avait été le cerveau de son évasion. Et Ned Clark était loyal à la Cause. Pour le moment, il était exposé, là, et il n'aimait pas ça non plus. On lui avait dit que les gardes aux portes de l'Académie étaient négligents et qu'ils n'étaient pas armés. De plus, ils n'avaient aucune autorité en dehors de l'enceinte de l'école navale. Mais il était là depuis trop longtemps. Son objectif avait une demi-heure de retard.

Il ne fumait pas, ne bougeait pas et il savait qu'on le distinguait à peine : il n'y avait pas de lumière à la porte du vieil immeuble ; un des gars d'Alex y avait veillé avec un pistolet à petits plombs, la nuit précédente.

Je devrais tirer un trait là-dessus, se dit Clark. Mais il ne le pouvait pas. Il ne voulait pas manquer à Sean. Il vit deux hommes sortir de l'Académie. De foutus marines dans leur tenue du dimanche. Ils étaient si vulnérables sans leurs armes !

— Qu'est-ce que tu dirais d'une bière ? disait le grand.

Ils traversèrent la rue, venant vers lui.

— Je ne dis pas non, Gunny. C'est vous qui régalez ?

— O.K. Mais faut que j'aille chercher de l'argent, d'abord.

Le grand plongea une main dans sa poche pour prendre des clefs et se tourna vers Clark.

— Excusez-moi, monsieur, je peux vous aider ?

Sa main ressortit de la poche, sans clefs. Clark réagit rapidement mais pas tout à fait assez. Alors que sa main droite, dans son pardessus, commençait à remonter, celle de Breckenridge l'empoigna comme un étau.

— J'ai demandé si je pouvais vous aider, monsieur, dit-il aimablement. Qu'est-ce que vous avez dans cette main ?

Clark essaya de se dégager mais le sergent-major le repoussa contre le mur.

— Doucement, Tom, avertit Breckenridge.

La main de Cummings glissa plus bas et découvrit le contour métallique d'un pistolet.

— Pistolet, annonça-t-il vivement.

— Faudrait pas que le coup parte, déclara Gunny, son bras gauche en travers de la gorge de Clark. Prends-le-lui, fils, et avec précaution.

Clark était stupéfait de sa propre stupidité, de les avoir laissés approcher si près de lui. Il essaya de tourner la tête vers le bout de la rue, mais l'homme qui l'attendait dans la voiture était derrière le coin. Avant qu'il ait eu le temps de penser à ce qu'il pourrait faire, le Noir l'avait désarmé et lui fouillait les poches. Cummings en retira le couteau.

— Parle-moi, dit Breckenridge.

Clark resta muet et l'avant-bras s'appuya brutalement sur sa gorge.

— Parlez-moi, monsieur, *s'il vous plaît !*

— Foutez-moi la paix et ôtez vos sales pattes ! Pour qui vous vous prenez ?

— D'où tu es, petit ?

Breckenridge n'avait pas besoin de réponse à cette question. Il arracha la main de Clark de la poche et lui tordit le bras dans le dos.

— C'est bon, petit, nous allons passer par ce portail là-bas et tu vas t'asseoir et être bien sage pendant que nous appelons la police. Si tu fais des histoires, je m'en vais t'arracher ce bras. Allons-y, mon garçon.

Le conducteur qui attendait Clark était venu jeter un coup d'œil au coin de la rue. Il vit ce qui se passait et retourna à sa voiture. Deux minutes plus tard, il était à un kilomètre.

Cummings enchaîna l'homme à une chaise avec des menottes pendant que Breckenridge constatait qu'il n'avait pas de papiers, mais un pistolet automatique qui suffisait pour l'identification. Il appela d'abord son capitaine, puis la police d'Annapolis. Ce fut ainsi que l'affaire commença et, bien que Gunny n'en sût rien, elle n'allait pas s'arrêter là.

15

Chocs
et traumatologie

Si jamais Ryan avait jamais douté que Robby Jackson était un pilote de chasse, ce trajet aurait dissipé tous ses doutes. Le jouet personnel de Jackson était une Chevrolet Corvette de deux ans, d'un rouge vif, et il la conduisait avec un sentiment d'invincibilité. L'aviateur sortit comme une fusée de la porte ouest de l'Académie, tourna à gauche et fonça vers Rowe Boulevard. Les problèmes de circulation sur la Route 50 ouest lui apparurent immédiatement et Robby changea de voie pour prendre la direction de l'est. Une minute plus tard, il roulait à vive allure sur le pont de la Severn. Jack était trop préoccupé pour voir grand-chose, mais Robby aperçut l'épave d'une Porsche de l'autre côté de la route. Son sang se glaça, il détourna vivement la tête et chassa cette vision pour se concentrer sur sa conduite, en poussant la Corvette à près de cent trente. Les flics avaient trop à faire sur l'autre moitié de l'autoroute pour qu'il ait à se soucier d'une contravention. Il emprunta la sortie de Ritchie Highway une minute plus tard et tourna au nord vers Baltimore. La circulation de l'heure de pointe était dense mais surtout dans le sens opposé. Le pilote avait des brèches à exploiter et il n'en négligea aucune.

A sa droite, Jack regardait fixement devant lui, sans rien voir. Il retint tout de même sa respiration quand Robby se lança soudain entre deux semi-remorques roulant côte à côte, avec quelques centimètres à peine de marge de chaque côté. Les coups d'avertisseur scandalisés des deux poids lourds s'estompèrent vite derrière la Corvette rapide et Jack retomba dans son apathie.

Breckenridge laissa son capitaine Mike Peters prendre la situation en main. C'était un bon officier, de l'avis du sergent-major, qui avait assez de bon sens pour se fier à ses sous-officiers. Il était arrivé au poste de garde deux minutes avant la police d'Annapolis, et Breckenridge et Cummings avaient eu le temps de le mettre au courant.

— Alors, qu'est-ce qui se passe, messieurs ? demanda le policier qui répondait à l'appel.

Le capitaine fit signe à Breckenridge de parler.

— Le sergent Cummings, que voici, a observé cet individu qui attendait de l'autre côté de la rue. Il n'avait pas l'air d'être du quartier, alors nous l'avons surveillé. Finalement, Cummings et moi avons traversé pour lui demander si nous pouvions l'aider. Il a tenté de nous menacer avec ça, dit Gunny en soulevant avec précaution le pistolet pour ne pas effacer les empreintes, et il avait ce couteau dans sa poche. Le port d'une arme dissimulée est contraire à la loi, alors Cummings et moi avons procédé à une arrestation civile et nous vous avons appelé. Cet individu n'a pas de papiers sur lui et il a refusé de nous parler.

— Quelle sorte d'arme est-ce là ? demanda le policier.

— Un FN neuf-millimètres, avec un chargeur de treize balles. Le pistolet était chargé avec une balle dans le canon. Le couteau n'est qu'un article bon marché. Un couteau de voyou.

Le policier sourit malgré lui. Il connaissait Breckenridge.

— Votre nom, s'il vous plaît ? demanda-t-il à Eamon Clark qui le dévisagea sans répondre. Monsieur, vous avez un certain nombre de droits que je vais vous lire mais la loi ne vous permet pas de nous cacher votre identité. Vous devez me donner votre nom.

Le flic considéra le suspect pendant une minute. Finalement, il haussa les épaules et tira une carte de sa poche.

— Monsieur, vous avez le droit de garder le silence, dit-il et il lut d'une voix monotone le texte de la carte. Qu'avez-vous à dire ?

Clark continua de se taire. Le policier s'énervait. Il regarda les trois autres hommes.

— Messieurs, accepterez-vous de témoigner que j'ai bien lu ses droits à cet individu ?

— Oui, monsieur l'agent, certainement, répondit le capitaine Peters.

— Si je puis me permettre une suggestion, intervint Breckenridge, vous devriez peut-être parler de ce garçon au FBI.

— Ah oui ? Pourquoi ?

— Il a un drôle d'accent. Il n'est pas d'ici.

— Au poil. Deux cinglés dans la même journée !

— Que voulez-vous dire ?

— Il y a un petit moment, une voiture a été mitraillée sur la Route 50 et on dirait un coup de drogués. Un agent a été tué par la même bande quelques minutes plus tard. Les coupables se sont enfuis, expliqua le flic et il se pencha pour regarder Clark de près. Je vous conseille de parler, vous. La police de cette ville n'est pas de bonne humeur, ce soir. Ce que je veux vous dire, mon bonhomme, c'est que nous n'allons pas supporter des conneries inutiles. C'est compris ?

Clark ne comprenait pas. En Irlande, ce n'était pas un crime de porter une arme dissimulée. En Amérique encore moins, puisque tant de citoyens possédaient des armes. S'il avait dit qu'il attendait quelqu'un et qu'il avait un pistolet simplement parce qu'il avait peur d'être attaqué, il aurait pu se retrouver dans la rue avant que les procédures d'identification soient terminées. Mais son intransigeance ne fit qu'irriter le policier.

Le capitaine Peters et le sergent-major échangèrent un regard entendu.

— Monsieur l'agent, dit le capitaine, je vous recommande instamment de vérifier l'identité de cet individu avec le FBI. Nous... euh... nous avons reçu une sorte d'avertissement officieux sur l'activité terroriste, il y a quelques semaines. Ce n'est pas de notre ressort puisqu'il a été arrêté en ville, mais...

— Je vous entends, capitaine, affirma le policier et il réfléchit pendant quelques secondes, avant de conclure qu'il y avait peut-être là plus qu'il n'y paraissait. Si vous voulez bien m'accompagner au poste, messieurs, nous allons voir qui est en réalité votre monsieur X.

Ryan se précipita dans l'entrée du centre hospitalier et donna son nom au bureau de la réception, dont l'occupante lui indiqua la salle d'attente, en lui faisant savoir avec fermeté qu'il serait averti dès qu'il y aurait quelque chose de nouveau. Cette brusque inactivité désorienta complètement Jack. Il hésita pendant quelques minutes à la porte de la salle d'attente, le cerveau complètement vide. Lorsque Robby revint de garer sa voiture, il le trouva assis sur le bord d'un vieux canapé de vinyle, en train de feuilleter une brochure dont la couverture cartonnée s'était amollie entre les mains innombrables de parents, de femmes, de maris et d'amis de malades qui étaient passés par là.

La brochure expliquait en prose bureaucratique que le Maryland Institute était le meilleur centre de médecine d'urgence, spécialisé dans les soins complexes aux victimes de traumatismes. Ryan le savait. Johns

Hopkins fournissait la majorité du personnel chirurgical pour les blessures de l'œil. Cathy y avait passé quelque temps durant son internat, deux mois d'intense activité qu'elle préférait oublier. Jack se demanda si elle était soignée en ce moment par un ancien collègue.

Il perdit la notion du temps, dans sa crainte de regarder sa montre et de devoir s'interroger sur le temps qui passait. Seul, totalement seul dans ce monde à l'écart, il songeait que Dieu lui avait donné une femme qu'il adorait et une enfant qu'il aimait plus que sa propre vie, que le premier devoir d'un mari et d'un père était de les protéger d'un univers trop souvent hostile, qu'il avait échoué et que, maintenant leur vie était entre les mains d'inconnus. Toutes ses connaissances, tous ses talents étaient inutiles, à présent. Rien n'était pire que cette impuissance et il se sentait gagné par un engourdissement cataleptique. Pendant des heures, il regarda fixement le sol, les murs, incapable même de prier alors que son esprit tentait de se réfugier dans le vide.

Jackson était assis à côté de lui, silencieux, enfermé dans son monde personnel. Pilote de l'aéronavale, il avait vu ses meilleurs amis disparaître pour une erreur banale ou une petite panne mécanique, ou apparemment sans cause. Il avait senti la main glacée de la mort effleurer son épaule, moins d'un an auparavant. Mais cette fois, le danger ne menaçait pas un homme mûr qui avait librement choisi une profession périlleuse. C'était les vies d'une jeune femme et d'une enfant innocente qui étaient en jeu. Il ne savait absolument pas que dire, quel encouragement il pourrait offrir autre que sa présence mais il était sûr que Jack, bien qu'il ne le montrât pas, appréciait d'avoir son ami à son côté.

Au bout de deux heures, Jackson quitta discrètement la salle d'attente pour aller téléphoner à sa femme et se renseigner au bureau. La réceptionniste chercha les deux fiches et lut : « Adulte, sexe féminin, âge trente ans environ, blessure à la tête », et « Enfant, sexe féminin, blonde, âge environ quatre ans, thorax défoncé ». Le pilote eut envie de l'étrangler pour sa froideur mais il se contint et tourna les talons sans un mot. Il alla rejoindre Ryan et tous deux attendirent encore, en regardant le mur. Dehors, il s'était mis à pleuvoir, une pluie glaciale qui s'accordait parfaitement avec ce qu'ils ressentaient tous les deux.

L'agent spécial Shaw entrait dans sa maison de Chevy Chase quand le téléphone sonna. Sa fille répondit et lui tendit l'appareil. Ce genre de chose n'avait rien d'insolite.

— Ici Shaw.

— Monsieur Shaw, je suis Nick Capitano, du bureau d'Annapolis.

La police détient ici un homme armé d'un pistolet et d'un couteau, sans papiers. Il refuse de parler mais tout à l'heure il a quand même dit quelques mots à deux marines et il a un accent.

— Très bien, il a un accent. Quel genre d'accent ? demanda Shaw, agacé.

— Peut-être irlandais. Il a été appréhendé devant la porte trois de l'Académie navale. Or, un des marines nous dit qu'un professeur nommé Ryan y travaille et qu'ils ont reçu une sorte d'avertissement du bureau de la brigade anti-terroriste.

Quoi encore ?

— Avez-vous identifié le suspect ?

— Non, monsieur. La police locale a relevé ses empreintes et en a une copie avec sa photo au Bureau. Le suspect refuse de dire un mot.

Shaw réfléchit un moment. Tant pis pour le dîner.

— D'accord. Je serai de retour à mon bureau dans une demi-heure. Qu'on m'y envoie une copie de la photo anthropométrique et des empreintes. Ne bougez pas. Je vais envoyer quelqu'un auprès du professeur Ryan.

— Très bien.

Shaw raccrocha et appela son bureau.

— Dave ? Bill. Appelez Londres et dites à Dan Murray que je veux qu'il soit dans son bureau dans une demi-heure. Il se passe peut-être quelque chose ici.

— Au revoir, papa, lui dit sa fille.

Shaw n'avait même pas eu le temps d'enlever son manteau. Vingt-sept minutes plus tard, il était assis à son bureau. Il appela d'abord Nick Capitano à Annapolis.

— Du nouveau ?

— Non, monsieur. Le service de sécurité d'Annapolis ne retrouve pas ce Ryan bien que sa voiture soit encore sur le parking de l'Académie. J'ai demandé à la police du canton d'Anne Arundel d'envoyer une voiture de patrouille chez lui, au cas où quelqu'un l'aurait raccompagné, parce que sa voiture était en panne ou quelque chose comme ça. Tout est un peu bousculé en ce moment. Il s'est passé quelque chose de fou, à peu près au moment où cet inconnu a été appréhendé. Une voiture a été arrosée à la mitraillette, juste aux abords de la ville.

— Qu'est-ce que vous racontez ?

— C'est la police routière qui s'en occupe. Nous n'avons pas été appelés, expliqua Capitano.

— Envoyez un homme là-bas, ordonna immédiatement Shaw.

288

Une secrétaire entra dans son bureau et lui remit une chemise. Elle contenait un fac-similé de la photo du suspect, de face et de profil.

— Un instant ! s'écria-t-il alors qu'elle allait sortir. Il faut transmettre immédiatement ceci à Londres.

— Bien, monsieur.

Il appela ensuite sur une ligne privée l'ambassade des Etats-Unis à Londres.

— Je venais juste de m'endormir, grommela la voix dès la première sonnerie.

— Salut, Dan. Moi, je n'ai pas dîné. La vie est dure. J'ai une photo en cours de transmission pour vous.

Shaw mit Murray au courant de ce qui s'était passé.

— Oh mon Dieu ! s'écria Murray après avoir avalé du café. Où est Ryan ?

— Nous ne le savons pas. Sa voiture est toujours garée à Annapolis, à l'Académie. Les types de la sécurité le cherchent. Il va sûrement bien, Dan. Si j'ai bien compris, le suspect d'Annapolis devait le guetter.

La photo d'Eamon Clark était déjà arrivée à Londres, à l'ambassade. Le service de communications du FBI travaillait avec le même réseau de satellites que les services secrets et les agents des communications de l'ambassade étaient en réalité des employés de la National Security Agency, présents jour et nuit. Le fac-similé tomba avec un entête FLASH-priorité et un messager se précipita au bureau de l'attaché juridique. La porte était fermée à clef. Murray dut poser le téléphone pour aller ouvrir.

— Ne quittez pas.

Il ouvrit la chemise. La photo avait quelque peu souffert par la transmission mais elle était quand même reconnaissable.

— Cette tête me dit quelque chose, dit-il au téléphone, mais je ne peux pas lui coller un nom.

— Combien de temps vous faut-il pour l'identifier ?

— Je peux appeler Jimmy Owens tout de suite. Vous êtes dans votre bureau ?

— Oui répondit Shaw.

— Je vous rappelle.

Murray changea de ligne. Il ne connaissait pas par cœur le numéro personnel d'Owens et il dut le chercher.

— Oui ?

— Jimmy ? C'est Dan ! annonça Murray d'une voix beaucoup plus animée.

— Vous savez l'heure qu'il est ?

— Nos gars ont quelqu'un en détention qui vous intéresserait peut-être.

— Qui ? demanda Owens.

— J'ai une photo mais pas de nom. Il a été arrêté à Annapolis, devant l'Académie navale...

— Ryan ?

— Peut-être.

— Venez me retrouver au Yard, dit Owens.

— Je suis déjà parti.

Murray descendit rapidement prendre sa voiture. Owens n'eut qu'à sortir : sa maison était surveillée en permanence par deux inspecteurs armés, dans une voiture de police ; il lui suffit de faire signe pour que la Land Rover vienne à sa porte. Il précéda Murray de cinq minutes. Quand l'agent du FBI arriva, Owens avait déjà bu une tasse de thé. Il en servit deux autres.

— Cette tête me dit quelque chose, annonça Murray en montrant la photo et Owens ouvrit de grands yeux.

— Ned Clark, souffla-t-il. En Amérique, vous dites ?

— Je me disais bien qu'il avait quelque chose de familier. Il a été arrêté à Annapolis.

— C'est un des types qui se sont évadés de Long Kesh, un mauvais garçon responsable de plusieurs meurtres. Merci, monsieur Murray.

Murray s'empara d'une des tasses de thé. Il en avait besoin.

— Remerciez les marines. Je peux téléphoner ?

En quelques minutes, il fut de nouveau en communication avec le FBI. Le téléphone sur le bureau avait un amplificateur et Owens put écouter.

— Bill, le suspect est un nommé Ned Clark, un assassin condamné qui s'est évadé de prison l'année dernière. Un des principaux assassins de la PIRA.

— J'ai de mauvaises nouvelles, répondit Shaw. Il paraît que la famille de ce Ryan a été attaquée. La police routière enquête sur une agression à la mitraillette contre une voiture appartenant au docteur Caroline Ryan. Les suspects étaient dans une fourgonnette. Ils ont réussi à s'enfuir après avoir tué un agent de la police routière.

— Où est Jack Ryan ? demanda Murray.

— Nous ne le savons pas encore. On l'a vu quitter l'Académie navale dans la voiture d'un ami. La police le recherche.

— Et sa famille ? demanda Owens.

— Elles ont été conduites au centre de Baltimore. La police locale a été alertée pour surveiller l'hôpital. Dès que nous aurons trouvé Ryan, nous enverrons également des hommes auprès de lui. Pour ce qui est de ce Clark, il sera en détention fédérale dès demain matin. Je suppose que M. Owens voudra le récupérer ?

— Oui.

Owens se carra dans son fauteuil. Il avait son propre coup de téléphone à donner. Comme c'est souvent le cas dans le travail de police, les mauvaises nouvelles accompagnaient les bonnes.

— Monsieur Ryan ?

C'était un médecin. Probablement. Il portait une blouse rose en papier et de curieux bottillons roses. La blouse était tachée de sang. Ryan ne lui donna guère plus de trente ans. La figure était sombre et fatiguée. Il portait un badge à son nom : Dr BARRY SHAPIRO — CHIRURGIEN EN CHEF ADJOINT. Ryan voulut se lever mais s'aperçut que ses jambes ne lui obéissaient pas. Le médecin lui fit signe de rester assis. Il s'approcha et se laissa tomber dans un fauteuil à côté du canapé.

Quelles nouvelles m'apportez-vous ? se demanda Ryan. Son esprit réclamait à grands cris des renseignements tout en redoutant d'entendre ce qui était arrivé à sa famille.

— Je suis Barry Shapiro. J'ai travaillé sur votre fille, dit le chirurgien, avec un curieux accent que Ryan remarqua sans y attacher d'importance. Bien. Votre femme se porte bien. Elle a une fracture du haut du bras gauche et une vilaine coupure à la tête. Nous avons procédé à un examen complet et elle va bien. Une légère commotion cérébrale mais rien d'inquiétant. Elle s'en sortira très bien.

— Elle est enceinte. Est-ce que...

— Nous avons remarqué, dit Shapiro en souriant. Pas de problème de ce côté. La grossesse n'est absolument pas compromise.

— Elle est chirurgien. Est-ce qu'il y aura une incapacité permanente ?

— Ah ? Je ne le savais pas. Nous ne nous occupons guère de l'identité des patients. Non, il ne devrait pas y avoir de problème. Les dégâts au bras sont étendus mais de la simple routine. Elle devrait se remettre totalement.

Ryan hocha la tête. Il n'osait poser la question suivante. Le chirurgien prit un temps, avant de poursuivre ses explications. *Est-ce que voilà les mauvaises nouvelles ?*

— Votre fille est dans un bien triste état.

Jack faillit s'étrangler. Le poing de fer qui lui serrait l'estomac se relâcha imperceptiblement. *Au moins elle est en vie. Sally est vivante !*

— Apparemment, sa ceinture de sécurité n'était pas bouclée. Quand la voiture s'est écrasée, elle a été projetée en avant, très violemment.

Jack soupira. Sally aimait jouer avec la boucle de sa ceinture.

— Elle a les deux tibias fracturés, reprit le chirurgien, ainsi que le fémur gauche. Toutes les côtes de gauche sont cassées et six à droite. Elle ne peut pas respirer par elle-même mais elle est sous respiration artificielle. Elle est arrivée avec de graves blessures internes et une hémorragie, de sérieux dégâts au foie et à la rate, ainsi qu'au gros intestin. Son cœur s'est arrêté juste après son arrivée, probablement parce qu'elle avait perdu trop de sang. Nous l'avons immédiatement remis en marche et avons compensé la perte de sang. Ce n'est plus un problème, dit rapidement Shapiro. Le docteur Kinter et moi avons travaillé sur elle pendant près de cinq heures. Nous avons dû procéder à l'ablation de la rate, ça ce n'est pas grave, on peut vivre sans rate.

Il omit de dire que la rate a un rôle non négligeable dans la défense du corps contre les infections.

— Le foie présentait une fracture étoilée modérément étendue, accompagnée de dégâts à l'artère principale amenant le sang à l'organe. Nous avons dû extraire à peu près un quart du foie — là encore, pas de problème — et je *crois* que nous avons réparé le dégât artériel. Le foie est un organe primordial pour la formation du sang et l'équilibre biochimique du corps. On ne peut pas vivre sans lui. Si la fonction du foie est maintenue... elle va probablement s'en tirer. Le dégât du gros intestin était facile à réparer. Nous en avons coupé une trentaine de centimètres. Les jambes sont immobilisées. Nous réduirons les fractures plus tard. Les côtes... eh bien, c'est douloureux mais sans danger. Et la blessure à la tête est relativement mineure. Elle souffre de commotion mais il n'y a aucun signe de saignement intercrânien.

Shapiro passa ses deux mains sur sa figure barbue et soupira.

— Tout dépend du foie. S'il continue de fonctionner, elle se remettra sans doute complètement. Nous surveillons de très près sa chimie sanguine. Nous saurons quelque chose dans... peut-être huit à neuf heures.

— Pas avant ?

Le visage de Ryan se convulsait de douleur. Le poing de fer serrait de nouveau son estomac. *Elle peut encore mourir...*

— Monsieur Ryan, dit doucement Shapiro, je sais ce que vous éprouvez. S'il n'y avait pas eu l'hélicoptère pour transporter votre petite fille, eh bien, je serais en train de vous annoncer sa mort. Cinq minutes de plus, peut-être même moins... et elle ne serait pas arrivée jusqu'ici.

292

C'était à ce point-là. Mais elle est vivante, bien vivante en ce moment et je vous promets que nous faisons tout ce qui est en notre pouvoir pour qu'elle le reste. Sachez que notre équipe de médecins et d'infirmières est la meilleure au monde. S'il y a un moyen, nous le trouverons.

— Je peux les voir ?

— Non. Pour le moment, toutes deux sont dans le service des cas critiques. Nous le maintenons aussi stérile qu'une salle d'opération. La plus petite infection risque d'être mortelle pour un patient souffrant de traumatisme. Elles sont sous surveillance permanente. Une infirmière expérimentée est à leur chevet, avec une équipe de médecins et d'infirmières à portée de la main.

— D'accord.

Ryan laissa échapper le mot dans un soupir. Il appuya sa tête contre le mur et ferma les yeux. Encore huit heures ? *Mais tu n'as pas le choix. Tu dois attendre. Tu dois faire ce qu'ils disent.*

— D'accord.

Shapiro partit et Jackson le suivit. Il le rattrapa devant l'ascenseur.

— Docteur, est-ce que Jack ne pourrait pas voir sa petite fille ? Elle...

— Pas question !

Le chirurgien se laissa aller contre le mur et poussa un long soupir.

— Ecoutez, pour le moment elle... Au fait, comment s'appelle-t-elle ?

— Sally.

— Oui. Pour le moment elle est dans un lit, complètement nue, avec des tubes d'IV dans les deux bras et dans une jambe. Sa tête est à moitié rasée. Elle est reliée par des fils à une demi-douzaine d'écrans de contrôle et un respirateur Engstrom respire pour elle. Tout ce qu'on peut voir d'elle c'est un énorme hématome qui va des hanches au sommet de sa tête, murmura Shapiro, trop fatigué pour laisser percer de l'émotion. Ecoutez, elle peut mourir. Je ne le crois pas, mais il n'y a aucun moyen d'être sûr : avec les blessures au foie, on ne peut rien dire avant de connaître les résultats de l'examen de chimie sanguine, c'est impossible. Si elle meurt, voudriez-vous que votre ami la voie comme ça ? Voudriez-vous qu'il se souvienne d'elle comme ça, pour le restant de ses jours ?

— Non, sans doute, avoua Jackson, surpris de tant vouloir que cette enfant vive ; sa femme ne pouvait pas en avoir et Sally était un peu devenue la leur. Quelles sont ses chances ?

— Je ne suis pas bookmaker, je ne prends pas de paris. Les chiffres ne veulent rien dire dans un cas pareil. Je l'ai dit à votre ami : elle ne pourrait être mieux soignée qu'ici.

Les yeux de Shapiro se posèrent sur le torse de Jackson. Il toucha du doigt les ailes dorées.

— Vous êtes pilote ?

— De chasse, oui.

— Des Phantoms ?

— Non, le F-14. Tomcat.

— Je pilote, révéla le chirurgien en souriant. J'étais médecin volant dans l'Air Force. L'année dernière, j'ai acheté un planeur. C'est agréable et paisible, là-haut. Quand je veux m'échapper de cette maison de fous, je m'évade dans les airs. Pas de téléphone. Pas de précipitation. Rien que moi et les nuages...

Le médecin parlait moins à Jackson qu'à lui-même. Robby lui posa une main sur le bras.

— Docteur, écoutez. Vous sauvez cette petite fille et je vous fais faire une balade dans l'oiseau que vous voudrez. Vous êtes déjà monté dans un T-38 ?

— Qu'est-ce que c'est ? demanda Shapiro, trop épuisé pour se souvenir s'il en avait vu.

— Un chouette petit appareil supersonique d'entraînement. Biplace, doubles commandes et ça se manie comme un rêve. Vous avez déjà dépassé mach-1 ?

— Non.

— Je vous prends au mot. Nous nous occupons au mieux de tous nos malades, mais je vous ferai tenir parole. Gardez un œil sur votre ami. Il m'a l'air abattu. C'est naturel. Ce genre de choses est parfois plus dur pour la famille que pour les victimes. S'il ne se ressaisit pas, dites-le à la réceptionniste. Nous avons un psychiatre qui pourra l'aider.

— Le bras de Cathy ? C'est un chirurgien ophtalmo remarquable, vous savez ? Vous êtes sûr qu'il n'y aura pas de problème ?

— Tout à fait sûr. Ce n'est pas grave. Simple fracture de l'humérus. Ce devait être une balle chemisée. Elle est passée à travers le bras, proprement. Un coup de chance, vraiment.

La main de Robby se crispa sur le bras du chirurgien alors que l'ascenseur arrivait.

— Une *balle* ?

— Je ne vous l'avais pas dit ? Mon dieu, je dois être encore plus fatigué que je le croyais. Oui, c'est une blessure par balle mais très propre. Une neuf millimètres, peut-être, ou du trente-huit, à peu près ce calibre. Excusez-moi, il faut que je retourne au travail.

Le chirurgien était déjà dans l'ascenseur. *Merde*, dit Jackson au mur

Il se retourna en entendant un homme parler avec l'accent anglais — deux hommes, en réalité. La réceptionniste leur indiqua le salon d'attente et Robby les y suivit. Le plus grand des deux s'approcha de Ryan :

— Sir John ?

Ryan leva les yeux. Le Britannique se redressa au garde-à-vous et tira de sa poche une enveloppe, qu'il lui tendit.

— Je m'appelle Geoffrey Bennett. Je suis chargé d'affaires à l'ambassade britannique. J'ai reçu l'ordre de Sa Majesté de vous remettre ceci en main propre et d'attendre votre réponse.

Jack cligna plusieurs fois les yeux, puis il ouvrit l'enveloppe et en retira un message jaune. Le câble était bref mais très amical. *Quelle heure est-il là-bas ?* se demanda-t-il. *Deux heures du matin ? Trois ?* On avait donc dû la réveiller pour lui annoncer la nouvelle, probablement, et elle s'intéressait suffisamment à eux pour envoyer un message personnel. Et elle attendait une réponse. *Ça, par exemple !*

Ryan ferma les yeux et se dit qu'il était temps de retourner dans le monde des vivants. Trop vidé pour parvenir à pleurer, il ravala sa salive avant de se lever.

— Soyez assez aimable pour dire à Sa Majesté que je lui suis infiniment reconnaissant de son souci. Les médecins sont certains que ma femme se remettra complètement mais ma petite fille est dans un état critique et nous ne saurons rien de précis avant huit ou neuf heures. Dites à Sa Majesté que je... que je suis profondément touché et que nous attachons le plus grand prix à son amitié.

— Je vous remercie, sir John, dit Bennett en prenant quelques notes. Je vais immédiatement câbler votre réponse. Si vous n'avez pas d'objection, je vais laisser un membre de l'ambassade ici avec vous.

Jack hocha la tête, perplexe, et Bennett s'en alla.

Robby avait assisté à tout cela les sourcils haussés. Qui était ce type ? Il se présenta sous le nom d'Edward Wayson et alla s'asseoir dans le coin, face à la porte. Il examina Jackson. Leurs regards se croisèrent brièvement, chacun évaluant l'autre. Wayson avait des yeux froids, impassibles et une ombre de sourire au coin de la bouche. Robby le considéra plus attentivement. Il y avait une légère bosse sous son bras gauche. Il feignait de lire un livre de poche, qu'il tenait de la main gauche, mais ses yeux se levaient à tout instant vers la porte. Il surprit le regard de Jackson et hocha la tête. *Un agent de la sécurité,* conclut Robby. *C'est donc de ça qu'il s'agit.* Ce fut pour lui comme une rafale d'air glacé. Ses poings se crispèrent, à la pensée qu'un homme était capable de tuer de sang-froid une femme et son enfant.

Cinq minutes plus tard, des agents de la police routière firent leur apparition. Ils parlèrent pendant dix minutes avec Ryan. Jackson vit la figure de son ami pâlir de rage alors qu'il bredouillait des réponses à leurs questions. Wayson ne regardait pas mais écoutait tout.

— Vous avez raison, Jimmy, dit Murray.

Il était à la fenêtre, regardant la circulation matinale au coin de Broadway et de Victoria.

— Paddy O'Neil est à Boston pour expliquer que les gars du Sinn Fein sont des types épatants, dit Owens. Et notre ami O'Donnell décide de les embarrasser. Nous ne pouvions pas le savoir, Dan. Un soupçon n'est pas une preuve, et vous le savez bien. Nous n'avions aucune raison de leur donner un avertissement plus sérieux, Dan. Et vous les avez avertis !

— C'est une jolie petite fille. Elle m'a mis les bras autour du cou et m'a fait un gros baiser quand ils ont pris l'avion pour rentrer, murmura Dan, et regardant encore une fois sa montre il en retrancha cinq heures. Il y a des moments, Jimmy... Il y a quinze ans, nous avons arrêté ce... cet individu qui s'attaquait aux gosses, aux petits garçons. Je l'ai interrogé. Il a avoué six agressions avec tous les détails, il ne pouvait pas être plus content de lui. C'était tout de suite après l'abrogation de la peine de mort par la Cour suprême : alors il savait qu'il vivrait jusqu'à un bel âge. Si vous saviez combien j'ai été près de... Ah, des fois, on est trop civilisé !

Quand Barry Shapiro regarda de nouveau sa montre, il était 5 heures du matin. *Pas étonnant que je sois si fatigué*, pensa-t-il. *Vingt heures de travail. Je suis trop vieux pour ça.*

Des journées trop longues, trop de responsabilités personnelles. Quelle que soit la perfection de son art, le raffinement de sa technique, les efforts de son équipe, il y avait toujours des patients qui mouraient. Et quand on était fatigué à ce point, les visages de ces patients vous revenaient à la mémoire, on ne pouvait plus dormir. Les médecins ont besoin de dormir plus que les autres hommes. Le manque constant de sommeil est redoutable : c'est le moment de raccrocher, ou de risquer la dépression, comme cela arrivait trop souvent parmi le personnel du centre hospitalier.

C'était la plus noire de leurs plaisanteries : les patients arrivaient avec un corps en miettes et rentraient le plus souvent chez eux joyeux et d'un pas léger ; mais les médecins et les infirmières qui arrivaient débordants d'énergies repartaient brisés. C'était l'ultime ironie du métier qui voulait que le succès engendrât l'attente de succès encore plus grands, que l'échec risquât de faire autant de mal au médecin qu'au patient.

Le chirurgien relut la bande sortie de l'imprimante de l'unité d'analyse du sang une minute plus tôt et la rendit à l'infirmière-technicienne. Elle la fixa au tableau de la petite fille, se rassit et caressa les cheveux sales dépassant du masque à oxygène.

— Son père est en bas. Faites-vous remplacer et allez le lui annoncer. Je monte fumer une cigarette.

Shapiro quitta le service et alla chercher son manteau, tout en fouillant ses poches pour prendre ses cigarettes.

Il suivit le couloir jusqu'à l'escalier de secours et monta lentement les six étages, jusqu'au toit. Il était mort de fatigue. Le toit était plat, couvert de goudron et de gravillons, hérissé ici et là par des antennes et par quelques condensateurs de climatisation. Shapiro alluma sa cigarette à l'abri de la petite tour de l'escalier, en maudissant son incapacité à renoncer à cette mauvaise habitude.

Il marcha jusqu'au bord du toit, s'appuya au parapet, et souffla sa fumée dans l'air du petit matin. Il la regarda disparaître, emportée par la légère brise matinale. Il étira ses bras fatigués et son cou raide. La pluie de la nuit avait lavé le ciel et il distinguait encore des étoiles dans l'aube naissante.

Le curieux accent de Shapiro résultait de son éducation. Fils d'un rabbin, il avait passé sa petite enfance à New York, dans le quartier de Williamsbourg, avant de suivre ses parents en Caroline du Sud. Là, Barry avait fréquenté une bonne école privée. Il en était sorti avec un mélange de voix chantante du Sud et de raillerie new-yorkaise, qui s'était aggravé d'un nasillement acquis au cours de ses études de médecine à l'université de Baylor, au Texas. Son père était un érudit distingué, conférencier habitué de l'université de Caroline du Sud à Columbia. Expert en littérature américaine du XIXᵉ siècle, il avait pour spécialité l'œuvre d'Edgar Allan Poe. C'est peut-être pourquoi Barry Shapiro haïssait Poe, qui lui avait toujours paru comme l'incarnation de la mort, la mort violente qu'il considérait comme son ennemie personnelle. Poe était mort à Baltimore après s'être endormi, ivre-mort, dans un ruisseau. Sa maison, lieu de pèlerinage pour les universitaires, se trouvait à quelques centaines de mètres à peine du centre hospitalier. Barry Shapiro se tourna dans sa direction.

— Pas cette fois ! murmura-t-il pour lui-même et pour Poe. Tu n'auras pas celle-là ! Celle-là va rentrer à la maison.

Il jeta sa cigarette d'une chiquenaude et regarda le petit point rouge lumineux tournoyer jusque dans la rue déserte luisante. Il retourna vers l'escalier. Il était temps d'aller dormir.

16

Objectifs et patriotes

Comme la plupart des officiers de carrière, le capitaine de corvette Robby Jackson n'appréciait guère la presse. L'ironie était que Jack avait essayé maintes fois de le convaincre qu'il avait tort, que la presse était importante pour sauvegarder la démocratie américaine, tout autant que l'était la marine. Et maintenant il le voyait harcelé par des journalistes qui le bombardaient de questions tantôt stupides, tantôt indiscrètes. Pourquoi voulaient-ils savoir ce qu'éprouvait Jack à propos de l'état de sa fille ? N'étaient-ils pas capables de l'imaginer ? Et comment Jack saurait-il qui avait tiré, alors que la police ne le savait même pas ?

— Et vous, c'est comment, votre nom ? demanda finalement une journaliste à Robby.

Il le lui donna. Elle insista.

— Qu'est-ce que vous faites là ?

— Jack est mon ami. Je l'ai accompagné.

Conne.

— Et qu'est-ce que vous pensez de tout ça ?

— Qu'est-ce que vous croyez que j'en pense ? Si c'était la petite fille de votre copain qui était là-haut, qu'est-ce que vous penseriez, bon Dieu ? riposta sèchement le pilote.

— Vous savez qui a fait le coup ?

— Mon métier, c'est de piloter des avions. Je ne suis pas un flic. Demandez-le-leur.

— Ils ne veulent rien dire.

Robby sourit.

— Un bon point pour eux. Ma petite dame, si vous laissiez mon ami un peu tranquille ? Si vous en passiez par là, vous croyez que ça vous plairait d'avoir une demi-douzaine d'inconnus sur le dos à vous poser des questions ? C'est un être humain, vous savez. Et il est mon ami et je n'aime pas ce que vous lui faites.

— Ecoutez, commandant, nous savons que sa femme et sa fille ont été attaquées par des terroristes...

— Qui dit ça ?

— Qui voulez-vous que ce soit ? Vous croyez que nous sommes stupides ? cria-t-elle, mais Robby ne répondit pas. La première attaque par un groupe terroriste étranger sur le territoire américain, si nous avons bien compris. C'est important. Le public a le droit de savoir ce qui s'est passé et pourquoi !

Elle a raison, pensa à contrecœur Robby. Cela ne lui plaisait pas, mais elle avait raison. Il jura à part lui.

— Est-ce que ça vous réconforterait de savoir que j'ai un gosse de cet âge ? Un garçon, dit la journaliste d'un air réellement compatissant.

Jackson n'arrivait plus à la détester.

— Répondez-moi franchement. Si vous aviez l'occasion d'interviewer les gens qui ont fait ça, vous le feriez ?

— C'est mon métier. Nous voulons savoir d'où ils viennent.

— D'où ils viennent ? Ma petite dame, ils tuent des gens histoire de rigoler. Ça fait partie de leur jeu, dit-il en se rappelant des rapports des SR qu'il avait vus dans la Méditerranée orientale. Il y a deux ans environ... Je ne vous ai jamais rien dit, d'accord ?

— Strictement entre nous, promit-elle gravement.

— J'étais à bord d'un porte-avions devant Beyrouth, vu ? Nous recevions des rapports des services de renseignements, des photos de gens qui arrivaient d'Europe par avion, pour tuer. C'était surtout des gosses, de bonne famille à voir comment ils étaient habillés. Ils avaient rendez-vous avec des cinglés qui leur procuraient des flingues et ils se mettaient à tirer, au petit bonheur dans les rues, pour s'amuser. Avec un fusil de guerre, on fait mouche à mille mètres. Ils tuaient des gens, histoire de rire ! C'était plutôt écœurant, pas le genre de chose qu'on oublie. C'est de gens comme ça qu'il s'agit ici et je me fous de leur point de vue, madame. Quand j'étais un petit môme en Alabama, nous avions aussi des problèmes avec des gens comme ça, ceux du Klan. Je me fous de leur satané point de vue, aussi. La seule bonne chose, avec le Klan, c'est qu'ils étaient idiots. Les terroristes qui se baladent dans la nature sont bien plus intelligents. Mais si on pouvait tous les coincer dans un seul endroit, je crois que les marines et nous trouverions bien quelque chose, ajouta Robby, exprimant un souhait commun à tous les soldats de carrière du monde. Nous vous inviterions même à la veillée funèbre. Allons bon, qui c'est, ça ?

Deux nouvelles personnes venaient d'entrer dans la pièce.

Jack était épuisé. La nouvelle que Sally semblait hors de danger avait enlevé un gigantesque poids de ses épaules et il attendait maintenant de voir sa femme, qui allait bientôt être transférée dans un autre service. A quelques pas de lui, Wayson, l'agent de la sécurité britannique, observait les journalistes avec un mépris non dissimulé. La question qu'ils posaient inlassablement, c'était : « Qui ? Qui a fait le coup ? » Jack répondait qu'il n'en savait rien, mais il croyait bien le deviner. Et il avait dit à Cathy qu'il ne fallait pas s'en inquiéter.

Ç'aurait pu être pire, se disait-il. Au moins, maintenant, il était probable que Sally s'en sortirait. Sa faute de jugement n'avait pas provoqué la mort de sa fille.

— Monsieur Ryan ? demanda un des nouveaux visiteurs.

— Oui ?

Jack était trop fatigué pour redresser la tête. S'il ne dormait pas, c'était parce qu'il avait les nerfs à vif, et pourtant il en avait besoin.

— Je suis l'agent spécial Ed Donoho, du bureau de Boston du FBI. J'ai là quelqu'un qui voudrait vous dire quelque chose.

Dès que la nouvelle était tombée au journal télévisé de 23 heures, Paddy O'Neil avait demandé à son « escorte » du FBI de l'accompagner en avion jusqu'à Baltimore. Donoho n'avait aucun motif de lui interdire ce voyage et il avait été désigné pour l'accompagner lui-même..

— Monsieur Ryan, dit O'Neil d'une voix ruisselante de compassion, j'apprends que l'état de votre enfant s'améliore. J'espère que mes prières ont joué leur rôle et...

Il fallut bien dix secondes à Ryan pour reconnaître la figure qu'il avait vue quelques jours plus tôt à la télévision. Sa bouche s'ouvrit lentement et ses yeux s'arrondirent. Il n'entendait pas ce que cet homme lui disait. Les mots parvenaient à ses oreilles comme si c'était une langue étrangère inconnue, son cerveau refusait de leur donner un sens. Tout ce qu'il voyait, c'était la gorge de l'individu, à un mètre cinquante.

— Oh-oh, fit Robby de l'autre côté de la pièce.

Il se leva en regardant son ami virer au rouge, puis devenir aussi blanc que le col de sa chemise. Il bondit en bousculant l'agent du FBI à l'instant où Jack s'élançait du canapé, les mains tendues vers le cou d'O'Neil. L'épaule du pilote frappa Jack en pleine poitrine et il le prit à bras-le-corps pour le repousser sur le canapé, sous les flashes de trois photographes. Ryan ne dit pas un mot mais Jackson avait tout compris. Il se retourna et cria :

— Faites sortir ce salopard d'ici avant que je le tue moi-même ! Emmenez cette ordure de terroriste !

Donoho fit signe à un agent de la police routière qui saisit O'Neil au collet et le traîna en un instant hors de la pièce. Tous les journalistes suivirent O'Neil qui protestait bruyamment de son innocence.

— Vous êtes complètement cinglé ou quoi ? hurla Jackson furieux à l'agent du FBI.

— Calmez-vous, commandant...

Jackson s'assit à côté de Ryan qui respirait bruyamment en regardant fixement le carrelage. Donoho s'assit de l'autre côté.

— Monsieur Ryan, je ne pouvais pas l'empêcher de venir. Je suis désolé, mais nous ne pouvons pas faire ça. Il voulait vous dire... ah merde, pendant tout le vol il m'a répété que son mouvement n'avait rien à voir avec tout ça, que ce serait une catastrophe pour eux. Il voulait vous exprimer sa compassion, je suppose.

L'agent s'en voulait à mort de dire cela, même si c'était assez vrai. Il s'en voulait encore plus de s'être pris d'amitié pour Paddy O'Neil, depuis une semaine. Le représentant du Sinn Fein ne manquait pas de charme et avait le don d'exposer son point de vue de la manière la plus raisonnable.

— Je ferai en sorte qu'il ne vous importune plus.

— Je vous le conseille, gronda Robby.

Donoho retourna dans le hall où il retrouva O'Neil en train de débiter son boniment aux journalistes.

— M. Ryan est hors de lui, disait-il, comme le serait n'importe quel père de famille dans de telles circonstances.

Au premier abord, la semaine précédente, cet homme avait déplu à Donoho. Et puis il s'était mis à l'admirer pour son charme et son habileté. Mais à cet instant, il lui parut répugnant. Une idée germa dans sa tête. Il se demanda si le Bureau approuverait et jugea finalement que ça en valait la peine. Donoho commença par saisir un agent de la police routière par le bras et s'assurer qu'O'Neil n'aurait plus l'occasion de s'approcher de Ryan. Ensuite, il s'approcha d'un photographe et lui parla un moment. Ensemble, ils allèrent à la recherche d'un médecin.

— Non, absolument pas question, répondit d'abord le chirurgien.

— Ecoutez, docteur, dit le photo-reporter, ma femme est enceinte de mon premier. Si ça peut aider ce type, je suis pour. Et ça ne se retrouvera pas dans les journaux, vous avez ma parole.

— Je crois que ce sera utile, insista l'agent du FBI. Je le crois sincèrement.

Dix minutes plus tard, Donoho et le photographe se dépouillaient de leurs blouses stériles. L'agent du FBI prit la cassette de pellicule et la rangea dans sa poche. Avant de ramener O'Neil à l'aéroport, il téléphona au siège, à Washington, et deux agents se rendirent à la maison de Ryan, à Peregrine Cliff. Le système d'alarme ne leur posa aucun problème.

Jack était debout depuis plus de vingt-quatre heures, à présent. S'il avait été en état de s'en rendre compte, il se serait émerveillé d'être encore capable de penser et d'agir, encore que cette observation aurait soulevé des contestations de la part de ceux qui étaient avec lui. Pour le moment, il était seul. Robby était parti s'occuper de quelque chose, Jack avait oublié quoi.

De toute façon, même avec Robby, il aurait été seul. Vingt minutes plus tôt, Cathy avait été transférée dans le bâtiment principal du CHU et Jack allait la voir. Il marchait comme un homme en route vers son exécution, le long d'un triste corridor aux murs de brique vernissée. Il n'eut aucun mal à trouver sa chambre. Deux agents étaient en faction devant la porte. Ils le regardèrent s'avancer et Jack guetta dans leurs yeux un signe de réprobation : sans doute savaient-ils que tout était de sa faute, que sa femme et sa fille avaient failli mourir parce qu'il avait jugé qu'il n'y avait aucune raison de s'inquiéter. Jamais jusqu'alors Jack n'avait connu l'échec et son goût amer lui donnait à penser que le monde entier avait pour lui le même mépris qu'il éprouvait lui-même.

Tu te crois tellement malin !

Il avait l'impression de ne pas s'approcher de la porte, que c'était elle qui venait vers lui, de plus en plus grande. Derrière elle, il y avait la femme qu'il aimait. La femme qui aurait pu mourir parce qu'elle avait eu confiance en lui. Que lui dirait-elle ? Il craignait de l'entendre. Il s'attarda un instant. Les agents s'appliquaient à ne pas le regarder. Peut-être avaient-ils pitié, pensa Jack, en sachant qu'il ne la méritait pas. Le bouton de porte métallique était d'un froid accusateur quand il le tourna pour entrer.

Cathy était dans une chambre particulière. Elle avait le bras dans le plâtre. Une énorme ecchymose violette couvrait la moitié droite de sa figure et elle avait un pansement sur une partie du front. Ses yeux étaient ouverts mais paraissaient vides, fixés sur la télévision qui n'était pas allumée. Jack s'approcha comme un somnambule. Une infirmière avait placé une chaise à côté du lit. Il s'y assit et prit la main de sa femme, en cherchant ce qu'il pourrait lui dire. Elle tourna la tête vers lui. Ses yeux étaient pleins de larmes.

— Je te demande pardon, Jack, dit-elle.

— Quoi ?

— Je savais qu'elle jouait avec la boucle de la ceinture, mais je n'ai rien dit parce que j'étais pressée... et puis cette camionnette est arrivée et je n'ai pas eu le temps de... si je m'étais assurée qu'elle était bien attachée, Sally n'aurait rien... mais j'étais pressée... Je suis tellement désolée, Jack, conclut-elle en détournant la tête.

Mon Dieu, elle croit que c'est de sa faute...

— Elle va guérir, bébé, murmura-t-il péniblement, stupéfait de ce qu'il venait d'entendre, et il porta la main de sa femme à sa bouche pour l'embrasser. Et toi aussi. C'est tout ce qui compte à présent.

— Mais...

— Pas de mais.

Elle le regarda de nouveau et tenta de sourire à travers ses larmes.

— J'ai parlé au docteur Ellingstone de Hopkins, il est venu et il a vu Sally aussi. Il dit... il dit qu'elle ira bien. Il dit que Shapiro lui a sauvé la vie.

— Je sais.

— Je ne l'ai même pas vue... je me souviens d'avoir vu le pont et puis je me suis réveillée il y a deux heures et... ah, Jack !

Ses doigts se refermèrent sur ceux de son mari. Il se pencha pour l'embrasser mais avant que leurs lèvres se touchent, tous deux se mirent à pleurer.

— Tout va bien, Cathy, dit enfin Jack et il commença à le croire, à croire du moins que tout irait bien. Son monde ne s'était pas écroulé, pas tout à fait.

Mais celui de quelqu'un d'autre s'écroulera, se promit-il. La pensée était encore lointaine, mais calme et précise. En voyant sa femme verser des larmes causées par quelqu'un d'autre, il était pris d'une rage froide que seule la mort du coupable pourrait apaiser. Le temps du chagrin s'éloignait. Déjà, Ryan envisageait celui où il dominerait ses émotions. Mais il en resterait une et tant qu'il ne s'en serait pas purgé, il ne redeviendrait pas un homme à part entière.

On ne peut pleurer éternellement ; c'est comme si chaque larme emportait une partie de votre peine. Cathy fut la première à s'arrêter. Elle essuya du bout des doigts la figure de son mari. Maintenant, elle pouvait réellement sourire. Jack ne s'était pas rasé. Sa joue était comme du papier de verre.

— Quelle heure est-il ?

— Dix heures et demie, répondit Jack sans même avoir besoin de regarder sa montre.

— Tu as besoin de dormir, Jack.

— Oui...

— Salut, Cathy ! s'exclama Robby en entrant dans la chambre. Je viens vous l'enlever.

— D'accord.

— Nous sommes installés au Holiday Inn, à Lombard Street.

— Nous ? Robby, tu n'as...

— Tais-toi, Jack. Comment ça va, Cathy ?

— J'ai un mal de tête à ne pas croire.

— Ça fait plaisir de vous voir sourire. Sissy viendra après déjeuner. Elle peut vous apporter quelque chose ?

— Pas pour le moment. Merci, Rob.

— Allons-y, prof, dit Robby en prenant le bras de Jack pour le faire lever. Je vous le ramènerai plus tard.

Vingt minutes après, Robby faisait entrer Jack dans une chambre de motel. Il tira de sa poche une petite boîte de comprimés.

— Le toubib a dit que tu devais en prendre un.

— Je ne prends pas de médicaments.

— Tu vas avaler un de ceux-là, mon vieux. Regarde, c'est des jolis jaunes. Et ce n'est pas une prière, Jack, c'est un ordre. Tu as besoin de sommeil. Tiens.

Robby lança la boîte et attendit que Jack avale un comprimé. Dix minutes plus tard, Ryan était endormi. Jackson s'assura que la porte était bien fermée avant de se coucher dans l'autre lit. Il rêva de ceux qui avaient fait ça. Ils étaient dans un avion. Quatre fois, il tirait un missile contre leur oiseau et il regardait les corps tomber par le trou qu'il avait fait, pour les désintégrer avec son canon avant qu'ils plongent dans la mer.

Le Patriots Club était un bar, en face de la gare de Broadway, dans un des quartiers irlandais de Boston. Le patron John Donoho avait servi dans la première division des marines, il avait suivi l'amère retraite du Réservoir de Chosen. Deux fois blessé, il n'en avait pas moins suivi sa compagnie durant la longue marche glaciale jusqu'au port de Hungnam. Il avait été amputé de quatre orteils gelés à son pied droit, ce qui l'obligeait encore à boiter, mais il en était plus fier que de ses décorations exposées dans un cadre sous un fanion du Marine Corps, derrière le comptoir. Tous ceux qui entraient dans le bar en uniforme de marine avaient droit à un verre gratuit ainsi qu'à une anecdote ou deux sur le vieux corps, dans lequel le caporal John Donoho avait servi au bel âge de dix-huit ans.

C'était un véritable Irlandais. Tous les ans, il prenait un vol d'Aer Lingus à l'aéroport international Logan de Boston pour retourner au vieux pays afin de retrouver ses racines et son accent et le goût des meilleurs whiskies qu'on avait toujours du mal à trouver en Amérique. Donoho essayait aussi de se tenir au courant des événements dans le nord, les « six comtés », comme il les appelait, en soutenant les rebelles qui luttaient courageusement pour libérer leur peuple du joug britannique. Bien des dollars avaient été recueillis dans son bar pour venir en aide à ceux d'Irlande du Nord, bien des verres se levaient chez lui à la santé de la Cause.

— Salut, Johnny ! s'exclama Paddy O'Neil en entrant.

— Bien le bonsoir, Paddy !

Donoho tirait déjà une bière à la pression quand il vit son neveu arriver derrière O'Neil. Eddie était le fils unique de son frère mort, un bon garçon, élevé à Notre-Dame où il avait fait partie de l'équipe de football avant de s'engager dans le FBI. Ce n'était pas aussi bien que d'être un marine mais l'oncle John savait que cela payait beaucoup mieux. Il avait entendu dire qu'Eddie suivait O'Neil partout mais il fut un peu attristé de voir que c'était vrai. Peut-être était-ce pour protéger Paddy d'un assassin brit, pensa-t-il pour se consoler.

John et Paddy burent une bière ensemble tandis qu'Eddie s'installait à l'extrémité du bar pour prendre un café. Au bout de dix minutes, O'Neil s'en alla parler à ses partisans dans l'arrière-salle et Donoho vint dire bonjour à son neveu.

— Salut, oncle John.

— Est-ce que tu as enfin fixé la date ? demanda John en forçant son accent irlandais, comme il le faisait toujours quand O'Neil était là.

— Peut-être en septembre.

— Et qu'est-ce qu'il dirait, ton père, que tu vives avec cette fille depuis près d'un an ? Et les bons pères de Notre-Dame ?

— Probablement la même chose qu'à toi en apprenant que tu récoltes de l'argent pour des terroristes !

Le jeune homme en avait assez des remarques sur son style de vie.

— Je ne veux pas t'entendre parler comme ça chez moi, protesta Donoho qui en avait assez, lui aussi.

— C'est pourtant ce que tu fais avec O'Neil, oncle John.

— Ce sont des combattants de la liberté. Je sais qu'ils tournent certaines de nos lois, de temps en temps, mais les lois anglaises qu'ils transgressent ne me regardent pas. Ni toi !

— Tu regardes la télé ?

L'agent n'avait pas besoin de réponse. Un téléviseur grand écran était installé dans le coin opposé pour suivre le football et le base-ball. L'oncle John était tout à fait indifférent à la politique. Tous les six ans, il votait pour Teddy Kennedy et se considérait comme un loyal soutien de la défense nationale.

— Je veux te montrer quelques photos, dit Eddie en posant la première sur le comptoir. C'est une petite fille qui s'appelle Sally Ryan. Elle habite à Annapolis.

Son oncle la prit et sourit.

— Je me souviens quand ma Kathleen était comme ça.

— Son père est professeur à l'Académie navale, il était lieutenant dans les marines, avant. Il a fait ses études à Boston College. Son père était un flic.

— Ça m'a l'air d'un bon Irlandais. Un ami à toi ?

— Pas précisément. Paddy et moi l'avons vu dans la matinée. Voilà dans quel état était sa fille, ce matin.

La deuxième photo tomba sur le bar.

— Jésus, Marie et Joseph !

Ce n'était pas facile de reconnaître l'enfant sous tout l'équipement médical. Ses pieds ressortaient de gros pansements. Elle avait un tuyau de plastique dans la bouche et les parties visibles de son corps formaient une masse horriblement livide que le photographe avait reproduite avec un art remarquable.

— Elle a eu de la chance, oncle John. Sa mère était là aussi.

Deux autres photos suivirent.

— Qu'est-ce qui s'est passé, un accident de voiture ? demanda John Donoho sans trop comprendre.

— Elle est chirurgien, la maman, et elle est enceinte, aussi. On ne le voit pas sur les photos. Hier, sa voiture a été mitraillée près d'Annapolis, dans le Maryland. Quelques minutes plus tard, un agent de la police routière a été tué.

— Quoi ? Qui a fait ça ?

Une nouvelle photo tomba.

— Voilà le père, Jack Ryan.

C'était le cliché que les journaux de Londres avaient publié, la photo de remise de diplôme de Jack à Quantico. Eddie savait que son oncle voyait toujours avec fierté l'uniforme de parade des marines.

— Je l'ai déjà vu quelque part.

— Oui. Il a empêché une attaque des terroristes à Londres, il y a quelques mois. On dirait qu'il les a assez offensés pour qu'ils viennent ici s'en prendre à lui et à sa famille. Le Bureau travaille là-dessus.

— Qui a fait ça ?

La dernière photo atterrit sur le bar. On voyait les mains de Ryan à moins de trente centimètres de la gorge de Paddy O'Neil et un homme noir qui le retenait.

Qui est le mal blanchi ? demanda John, et son neveu faillit perdre son sang-froid.

— Nom de dieu, oncle John ! Cet homme est un pilote de chasse de l'aéronavale !

— Ah ?

John fut un peu gêné, sur l'instant. Il n'aimait pas les Noirs, même si un Noir en uniforme de marine avait droit aussi à son premier verre gratuit. C'était différent quand ils étaient en uniforme. Tous ceux qui servaient sous les drapeaux avaient droit à son admiration, disait-il toujours. Il regarda le reste des photos, pendant encore quelques secondes.

— Paddy avait quelque chose à voir là-dedans ?

— Ça fait des années que je te dis qui représente ce salopard. Si tu ne me crois pas, tu pourrais peut-être le demander à M. Ryan, là. Les amis de M. O'Neil ont bien failli tuer toute cette famille, hier. Deux marines de garde à l'Académie navale en ont arrêté un qui guettait Ryan pour le tuer. Il s'appelle Eamon Clark et nous savons qu'il travaillait pour l'IRA provisoire. Nous le savons, oncle John, c'est un assassin qui a déjà été condamné. On l'a surpris avec un pistolet chargé dans la poche. Alors, c'est toujours des braves types ? Bon dieu, ils s'en prennent à des Américains, maintenant ! Si tu ne me crois pas, crois au moins ça ! gronda Eddie Donoho en étalant les photos sur la surface du comptoir de bois. Cette petite fille, et sa mère, et un gosse qui n'est même pas né, ils ont tous failli mourir hier. Un agent de la police routière est mort. Il laisse une femme et un enfant. Et ton ami dans l'arrière-salle vient mendier de l'argent pour acheter des armes !

— Mais pourquoi ?

— Je te l'ai dit, le papa de cette petite fille a empêché un attentat meurtrier, à Londres. Je suppose que les gens qu'il a gênés veulent se venger… et pour ça, ils ont visé toute sa famille !

— La petite fille n'a pas…

— Nom de dieu ! jura encore une fois Eddie. C'est pour ça qu'on les appelle des terroristes !

Il commençait à se faire entendre. Il voyait que son message portait.

308

— Tu es sûr que Paddy a à voir avec tout ça ? demanda son oncle.

— A notre connaissance, il ne s'est jamais servi d'une arme. Mais il est leur porte-parole, il vient ici recueillir de l'argent pour leur permettre de commettre des crimes comme celui-ci, là-bas. Oh, il ne se salit jamais les mains ! Il est trop malin pour ça. Mais c'est à ça que sert l'argent. Nous en sommes absolument sûrs. Et maintenant, ils viennent jouer à leurs jeux ici, chez nous.

L'agent Donoho savait que la récolte de fonds était secondaire, passait après les raisons psychologiques, mais ce n'était pas le moment de rentrer dans les détails. Il observa son oncle qui regardait fixement les photos de la petite fille. Sa figure révélait la confusion d'esprit qui accompagne toujours une pensée entièrement nouvelle.

— Tu en es sûr ? Vraiment sûr ?

— Oncle John, nous avons trente agents sur l'affaire, en ce moment, en plus de la police locale. Je te prie de croire que nous en sommes sûrs. Nous les voulons. Ça coûtera ce que ça coûtera, mais nous les aurons, déclara Edward Michael Donoho junior, avec une froide résolution.

John Donoho contempla son neveu et, pour la première fois, il vit un homme. La position d'Eddie dans le FBI était un sujet d'orgueil pour la famille mais John réalisait seulement à présent ce que cela signifiait. Eddie n'était plus un gamin. C'était un homme, avec une mission à accomplir qu'il prenait très au sérieux. Ce fut cela, plus que les photos, qui le décida.

Le patron du Patriots Club se redressa et longea le comptoir jusqu'à l'abattant. Il le souleva et se dirigea vers l'arrière-salle, son neveu sur ses talons.

— Mais nos garçons ripostent, disait O'Neil aux quinze hommes réunis. Tous les jours, nous luttons... Tu viens te joindre à nous, Johnny ?

— Dehors, dit calmement Donoho.

— Quoi... Je ne comprends pas, John, dit O'Neil, sincèrement surpris.

— Tu dois me croire plutôt stupide. Je devais l'être, sans doute. Fous le camp. Sors de mon club et n'y mets plus jamais les pieds.

La voix était plus forte, maintenant, et l'accent affecté avait disparu.

— Mais, Johnny... qu'est-ce que tu racontes ?

Donoho l'empoigna par le col et le souleva de sa chaise. O'Neil continua de protester alors qu'il était déjà à la porte du bar. Eddie Donoho salua son oncle de la main, en suivant l'Irlandais dans la rue.

— Qu'est-ce que ça veut dire? demanda un des hommes de l'arrière-salle.

Un autre, journaliste au *Boston Globe*, commença à prendre des notes tandis que le patron du bar racontait, en bredouillant, ce qu'il venait d'apprendre.

A ce moment-là, aucun service de police n'avait impliqué de groupe terroriste précis. L'agent Donoho non plus, d'ailleurs. Ses instructions, venues de Washington avaient été explicites et scrupuleusement suivies. Mais dans la retransmission, par l'oncle John puis par le journaliste, les faits furent légèrement déformés — ce qui ne surprit personne — et quelques heures plus tard une dépêche de l'AP informait le monde que l'attaque contre Jack Ryan et sa famille avait été commise par l'aile provisoire de l'Irish Republican Army.

La mission de Sean Miller en Amérique venait d'être parachevée par une agence du gouvernement des Etats-Unis.

Miller et son groupe étaient déjà rentrés chez eux. Sean était parti de Dulles International à Washington pour Mexico ; de là il avait gagné les Antilles néerlandaises puis Shiphol International par un vol de la KLM et l'Irlande. Il suffisait de papiers en règle et d'un peu d'argent. Les papiers en question avaient déjà été détruits. Sean était assis de l'autre côté du bureau d'O'Donnell et buvait de l'eau pour compenser la déshydratation normale après un voyage en avion.

— Et Eamon?

Un des règlements de l'ULA stipulait qu'aucune communication téléphonique transatlantique ne devait aboutir à cette maison.

— L'homme d'Alex nous a dit qu'il avait été arrêté, répondit Miller avec indifférence. C'était un risque. Je pensais qu'il en valait la peine. Je l'avais choisi parce qu'il sait très peu de chose de nous.

O'Donnell l'approuva. Clark était une des nouvelles recrues de l'organisation, mais c'était le hasard qui l'avait amené chez eux. Il avait suivi un de ses amis des blocs-H. O'Donnell avait décidé qu'on pourrait l'utiliser. Mais Clark était stupide. Ses mobiles étaient plus émotionnels qu'idéologiques. C'était, en fait, une brute typique de la PIRA, utile dans le sens où un chien dressé peut l'être. Il connaissait peu de noms dans l'organisation. Et, plus grave que tout, il avait échoué. La seule qualité de Clark était son inaltérable loyauté. Il n'avait pas craqué dans la prison de Long Kesh et il ne craquerait pas cette fois-ci, fort probablement. Il manquait d'imagination.

— Très bien, dit Kevin O'Donnell après quelques instants de réflexion, pensant que l'on se souviendrait de Clark comme d'un martyr et qu'il aurait droit à plus de respect pour son échec qu'il n'en avait jamais eu pour ses réussites. Le reste ?

— Parfait. J'ai vu mourir la femme et la gosse et les hommes d'Alex ont pris la fuite sans histoires.

Miller sourit et se servit un whisky pour suivre son litre d'eau glacée.

— Elles ne sont pas mortes, Sean, dit O'Donnell.

— Quoi ?

Miller était déjà dans un avion moins de trois heures après l'attentat et il n'avait pas eu l'occasion d'entendre les nouvelles. Il écouta les explications de son supérieur en silence, complètement stupéfait.

— Mais ça n'a pas d'importance, conclut O'Donnell.

Il s'expliqua. L'histoire de l'AP dont la source était le *Boston Globe* avait été reprise par l'*Irish Times* de Dublin.

— C'était un bon plan, Sean. En dépit de tout ce qui a mal tourné, la mission est accomplie.

Sean s'interdit de réagir. Deux échecs de suite. Avant le fiasco de Londres, il n'avait jamais raté aucune opération, du tout. Il avait attribué ce premier échec au hasard, à la malchance, rien de plus. Mais deux de suite, ce n'était pas de la malchance. Et il savait que Kevin n'en tolérerait pas un troisième. Le jeune chef des opérations respira profondément et s'ordonna d'être objectif. Il avait considéré Ryan comme un objectif personnel, pas une cible politique. Cela avait été sa première faute. La perte de Clark, malgré son peu de valeur, en était une autre, grave. Miller passa son plan en revue, en ré-examinant tous les aspects de l'opération. Attaquer seulement la femme et l'enfant n'aurait relevé que de la basse criminalité, ce n'était pas professionnel. S'en prendre uniquement à Ryan, cependant, n'aurait pas eu le même impact politique, but principal de l'opération. Donc, ses objectifs avaient été assez bons mais...

— J'aurais dû prendre plus de temps, dit-il enfin. J'ai voulu être trop spectaculaire.

— Oui, acquiesça son chef, heureux que Sean reconnaisse ses erreurs.

— Toute l'aide que nous pourrons vous donner, vous l'aurez, assura Owens. Vous le savez, Dan.

— Oui, enfin, tout cela a attiré l'attention en haut lieu, répondit Murray en brandissant un câble du directeur Emil Jacobs en personne. Ma foi, ce n'était qu'une question de temps. Cela devait se produire tôt ou tard.

Et si nous n'épinglons pas ces fumiers, pensa-t-il *ça se reproduira. L'ULA vient de prouver que des terroristes peuvent opérer aux USA.* Le choc émotionnel que cet attentat avait provoqué avait étonné Murray. En professionnel, il savait que ce n'était que par chance que cela n'était encore jamais arrivé. Quelques groupes terroristes avaient posé quelques bombes mais ils avaient immédiatement été traqués par le Bureau, avec un succès absolu. Pas un n'avait jusqu'alors eu de soutien de l'étranger. Cela venait de changer. Le pilote de l'hélicoptère avait dit qu'un des terroristes était un Noir, et il n'y en avait pas beaucoup en Irlande.

Une nouvelle partie s'engageait donc et, en dépit de toute son expérience, Murray était inquiet et ne savait si le Bureau serait capable de faire face. Le directeur Jacobs avait raison sur un point : c'était une mission ultra-prioritaire. Bill Shaw mènerait l'enquête et Murray le connaissait comme une des plus grandes intelligences du métier. L'effectif de trente agents initialement affectés à l'affaire triplerait dans les prochains jours et triplerait encore par la suite. Le seul moyen d'empêcher qu'une chose pareille se reproduise, c'était de démontrer que l'Amérique était un pays trop dangereux pour des terroristes. Au fond de son cœur, Murray savait que c'était impossible. Aucun pays n'était trop dangereux pour eux, et surtout pas une démocratie.

Mais le Bureau avait de formidables ressources et il ne serait pas le seul service engagé dans la lutte.

17

Reproches
et décisions

Ryan fut réveillé par l'arôme d'une tasse de café que Jackson faisait passer sous son nez. Il avait réussi à ne pas rêver, cette fois, et la profondeur de ce sommeil sans rêves avait fait merveille.

— Sissy est déjà passée à l'hôpital. Elle dit que Cathy va aussi bien que possible. Tout a été prévu pour que tu rendes visite à Sally. Elle sera endormie mais tu pourras la voir.

— Où est-elle ?

— Sissy ? Elle fait des courses.

— J'ai besoin de me raser.

— Moi aussi. Elle va nous apporter ce qu'il nous faut. Mais d'abord, viens manger.

— Je te dois beaucoup, mon vieux, dit Jack en se levant.

— Te fatigue pas. C'est pour ça que le bon Dieu nous a mis sur terre, comme disait mon papa. Et maintenant, mange ! ordonna Robby.

Jack s'aperçut qu'il n'avait rien pris depuis longtemps et une fois que son estomac se le rappela, il cria famine. En cinq minutes, Jack vint à bout de deux œufs, de bacon, de saucisses, de quatre toasts et de deux tasses de café.

On frappa à la porte et Robby ouvrit. Sissy fit son apparition, un cabas d'une main, la serviette de Jack de l'autre.

— Je te conseille de t'arranger un peu, Jack, dit-elle. Cathy a meilleure mine que toi.

— Ça n'a rien de nouveau, répondit Jack... gaiement, comme il le nota avec étonnement.

Il alla à la salle de bains et passa sous la douche. Quand il en ressortit, Robby s'était rasé et avait laissé le rasoir et la crème sur le lavabo. Jack racla sa barbe et soigna ses coupures. Il trouva aussi une brosse à dents neuve et quand il retourna enfin dans la chambre, il se sentait redevenu humain.

— Merci, les copains, dit-il.

— Je te conduirai à la maison ce soir, dit Robby. J'ai un cours demain. Pas toi. J'ai arrangé ça avec le département.

— D'accord.

Sissy rentra chez elle. Jack et Robby se rendirent à pied à l'hôpital. C'était déjà l'heure des visites et ils purent monter tout droit à la chambre de Cathy.

— Eh bien ! Voilà notre héros !

Joe Muller, le père de Cathy, était un petit homme basané. Cathy tenait ses cheveux et son teint de sa mère, qui était morte. Muller, vice-président de Merrill Lynch, était un produit d'une grande université du nord-est et il avait débuté dans la finance un peu comme Ryan mais n'avait connu de la vie militaire que deux ans de service qu'il s'était empressé d'oublier. Il avait eu de grands projets pour Jack et ne lui avait jamais pardonné d'avoir abandonné la profession. C'était un homme passionné qui avait fortement conscience de sa propre importance dans les milieux de la finance. Jack et lui ne s'étaient pas adressé la parole depuis plus de trois ans. Jack n'eut pas l'impression que cela allait s'améliorer.

— Papa, gémit Cathy, nous n'avons pas besoin de ça.

— Salut, Joe.

Ryan tendit la main. Elle resta en suspens pendant cinq secondes, toute seule. Robby s'esquiva et Jack alla embrasser sa femme.

— Tu as meilleure mine, mon bébé.

— Qu'est-ce que vous avez à dire pour votre défense ? demanda Muller d'une voix autoritaire.

— Le type qui voulait me tuer a été arrêté hier. Le FBI le détient.

Jack s'étonna de dire cela si calmement. Il lui semblait que c'était sans importance, à côté de sa femme et de sa fille.

— Tout ça, c'est de votre faute.

Depuis deux heures, Muller répétait cette conversation.

— Je sais, avoua Jack en se demandant jusqu'où il serait capable de le supporter.

— Papa...

— Ne te mêle pas de ça, dit Muller à sa fille, un peu trop durement pour le goût de Jack.

314

— Dites de moi ce que vous voulez, mais laissez-la tranquille.

— Tiens donc, vous voulez la protéger, hein ? Alors où diable étiez-vous hier ?

— Dans mon bureau, comme vous.

— Il a fallu que vous alliez fourrer votre nez là où il n'avait rien à faire, hein ? Il a fallu que vous jouiez au héros, et vous avez bien failli faire tuer votre famille ! s'écria Muller, en récitant bien son texte.

Jack s'était déjà dit tout cela. Il acceptait très bien ses propres reproches, mais pas ceux de son beau-père.

— Ecoutez, monsieur Muller, à moins que vous connaissiez une société cotée en bourse qui fabrique une machine à remonter le temps, nous n'y pouvons rien changer, n'est-ce pas ? Tout ce que nous pouvons faire, c'est aider les autorités à découvrir les coupables.

— Vous ne pouviez pas y penser avant, nom de Dieu ?

— Papa, ça suffit ! intervint encore une fois Cathy.

— Tais-toi ! C'est entre lui et moi.

— Si vous lui criez encore après, monsieur, vous le regretterez ! Jack avait justement besoin de se défouler.

— Calme-toi, Jack.

Jack lui obéit. Pas Muller.

— Vous vous prenez vraiment pour un type important, maintenant, n'est-ce pas ?

Continue comme ça, Joe, tu vas le savoir. Jack regarda Cathy et soupira.

— Ecoutez, si vous êtes venu ici pour m'engueuler, d'accord, mais nous pouvons faire ça entre nous. Votre fille a peut-être envie de vous voir seul... Je serai dehors, si tu as besoin de moi, dit-il à sa femme.

Il sortit de la chambre. Il y avait encore deux agents en faction, la mine sévère, et un autre au bout du couloir. Jack se souvint qu'un policier avait été tué et que Cathy était le seul témoin. Elle était en sécurité, finalement.

Robby l'attendait.

— Calme-toi un peu, petit, conseilla-t-il.

— Il a vraiment le don de me mettre en rogne, grommela Jack après un nouveau soupir.

— Je sais que c'est un vieux con mais il a failli perdre sa fille. Tâche de ne pas l'oublier. Ça n'arrange rien de t'en prendre à lui.

— Qu'est-ce que t'es, un philosophe ? répliqua Jack avec un demi-sourire.

— Un gosse de pasteur. Tu ne peux pas imaginer les trucs que j'entendais du parloir, quand des gens venaient se confier au vieux. Il est moins furieux contre toi qu'affolé à la pensée de ce qui aurait pu se passer, assura Robby.

— Moi aussi, mon vieux.

— Mais tu as eu plus de temps pour te ressaisir.

— Ouais...

Jack garda un moment le silence.

— Je ne peux quand même pas sentir ce salaud.

— Il t'a donné Cathy. C'est quelque chose.

— Tu es sûr de ne pas avoir raté ta vocation ? Comment se fait-il que tu ne sois pas aumônier ?

— Je suis la voix de la raison dans un monde chaotique. On ne fait pas grand-chose quand on est en rogne. C'est pour ça qu'on s'entraîne à contrôler nos émotions. Tu as déjà réglé tes comptes avec lui, souviens-toi.

— Ouais. Si je m'étais laissé faire, je vivrais dans le canton de Westchester, je prendrais le train tous les jours et... ah merde ! Il continue de me mettre en colère.

Muller sortit de la chambre juste à ce moment. Il regarda à droite et à gauche, avisa Jack et vint vers lui.

— Reste près de moi, dit Ryan à son ami.

— Vous avez failli tuer ma petite fille !

L'humeur de Muller ne s'était pas améliorée. Jack ne répondit pas.

— Vous vous laissez emporter, monsieur Muller, dit Robby.

— Qui diable êtes-vous, vous ?

— Un ami.

Robby et Joe étaient à peu près de la même taille mais le pilote avait vingt ans de moins. Le regard qui toisait le financier le communiquait assez clairement. La voix de la raison n'aimait pas être invectivée. Joe Muller avait un véritable talent pour irriter tout le monde. A Wall Street, il s'en tirait, alors il s'imaginait qu'il pouvait se conduire ainsi partout. C'était un homme qui n'avait jamais pu apprendre les limites du pouvoir.

— Nous ne pouvons rien changer à ce qui s'est passé, dit Jack, mais nous pouvons nous efforcer de veiller à ce que cela ne se reproduise jamais.

— Si vous aviez fait ce que je voulais, ça ne serait jamais arrivé !

— Si j'avais fait ce que vous vouliez, je travaillerais avec vous tous les jours à déplacer de l'argent de la colonne A à la colonne B en prétendant que c'est important, comme toutes les lavettes de Wall Street, et ça me ferait horreur. J'ai prouvé que je savais faire ça aussi bien que vous, j'ai gagné une fortune, alors maintenant je fais ce qui me plaît. Ce n'est pas ma faute si vous ne nous comprenez pas.

316

— Quelque chose qui vous plaît ! s'écria Muller avec mépris, rejetant en bloc l'idée que gagner de l'argent n'était pas un plaisir en soi.

— Oui, et je vais contribuer à attraper les salopards qui ont fait ça.

— Et comment est-ce qu'un pauvre petit con de prof d'histoire compte faire ça ?

Ryan fit à son beau-père son plus beau sourire.

— Ça, je ne peux pas vous le dire, Joe.

L'agent de change jura et tourna les talons. *Et voilà pour la réconciliation*, pensa Jack. Il aurait préféré que cela se passât autrement. L'animosité entre Joe Muller et lui était dure à supporter pour Cathy.

— Retour à l'Agence, Jack ? demanda Robby.

— Ouais.

Ryan passa vingt minutes avec sa femme, assez pour apprendre ce qu'elle avait dit à la police et pour s'assurer qu'elle allait réellement mieux. Quand il la quitta, elle s'assoupissait. Il traversa la rue et entra dans le centre de médecine d'urgence.

La salle d'asepsie et les vêtements stériles qu'il dut endosser lui rappelèrent la naissance de Sally. Une infirmière le conduisit au service de réanimation et il vit sa petite fille, pour la première fois depuis trente-six heures. Ce fut une épreuve épouvantable. Si on ne lui avait pas affirmé que ses chances de survie étaient bonnes, il se serait effondré. Le petit corps brisé était inconscient. Sally était alimentée par des flacons et de longs tuyaux, un appareil respirait pour elle. Mais un médecin expliqua à Jack que son état était bien meilleur qu'il n'y paraissait. Le foie de Sally fonctionnait bien. Dans deux ou trois jours, on réduirait les fractures des jambes.

— Est-ce qu'elle restera infirme ? demanda Jack d'une voix faible.

— Non, il n'y a aucune raison de s'en inquiéter. Les os des enfants... Vous la reprendrez chez vous dans un mois. Dans deux mois, elle gambadera comme s'il ne lui était rien arrivé. Cela paraît fou, mais c'est vrai. Rien ne guérit aussi vite qu'un petit enfant. En ce moment, elle est très mal en point mais elle ira très bien.

— Comment vous appelez-vous ?

— Rich Kinter. Barry Shapiro et moi avons pratiqué presque toute la chirurgie. Il s'en est fallu de peu... Dieu, de si peu ! Mais nous avons gagné. Vous la ramènerez à la maison

— Merci... et le mot est loin du compte, docteur.

Jack bredouilla encore quelques mots, sans savoir que dire à des gens qui avaient sauvé la vie de sa fille. Kinter secoua la tête.

— Ramenez-nous-la un jour et nous serons quittes. Rien ne nous fait davantage plaisir, monsieur Ryan, que de voir nos petits patients revenir sur leurs deux pieds.

— Promis.

Ryan se demanda combien de personnes étaient encore en vie grâce à ceux qui se trouvaient dans cette chambre. Ce chirurgien serait certainement devenu très riche, avec une clientèle privée. Jack comprenait néanmoins pourquoi il avait choisi l'hôpital, pourquoi il était là, et il savait que cela dépasserait l'entendement de son beau-père. Il resta quelques minutes assis au chevet de Sally, en écoutant la machine respirer pour elle par un tuyau en plastique. L'infirmière-technicienne chargée de la surveillance lui sourit sous son masque. Avant de partir, Jack embrassa le front meurtri de sa petite fille. Il se sentait mieux, à présent, à tous points de vue. Mais une affaire restait à régler. Les gens qui avaient fait cela à sa fille.

— Elle avait un macaron avec fauteuil roulant, dit la caissière du supermarché. Mais le type qui la conduisait n'avait pas l'air infirme.

— Vous vous souvenez de lui ? Vous pourriez donner son signalement ? demanda l'agent spécial Nick Capitano, qui interrogeait le témoin en compagnie d'un commandant de la police routière du Maryland.

— Ma foi, il était à peu près aussi noir que moi. Un grand type. Il avait des lunettes de soleil, des lunettes-miroir, voyez ? Et aussi une barbe. Il y avait toujours au moins un autre type dans la camionnette, à l'arrière, mais je ne l'ai jamais bien vu. Un Noir, c'est tout ce que je peux dire.

— Comment était-il habillé ?

— Un jean et un blouson de cuir marron, je crois, comme un ouvrier du bâtiment.

— Des souliers ou des bottes ? demanda le commandant.

— Ça, j'ai jamais vu, répondit la caissière après avoir réfléchi.

— Des bijoux, un tee-shirt avec un dessin ou une inscription, quelque chose de particulier sur lui ?

— Non, je ne vois pas.

— Qu'est-ce qu'il faisait, ici ?

— Il achetait toujours un pack de Coca classique. Une ou deux fois, il a pris aussi des Twinkies.

— Et son accent ? Sa voix ? Rien de spécial ?

— Nah… rien qu'un nègre…

— Pensez-vous que vous le reconnaîtriez ? demanda Capitano.

— Peut-être… Mais on voit passer beaucoup de monde, ici, des tas d'habitués, des tas d'inconnus, vous savez.

— Est-ce que vous accepteriez de regarder quelques photographies ?

— Faudra que je voie ça avec le patron. Parce que vous comprenez, j'ai besoin de la place ici, mais vous dites que ce sale type a essayé de tuer une petite fille... oui, bien sûr, je vous aiderai.

— Nous arrangerons ça nous-mêmes avec votre patron, promit le policier. Vous ne perdrez pas votre salaire.

— Des gants, dit-elle soudain. J'ai oublié de vous dire ça. Il avait des gants de travail. En cuir, je crois.

Gants, notèrent les deux hommes dans leurs carnets.

— Merci, madame. Nous vous appellerons ce soir. Une voiture viendra vous chercher demain matin pour que vous veniez regarder des photos, dit l'agent du FBI.

— Me chercher ? demanda l'employée étonnée.

— Bien sûr.

L'agent qui l'accompagnerait la cuisinerait encore, pendant le trajet.

Les deux enquêteurs partirent dans une voiture banalisée de la police routière. Le commandant prit le volant. Capitano relut ses notes. Ce n'était pas mauvais, pour un premier interrogatoire. Le commandant, quinze hommes et lui avaient passé la journée à questionner les employés de tous les magasins, du haut en bas de Ritchie Highway, sur huit kilomètres. Quatre personnes pensaient se souvenir de la fourgonnette mais la caissière était la première qui avait vu ses occupants d'assez près pour donner un signalement. Ce n'était pas grand-chose mais un commencement quand même. Ils avaient déjà identifié le tireur. Cathy Ryan avait reconnu Sean Miller, du moins elle le croyait, rectifia mentalement l'agent. Si c'était bien Miller, il portait la barbe, à présent, brune et bien taillée. Un dessinateur tenterait de la reproduire.

Vingt autres agents et inspecteurs avaient déjà passé la journée dans les trois aéroports locaux, en montrant des photos à tous les employés des guichets et des portes d'embarquement. Ils avaient fait chou blanc mais ils n'avaient pas alors le nouveau signalement de Miller. Le lendemain, ils recommenceraient. Une vérification par ordinateur était faite de tous les vols internationaux ayant des correspondances à destination de l'Irlande ainsi que des vols nationaux ayant des correspondances avec les lignes internationales. Capitano était heureux de ne pas être chargé de cette corvée. Les recherches dureraient des semaines et les chances d'obtenir un renseignement intéressant diminuaient d'heure en heure.

La fourgonnette avait été identifiée la veille par l'ordinateur du

FBI. Elle avait été volée un mois plus tôt à New York, repeinte et équipée de nouvelles plaques, dont celles d'une voiture de handicapé, volées moins de deux jours plus tôt sur une camionnette à Hagerstown, dans le Maryland, à cent cinquante kilomètres. Tout, dans ce crime, indiquait que c'était un travail de professionnels, du début jusqu'à la fin. Le changement de voitures au centre commercial avait été le dénouement brillant d'une opération parfaitement prévue et exécutée. Capitano et le commandant devaient admettre qu'il ne s'agissait pas de criminels ordinaires, mais de véritables professionnels, dans toutes les acceptions perverses du mot.

— Vous pensez qu'ils se sont procuré la fourgonnette eux-mêmes ? demanda Capitano au commandant.

— Il y a une bande en Pennsylvanie qui les vole dans tout le nord-est, grommela l'enquêteur de la police, qui les repeint, qui réaménage l'intérieur et qui les vend. Ils sont recherchés, souvenez-vous.

— J'ai entendu parler de cette enquête, mais ce n'est pas mon territoire. Personnellement, je crois plutôt qu'ils l'ont fait eux-mêmes. Pourquoi risquer un contact avec quelqu'un d'autre ?

— Ouais, reconnut à contrecœur le commandant.

Le véhicule avait été examiné par des experts des polices fédérale et de l'Etat. On n'avait pas trouvé une seule empreinte. La camionnette avait été totalement essuyée, jusqu'aux manivelles des vitres. En ce moment, la poussière et les fibres aspirées du tapis étaient analysées à Washington mais c'était le genre d'indice qui ne donnait de résultats qu'à la télévision. Tout serait vérifié, parce que même les plus malins commettaient des erreurs.

— Vous n'avez pas encore de nouvelles de la balistique ? demanda le commandant en tournant dans Rowe Boulevard.

— Elles devraient nous attendre.

On avait trouvé une vingtaine de douilles de neuf millimètres s'ajoutant aux deux balles utilisables récupérées dans la Porsche et à celle qui avait traversé la poitrine de l'agent Fontana pour se loger dans le siège arrière de sa voiture détruite. Tout cela avait été directement envoyé au laboratoire du FBI à Washington, pour analyse. Les résultats leur diraient que l'arme était une mitraillette, ce qu'ils savaient déjà, mais leur donneraient aussi un type, qu'ils ignoraient encore. Les douilles étaient de fabrication belge, de la Fabrique nationale de Liège. Il serait possible d'identifier le numéro du lot mais la FN produisait des millions de cartouches par an, qui étaient expédiées dans le monde entier, alors la piste était mince.

320

Très souvent, ces envois disparaissaient purement et simplement par suite d'une mauvaise tenue des livres, involontaire ou non.

— Connaît-on des groupements noirs qui auraient des contacts avec ces individus de l'ULA ?

— Aucun, répliqua Capitano. C'est quelque chose qu'il nous faudra établir.

— Dur.

Ryan, en arrivant chez lui, trouva dans son allée une voiture banalisée et un véhicule de la police de l'Etat. Son entrevue avec le FBI ne fut pas longue. Il ne put que confirmer qu'il ne savait absolument rien de l'attentat contre sa famille et lui-même.

— Est-ce qu'on a retrouvé leur piste ? demanda-t-il finalement.

— Nous enquêtons dans les aéroports, répondit l'agent. Mais si ces types sont aussi malins qu'ils en ont l'air, ils sont partis depuis longtemps.

— Oh, ils sont malins, c'est sûr ! dit aigrement Jack. Et celui que vous avez arrêté ?

— Il fait une parfaite imitation de carpe. Il a un avocat maintenant, bien sûr, qui lui dit de rester bouche cousue. On peut compter sur eux, pour ça.

— D'où vient cet avocat ?

— Commis d'office. C'est la loi pour tout suspect en détention. Nous le détenons pour port d'armes prohibées et transgression des lois fédérales d'immigration. Il retournera au Royaume-Uni dès que le travail de paperasse sera terminé. Dans une quinzaine de jours, selon la procédure que choisira son avocat, expliqua l'agent en refermant son carnet. On ne sait jamais, il se mettra peut-être à parler, mais j'en doute. D'après ce que nous disent les Brits, ce n'est pas une lumière. C'est la version irlandaise de la petite crapule des rues, très bon avec les armes mais un peu borné à l'étage au-dessus.

— Mais s'il est idiot, comment se fait-il...

— Quelle intelligence faut-il pour tuer quelqu'un ? Clark est un sociopathe. Il n'a pour ainsi dire pas de sentiments. Certaines personnes sont comme ça. Il n'a pas de relations humaines avec les gens qui l'entourent. Il les voit comme des objets et comme ils ne sont que des objets, ce qui leur arrive n'a pas d'importance. J'ai connu une fois un tueur qui avait assassiné quatre personnes sans broncher mais qui s'est mis à pleurer comme un bébé quand nous lui avons appris la mort de son chat. Ces gens-là ne comprennent même pas pourquoi on les jette en prison, ils ne comprennent vraiment pas. Ce sont les plus effrayants.

— Non, protesta Ryan. Les plus effrayants sont ceux qui sont intelligents, ceux qui croient à ce qu'ils font.

— Je n'en ai encore jamais rencontré, avoua l'agent.

— Moi si.

Jack le raccompagna à la porte et le regarda démarrer. La maison était vide et silencieuse, sans Sally qui courait partout, sans Cathy. Pendant plusieurs minutes, Jack erra d'une pièce à l'autre, comme s'il s'attendait à trouver quelqu'un. Il ne voulait pas s'asseoir, parce que ce serait admettre, lui semblait-il, qu'il était tout seul. Il alla à la cuisine et commença à se préparer un verre mais jeta tout dans l'évier. Il ne tenait pas à s'enivrer. Mieux valait garder les idées claires. Finalement, il décrocha son téléphone et forma un numéro.

— Oui ? répondit-on.

— Amiral ? Jack Ryan.

— Il paraît que votre petite fille va s'en tirer, dit aussitôt James Greer. Je suis très heureux de l'apprendre, mon garçon.

— Merci, amiral. Est-ce que l'Agence est sur l'affaire ?

— Ce n'est pas une ligne sûre, Jack.

— Je veux revenir.

— Soyez ici demain matin.

Ryan raccrocha et prit sa serviette. Il l'ouvrit et en sortit son automatique Browning. Après l'avoir posé sur la table de la cuisine, il alla chercher son fusil de chasse et sa trousse de nettoyage. Il passa l'heure suivante à nettoyer et huiler d'abord le pistolet puis le fusil. Ensuite, il les chargea tous les deux.

Ryan partit pour Langley le lendemain matin à 5 heures. Il avait réussi à dormir quatre heures avant de se lever et de se consacrer au rite matinal du café et du petit déjeuner. En partant aussi tôt, il évitait les pires encombrements mais le George Washington Parkway n'était jamais complètement dégagé ; il y avait toujours sur la route les allées et venues des fonctionnaires de diverses agences du gouvernement, qui restaient en permanence plus ou moins éveillés. En entrant dans le bâtiment de la CIA, il se dit que jamais, en y venant, il n'avait trouvé l'amiral Greer absent. C'était au moins une chose en ce monde sur laquelle il pouvait compter. Un agent de la sécurité l'accompagna au septième étage.

— Bonjour, amiral, dit Jack en entrant dans le bureau.

— Vous avez meilleure mine que je m'y attendais, observa le DDI.

— C'est une illusion, vous savez, mais je ne peux pas résoudre mes problèmes en me cachant dans un coin, n'est-ce pas ? J'aimerais vous parler de ce qui se passe.

— Vos amis irlandais sont l'objet de beaucoup d'attention. Le président lui-même veut une action rapide. Nous n'avons jamais eu de terroristes internationaux jouant à leurs jeux dans notre pays, du moins rien qui ait jamais fait son chemin dans la presse, dit énigmatiquement l'amiral. C'est devenu une affaire de haute priorité. Beaucoup de ressources lui sont consacrées.

— Je veux en faire partie, déclara Ryan.

— Si vous croyez pouvoir participer à une opération...

— Je me connais mieux que ça, amiral.

Greer sourit avec bienveillance.

— Vous me faites plaisir, mon garçon. J'ai toujours pensé que vous étiez intelligent. Alors, que voulez-vous faire pour nous ?

— Nous savons tous deux qu'ils font partie du réseau. Les renseignements que vous m'avez permis de voir sont assez limités. Vous allez évidemment essayer de collationner l'information sur tous les autres groupes, en cherchant des pistes vers l'ULA. Je pourrais peut-être vous aider.

— Et vos cours ?

— Je peux venir ici tout en continuant à enseigner. Il n'y a pas grand-chose qui me retienne à la maison en ce moment, amiral.

— Ce n'est jamais bon d'employer des personnes directement intéressées à une enquête, fit observer Greer.

— Ce n'est pas le FBI, ici. Je n'irai pas sur le terrain. Vous venez de me le dire. Je sais que vous vouliez que je revienne à titre permanent, amiral. Si vous le voulez réellement, laissez-moi commencer par quelque chose d'important pour nous deux... C'est le moment de vous assurer que je puis vous être utile.

— Cela ne va pas plaire à tout le monde.

— Il m'arrive des choses qui ne me plaisent pas beaucoup, amiral. Mais je dois les supporter. Si je ne peux pas riposter, autant rester chez moi. Vous êtes ma seule chance d'agir afin de protéger ma famille.

Greer se retourna pour remplir sa tasse de café à la machine à espresso, derrière lui. Jack lui avait plu dès le premier instant où il l'avait connu. C'était un jeune homme habitué à imposer sa volonté, mais sans aucune arrogance. Il savait ce qu'il voulait mais n'était pas agressif. Il n'était pas mû par l'ambition, un autre bon point. Finalement, il possédait un talent brut qui avait besoin d'être formé et dirigé. Greer était toujours à la recherche de talents.

— D'accord, vous faites partie de l'équipe. Marty coordonne l'information. Vous travaillerez directement avec lui. J'espère que vous ne parlez pas en dormant, mon garçon, parce que vous allez voir des documents dont vous n'aurez même pas le droit de rêver.

— Amiral, je ne rêve que d'une seule chose.

Dennis Cooley avait passé un mois très chargé. Les héritiers d'un comte qui venait de mourir en East Anglia avaient été obligés de vendre son importante bibliothèque pour payer les droits de succession et Cooley avait utilisé presque tout son capital disponible pour acquérir vingt et un livres rares. Mais cela en valait la peine : il y avait dans ce lot une très rare édition originale des pièces de Marlowe. Et le regretté comte avait pris grand soin de ses trésors. Les livres avaient été congelés plusieurs fois pour tuer les insectes qui profanaient ces inestimables reliques du passé. Le Marlowe était dans un état de préservation remarquable, en dépit de quelques taches d'eau sur la reliure qui avaient rebuté des acheteurs moins perspicaces. Cooley était maintenant penché sur son bureau et lisait le premier acte du *Juif de Malte,* quand la sonnette de la porte retentit.

— Est-ce celui dont j'ai entendu parler ? demanda aussitôt son visiteur.

— Effectivement, répondit Cooley en souriant pour masquer sa surprise car il n'avait pas vu cet homme depuis quelque temps et il était quelque peu perturbé de le voir revenir si tôt. Imprimé en 1633, quarante ans après la mort de Marlowe. Certaines parties du texte sont suspectes, naturellement, mais c'est un des rares exemplaires restant de la première édition.

— Il est absolument authentique ?

— Oh, tout à fait ! s'exclama Cooley légèrement vexé par la question. En plus de mon humble expertise, il a des certificats d'authenticité de sir Edmund Grey, du British Museum.

— On ne peut donc que s'incliner, reconnut le client.

— Je crains de ne pas encore lui avoir fixé un prix.

Pourquoi êtes-vous ici ?

— Le prix importe peu. Je comprends que vous désiriez le garder pour votre plaisir, mais il me le faut.

Le visiteur se pencha sur son épaule pour contempler l'ouvrage.

— Magnifique, murmura-t-il en glissant une petite enveloppe dans la poche du libraire.

— Nous pourrons sans doute nous entendre, dit Cooley. Dans quelques semaines, peut-être.

Il regarda par la vitrine. Un homme faisait du lèche-vitrine devant la bijouterie, de l'autre côté du passage. Au bout d'un moment, il se redressa et s'en alla sans se presser.

— Plus tôt, s'il vous plaît, insista le visiteur.

Cooley soupira.

— Revenez me voir la semaine prochaine, nous en reparlerons. J'ai d'autres clients, vous savez.

— Mais aucun de plus important, j'espère.

Le libraire cligna les yeux, deux fois.

— Très bien.

Geoffrey Watkins examina d'autres livres, dans le magasin, pendant quelques minutes. Il choisit un Keats, de la succession du comte, et le paya six cents livres avant de partir. En sortant du passage, il ne remarqua pas une jeune personne qui attendait près du kiosque à journaux ; il ne pouvait savoir qu'il y en avait une autre, à l'autre sortie. Celle qui le suivit était habillée d'une manière garantie pour attirer l'attention, jusqu'à ses cheveux orangés qui auraient été fluorescents s'il y avait eu du soleil. Elle le suivit pendant deux à trois cents mètres et continua dans la même direction quand il traversa la rue. Un autre policier prit la relève dans l'allée principale de Green Park.

Ce soir-là, les rapports quotidiens de surveillance arrivèrent à Scotland Yard et furent, comme toujours, programmés sur ordinateur. C'était une opération conjointe de la Metropolitan Police et du Security Service, l'ancien MI-5. Contrairement au FBI, les agents du « Cinq » n'étaient pas qualifiés pour arrêter des suspects et devaient passer par la police pour mener une enquête à sa conclusion. La cohabitation n'était pas tout à fait idéale. Owens devait travailler étroitement avec David Ashley et il était tout à fait d'accord avec le jugement porté sur lui par son collègue du FBI : « un sale petit morveux ».

— Schémas, schémas, schémas, marmonna Ashley, sa tasse de thé à la main, en examinant l'imprimante.

On avait identifié au total trente-neuf personnes qui avaient eu ou auraient pu avoir des informations à la fois sur le Mall et sur le transfert de Miller à l'île de Wight. Une d'elles était responsable de la fuite. Toutes étaient surveillées. Jusqu'à présent, tout ce qu'on avait découvert, c'était que l'un était un homosexuel honteux, que deux autres hommes et une femme avaient des liaisons pas forcément officielles, et qu'un homme prenait un plaisir considérable à voir et revoir des films pornos dans les cinémas de Soho. Les renseignements financiers fournis par les services du fisc ne révélaient rien de particulièrement intéressant, pas plus que les modes de vie. Certaines personnes avaient beaucoup d'amis, d'autres pas du tout. Les enquêteurs appréciaient ces tristes âmes solitaires car ils étaient obligés de se renseigner aussi sur les nombreux amis, ce qui faisait perdre du temps et exigeait de la main-d'œuvre. Owens considérait toute l'opération comme un exercice nécessaire mais néanmoins déplaisant, l'équivalent policier du voyeurisme. Les écoutes téléphoniques — surtout celles des conversations entre amants — le faisaient parfois rougir. Il respectait la vie privée de l'individu et aucune vie ne pouvait survivre sans taches à ce genre d'examen. Il devait se répéter que celle d'un certain homme n'y survivrait pas, et que c'était là tout le but de l'opération.

— Je vois que M. Watkins est allé à cette boutique de livres rares, cet après-midi, nota Owens qui lisait sa propre imprimante.

— Oui. Il les collectionne. Moi aussi, répondit Ashley. J'y suis allé moi-même deux fois. Il y a eu une vente de bibliothèque après succession, dernièrement. Cooley a peut-être fait quelques acquisitions que Geoffrey convoite. Il a passé dix minutes là-bas, il s'est entretenu avec Dennis...

— Vous le connaissez ? demanda vivement Owens.

— C'est un des meilleurs du métier. Je lui ai acheté un Brontë pour ma femme, il y a deux ans à Noël. C'est un gros petit patapouf, mais extrêmement érudit. Geoffrey s'est donc entretenu avec lui pendant dix minutes, il a fait un achat et il est parti. Je me demande ce qu'il a acheté.

Ashley se frotta les yeux. Il était au strict régime de quatorze heures de travail par jour, depuis plus longtemps qu'il n'était capable de se rappeler.

— La première nouvelle personne que voit Watkins depuis plusieurs semaines, nota Owens.

Il y réfléchit un moment. Il y avait de meilleures pistes à suivre et sa main-d'œuvre était limitée.

— Est-ce que nous pouvons parvenir à un compromis sur cette question de l'immigration ? demanda l'avocat commis d'office.

— Absolument pas, répliqua Bill Shaw, assis de l'autre côté de la table.

— Vous ne nous offrez rien du tout, protesta l'avocat. Je parie que je peux obtenir un non-lieu sur le port d'armes et vous ne pourriez en aucun cas rendre recevable l'accusation de conspiration.

— C'est parfait, maître. Si cela peut vous faire plaisir, nous allons le relâcher et lui faire cadeau d'un billet d'avion. Et même d'une escorte pour rentrer chez lui.

— Dans une prison de sécurité maximum, dit aigrement l'avocat

326

en refermant le dossier sur l'affaire Eamon Clark. Vous ne nous donnez aucune base de transaction.

— S'il transige sur le port d'armes et l'association de malfaiteurs, et s'il nous aide, il passera quelques années dans une prison beaucoup plus agréable. Mais si vous vous imaginez que nous allons laisser un assassin notoire, condamné, se balader en toute liberté, vous vous faites des illusions. Et qu'est-ce que vous croyez avoir comme monnaie d'échange ?

— Vous en seriez surpris, répliqua énigmatiquement l'avocat.

— Ah oui ? Je veux bien parier qu'il ne vous a rien dit non plus !

Après ce défi, l'agent examina attentivement le jeune avocat, pour guetter sa réaction. Bill Shaw aussi avait fait son droit, il avait été reçu au barreau, mais il avait préféré consacrer son talent de juriste à la sécurité de la société plutôt qu'à la libération des criminels.

— Les conversations entre un avocat et son client sont protégées par le secret professionnel.

L'avocat exerçait depuis deux ans et demi seulement. Dans son idée, sa mission se limitait à soutirer ses clients à la police. Au début, il avait été heureux que Clark ne dise rien, pas plus à la police qu'au FBI, mais il était surpris que cet homme refuse aussi de lui parler. Il se dit qu'il pourrait arriver à un compromis, après tout, en dépit de ce que lui disait cet agent du FBI. Mais il n'avait rien à offrir, Shaw venait de le lui faire observer. Il attendit pendant quelques instants une réaction de l'agent mais n'eut droit qu'à un regard froid. L'avocat s'avoua vaincu.

— C'est bien ce que je pensais, dit Shaw en se levant. Dites à votre client que s'il ne l'ouvre pas avant après-demain, il prend l'avion pour rentrer chez lui purger sa peine jusqu'à la fin de sa vie. Ne manquez pas de le lui dire. S'il veut parler une fois qu'il sera là-bas, nous enverrons des hommes lui rendre visite. Il paraît que la bière est assez bonne, chez eux, et ça ne me dérangerait pas d'aller y voir moi-même.

La seule arme que pouvait employer le Bureau contre Clark était la peur. La mission qu'il avait acceptée avait fait grand tort aux provisoires et ce jeune Ned n'aimerait peut-être pas l'accueil qu'on lui réserverait. Il serait plus en sécurité dans un pénitencier américain que britannique, mais Shaw doutait d'arriver à le lui faire comprendre. Et, d'ailleurs, il doutait fort qu'il craquerait. Peut-être, après son retour, pourrait-on organiser quelque chose.

L'affaire se présentait mal ; il s'y était attendu, bien sûr. Ou bien ce genre d'histoire était immédiatement résolu ou bien cela traînait pendant des mois, des années. Les gens qu'ils recherchaient étaient trop habiles pour avoir laissé la moindre brèche à exploiter. Il ne restait, pour lui et ses hommes, qu'un travail laborieux, monotone et méticuleux. Mais c'était la définition même du travail de police. Shaw était bien placé pour le savoir, il avait rédigé un des manuels.

18

Lumières

Ashley entra dans la librairie à 16 heures. En véritable bibliophile, il s'arrêta sur le seuil pour en respirer l'arôme.

— M. Cooley est-il là aujourd'hui ? demanda-t-il à la vendeuse.

— Non, monsieur, répondit Beatrix. Il est en voyage d'affaires à l'étranger. Que puis-je pour vous ?

— Il paraît que vous avez fait de nouvelles acquisitions.

— Ah, vous avez entendu parler de l'édition originale de Marlowe ?

Beatrix ressemblait tout à fait à une souris. Ses cheveux étaient exactement de la teinte voulue, d'un châtain terne, et mal soignés. Elle avait la figure bouffie, de trop manger ou de trop boire, Ashley n'aurait su le dire. Des lunettes aux verres épais cachaient ses yeux. Elle était habillée d'une manière qui s'accordait à merveille avec la boutique ; tout ce qu'elle portait était vieux et démodé. Ashley se rappela le Brontë qu'il avait acheté pour sa femme et se demanda si ces malheureuses sœurs solitaires avaient ressemblé à cette fille. C'était dommage, dans le fond. Avec un peu d'effort, elle n'aurait pas manqué d'une certaine séduction.

— Un Marlowe ! s'exclama l'homme de la « Cinq ». Une édition originale, dites-vous ?

— Oui, monsieur, de la collection du regretté comte de Crondale. Comme vous le savez, les pièces de Marlowe n'ont été imprimées que quarante ans après sa mort.

Elle continua de parler sur ce ton, révélant une érudition que son apparence ne laissait pas du tout soupçonner. Ashley l'écouta respectueusement. La souris connaissait aussi bien son affaire qu'un professeur d'Oxford.

— Comment trouvez-vous ces trésors ? demanda-t-il quand elle eut terminé son discours.

— M. Dennis les flaire, confia-t-elle avec un sourire. Il est toujours en voyage, il travaille avec d'autres libraires et des notaires, des avoués. Aujourd'hui, par exemple, il est en Irlande. C'est stupéfiant, le nombre de livres qu'il déniche là-bas. Ces gens abominables ont les plus merveilleuses collections.

De toute évidence, Beatrix n'aimait pas les Irlandais, nota David Ashley. Il n'eut pas la moindre réaction, du moins pas physiquement, mais un déclic résonna dans sa tête.

— Tiens donc, Eh bien, c'est une des contributions de nos amis d'en face. Quelques bons écrivains et du whisky.

— Et des poseurs de bombes, ajouta Beatrix. Je n'aimerais pas beaucoup voyager là-bas.

— Ah ! J'y prends assez souvent des vacances. La pêche y est miraculeuse.

— C'est ce que pensait Lord Louis Mountbatten, déclara la vendeuse.

— Dennis y va souvent ?

— Au moins une fois par mois.

— Voyons, ce Marlowe que vous avez, puis-je le voir ? demanda Ashley avec un enthousiasme qui n'était que partiellement feint.

— Mais certainement !

La jeune fille prit le volume sur une étagère et l'ouvrit avec d'infinies précautions.

— Comme vous le voyez, bien que la reliure soit en assez mauvais état, les pages sont d'une préservation remarquable.

Ashley se pencha sur le livre et parcourut la page ouverte.

— En effet, en effet. Combien, pour celui-ci ?

— M. Dennis n'a pas encore fixé de prix. Toutefois, je crois qu'un autre client s'y intéresse.

— Savez-vous qui c'est ?

— Non, monsieur, et, d'ailleurs, je ne pourrais pas vous donner son nom. Nous respectons l'anonymat de nos clients.

— Bien sûr. C'est tout à fait logique. Quand M. Cooley doit-il revenir ? J'aimerais lui en parler moi-même.

— Demain après-midi.

— Serez-vous là aussi ? demanda Ashley avec un charmant sourire.

— Non, je ne suis là qu'à mi-temps.

— Quel dommage ! Eh bien, je vous remercie beaucoup de m'avoir montré cet ouvrage.

En sortant du passage, l'agent de la sécurité tourna à droite et attendit une accalmie de la circulation pour traverser la rue. Au lieu de prendre un taxi, il décida de retourner à pied à Scotland Yard. Il descendit St. James's Street, puis tourna à gauche pour contourner à l'est le palais de Buckingham et descendre par Marlborough Road jusqu'à Mall.

C'est là, précisément, que c'est arrivé, se dit-il. *La voiture de fuite a tourné ici en s'échappant. L'embuscade était dressée à cent mètres à peine de l'endroit où je me trouve en ce moment.* Il s'arrêta et regarda autour de lui quelques secondes.

La personnalité d'un agent de la sécurité est à peu près la même tout autour du monde. Il ne croit pas aux coïncidences, et il y est extrêmement attentif. Cela vient de ce qu'il sait que seuls les gens au-dessus de tout soupçon peuvent devenir des traîtres ; avant de trahir leur pays, ils ont dû trahir la confiance de ceux qu'ils côtoient. En dépit de tout son charme, Ashley haïssait les traîtres plus que tout, il soupçonnait tout le monde et ne se fiait à personne.

Dix minutes plus tard, il franchit le dispositif de sécurité à Scotland Yard et prit l'ascenseur pour monter au bureau de James Owens.

— Ce Cooley... dit-il.

Owens fut un instant dérouté.

— Cooley ? Ah oui, le libraire que Watkins est allé voir hier. C'est là que vous étiez ?

— Une belle petite boutique. Son propriétaire est en Irlande, aujourd'hui.

Le chef Owens hocha la tête, l'air songeur. Ce seul mot changeait tout. Ashley rapporta ce qu'il avait appris. Ce n'était pas encore une piste, mais il y avait là quelque chose à étudier. Aucun des deux n'ajouta rien. Beaucoup de ces amorces de pistes se terminaient au pied d'un mur. Il y avait des tas d'agents dans les rues en train d'accumuler des renseignements de ce genre, dont aucun ne serait le moins du monde utile à l'affaire. Donc, un nouveau détail à examiner, rien de plus ; mais pour le moment, c'était suffisant.

A Langley, il était 7 heures du matin. Ryan n'était pas admis aux réunions entre agents de la CIA et du FBI qui confrontaient leurs informations. Marty Cantor lui avait expliqué que sa présence gênerait le FBI. C'était égal à Jack. Il obtiendrait un résumé des informations après déjeuner, et c'était bien assez pour le moment. Cantor reviendrait aussi avec les déductions des principaux enquêteurs. Ryan n'en avait que faire. Il préférait examiner la matière première, les renseignements tout crus. Sa perspective d'homme de l'extérieur, sans idées reçues, avait déjà donné de bons résultats et elle en donnerait encore, pensait-il... espérait-il.

Le monde merveilleux du terrorisme international, avait dit Murray en sortant d'Old Bailey. Pas bien merveilleux, pensait Jack, mais assez étendu, couvrant tout ce que les Grecs et les Romains avaient considéré comme le monde civilisé. Il était en train d'examiner les transmissions de la reconnaissance par satellite. Le rapport relié qu'il consultait contenait au moins seize cartes. En plus des villes et des routes on y voyait de petits triangles rouges indiquant, dans quatre pays, des camps supposés d'entraînement de terroristes. Ils étaient photographiés presque quotidiennement par les satellites en orbite au-dessus du globe. Il concentra toute son attention sur ceux de Libye : on avait bien ce rapport d'un agent italien, disant que Sean Miller avait été vu alors qu'il débarquait d'un cargo dans le port de Bengazi... Le cargo battait pavillon cypriote mais appartenait à un réseau de compagnies si complexe que cela n'avait aucune importance. Un destroyer américain l'avait photographié lors d'une rencontre de pur hasard, certainement, dans le détroit de Messine. Le cargo était vieux mais étonnamment bien entretenu, équipé de matériel moderne radar et radio. Il faisait régulièrement la navette entre des ports d'Europe orientale et la Libye et la Syrie et l'on savait qu'il transportait des armes et du matériel militaire du bloc communiste vers les Etats-clients de la Méditerranée. Ces renseignements avaient été soigneusement classés.

Ryan découvrit que la CIA et le National Reconnaissance Service surveillaient également plusieurs camps dans les déserts d'Afrique du Nord. Un graphique simple accompagnait les photos datées et Ryan chercha un camp dont l'activité apparente avait changé le jour où le bateau de Miller avait fait escale à Bengazi. Il fut déçu d'en trouver quatre. L'un d'eux était connu pour servir à l'IRA provisoire, renseignement obtenu lors de l'interrogatoire d'un poseur de bombes. Les trois autres étaient inconnus. Les gens qui s'y trouvaient — à part le personnel d'entretien fourni par les forces armées libyennes — pouvaient être identifiés comme des Européens, sur les photos, à leur peau plus claire mais on ne distinguait pas davantage les traits, sauf peut-être la couleur des cheveux quand la lumière était favorable. On pouvait aussi reconnaître la marque d'une voiture ou d'un camion mais pas son immatriculation. Assez curieusement, la netteté de ces photos était meilleure la nuit. L'air froid était moins turbulent pour la prise de vue que la chaleur vibrante de la journée.

Les photos qui retinrent le plus l'attention de Ryan furent celles des camps 11-5-04 et 11-5-18. Il ne savait pas selon quels critères ces numéros de code avaient été choisis et s'en moquait. Ces camps étaient à peu près semblables ; seul l'alignement des baraquements permettait de les distinguer.

Jack passa près d'une heure à examiner les photos et conclut que les satellites, ce miracle de la technologie moderne, lui apprenaient beaucoup de choses mais qu'aucune ne lui était de la moindre utilité. Ceux qui dirigeaient ces camps étaient assez avisés pour garder le personnel hors de vue lors du passage des satellites. Même lorsqu'ils se laissaient surprendre, le nombre de personnes visibles était chaque fois différent et l'occupation réelle des camps restait une pure spéculation. Ce qui était singulièrement exaspérant.

Ryan se redressa et alluma une des cigarettes légères qu'il achetait au kiosque de l'étage au-dessous. Elle accompagnait bien le café destiné à le garder éveillé. Encore une fois, il se heurtait à un mur nu qui le faisait penser à ces jeux d'ordinateur auxquels il s'adonnait de temps en temps chez lui, quand il était fatigué d'écrire. L'analyse des renseignements ressemblait beaucoup à ces jeux « intellectuels ». On ne savait jamais exactement ce que l'on devait résoudre.

Deux des camps ULA suspectés étaient situés à soixante-cinq kilomètres d'un avant-poste connu de l'IRA. *Moins d'une heure de route*, pensa Jack. *Si seulement ils savaient.* Il se serait bien contenté de laisser les Provos éliminer l'ULA, comme ils le voulaient manifestement. Selon certaines indications, les Brits pensaient à peu près comme lui. Il se demanda quelle était l'opinion de M. Owens. Il s'étonna aussi de disposer maintenant de renseignements que des joueurs expérimentés ne possédaient pas. Il reprit son examen des photos.

Sur l'une d'elles — prise une semaine après que Miller avait été aperçu à Bengazi — on voyait une voiture ressemblant à une Land Cruiser Toyota, à environ un kilomètre et demi de 11-5-18 et qui s'en éloignait. Jack se demanda où elle allait. Il nota la date et l'heure au bas de la photo et consulta la table de recoupement. Dix minutes plus tard, il retrouva la même voiture, le lendemain, au 11-5-09, un camp de la PIRA à soixante-cinq kilomètres de 11-5-18.

Ryan se força à calmer son excitation. 11-5-18 pouvait appartenir à la Fraction Armée Rouge d'Allemagne fédérale, aux Brigades Rouges italiennes renaissantes ou à n'importe lequel des mouvements avec lesquels la PIRA « fraternisait ». Il prit quelques notes : le renseignement valait pourtant la peine d'être étudié.

Il examina ensuite le graphique d'occupation de ce camp qui couvrait les deux dernières années. Jack le compara à une liste des opérations connues de l'ULA et, tout d'abord, ne découvrit rien. La fréquence d'occupation des bâtiments ne correspondait pas aux activités connues de l'organisation... mais il décela quand même une espèce de schéma. A peu près tous les trois mois, un bâtiment supplémentaire était occupé. Quel que soit le nombre de personnes qui se trouvaient dans le camp, un seul baraquement était occupé, pendant une période de trois jours. Deux fois seulement en deux ans, il n'y avait aucun changement. Qu'est-ce que cela voulait dire ?

— Tu es dans un labyrinthe, se marmonna-t-il tout haut.

Il quitta son bureau pour aller acheter une boîte de Coca, mais surtout pour s'éclaircir les idées. Cinq minutes plus tard, il était de retour.

Il étala les graphiques d'occupation des trois camps « inconnus » pour comparer les niveaux d'activité respectifs. Il aurait aimé pouvoir faire des photocopies de ces graphiques mais la CIA interdisait catégoriquement les photocopieuses. Il consacra une heure à leur examen et, au bout de ce temps, il les savait par cœur, mais il n'était pas plus avancé. Il les remit à leur place dans le dossier et reprit les photos elles-mêmes.

Au camp 11-5-20, il y avait une fille. Tout au moins quelqu'un en maillot de bain deux-pièces. Il n'y avait pas ce genre de distractions aux camps 04 et 18 et il se demanda si cela signifiait quelque chose, avant de se souvenir qu'un seul des satellites donnait des photos de jour. Ryan se promit de chercher dans la bibliothèque de l'Académie un ouvrage sur la mécanique orbitale : il avait besoin de savoir combien de fois par jour un satellite passait au-dessus d'un point donné.

— Tu n'arrives à rien ! se dit-il tout haut.

— Les autres non plus, répondit Marty Cantor.

Jack sursauta et se retourna.

— Comment êtes-vous entré ?

— Je dois vous avouer que je vous admire, Jack. Quand vous vous concentrez, vous vous concentrez. Ça fait cinq minutes que je suis là. J'aime ça, mais n'en faites pas trop, mon vieux.

— Je n'en mourrai pas.

— C'est vous qui le dites. Qu'est-ce que vous pensez de notre album de photos ?

334

— Les gens qui font ce travail à plein temps doivent devenir complètement cinglés.

— Certains, oui, reconnut Cantor.

— J'ai quelque chose qu'il serait peut-être intéressant d'étudier, dit Jack, et il expliqua ses soupçons concernant le camp 18.

— Pas mal. Au fait, le numéro 20 pourrait être un camp d'Action Directe, le groupe français récemment démantelé.

— Ah ? Cela expliquerait une des photos, dit Ryan en tournant les pages jusqu'à la bonne.

— Hum ! s'exclama Cantor. Nous pourrions avoir une identité, grâce à ça.

— Comment ? s'étonna Jack. On ne voit pas sa figure.

— On distingue la longueur de ses cheveux. On peut aussi calculer son tour de poitrine, déclara Marty avec un sourire qui lui fendait la figure.

— Quoi !

— Les types de la photo-interprétation sont... eh bien, très techniques. Pour que la naissance des seins se voie sur des photos comme celle-là, il faut qu'elle ait des bonnets de taille C, du moins c'est ce qu'ils m'ont dit une fois ! Je ne rigole pas, Jack. Il est possible d'identifier les gens par une combinaison de facteurs comme la couleur et la longueur des cheveux et le tour de poitrine. Il y a pas mal de filles à Action Directe. Nos collègues français pourraient trouver ça intéressant.

— Et le camp 18 ?

— Je ne sais pas. Nous n'avons jamais vraiment essayé de l'identifier, celui-là.

— Le truc de la voiture peut être une piste. N'oubliez pas que nos copains de l'ULA ont infiltré les Provisoires, rappela Jack.

— Ma foi, c'est à considérer, oui. Et cette histoire de schéma dont vous parliez ?

— Rien encore de précis à ce sujet.

— Voyons un peu le graphique ?

Jack le déplia.

— Tous les trois mois, à peu près, le nombre d'occupants augmente.

Cantor examina le tracé en fronçant les sourcils. Puis il feuilleta les photos. Il y avait un cliché de jour. Chaque camp avait une espèce de polygone de tir, apparemment. Sur la photo choisie par Cantor, trois hommes s'y trouvaient, debout.

— Vous tenez peut-être quelque chose, Jack.

— Quoi donc ? demanda Ryan, qui avait examiné cette photo et n'en avait rien déduit.

— Quel est le caractère distinctif de l'ULA ?

— Son professionnalisme.

— Votre dernier rapport sur eux révélait qu'ils étaient organisés plus militairement que les autres. Chacun d'eux, à notre connaissance, excelle au maniement d'armes.

— Et alors !

— Réfléchissez !... Entraînement périodique aux armes à feu, peut-être.

— Ah ! Je n'avais pas pensé à ça. Comment se fait-il que personne n'ait...

— Savez-vous combien de photos de satellites passent par ici ? Je ne peux pas vous le dire exactement mais faites-moi confiance, des milliers tous les mois. Pensez qu'il faut au minimum cinq minutes pour en examiner une. Nous sommes surtout intéressés par les Russes, les silos à missiles, les usines, les mouvements de troupes de l'armée, les dépôts de chars, vous voyez le genre. C'est à cela que se consacrent nos principaux analystes et ils ne peuvent pas examiner tout ce qui arrive. Ce camp 18 m'a l'air assez intéressant pour que nous cherchions un moyen de nous renseigner, de savoir qui habite réellement là-bas. Pas mal.

— Il a transgressé les règles de sécurité, déclara Kevin O'Donnell en manière d'accueil, en parlant tout de même assez bas pour que personne ne l'entende, dans le pub bruyant.

— Ceci en vaut peut-être la peine, répliqua Cooley. Instructions ?

— Quand repartez-vous ?

— Demain matin, premier vol.

O'Donnell hocha la tête et vida son verre. Il sortit du pub et alla directement prendre sa voiture. Vingt minutes plus tard, il était chez lui. Encore dix minutes et ses chefs de la sécurité et des renseignements étaient dans son bureau.

— Qu'est-ce que tu as pensé de l'organisation d'Alex, Sean ?

— Ils sont comme nous, petits mais de vrais professionnels. Alex est un technicien très consciencieux mais arrogant, sans beaucoup d'entraînement. Il est malin, très malin. Et il est affamé, comme on dit là-bas. Il veut laisser sa marque.

— Eh bien, il en aura peut-être l'occasion l'été prochain, dit O'Donnell, en montrant la lettre que Cooley avait apportée. Il paraît que Son Altesse Royale va faire un tour en Amérique l'été prochain.

L'exposition des Treasure Houses a eu un tel succès qu'ils en organisent une autre. Une bonne partie des œuvres de Léonard de Vinci appartiennent à la famille royale et elle les envoie là-bas pour recueillir de l'argent pour ses œuvres de bienfaisance. Elle doit être inaugurée à Washington le 1er août et le prince de Galles sera présent. Ce ne sera annoncé qu'en juillet mais voici l'itinéraire ainsi que les dispositifs de sécurité prévus. On ne sait pas encore si sa ravissante femme accompagnera Son Altesse mais nous partirons du principe qu'elle le fera.

— Le bébé ? demanda Miller.

— Je ne pense pas, mais nous envisagerons aussi cette possibilité.

O'Donnell donna la lettre à Joseph McKenney. Le chef de la sécurité de l'ULA la parcourut rapidement.

— La sécurité lors des réceptions officielles sera très bien assurée. Les Américains ont tiré la leçon des incidents qu'ils ont déjà connus, dit McKenney qui, comme tous les agents des services secrets, accordait une puissance écrasante aux adversaires possibles.

— Oui. Je veux que vous travailliez là-dessus. Nous avons tout notre temps et nous ne le gaspillerons pas.

O'Donnell reprit la lettre et la relut avant de la remettre à Miller. Après leur départ, il rédigea ses instructions pour leur agent de Londres.

Le lendemain matin, à l'aéroport, Cooley aperçut son contact et entra dans le café. Il était en avance pour son vol, en voyageur expérimenté, et il but une tasse de café en attendant l'heure d'embarquement. Quand il eut fini, il ressortit. Son contact entrait au même instant. Les deux hommes se frôlèrent et le message fut transmis de la manière enseignée dans toutes les écoles d'espionnage du monde.

— Il voyage vraiment beaucoup, observa Ashley.

Il avait fallu moins d'une heure aux inspecteurs d'Owens pour retrouver l'agent de voyages de Cooley et obtenir un état de ses déplacements au cours des trois dernières années. Deux autres rassemblaient sur lui un dossier biographique. C'était strictement un travail de routine. Owens et ses hommes connaissaient le danger à s'exciter sur une nouvelle piste. L'enthousiasme est trop souvent l'ennemi de l'objectivité. La voiture de Cooley — garée à l'aéroport de Gatwick — affichait un kilométrage au compteur considérable pour son âge, ce qui s'expliquait par ses fréquentes randonnées en province pour acheter des livres. Là se limitait l'information réunie en dix-huit heures. On attendrait patiemment la suite.

— Quelle est la fréquence de ses voyages en Irlande ?

— Très importante, mais il fait le commerce d'ouvrages de langue anglaise et nous sommes les deux seuls pays d'Europe parlant l'anglais, n'est-ce pas ?

Ashley aussi savait se maîtriser.

— L'Amérique ? demanda Owens.

— Une fois par an, environ. Je crois qu'il se rend à une espèce de foire annuelle. Je peux vérifier.

— On y parle anglais aussi.

Ashley sourit.

— Il n'y a pas beaucoup d'exemples d'éditions américaines assez anciennes pour intéresser un homme comme Cooley. Il pourrait y acheter de nos livres qui ont traversé l'Atlantique, mais plus probablement il y cherche des acheteurs. Non, l'Irlande convient à merveille, et pourrait être une excellente couverture. Mon propre marchand, Samuel Pickett et fils, y voyage souvent, aussi... mais pas autant, me semble-t-il.

— Sa biographie nous dira peut-être quelque chose, hasarda Owens.

— Espérons-le.

Ashley cherchait toujours une lumière au bout du tunnel.

— Tout va bien, Jack, dit Cathy.

Il hocha la tête, sachant que sa femme avait raison. L'infirmière rayonnait vraiment en leur apprenant la nouvelle à leur arrivée. Sally se remettait bien. Le processus de guérison était déjà commencé.

Il y a néanmoins une différence entre les certitudes de l'esprit et les sentiments. Sally était réveillée. Elle était incapable de parler, naturellement, avec le tuyau du respirateur dans la bouche, mais les murmures qui essayaient de filtrer n'avaient qu'une signification : J'ai mal. Les blessures qu'on avait infligées à son enfant ne paraissaient pas moins horribles à Jack du fait qu'elles guériraient. Au contraire, elles lui semblaient encore plus épouvantables maintenant qu'elle reprenait connaissance. La douleur finirait par se calmer mais, pour le moment, sa petite fille souffrait. Cathy était sans doute capable de se dire que seuls les vivants sentent la douleur, donc qu'elle était un signe de vie, mais pas Jack. Ils restèrent jusqu'à ce que Sally s'endorme. Puis ils sortirent de la chambre.

— Et toi, comment vas-tu ? lui demanda-t-il.

— Mieux. Tu pourras me ramener à la maison demain soir.

Jack secoua la tête. Il n'y avait pas pensé. Stupide. Il s'était dit que Cathy resterait là, à l'hôpital, près de Sally.

— La maison est bien vide sans toi, bébé, lui dit-il au bout d'un moment.

— Elle le sera surtout sans elle, répondit-elle.

Les larmes débordèrent de nouveau. Elle se cacha la figure au creux de l'épaule de Jack. Il songea au petit visage de Sally, aux yeux bleus cernés d'ecchymoses, à leur douleur, leur souffrance.

— Oui... Mais elle va aller mieux, ma chérie, et je ne veux plus t'entendre dire de bêtises, que c'est de ta faute et tout ça.

— Mais c'est ma faute !

— Non pas du tout. Est-ce que tu te doutes de la chance que j'ai, de vous avoir toutes les deux en vie ? J'ai vu les rapports du FBI aujourd'hui. Si tu n'avais pas freiné pile à ce moment-là, vous seriez mortes toutes les deux.

On supposait que cette manœuvre brutale avait fait dévier le tir de Miller de quelques centimètres. Deux balles au moins avaient manqué la tête de Cathy d'un poil, disaient les experts.

— Tu as sauvé sa vie et la tienne, par ton sang-froid.

Cathy mit un moment à réagir.

— Comment as-tu appris ça ?

— La CIA. Ils collaborent avec la police. J'ai demandé à faire partie de l'équipe et j'ai été accepté.

— Mais...

— Beaucoup de monde travaille sur cette affaire, bébé. Moi aussi. Une seule chose compte, les retrouver.

— Tu crois...

— Oui, je le crois !... *Tôt ou tard.*

Bill Shaw n'avait guère d'espoir, pour le moment. La meilleure piste, c'était l'identité du Noir qui conduisait la fourgonnette. On n'avait rien révélé à la presse. Pour la télévision et les journaux, tous les suspects étaient blancs. Le FBI n'avait pas précisément menti aux journalistes mais les avait laissés tirer de fausses conclusions des révélations partielles qui leur étaient faites, comme cela arrivait assez souvent. Il fallait éviter que le suspect se terre, pris de panique. La seule personne à l'avoir vu de près était la caissière du supermarché. Elle avait passé plusieurs heures à examiner les photos de Noirs soupçonnés d'être membres de mouvements révolutionnaires et en avait trouvé trois assez ressemblants. Deux de ces hommes étaient en prison, un pour hold-up et l'autre pour transport d'explosifs d'un Etat dans un autre. Le troisième avait disparu sept ans plus tôt. Pour le Bureau, il n'était qu'une photo. Le nom qui figurait dans son dossier était un pseudonyme, on le savait, et il n'y avait pas d'empreintes. Il s'était détaché de ses anciens complices — habilement puisque la plupart avaient été arrêtés et condamnés pour divers crimes et délits — et avait tout bonnement disparu. On pouvait parier, pensait Shaw, qu'il s'était réintégré dans la société et menait une vie normale quelque part, ses activités passées n'étant plus qu'un souvenir.

L'agent reprit le dossier. Il se faisait appeler alors Constantin Duppens. Il s'exprimait bien, les rares fois où il avait parlé, disaient les rapports. Bonne éducation, sans doute. Attaché au groupe que le Bureau surveillait, mais sans en faire vraiment partie. Il n'avait jamais participé à une action illégale et il s'était évaporé dans la nature quand les chefs de sa petite bande avaient commencé à parler de piller des banques et de se livrer au trafic de drogue. Peut-être un dilettante, se dit Shaw, un étudiant aux idées vaguement gauchistes qui avait jeté un coup d'œil à certains de ces groupuscules et les avait évalués à leur juste valeur, celle que leur attribuait Shaw : des crétins maladroits, de petits voyous des rues avec des notions mal assimilées d'idéologie marxiste ou de pseudo-hitlérisme.

Quelques groupes marginaux réussissaient parfois à faire sauter une bombe quelque part mais les cas étaient si rares, si mineurs que le peuple américain en avait à peine connaissance. Quand un groupe attaquait une banque ou un fourgon blindé pour se financer, le grand public se disait qu'on n'avait pas besoin d'être politiquement motivé pour ça, l'appât du gain suffisait. D'un chiffre record de cinquante et un incidents terroristes en 1982, le nombre était tombé à sept en 1985. Le Bureau avait réussi à traquer la plupart de ces petits groupes d'amateurs et à empêcher plus de vingt attentats l'année précédente, grâce à un bon réseau de renseignement et une action rapide. Fondamentalement, les petites cellules s'étaient perdues par leur propre ineptie.

Les Etats-Unis ne connaissaient pas de mouvements terroristes par idéologie, du moins pas dans le sens européen. Il y avait des groupes arméniens dont le principal objectif était l'assassinat de diplomates turcs, et les tenants de la suprématie blanche dans le Nord-Ouest mais dans les deux cas, la seule idéologie était la haine, celle des Turcs, des Noirs, des Juifs ou autres. Ils étaient mauvais mais pas réellement dangereux pour la société puisqu'il leur manquait un dessein politique partagé. Pour être vraiment efficaces, les membres d'un groupe de ce genre doivent partager plus que la haine. Les plus redoutables terroristes étaient les idéalistes, naturellement, mais les Etats-Unis ne constituaient pas un bon terrain pour les tenants du marxisme ou du nazisme. Quand les familles les plus pauvres ont la télévision en couleurs, qui le collectivisme pourrait-il séduire ? Comment déclencher la lutte des classes dans un pays qui n'en compte pas vraiment ? Ainsi, la plupart de ces petits mouvements avaient fini par s'apercevoir qu'ils nageaient dans un océan d'apathie. Ils étaient infiltrés avant même d'avoir réussi à se faire connaître et leur démantèlement donnait à peine lieu à un entrefilet de quelques lignes en bas de page onze.

Dans ce sens, le FBI était victime de ses propres succès. Il avait si bien fait son travail que la possibilité d'une activité terroriste aux Etats-Unis n'effrayait personne. Même l'affaire Ryan, comme on l'appelait, n'était considérée que comme un crime odieux. Le FBI lui-même, par principe, jugeait que le terrorisme était un crime sans aucune espèce de dimension politique qui aurait pu lui faire accorder une certaine respectabilité perverse. L'importance de ce distinguo n'était pas seulement sémantique. Puisque, de par leur nature, les terroristes s'attaquaient aux fondations de la société civilisée, la moindre bribe de respectabilité envers eux équivaudrait pour cette société à un suicide. Mais le FBI reconnaissait toutefois que ce n'était pas là des crimes crapuleux ordinaires. L'objectif des terroristes était infiniment plus dangereux. Pour cette raison, leurs crimes, qui normalement auraient été du ressort des polices locales, étaient immédiatement pris en charge par le gouvernement fédéral.

Shaw retourna encore une fois à la photo de « Constantin Duppens ». Ce serait trop demander à la caissière du supermarché de se rappeler précisément une tête parmi les centaines qu'elle voyait passer tous les jours, et de la désigner sur une vieille photo. Elle avait indiscutablement fait de son mieux et avait promis de ne parler à personne de l'aide qu'elle avait apportée. On avait une description des vêtements du suspect — certainement brûlés maintenant — et la fourgonnette était aux mains des forces de l'ordre. Elle avait été démontée pièce par pièce. Les experts avaient aussi identifié le type d'arme employé. C'était tout ce que l'on avait pour le moment. L'agent Bill Shaw ne pouvait qu'attendre des faits nouveaux. Un indicateur qui aurait des informations, un nouveau témoin qui se présenterait, à moins que l'équipe de techniciens qui y travaillait découvre quelque chose d'inattendu dans la camionnette. Shaw se conseilla la patience. En dépit de ses vingt-deux ans au FBI, il devait encore s'y forcer.

— Ah, zut, je commençais à aimer ta barbe, dit un des collègues d'Alexander Constantin Dobbens qui reprenait son travail.

341

— Ça démangeait trop. Je passais la moitié de mon temps à me gratter.

— Ouais, c'était pareil quand j'étais dans les sous-marins, reconnut son camarade. C'est différent, quand on est jeune.

— Parle pour toi, pépé ! s'exclama Dobbens en riant. Un vieux débris marié. C'est pas parce que tu as la chaîne aux pieds que je dois en faire autant.

— Tu devrais te ranger, Alex.

— Le monde est plein de trucs intéressants à faire et je ne les ai pas encore tous essayés !

Il était électrotechnicien à la Compagnie du gaz et d'électricité de Baltimore et travaillait généralement la nuit. Son emploi l'obligeait à passer beaucoup de temps sur la route, pour vérifier les installations et les équipes d'entretien. Alex était un garçon populaire qui ne craignait pas de se salir les mains et qui aimait sincèrement le travail physique que les ingénieurs sont souvent trop fiers pour effectuer. Il se disait homme du peuple. Son syndicalisme était un sujet d'irritation pour la direction, mais il était bon technicien et cela ne faisait pas de mal non plus qu'il ait la peau noire. Bon technicien, aimé de ses subordonnés et noir par-dessus le marché, c'était imbattable. Il avait pas mal recruté dans les minorités, aussi, et avait fait entrer à la compagnie une bonne douzaine d'excellents travailleurs. Quelques-uns avaient des antécédents douteux mais Alex avait tout aplani.

C'était souvent calme, le service de nuit, et comme toujours Alex avait apporté la première édition du *Baltimore Sun*. L'affaire avait déjà quitté la une et se retrouvait aux pages des faits divers locaux. Le FBI et la police routière, lut-il, poursuivaient leur enquête. Alex était stupéfait que la femme et la gosse aient survécu, ce qui témoignait, à son avis, de l'efficacité des ceintures de sécurité et de la qualité des ingénieurs de Porsche. Tant mieux, pensait-il d'ailleurs. Tuer une petite môme et une femme enceinte, il n'y avait vraiment pas de quoi se vanter. Ils avaient descendu le policier, et cela lui suffisait bien. Mais la perte du jeune Clark arrêté par les flics constituait une épine dans sa chair. *J'ai dit à ce petit con qu'il était trop exposé, là, mais non, il voulait éliminer toute la famille d'un coup.* Alex comprenait pourquoi, mais selon lui c'était un manque de réalisme. *Foutus diplômés de science politique, ils se figurent qu'on peut faire arriver quelque chose en le souhaitant assez fort !* Les techniciens savaient bien que ce n'était pas possible.

Dobbens se consola à la pensée que tous les suspects connus étaient blancs. Il avait commis une erreur, en agitant la main vers le pilote de l'hélicoptère. La fanfaronnade n'avait pas sa place dans l'activité

342

révolutionnaire, il le reconnaissait. Mais ce geste n'avait pas eu de conséquences. Les gants et le chapeau avaient privé les flics de tout signalement. Le plus drôle, c'était qu'en dépit de toutes les bavures, l'opération avait été un succès. Ce con de l'IRA, O' quelque chose, avait été chassé de Boston, la queue entre les jambes. Au moins, l'opération avait été politiquement saine. Ça, c'était une réussite.

Et la réussite lui permettrait de gagner ses éperons. Ses hommes et lui avaient fourni une aide experte à un groupe révolutionnaire établi. Il pouvait maintenant se tourner vers ses amis africains pour obtenir des fonds. Ils n'étaient pas africains, à sa propre façon de penser, mais ils aimaient s'appeler ainsi. Il aurait la possibilité d'attirer l'attention comme jamais aucun groupe révolutionnaire n'avait pu le faire ici. Et si, par exemple, il coupait l'électricité dans quinze Etats à la fois ? Alex Dobbens savait comment. C'était un moyen de frapper les gens là où cela leur ferait vraiment mal. L'Amérique était une société de choses, pensait-il. Et si ces choses cessaient de fonctionner ? Si le gouvernement corrompu se montrait incapable d'y remédier ? Que penserait le peuple ? Il n'en savait rien mais il était sûr qu'il y aurait du changement et le changement, c'était ce qu'il voulait.

19

Épreuves et surprises

— C'est un drôle d'oiseau, observa Owens.

Ce dossier était le résultat de trois semaines de travail. On aurait pu aller plus vite, naturellement, mais quand on ne voulait pas éveiller les soupçons de la personne surveillée, on se devait d'être circonspect.

Dennis Cooley était natif de Belfast, d'une famille catholique de la classe moyenne mais aucun de ses parents n'avait été pratiquant, ce qui était assez singulier dans une région où la religion définit à la fois la vie et la mort. Dennis était allé à la messe — une obligation quand on est élevé dans une école paroissiale — jusqu'à l'université ; il avait alors cessé tout à coup et n'avait jamais remis les pieds à l'église. Pas de casier judiciaire. Vierge. Pas même une petite mention dans le dossier d'une association soupçonnée. Etudiant, il avait louvoyé en marge de quelques groupes activistes mais n'en avait jamais fait partie, préférant évidemment ses études de littérature. Il avait obtenu son diplôme avec la plus haute mention. Quelques cours de marxisme, quelques-uns d'économie, toujours avec un professeur aux tendances nettement à gauche, constata Owens. Il renifla avec un certain mépris. Il y en avait bien assez de ceux-là, à la London School of Economics !

Pendant deux ans, on n'avait plus rien sur lui que des documents fiscaux, aucun dossier de police. Il travaillait dans la librairie de son père. De très discrets sondages à Belfast avaient seulement livré que toutes sortes de gens fréquentaient cette librairie, même des soldats de l'armée britannique, qui étaient arrivés là-bas à peu près au moment où Cooley avait terminé ses études. La vitrine avait été brisée une ou deux

344

fois par des bandes de protestants en maraude, mais rien de plus grave. Le jeune Dennis ne fréquentait pas beaucoup les pubs locaux, ne faisait partie d'aucune organisation religieuse, d'aucun club politique, d'aucune association sportive. « Il passait son temps à lire », avait dit quelqu'un aux inspecteurs. *Quelle sacrée révélation !* se dit Owens. *Un libraire qui lit...*

Et puis ses parents avaient été tués dans un accident de la route.

Owens fut frappé qu'ils soient morts d'une façon aussi banale. La rupture de freins d'un camion et leur Mini avait été écrasée, un samedi après-midi. C'était difficile de se souvenir que des gens mouraient « normalement » dans l'Ulster, qu'ils étaient tout aussi morts que ceux qui sautaient sur une bombe ou qui étaient abattus par des terroristes rôdant dans la nuit. Dennis Cooley avait touché l'argent de l'assurance et continué de diriger le magasin, après l'office funèbre discret à l'église locale. Quelques années plus tard, il avait vendu le fonds et s'était installé à Londres, ouvrant d'abord un magasin à Knightsbridge et, bientôt après, celui du passage où il était encore.

Les archives fiscales révélaient qu'il gagnait confortablement sa vie. Une vérification de son immeuble indiqua qu'il ne vivait pas au-dessus de ses moyens. Il était bien considéré par ses collègues. Son unique employée, Beatrix, qui travaillait avec lui à mi-temps, l'appréciait. Cooley n'avait pas d'amis, il ne fréquentait pas les pubs de son quartier — il buvait rarement, apparemment —, vivait seul et n'avait pas de préférences sexuelles connues. Il voyageait beaucoup pour ses affaires.

— Rien du tout. Ce type est un zéro, déclara Owens.

— Oui, répondit Ashley. Ça explique au moins où Geoff l'a connu. Il était lieutenant dans un des premiers régiments à être envoyés là-bas et il est probablement entré une ou deux fois dans la librairie. Vous savez quel bavard est Geoffrey. Ils ont sans doute commencé à parler de livres, Cooley ne s'intéresse qu'à ça.

— Oui, c'est ce qu'on appelle un rat de bibliothèque. Ou tout au moins c'est l'image qu'il cultive. Et ses parents ?

Ashley sourit.

— On se souvient d'eux comme de communistes. Rien de bien méchant mais nettement engagés, jusqu'à la révolte hongroise de 56. Cela les a désenchantés, semble-t-il. Ils ont continué à tenir des propos communistes mais leur activité politique s'est arrêtée là. A vrai dire, on les trouvait assez charmants mais bizarres. Ils encourageaient les enfants à lire, ce qui était une bonne politique commerciale, au moins. Payaient régulièrement leur facture au jour dit. A part ça, rien.

— Beatrix ?

— Elle n'est pas allée à l'université mais c'est une autodidacte de la littérature et de l'histoire de l'édition. Vit avec son vieux père, un sergent de la RAF à la retraite. Elle n'a aucune vie mondaine. Elle doit passer ses soirées à regarder la télévision en sirotant du Dubonnet. Elle déteste ostensiblement les Irlandais mais aime assez travailler pour « M. Dennis », parce que c'est un expert dans son domaine. Rien du tout de ce côté-là.

— Nous avons donc un marchand de livres rares avec une famille marxiste mais aucun lien connu avec un groupe terroriste, résuma Owens. Il était à l'université en même temps que notre ami O'Donnell, n'est-ce pas ?

— Oui, mais personne ne se souvient qu'ils se soient rencontrés. Kevin vivait à deux pas de la librairie mais, là encore, personne ne se rappelle s'il la fréquentait. Notez que cela remonte bien avant le temps où O'Donnell a attiré sérieusement l'attention ; donc, nous n'avons aucune documentation. Ils ont eu le même professeur d'économie. Il aurait pu être un témoin utile mais il est mort il y a deux ans, de mort naturelle. Leurs condisciples se sont dispersés aux quatre vents et nous n'en avons pas encore trouvé un qui les connaissait tous les deux.

Owens alla dans le coin de son bureau se verser une tasse de thé. *Un type avec des antécédents marxistes, fréquentant la même université qu'O'Donnell...* Malgré l'absence totale de rapports avec un groupe terroriste, cela méritait d'être étudié. Si l'on pouvait trouver la moindre chose suggérant que Cooley et O'Donnell se connaissaient, alors Cooley serait un chaînon vraisemblable. Cela ne voulait pas dire qu'il existait un indice permettant d'imaginer la réalité de ce maillon mais en plusieurs mois, on n'avait absolument rien trouvé d'approchant.

— Bon. Alors, David, que proposez-vous de faire ?

— Nous allons installer des micros clandestins dans son magasin et à son domicile et, naturellement, mettre ses lignes téléphoniques sur écoute. Quand il voyagera, il aura un compagnon.

Owens approuva. C'était plus qu'il ne pouvait faire légalement mais les services de sécurité obéissaient à d'autres lois que celles de la police métropolitaine.

— La mise sous surveillance de sa boutique ?

— Pas facile, quand on se rappelle où elle est. Quand même, nous pouvons toujours essayer de faire embaucher un de nos hommes par un des magasins voisins.

— Celui d'en face est une joaillerie, je crois ?

— Nicholas Reemer et Fils, oui. Le patron et deux employés.

Owens réfléchit.

346

— Je vais voir si je trouve un inspecteur spécialiste des cambriolages connaissant bien ce domaine...

— Bonjour, Jack, dit Cantor.
— Salut, Marty.

Ryan avait renoncé depuis quelques semaines à examiner les photos par satellite. Il essayait maintenant de découvrir des relations au sein du réseau terroriste. Quel groupe était en rapport avec quel autre. D'où leurs armes venaient. Où ils s'entraînaient. Qui les aidait pour cet entraînement. Qui leur fournissait de l'argent, des papiers. Quels pays ils utilisaient pour des transferts sûrs...

Le problème sur ces questions n'était pas le manque mais la pléthore de renseignements. Des milliers d'agents de la CIA, d'innombrables autres agents des services secrets occidentaux passaient le monde au peigne fin. Beaucoup — ressortissants étrangers recrutés et payés par l'Agence — transmettaient des rapports sur les rencontres les plus banales, dans l'espoir de dénicher le renseignement qui sonnerait le glas d'Abou Nidal, de la Djihad islamique ou de tout autre groupe important, contre une substantielle récompense. Il en résultait des milliers de communiqués, la plupart pleins d'un verbiage oiseux. Jack n'avait pas imaginé l'étendue de la tâche. Les hommes qui y travaillaient avaient tous du talent mais ils étaient submergés par un raz de marée de renseignements isolés qui devaient être examinés, évalués, collationnés et recoupés avant même d'être analysés. Certains des groupes n'étaient composés que d'une poignée de personnes, dans les cas extrêmes d'une seule famille.

— Marty, dit Jack en levant les yeux de ses papiers, c'est la chose la plus impossible que j'ai jamais vue !
— Peut-être mais je suis venu transmettre un bravo.
— Quoi !
— Vous savez, la photo satellite de la fille en bikini ?

Les Français pensent l'avoir identifiée. Françoise Théroux. Longs cheveux bruns, châssis superbe. Ça confirme que le camp appartient à Action Directe.

— Et qui est cette fille ?
— Une tueuse, répliqua Marty en montrant à Jack une photo prise à plus courte portée. Et une redoutable. Trois meurtres à son actif, supposés, deux hommes politiques et un industriel, tous au pistolet. Vous êtes un homme d'âge moyen, vous vous promenez dans la rue, vous voyez une jolie fille qui vous sourit ; elle vous demande peut-être son chemin ou quelque chose, et vlan, elle a un pistolet dans la main.

Jack regarda la photo. La fille n'avait pas l'air dangereux... une créature de rêve, le fantasme de tout homme.

— Comme nous disions à l'école, pas le genre de fille qu'on fait tomber de son lit. Bon dieu, dans quel monde vivons-nous, Marty ?

— Vous savez ça mieux que moi. Bref, on nous demande de garder un œil sur ce camp. Si nous la revoyons, les Français voudraient que nous leur transmettions la photo en temps réel.

— Ils vont la prendre en chasse ?

— Ils n'ont rien dit mais vous vous souvenez peut-être qu'ils ont des soldats au Tchad, à cinq, six cents kilomètres. Des unités aéroportées, avec des hélicoptères.

— Quel gaspillage !

— C'est sûr, reconnut Cantor en rempochant la photo. Comment se passe votre analyse ?

— Jusqu'à présent, je n'ai strictement rien. Les types qui font ça à plein temps...

— Ouais. Pendant un moment, ils faisaient le tour du cadran au boulot. Nous avons dû arrêter, ils se tuaient. L'informatique a été d'un certain secours. Une fois, selon les rapports, le chef d'un groupe apparaissait le même jour dans six aéroports différents. C'était de la connerie, naturellement. Mais de temps en temps nous tombons sur quelque chose de bon. Nous avons raté ce gars-là d'une demi-heure, en mars dernier à Beyrouth. Trente foutues petites minutes !

Trente minutes ! pensa Jack. *Si j'avais quitté mon bureau une demi-heure plus tôt, je serais mort. Comment est-ce que je pourrais m'habituer à ça ?*

— Qu'est-ce que vous lui auriez fait ?

— Nous ne lui aurions pas lu ses droits constitutionnels, répondit Cantor. Alors, avez-vous découvert des liens, des rapports ?

— Non. Cette ULA est trop petite. J'ai seize soupçons de contacts entre l'IRA et d'autres groupes, dont certains pourraient être nos gars, mais comment savoir ? Il n'y a pas de photos sur les documents, les signalements correspondraient à n'importe qui. Même quand nous avons un contact de l'IRA avec une bande à qui elle ne doit pas parler, en principe — et qui pourrait aussi bien être l'ULA — eh bien, *a*, notre information n'est pas garantie authentique et, *b*, ça pourrait être la première fois qu'ils ont des relations. Comment diable voulez-vous qu'on trouve un sens logique à ce fatras ?

— Eh bien, la prochaine fois qu'on demandera ce que fait la CIA contre le terrorisme, vous direz que vous ne savez pas, dit Cantor avec un sourire ironique. Ces gens que nous cherchons ne sont pas bêtes. Ils

348

savent ce qui se passera s'ils sont repérés. Même si nous ne le faisons pas nous-mêmes — ce que nous ne voudrons peut-être pas —, nous pouvons toujours tuyauter les Israéliens. Les terroristes sont des durs, une sale engeance, mais ils ne sont pas capables de résister à de vrais soldats et ils le savent très bien. C'est ce qu'il y a d'exaspérant. Mon beau-frère est commandant d'infanterie, il fait partie de la Force Delta, à Fort Bragg. Je les ai vus opérer. Ils sont capables de raser ce camp que vous avez examiné en moins de deux minutes, de tuer tout le monde et de disparaître avant que les échos se taisent. Ils sont redoutables, compétents, mais sans les renseignements voulus ils ne savent pas qui frapper. Même chose avec la police. Combien de hold-ups de banque réussiraient s'il y avait une équipe de policiers qui attendait à l'intérieur ? Mais il faut savoir où sont les bandits. Tout dépend des SR et les SR finissent par se résumer à une bande de bureaucrates anonymes qui pataugent dans un fatras d'informations. Les hommes qui recueillent les renseignements nous les donnent et nous les trions et les remettons à nos équipes sur le terrain. La bataille se livre ici aussi, Jack. Ici même, dans cet immeuble, par une bande de fonctionnaires qui rentrent tranquillement chez eux le soir.

Mais la bataille est en train de se perdre, pensa Jack. *Elle n'est certainement pas gagnée.*

— Où en est le FBI ?

— Rien de nouveau. La seule piste, c'est celle du Noir mais c'est comme s'il n'existait pas. Ils ont une mauvaise photo vieille de plusieurs années, un pseudonyme et pas d'empreintes. Le Bureau enquête sur tous les individus qui faisaient partie de groupes extrémistes — c'est curieux comme ils se sont presque tous rangés — mais sans succès jusqu'à présent.

— Et la bande qui est allée là-bas il y a deux ans ?

A l'époque, des membres de plusieurs groupements extrémistes américains avaient pris l'avion pour aller en Libye rencontrer des « éléments progressistes » du tiers monde. Les échos de cet événement se répercutaient encore dans le milieu terroriste.

Vous avez remarqué que nous n'avons pas de photos de Bengazi. Notre agent s'est fait avoir, un de ces horribles accidents. Ça lui a coûté la vie et, à nous, les photos. Heureusement, ils n'ont pas découvert pour qui il travaillait. Nous connaissons les noms de quelques personnes qui étaient là-bas mais pas de toutes.

— Le service des passeports ?

Cantor s'adossa contre le côté de la porte.

— Disons que M. X prend l'avion pour l'Europe, un Américain en vacances, ils sont des dizaines de milliers par mois. Il entre en contact avec quelqu'un, de l'autre côté, qui l'achemine pour le reste de son voyage sans passer par les procédures habituelles du contrôle de l'immigration. C'est facile, l'Agence elle-même le fait tout le temps. Si nous avions un nom, nous saurions s'il a quitté le pays au moment voulu. Ce serait un commencement, mais nous n'avons pas de nom.

— Nous n'avons rien du tout ! s'écria Ryan.

— Mais si. Nous avons tout ça, dit Cantor en désignant d'un grand geste la pile de papiers sur le bureau. Et tout ce qui va encore rentrer. Quelque part dans le tas, il y a la solution.

— Vous le croyez réellement ?

— Chaque fois que nous résolvons une affaire de ce genre, nous nous apercevons que nous avions toute l'information sous le nez depuis le début. Les commissions parlementaires nous harcèlent tout le temps à cause de ça. Là, au milieu de cette pile, il y a le départ d'une piste, Jack. C'est presque une certitude statistique. Mais vous avez sans doute deux ou trois cents de ces rapports, là, et il n'y en a qu'un seul qui compte.

— Je n'espérais pas de miracles mais je pensais tout de même avancer un peu, grommela Jack en prenant enfin conscience de l'énormité de la tâche.

— Vous avez avancé. Vous avez vu quelque chose qui avait échappé à tout le monde. Vous avez retrouvé Françoise Théroux. Alors maintenant, si un agent français voit quelque chose qui pourrait nous être utile, il nous le refilera tout de suite. Vous ne le savez peut-être pas, mais les SR internationaux fonctionnent selon le vieux système du troc. Si ce truc-là réussit, ils nous devront beaucoup. Ils tiennent à cette fille. Elle a descendu un ami de leur président et il a pris l'affaire à cœur. Enfin bref, vous avez un bravo de l'amiral et de la DGSE. Et le patron dit que vous devriez y aller plus doucement, au fait.

— J'irai plus doucement quand j'aurai trouvé ces salauds !

— Il faut parfois prendre du recul. Vous avez une mine de déterré. Vous êtes fatigué. La fatigue fait commettre des erreurs. Plus d'heures supplémentaires, Jack, ça aussi c'est un ordre de Greer. Vous partez d'ici à six heures.

Cantor repartit sans laisser à Ryan le temps de protester.

Il se retourna vers son bureau mais resta plusieurs minutes en contemplation devant le mur. Cantor avait raison. Il travaillait si tard que la moitié du temps il ne pouvait même pas faire un saut jusqu'à Baltimore pour voir comment allait sa fille. Il se justifia en se disant que sa femme était auprès d'elle tous les jours, qu'elle passait fréquemment la nuit à Hopkins pour rester près de Sally. *Cathy a son travail et j'ai le mien.*

Ainsi, dit-il au mur, j'ai fini par faire quelque chose de bien. Il savait bien que c'était un hasard, que c'était Marty qui avait établi le rapprochement, mais il était vrai aussi qu'il avait remarqué l'anomalie. Il pouvait en être fier. Il avait découvert une terroriste, mais malheureusement pas la bonne.

Avec un soupir, Jack se pencha de nouveau sur la pile pour chercher cet hypothétique renseignement précieux. Les hommes qu'il traquait étaient là, parmi ces papiers. Il devait les trouver.

— Salut, Alex, dit Miller en montant en voiture.

— T'as fait bon voyage ?

Cette fois il était allé en avion au Mexique, avait franchi la frontière en voiture et avait pris un vol national pour D.C., où Alex était venu le chercher. Dobbens remarqua qu'il avait gardé sa barbe, mais cela n'avait pas grande importance, personne ne l'avait trop vu.

— La sécurité à la frontière est une foutue rigolade.

— Ça te ferait plaisir qu'ils la renforcent ? rétorqua Alex. Parlons business.

La brusquerie du ton surprit Miller. *Te voilà bien fier, avec une seule opération dans la poche !* pensa-t-il.

Nous avons un autre boulot pour toi.

— Vous ne m'avez pas encore payé le dernier, mec.

Miller tendit un chéquier.

— Compte numéroté, banque des Bahamas. Je crois que la somme te conviendra.

Alex empocha le carnet de chèques.

— Je me sens mieux. Bon, cet autre boulot… J'espère que tu ne seras pas aussi pressé que l'autre fois ?

— Nous avons plusieurs mois pour le préparer.

— Je t'écoute.

Et Alex écouta en silence pendant dix minutes avant de s'écrier :

— Vous êtes complètement cinglés ou quoi ?

— Peux-tu obtenir les renseignements qu'il nous faut ?

— Le problème n'est pas là, Sean. Le problème, c'est de vous faire entrer et sortir tous. Pas moyen.

— C'est moi que ça regarde.

— Des clous ! Si mes gars sont dans le coup, ça me regarde aussi. Si ce con de Clark craque avec les flics, c'est un repaire grillé et moi avec !

— Mais il n'a pas craqué, n'est-ce pas ? C'est pour ça que nous l'avons choisi.

— Ecoute, ce que tu fais avec tes gens, je m'en fous. Mais ce qui arrive à mes gars, je ne m'en fous pas. Cette dernière petite partie que nous avons jouée pour toi était merdeuse, Sean.

— L'opération était politiquement saine, tu le sais bien. Tu as l'air d'oublier que l'objectif est toujours politique. Sur ce plan, ç'a été un succès total.

— Je n'ai pas besoin de toi pour me le dire ! riposta sèchement Alex de sa voix la plus intimidante ; Miller était un petit morveux orgueilleux mais Alex était sûr de pouvoir lui arracher la tête sans se donner de mal. T'as perdu un homme parce que tu as mis en jeu tes sentiments personnels. Je sais ce que tu penses ! C'était notre premier gros coup, hein ? Eh bien, petit, je crois que nous avons prouvé que nous en avions. Et je t'ai averti aussi sec dès le début que ton homme était trop exposé. Si tu m'avais écouté, tu n'aurais pas un mec dans le trou. Je sais que vos états de service sont assez impressionnants, mais ici c'est mon turf et je le connais bien.

Miller savait qu'il devait s'incliner. Il resta impassible.

— Alex, si nous n'étions pas satisfaits, nous ne reviendrions pas te chercher. Oui, vous en avez, assura-t-il en pensant *Sale foutu négro.* Alors, est-ce que tu peux obtenir les renseignements qu'il nous faut ?

— C'est sûr, si on y met le prix. Tu veux qu'on participe ?

— Nous ne savons pas encore, répondit franchement Miller.

Naturellement, la seule question, c'était l'argent. Foutus Américains.

— Si vous voulez de nous dans le coup, je veux participer au plan. Numéro un, je veux savoir comment vous allez entrer et sortir. Faudra peut-être que j'aille avec vous. Et si vous foutez encore mes conseils aux chiottes, cette fois, je laisse tout tomber et j'emmène mes gars.

— Il est un peu tôt pour en être certains mais ce que nous espérons arranger est vraiment très simple…

Pour la première fois depuis son arrivée, Sean obtint l'approbation d'Alex.

— Tu crois que tu peux organiser ça ? Chouette, je dois dire. Maintenant, parlons prix.

Sean nota un chiffre sur un bout de papier et le donna à Alex.

— Ça suffira ?

Les gens que l'argent intéressait étaient faciles à impressionner.

— Ah, dis donc, c'est sûr que j'aimerais bien avoir un compte dans ta banque, mec.

— Si cette opération réussit, tu l'auras.

— Blague à part ?

Miller hocha vigoureusement la tête.

— Accès direct. Possibilités d'entraînement. Assistance pour les passeports, les papiers, tout le bazar. Ton habileté la dernière fois a attiré l'attention. Nos amis aiment bien l'idée d'une cellule révolutionnaire active en Amérique. Quand peux-tu nous donner le renseignement ?

— La fin de la semaine, c'est assez tôt ?

— Tu peux faire ça si vite sans attirer l'attention ?

— Laisse-moi m'inquiéter de ça, répliqua Alex avec un sourire.

— Rien de nouveau de votre côté ? demanda Owens.

— Guère, avoua Murray. Nous avons une masse de pièces à conviction mais un seul témoin est incapable de nous donner une identité.

— Le recrutement local ?

— Rien encore. On dirait qu'ils ont appris la leçon de l'ULA. Pas de manifeste, pas de revendications. Les agents que nous avons infiltrés dans d'autres groupes gauchistes, ceux qui existent encore, ont fait chou blanc. Nous y travaillons encore, nous avons beaucoup d'argent dans la rue, mais jusqu'à présent ça n'a rien rapporté, avoua Murray, et il prit un temps. Mais ça va changer. Bill Shaw est un génie, un des vrais cerveaux que nous avons au Bureau. Il y a quelques années, on l'a fait passer du contre-espionnage au terrorisme et il a fait un boulot réellement impressionnant. Quoi de neuf du côté de chez vous ?

— Je ne peux pas entrer dans les détails, répondit Owens, mais il se peut que nous ayons eu un petit coup de chance. Nous sommes en train de voir si ça tient. Ça, c'est la bonne nouvelle. La mauvaise, c'est que Son Altesse Royale se rend en Amérique l'été prochain. Pas mal de personnes ont été informées de son itinéraire, dont six qui figurent sur notre liste de suspects possibles.

— Comment diable avez-vous pu laisser faire ça, Jimmy ?

— Personne ne m'a demandé mon avis, Dan. D'autre part, si ces gens n'avaient pas été informés ça leur aurait justement mis la puce à l'oreille. On ne peut pas cesser de faire confiance aux gens du jour au lendemain, n'est-ce pas ? Pour le reste, une secrétaire a mis les projets sur la liste ordinaire sans consulter la sécurité. Il y a toujours quelqu'un qui n'a pas reçu la consigne.

Un état de choses qui n'était nouveau pour aucun des deux hommes.

— Bon, tirons un trait. Annulons tout et laissons-le attraper la grippe ou quelque chose, le moment venu.

— Le prince n'acceptera jamais. A ce sujet, il est intransigeant. Il ne permettra pas que sa vie personnelle soit perturbée par une menace terroriste.

— On ne peut qu'admirer son courage mais...

— Effectivement, reconnut Owens, ça ne nous facilite pas la tâche.

— Les projets de voyage sont bien arrêtés ? demanda Murray pour en revenir au sujet.

— Quelques étapes de l'itinéraire sont encore en suspens mais la majorité sont fixées. Nos agents de la sécurité vont s'entendre avec les vôtres à Washington. Ils prennent l'avion la semaine prochaine.

— Au moins, vous savez que vous aurez toute la coopération que vous voudrez, le Secret Service, le Bureau, la police locale, tout le bazar. Nous prendrons bien soin de lui, assura Murray. Sa femme et lui sont assez populaires, chez nous. Est-ce qu'ils emmèneront le bébé ?

— Non. Sur ce plan, nous avons pu lui faire entendre raison.

— Bien. J'appellerai Washington demain et je ferai accélérer les choses. Qu'est-ce qui se passe avec notre ami Ned Clark ?

— Rien encore. Ses collègues lui mènent manifestement la vie dure mais il est bien trop con pour craquer.

Murray hocha la tête. Il connaissait le genre.

Ryan avait accepté une invitation à une conférence donnée à l'université de Georgetown. Malheureusement, ce fut décevant. Le professeur David Hunter était l'enfant terrible de Columbia, la plus haute autorité américaine sur les affaires d'Europe orientale. L'année précédente, il avait publié une étude pénétrante, *Revolution Postponed*, des problèmes politiques et économiques de l'empire soviétique et Ryan, comme tant d'autres, était curieux d'avoir de nouvelles informations à ce sujet. Mais la conférence n'apporta rien de nouveau sinon la surprenante suggestion, à la fin, que les pays de l'OTAN devraient se montrer plus agressifs en tentant de séparer l'Union soviétique de ses satellites. Ryan jugeait que c'était de la folie, même si cela garantissait des discussions animées.

A la fin de la conférence, il se dirigea rapidement vers le buffet. Il avait sauté son dîner pour arriver à l'heure. Jack remplit son assiette aussi patiemment qu'il le put avant de se réfugier dans un coin calme, près des ascenseurs, laissant d'autres entourer le professeur Hunter. Dans l'ensemble, il était heureux de se retrouver à Georgetown, ne fût-ce que pour quelques heures. La « Galleria » de l'Intercultural Center contrastait vivement avec le terne négligé de la CIA. L'atrium de trois étages dans le bâtiment des langues était bordé par les fenêtres des bureaux et orné d'une paire d'arbres en caisses qui atteignaient presque la coupole vitrée du plafond. L'esplanade, sur le devant, était pavée de briques — les étudiants l'appelaient la Place Rouge. A l'ouest, c'était le vieux cimetière où reposaient les prêtres qui avaient enseigné là pendant près de deux siècles. C'était un décor éminemment culturel, à part les hurlements discordants des avions à réaction décollant de National Airport, à quelques kilomètres en aval.

Juste au moment où il terminait ses hors-d'œuvre, Ryan se sentit bousculé.

— Excusez-moi, professeur.

Il se retourna et vit un homme plus petit que lui, à la figure rubiconde, en costume mal coupé. Ses yeux bleus pétillaient d'amusement et il parlait avec un accent prononcé.

— La conférence vous a-t-elle plu ?

— C'était très intéressant, répondit Ryan sans se compromettre.

— Ah ! Je vois que les capitalistes savent aussi bien mentir que nous autres, pauvres socialistes.

L'homme avait un grand rire jovial, communicatif, mais il y avait autre chose que de l'amusement dans ses yeux. Ils étaient calculateurs. Déjà, l'homme déplaisait à Jack.

— Est-ce que nous nous connaissons ?

— Serguei Platonov. Troisième secrétaire à l'ambassade soviétique. Il est possible que ma photo à Langley ne me flatte pas.

Un Russe, pensa Ryan en essayant de ne pas avoir l'air surpris, *qui sait que j'ai travaillé à la CIA.* Troisième secrétaire, cela pouvait fort bien vouloir dire KGB, peut-être spécialiste de l'espionnage diplomatique, ou membre du service étranger... comme s'il y avait une différence ! Un agent de renseignement « légal » avec une couverture diplomatique. Jack se demanda ce qu'il devait faire. Avant tout, il savait qu'il aurait à rédiger un rapport pour la CIA, le lendemain, en expliquant comment ils s'étaient rencontrés et de quoi ils avaient parlé. Une heure de travail, peut-être. Il dut faire un effort pour être poli.

— Vous devez confondre, monsieur Platonov. Je suis professeur d'histoire. Je travaille à l'Académie navale d'Annapolis. J'ai été invité parce que j'ai fait mes études ici.

— Non, non, assura le Russe en secouant la tête. Je vous ai reconnu d'après votre photo, sur la jaquette de votre livre. Figurez-vous que j'en ai acheté dix exemplaires, l'été dernier.

Ryan fut de nouveau surpris mais incapable de le cacher.

355

— Vraiment ? Mon éditeur et moi vous remercions.

— Notre attaché naval s'y est beaucoup intéressé, professeur Ryan. Il pense qu'il devrait être porté à l'attention de l'académie Frunze et aussi, je crois, de l'académie navale Gretchko de Leningrad, dit Platonov en déployant tout son charme devant Ryan qui resta sur la défensive. Pour être tout à fait franc, je n'ai fait que parcourir votre ouvrage. Il m'a paru très bien construit et l'attaché me dit que votre analyse est tout à fait exacte.

Jack essaya de ne pas se sentir exagérément flatté mais c'était difficile. Frunze était la grande école militaire soviétique, celle des futurs officiers d'état-major destinés à devenir des vedettes. L'académie Gretchko était à peine moins prestigieuse.

— Serguei Nicolayevitch ! tonna une voix familière. Ce n'est pas *kulturny* d'encourager la vanité des jeunes auteurs sans défense.

Le père Timothy Riley vint se joindre à eux. Ce jésuite trapu était à la tête du département d'histoire de Georgetown au temps où Ryan y passait son doctorat. C'était un cerveau brillant avec plusieurs livres à son actif dont deux ouvrages pénétrants sur l'histoire du marxisme ; aucun de ces deux-là, Ryan en était certain, n'avait trouvé de place dans la bibliothèque de Frunze.

— Comment va la famille, Jack ?

— Cathy s'est remise au travail, mon père. On a transféré Sally à Hopkins. Avec un peu de chance, nous l'aurons à la maison au début de la semaine prochaine.

— Elle va se remettre tout à fait, votre petite fille ? demanda Platonov. J'ai lu dans le journal l'attentat contre votre famille.

— Nous l'espérons bien. A part l'ablation de la rate, il ne semble pas y avoir de dégâts permanents. Le médecin dit qu'elle se rétablit très bien et maintenant qu'elle est à Hopkins, Cathy peut la voir tous les jours.

Ryan montrait plus de fermeté qu'il n'en éprouvait. Sally était devenue différente. Ses jambes n'étaient pas encore tout à fait guéries mais surtout le pire c'était que l'enfant joyeuse et bondissante était devenue triste. Elle avait appris ce que Ryan avait espéré lui cacher pendant quelques années encore, que le monde est dangereux même quand on a un papa et une maman pour veiller sur vous. Une dure leçon pour un petit enfant, plus dure encore pour les parents. *Mais elle est vivante*, se répétait Jack, sans avoir conscience de son expression. Avec du temps et de l'amour, on se remet de tout, sauf de la mort. Les médecins et les infirmières de Hopkins la soignaient comme leur propre enfant. C'était l'avantage d'avoir un médecin dans la famille.

356

— Terrible, terrible, reprit Platonov avec un dégoût apparemment sincère. Terrible d'attaquer des innocents, sans raison.

— Vraiment, Serguei ? dit Riley de la voix astringente que Ryan avait si bien connue ; quand il le voulait, le père « Tim » avait une langue capable de scier du bois. Il me semble pourtant me souvenir que votre Lénine disait que le but du terrorisme était de terroriser et que la pitié est aussi répréhensible chez un révolutionnaire que la lâcheté sur le champ de bataille.

— Les temps étaient durs, bon père, dit suavement le Russe. Mon pays n'a rien à faire avec ces fous de l'IRA. Ce ne sont pas des révolutionnaires, en dépit de leurs proclamations. Ils n'ont aucune éthique révolutionnaire. C'est de la démence, ce qu'ils font. Les classes ouvrières devraient s'allier pour lutter ensemble contre l'ennemi commun qui les exploite au lieu de s'entretuer. Les deux camps du conflit sont les victimes des patrons qui profitent de leur rivalité. Ils sont des bandits, pas des révolutionnaires, conclut-il, distinction qui échappa totalement à ses interlocuteurs.

— Peut-être, mais si jamais je mets la main sur l'un d'eux, je leur donnerai une leçon de justice révolutionnaire, déclara Jack heureux d'exprimer sa haine, pour une fois.

— Vous n'avez absolument aucune sympathie pour eux ? insinua Platonov. Après tout, vous êtes apparenté aux victimes de l'impérialisme britannique. Est-ce que votre famille n'a pas fui en Amérique pour y échapper ?

Ryan fut pris de court par cette réflexion. Elle lui parut incroyable, jusqu'à ce qu'il comprît que le Russe guettait en fait sa réaction.

— Ou peut-être les victimes directes de l'impérialisme soviétique, rétorqua-t-il. Ces deux types de Londres étaient armés de Kalachnikov. Ainsi que ceux qui ont attaqué ma femme, prétendit-il. On n'achète pas cela chez le quincaillier du coin. Que vous le reconnaissiez ou non, la plupart des terroristes là-bas se disent marxistes. Cela fait d'eux vos alliés, pas les miens, et il semble donc que ce ne soit pas une coïncidence s'ils emploient des armes soviétiques.

— Savez-vous combien de pays fabriquent des armes de conception soviétique ? Il est tristement inévitable que certaines tombent entre de mauvaises mains.

— Quoi qu'il en soit, ma sympathie pour leur but est... disons limitée par le choix de leur technique. On ne peut pas bâtir un pays civilisé sur des bases criminelles. Même si certains peuples ont essayé.

— Il vaudrait mieux que le monde évolue avec des moyens plus pacifiques, dit Platonov sans relever l'allusion tacite à l'Union soviéti-

357

que. Mais les nations sont nées dans le sang, même la vôtre, c'est une réalité historique. Au fur et à mesure qu'ils se développent, les Etats mûrissent et se détachent d'un tel comportement. Ce n'est pas facile mais je crois que nous reconnaissons tous la valeur d'une existence paisible. Pour ma part, je comprends vos sentiments, professeur Ryan. J'ai deux beaux garçons et j'avais aussi une fille, Nadia. Elle est morte il y a longtemps, à l'âge de sept ans, de leucémie. Je sais que c'est très dur de voir souffrir son enfant, mais vous êtes plus heureux que moi. Votre fille vivra. Nous sommes en désaccord sur beaucoup de choses, mais tout homme aime ses enfants, déclara-t-il d'une voix suave avant de changer de ton encore une fois. Alors! Qu'avez-vous réellement pensé du petit discours du professeur Hunter? Est-ce que l'Amérique doit chercher à fomenter la contre-révolution dans les Etats socialistes d'Europe?

— Vous devriez poser la question au Département d'Etat. Je n'y connais rien. J'enseigne l'histoire navale, je vous l'ai dit. Mais si c'est une opinion personnelle que vous voulez, je ne vois pas comment nous pouvons encourager des populations à se révolter alors que nous n'avons aucun espoir de les aider directement quand votre pays réagit.

— Ah, très bien! Vous comprenez que nous devons agir pour protéger nos frères socialistes de l'agression.

— Je ne considère pas comme une agression la recherche de sa propre liberté, monsieur Platonov. J'étais agent de change avant de passer mon doctorat d'histoire et cela ne m'a guère préparé à sympathiser avec votre point de vue politique. Ce que je veux dire, c'est que votre pays a eu recours à la puissance militaire pour écraser les sentiments démocratiques en Tchécoslovaquie et en Hongrie. Encourager les gens à se suicider est à la fois immoral et contre-productif.

— Ah! Mais qu'en pense votre gouvernement? demanda le Russe avec un nouvel éclat de rire jovial.

— Je suis historien, pas devin. Dans cette ville, tout le monde travaille pour le *Post*. Demandez-leur.

— Vous savez, reprit le Russe, notre attaché naval aimerait beaucoup vous connaître et vous parler de votre livre. Nous donnons une réception à l'ambassade, le 10 du mois prochain. Pourrez-vous y assister, votre femme et vous?

— Je suis désolé mais pendant les prochaines semaines, j'ai l'intention de rester chez moi en famille. Ma petite fille a besoin de moi, en ce moment.

Le diplomate ne se laissa pas désarçonner.

— Oui, bien sûr, je le comprends. Une autre fois, peut-être?

358

— C'est ça, téléphonez-moi donc cet été.

Il veut rire, ou quoi ? se demanda Jack.

— Volontiers. Et maintenant, si vous voulez bien m'excuser, j'aimerais m'entretenir avec le professeur Hunter.

Le diplomate leur serra la main et alla rejoindre le groupe d'historiens suspendus aux lèvres du conférencier. Ryan se tourna vers le père Riley, qui avait observé l'échange de propos en silence, tout en buvant son champagne.

— Un type intéressant, Serguei, dit le jésuite. Il adore frapper pour guetter des réactions. Je me demande s'il croit vraiment à son système ou s'il joue le jeu pour marquer des points...

Ryan avait une question plus pertinente.

— Qu'est-ce que vous avez pensé de tout ça, mon père ?

— Vous êtes étudié, Jack.

— Pourquoi ?

— Vous n'avez pas besoin de moi pour le comprendre. Vous travaillez à la CIA. Si je ne me trompe pas, l'amiral Greer vous veut en permanence dans son équipe personnelle. Marty Cantor a accepté pour l'année prochaine un poste à l'université du Texas et vous êtes un des candidats pour sa place. Je ne sais pas si Serguei le sait mais il a voulu un peu vous sonder. Ça arrive tout le temps.

— Le poste de Cantor ? Mais... personne ne m'en a rien dit !

— Le monde est plein de surprises. On n'a probablement pas encore terminé l'enquête en profondeur sur vous et vos antécédents, et l'offre ne sera pas faite avant qu'on sache tout. Je suppose que l'information que vous examinez est encore assez limitée ?

— Je ne peux pas en parler, mon père.

— C'est bien ce que je pensais, dit le prêtre en souriant. Le travail que vous avez fait là-bas a impressionné les responsables. Si je vois bien les choses, ils vont vous mettre gentiment dans le coup. C'est votre fameux « piège à canari », vous comprenez. Ce truc a vraiment impressionné beaucoup de monde.

— Comment savez-vous tout cela ? s'exclama Ryan, surpris par ce qu'il venait d'entendre.

Le père Riley alla se chercher un autre verre de champagne.

— Comment croyez-vous que vous soyez arrivé là-bas, Jack ? A qui croyez-vous devoir cette bourse du Centre d'études stratégiques et internationales ? D'après ce que j'ai dit, Marty a jugé l'été dernier que vous méritiez d'être étudié et vous avez donné les meilleures preuves de ce qu'on attendait de vous. Il y a pas mal de monde, en ville, qui respecte mon opinion, vous savez.

— Ah ! fit Ryan, et il ne put réprimer un sourire.

Il avait oublié une caractéristique essentielle de la Société de Jésus : ils connaissent tout le monde, ainsi ils savent tout. Le président de l'université faisait partie des clubs Cosmos et University, ce qui le mettait en contact avec les plus importantes personnalités de Washington. Les rencontres se déroulaient généralement ainsi : un homme avait besoin de conseils, pour une affaire, et comme il ne désirait pas consulter les personnes travaillant avec lui il tentait d'en discuter avec un ecclésiastique. Personne n'était plus qualifié pour cela qu'un jésuite, méticuleusement instruit et bien au courant des choses de la vie. Comme tous les hommes d'Eglise, ils savaient tous écouter. La Société se montrait ainsi habile à recueillir des renseignements.

Quand saint Ignace de Loyola avait fondé l'ordre, cet ancien soldat n'avait que deux intentions : envoyer des missionnaires dans le monde et construire des écoles. Les deux missions avaient remarquablement réussi. L'influence de l'éducation des bons pères ne se perdait jamais. Les collèges et les universités enseignaient à leurs élèves la philosophie, l'éthique et la théologie — des matières obligatoires — pour leur aiguiser l'esprit. Depuis des siècles, les Jésuites façonnaient des « hommes pour les autres », en exerçant une espèce de pouvoir temporel invisible, principalement pour le bien. Les facultés intellectuelles du père Riley étaient bien connues et son opinion était recherchée, comme celle de tout autre universitaire éminent, mais il possédait en plus l'autorité morale d'un grand théologien.

— Nous ne présentons aucun risque pour la sécurité, Jack, dit-il avec bienveillance. Pouvez-vous imaginer que l'un de nous soit un agent communiste ? Alors, est-ce que le poste vous intéresse ?

Ryan regarda son reflet dans une fenêtre.

— Je ne sais pas... Cela m'obligerait à passer moins de temps avec ma famille. Nous attendons un autre enfant pour cet été, vous savez.

— Félicitations. Voilà une bonne nouvelle ! Je sais que vous êtes un bon père de famille, Jack. Le poste exigerait des sacrifices, mais vous y feriez du bon travail.

— Vous croyez ?

— J'aime mieux voir des hommes comme vous, là-bas, plutôt que d'autres que je connais. Vous êtes intelligent, Jack. Vous savez prendre des décisions. Mais, surtout, vous avez des principes, des valeurs. Je suis de ces gens qui pensent que c'est encore important, dans ce monde, quel que soit l'état navrant des choses.

— Elles deviennent assez navrantes, il est vrai, mon père.

— Etes-vous près de les retrouver ?

— Pas près du tout..., commença Jack, et il s'interrompit mais trop tard. Vous avez assez bien joué ce coup-là !

— Je ne voulais pas donner cette impression, assura très sincèrement le père Tim. Le monde serait meilleur s'ils étaient mis à l'ombre. Il doit y avoir quelque chose de faussé dans leur entendement. C'est difficile de comprendre comment quelqu'un peut délibérément s'attaquer à de petits enfants.

— On n'a pas vraiment besoin de les comprendre, mon père. Il suffit de savoir où les trouver.

— Cela regarde la police, les tribunaux et un jury. C'est pour ça que nous avons des lois, Jack, dit Riley avec douceur.

Ryan se tourna de nouveau vers la fenêtre. Il contempla son image et se demanda ce qu'il voyait, dans le fond.

— Mon père, vous êtes un homme bon mais vous n'avez jamais eu d'enfants. Je peux pardonner à un homme qui m'attaque mais jamais à quelqu'un qui a cherché à faire du mal à ma petite fille. Si je le retrouve... Ah, merde, je ne le trouverai pas... mais j'aimerais beaucoup !

Jack s'adressait à son reflet. Oui, fit l'image.

— Ce n'est pas bon, la haine. Elle peut vous faire faire des choses que vous regretterez, des choses qui transformeraient ce que vous êtes.

Ryan se retourna, en pensant à cet homme qu'il venait de regarder.

— C'est peut-être déjà fait...

20
Informations

C'était d'un ennui mortel. Owens avait l'habitude de lire des rapports de police, des transcriptions d'interrogatoires et, pis que tout, des documents des services de renseignement, mais cette bande enregistrée était encore plus assommante. Le microphone que les services de sécurité avaient caché dans la boutique de Cooley était assez sensible pour enregistrer n'importe quel bruit. Owens regrettait bien ce perfectionnement, car Cooley fredonnait beaucoup. L'inspecteur chargé de l'écoute avait laissé sur la bande plusieurs minutes d'affreuse cacophonie atonale, pour que son chef sache bien ce qu'il avait eu à subir. La sonnette tinta enfin.

Owens entendit le bruit, rendu métallique par le système d'enregistrement, de la porte qui s'ouvrait et se refermait, puis le grincement du fauteuil à pivot de Cooley sur le plancher. Il devait avoir besoin d'une goutte d'huile, pensa Owens. Puis ce fut la voix de Cooley.

« *Bonjour, monsieur !*

— *Bonjour, bonjour. Alors, avez-vous fini le Marlowe ?*

— *Oui, monsieur.*

— *Et quel est le prix ?* »

Cooley ne le donna pas à haute voix mais Ashley avait dit à Owens que le libraire ne donnait jamais un prix tout haut. Il remettait à ses clients une fiche. C'était, pensait Owens, un moyen d'éviter le marchandage.

« *C'est très cher, vous savez, répondit la voix de Watkins.*

— *Je pourrais en obtenir davantage mais vous êtes un de mes meilleurs clients* », répliqua Cooley.

Le soupir s'entendit à l'enregistrement.

« *Très bien. Il les vaut.* »

La transaction fut tout de suite conclue. On put entendre le bruit de billets de banque neufs que l'on comptait.

« *Il se peut que je reçoive quelque chose de nouveau, d'une collection de Kerry, dit ensuite le libraire.*

— *Ah ?* »

Il y avait de l'intérêt dans cette réponse.

« *Oui, une première édition dédicacée des* Grandes Espérances. *Je l'ai vue à mon dernier voyage. Est-ce que cela vous intéresserait ?*

— *Dédicacée ?*

— *Oui, monsieur, par " Boz " lui-même. Je sais bien que la période victorienne est un peu récente par rapport à vos acquisitions habituelles mais la signature de l'auteur...*

— *C'est certain. J'aimerais le voir, naturellement.*

— *Cela peut s'arranger.* »

— A ce moment, dit Owens à Ashley, Watkins s'est penché et notre homme dans la joaillerie l'a perdu de vue.

— Il a donc pu passer un message.

— C'est possible.

Owens arrêta le magnétophone. Le reste de la conversation était sans intérêt.

— La dernière fois qu'il était en Irlande, Cooley n'est pas allé dans le comté Kerry. Il est resté tout le temps à Cork. Il a rendu visite à trois libraires, spécialistes de livres rares, a passé la nuit dans un hôtel et a bu quelques pintes dans un pub local, rapporta Ashley.

— Un pub ?

— Oui, en Irlande il boit.

— Est-ce qu'il aurait rencontré quelqu'un, là ?

— Impossible de le savoir. Notre homme n'était pas assez près. Il avait l'ordre d'être discret et il a réussi à ne pas se faire repérer, dit Ashley, puis il garda le silence un moment, en réfléchissant à un détail de l'enregistrement. Il m'a semblé qu'il payait le livre en espèces.

— C'est exact, et c'est anormal. Comme tout le monde, il se sert de chèques et de cartes de crédit pour la majorité de ses transactions. Sa banque ne voit passer aucun chèque au nom de cette librairie mais de temps en temps, il retire des sommes importantes en espèces. Elles peuvent avoir ou non un rapport avec ces achats-là.

— Bizarre, murmura Ashley.

— Les chèques portent des dates.

— Peut-être..., dit Ashley sans conviction, mais il avait vu plus insolite, au cours de sa carrière. Hier soir, j'ai jeté un nouveau coup d'œil aux états de service de Geoff. Savez-vous que lorsqu'il était en Irlande, quatre hommes de son peloton ont été tués ?

— Comment ? Eh bien, ça en fait un bon candidat pour notre enquête ! dit Owens en pensant que ce n'était pas une bonne nouvelle.

— C'est ce que je me suis dit. J'ai demandé à un de nos gars en Allemagne — son ancien régiment est affecté là-bas en ce moment — d'interroger un peu des camarades de Watkins. Un type qui commandait un peloton dans la même compagnie, lieutenant-colonel maintenant. Il dit que Geoff avait très mal pris la chose, qu'il avait vociféré en répétant qu'ils n'étaient pas là où il fallait, qu'ils ne faisaient pas leur devoir, qu'ils perdaient inutilement des hommes, etc. Ça éclaire les choses d'un jour nouveau, vous ne trouvez pas ?

— Encore un de ces lieutenants qui pensent avoir la solution du problème, grommela Owens en reniflant.

— Oui. Nous partons et nous laissons les foutus Irlandais se débrouiller entre eux. Ce sentiment n'est pas précisément rare dans l'armée, vous savez.

Ce n'était pas non plus un sentiment rare dans le reste de l'Angleterre, Owens le savait bien.

— Malgré tout, c'est plutôt maigre, comme mobile.

— Mieux que rien du tout.

— Hum... Qu'est-ce que ce colonel vous a encore dit, sur votre bonhomme ?

— Le temps de service de Geoff a été plutôt animé, dans la région de Belfast. Ses hommes et lui en ont vu de dures. Ils étaient là quand l'armée a été accueillie à bras ouverts par les catholiques, et ils étaient là quand la situation s'est retournée. C'était un sale temps pour tout le monde.

— Ce n'est quand même pas grand-chose. Nous avons un ancien officier subalterne, aujourd'hui diplomate, qui n'aimait pas être stationné en Irlande du Nord ; il se trouve qu'il achète des livres rares à un type qui a été élevé là-bas et qui a maintenant un commerce tout ce qu'il y a de plus licite dans le centre de Londres. Vous savez ce que dirait n'importe quel avocat : pure coïncidence. Nous n'avons pas le moindre début d'indice. Les antécédents de ces deux hommes sont assez purs pour leur valoir la canonisation.

— C'est pourtant eux que nous cherchons, insista Ashley.

— Je sais.

Owens se surprit lui-même en répondant cela. Son professionnalisme lui disait que c'était une erreur, son instinct lui affirmait le contraire. Ce n'était pas un sentiment nouveau, pour le chef du C-13, mais qui le mettait toujours mal à l'aise. Si son instinct le trompait, il perdait son temps, il s'intéressait à des individus qui ne comptaient pas. Mais son instinct ne le trompait pratiquement jamais.

— Vous connaissez les règles du jeu. Je n'ai même pas ici de quoi m'adresser au préfet. Il me flanquerait à la porte de son bureau à coups de pied dans le train et il aurait raison. Nous n'avons rien que des soupçons sans fondement.

Les deux hommes se dévisagèrent pendant plusieurs secondes.

— Je n'ai jamais voulu être un flic, dit Ashley avec un sourire, en secouant la tête.

— Je n'ai pas réalisé mon rêve non plus. A six ans, je voulais conduire des locomotives mais mon père a déclaré qu'il y avait assez de cheminots dans la famille, alors je suis devenu flic.

Ils rirent tous les deux. Il n'y avait rien d'autre à faire.

— Je vais accroître la surveillance des voyages de Cooley à l'étranger, dit enfin Ashley. Je ne crois pas qu'il y ait encore grand-chose à faire de votre côté. Nous devons attendre qu'ils commettent une bourde. Tôt ou tard, ils en commettent tous.

— Mais assez tôt ?

Telle était la question.

— Voilà, déclara Alex.

— Comment est-ce que vous vous êtes procuré tout ça ? demanda Miller avec stupéfaction.

— Routine, mec. Les compagnies d'électricité prennent constamment des photos aériennes de leur territoire. Elles nous aident pour nos inspections. Et là, dit le Noir en plongeant dans sa serviette, j'ai une carte topographique. Voilà ton objectif, petit.

Alex tendit à Sean une loupe empruntée à sa compagnie. La photo était en couleurs, prise par une journée ensoleillée. On distinguait la marque des voitures. Elle devait dater de l'été dernier, l'herbe venait d'être coupée...

— Quelle est la hauteur de cette falaise ?

— Assez pour que tu n'aies pas envie d'en tomber. Et instable, aussi. Je ne me souviens plus en quoi elle est, du grès ou je ne sais quoi, de la roche friable, faut faire attention. Tu vois ces barrières pour pas s'approcher du bord, là ? Nous avons le même problème avec notre centrale nucléaire de Calvert Cliff. C'est la même structure géologique et il a fallu un sacré travail pour donner à l'usine des fondations solides.

— Il n'y a qu'une seule route d'accès, remarqua Miller.

— Oui, et sans issue. Ça, c'est un problème. Nous avons des ravines ici et là. Note que les lignes électriques passent à travers champs, depuis cette route là-bas. On dirait qu'il y avait là un vieux chemin de ferme mais ils l'ont laissé envahir par les herbes. Ça va être utile.

— Comment ? Personne ne peut s'en servir.

— Je te dirai ça plus tard. Vendredi, nous allons à la pêche, tous les deux.

— Quoi ? s'exclama Miller en se redressant, tout étonné.

— Tu veux voir la falaise de tes yeux, pas vrai ? Et d'ailleurs, c'est la belle saison pour la truite de mer. J'adore la truite de mer.

Les visites de Jack au stand de tir étaient moins fréquentes, à présent ; il y allait surtout le matin avant ses cours. L'incident au portail avait au moins appris aux marines et aux gardes civils que leur présence était précieuse et trois d'entre eux étaient également là pour s'entraîner avec leurs armes d'ordonnance. Breckenridge avait installé des cibles-silhouettes. Jack appuya sur le bouton pour faire avancer la sienne. Ses balles étaient toutes groupées en plein centre.

— Pas mal, prof, dit derrière lui le sergent-major. Si vous voulez, nous pouvons organiser une compétition.

Ryan secoua la tête. Il devait encore aller prendre une douche, après son jogging matinal.

— Je ne fais pas ça pour la marque, Gunny.

— Quand est-ce que la petite va rentrer à la maison ?

— Mercredi prochain, j'espère.

— C'est bien, ça. Qui c'est qui va s'occuper d'elle ?

— Cathy prend quelques semaines de congé.

— Ma femme m'a demandé si vous auriez besoin d'aide.

Jack fut étonné.

— Sissy, la femme du commandant Jackson, va venir presque tout le temps. Mais remerciez beaucoup votre femme de notre part, Gunny. C'est vraiment très gentil de le proposer.

— Pensez-vous, rien du tout. Vous avez des chances de les avoir, ces salauds ?

Les petits sauts quotidiens de Ryan à la CIA n'étaient un secret pour personne, apparemment.

— Pas encore.

— Bonjour, Alex, dit le chef des travaux sur le terrain. Vous partez bien tard, aujourd'hui. Qu'est-ce que je peux faire pour vous ?

366

Bert Griffin arrivait toujours tôt mais il voyait rarement Dobbens qui rentrait généralement chez lui à 7 heures du matin.

— J'examinais ce nouveau transformateur Westinghouse.

— Le travail de nuit devient ennuyeux ? demanda Griffin en souriant.

C'était un moment assez calme, pour la compagnie d'électricité. En été, avec tous les climatiseurs en marche, ce serait une autre affaire, bien sûr. Mais le printemps était une saison pour les idées nouvelles.

— Je crois que nous sommes prêts à l'essayer.

— Est-ce qu'ils ont remédié aux défauts ?

— Pas trop mal, assez pour un essai sur le terrain, je pense.

La plupart des unités utilisées jusqu'ici contenaient du BPB, biphényl polybrominé, comme élément refroidissant à l'intérieur du transformateur. C'était dangereux pour les ouvriers travaillant sur les lignes, qui devaient porter des vêtements protecteurs mais négligeaient de le faire, malgré les règles strictes de la compagnie. Il fallait aussi se débarrasser périodiquement du liquide toxique. Cela coûtait cher et il y avait toujours un danger de fuites. Westinghouse procédait à des expériences avec un nouveau modèle de transformateur utilisant un produit chimique complètement inerte à la place du BPB. Le prix de revient était élevé mais le produit promettait de sérieuses économies à long terme ; de plus il débarrasserait la compagnie des attaques des écologistes, ce qui était encore plus séduisant que l'économie d'argent.

— Alex, si vous arrivez à monter ces bébés et à les faire fonctionner, je vous promets personnellement une nouvelle voiture de fonction !

— Ma foi, j'aimerais en essayer un. Westinghouse nous en prêtera un pour rien.

— Ça commence à prendre bonne tournure ! approuva Griffin. Mais est-ce qu'ils se sont réellement débarrassés de tous les défauts ?

— Ils disent que oui, à part quelques fluctuations de voltage. Ils ne savent pas trop ce qui les cause, et ils veulent faire des essais sur le terrain.

— D'importantes fluctuations ?

— Marginales. On dirait que c'est un problème d'environnement. Ça n'arrive que lorsque la température de l'air ambiant change rapidement. Si c'est ça la véritable cause, ça ne devrait pas être difficile à arranger.

Griffin réfléchit pendant quelques secondes.

— Très bien, où voulez-vous faire ça ?

— J'ai repéré un coin dans le canton d'Anne Arundel, au sud d'Annapolis.

— C'est pas la porte à côté ! Pourquoi là-bas ?

— C'est une ligne en cul-de-sac. Si le transformateur déconne, ça ne dérangera pas beaucoup de foyers. Et puis une de mes équipes n'est qu'à trente bornes de là et je l'ai entraînée sur le nouveau modèle. Nous ferons une installation d'essai et je pourrai la faire surveiller tous les jours pendant les premiers mois. Si tout marche bien, vous aurez la possibilité de passer votre commande à l'automne et de commencer à les installer au printemps.

— D'accord. Où est-ce, au juste, votre coin ?

Dobbens déplia sa carte sur la table de Griffin.

— Là, exactement.

— Un quartier riche, remarqua le chef des travaux d'un air sceptique.

— Allez, patron ! protesta Alex. Quel effet ça ferait dans les journaux si nous faisions toutes nos expériences sur les pauvres ? Et d'abord, ces cinglés d'écolos sont plutôt des riches, pas vrai ?

Dobbens avait bien choisi son argument. Une des bêtes noires de Griffin était l'écologiste. Il possédait une petite ferme et il n'aimait pas qu'un dilettante de banlieue vienne lui faire des discours sur la nature.

— D'accord, vous avez le feu vert. Quand est-ce que vous pouvez arranger tout ça ?

— Westinghouse aura l'unité prête pour nous à la fin de la semaine prochaine. Je peux la monter et la faire fonctionner en trois jours. Je veux que mon équipe vérifie les lignes... d'ailleurs, je vais y aller moi-même, si vous voulez bien.

Griffin approuva de la tête.

— Vous êtes le genre d'ingénieur que j'aime, mon garçon. La plupart des étudiants que nous avons maintenant ont peur de se salir les mains. Vous me tiendrez au courant ?

— C'est sûr, chef.

— Continuez, Alex. J'ai parlé de vous à la direction.

— Je vous remercie, monsieur Griffin.

Dobbens rentra au volant de sa Plymouth de fonction de deux ans. Le gros de la circulation de l'heure de pointe allait dans le sens opposé. Il fut chez lui en moins d'une heure. Sean Miller se levait à peine ; il buvait du thé en regardant la télévision. Alex se demanda comment on pouvait commencer une journée avec du thé. Il se fit un café soluble bien corsé.

— Alors ? demanda Miller.

— Pas de problème, affirma Alex en souriant.

Mais il reprit aussitôt son sérieux. Son emploi lui manquerait. En somme, un ingénieur de compagnie d'électricité servait le peuple. Mais il se dit que c'aurait été un bon entraînement pour son ambition future. Il se souviendrait de ceux qui servent humblement. Une importante leçon pour l'avenir.

— Allez viens, on causera de tout ça dans le bateau.

Mercredi arriva enfin. Abandonnant ses deux emplois, Jack portait l'ours pendant que Cathy poussait leur fille dehors, dans le fauteuil roulant. L'ours était un cadeau des midships de ses cours d'histoire, un monstre énorme qui pesait près de trente kilos et mesurait un mètre cinquante, coiffé d'un chapeau de Smokey Bear, en réalité celui d'un sergent instructeur des marines, gracieusement offert par Breckenridge et le peloton de garde. Un policier ouvrit la porte pour le petit cortège. Il y avait du vent mais le break familial était garé juste devant. Jack souleva sa fille dans ses bras pendant que Cathy remerciait les infirmières. Il s'assura que Sally était bien assise dans le siège de sécurité à l'arrière et attacha la ceinture lui-même. L'ours dut voyager devant.

— Prête à rentrer à la maison, Sally ?

— Oui, dit-elle d'une petite voix morne.

Les infirmières disaient qu'il lui arrivait encore d'avoir des cauchemars, de crier en dormant. Ses jambes étaient complètement guéries. Elle pouvait marcher, mal, gauchement, mais elle marchait. Ses cheveux étaient coupés courts pour qu'on ne remarque pas les parties qui avaient dû être rasées, mais ils pousseraient assez vite. Même les cicatrices disparaîtraient, affirmaient les chirurgiens, et les pédiatres assuraient que dans quelques mois les cauchemars cesseraient. Jack se retourna pour caresser la petite joue et reçut un sourire en échange. Ce n'était pas le sourire auquel il était habitué. Sous son propre sourire, il bouillonnait encore de rage mais il se dit que ce n'était pas le moment. Sally avait besoin d'un père, pas d'un justicier.

— Nous avons une surprise qui t'attend, dit-il.

— Qu'est-ce que c'est ?

— Si je te le disais, ce ne serait plus une surprise.

— *Papa !*

Pendant un instant, sa petite fille reparut.

— Attends et tu verras.

— Qu'est-ce qui se passe ? demanda Cathy en montant dans la voiture.

— Une surprise.

— Quelle surprise ?

Tu vois ? Maman ne le sait pas non plus.

— Qu'est-ce qu'il y a, Jack ?

— Le docteur Schenk et moi avons eu une petite conversation, la semaine dernière.

Ce fut tout ce que Ryan voulut bien dire. Il relâcha le frein à main et démarra en direction de Broadway.

— Je veux mon ours ! dit Sally.

— Il est trop grand pour s'asseoir là, répondit Cathy.

— Mais tu peux porter son chapeau. Il a dit qu'il te le prêtait.

Jack le lança à l'arrière. Les larges bords du chapeau de brousse tombaient autour de la petite figure.

— Est-ce que tu as bien remercié les garçons, pour l'ours ? demanda Cathy.

— Je te crois ! Pas un ne sera recalé, cette année. Mais ne le dis à personne !

Jack avait la réputation de noter avec sévérité. Cette réputation ne survivrait pas à la fin de semestre mais au diable les principes, se dit-il. Les midships de ses classes avaient envoyé à Sally un flot constant de fleurs, de jouets, de puzzles et de cartes amusantes pour distraire la petite fille, et tout avait circulé dans le service, faisant la joie de cinquante autres enfants malades. Smokey Bear était l'apothéose. Les infirmières avaient dit à Cathy qu'il avait vraiment eu de l'influence. Il était souvent assis sur le lit de Sally et elle se cramponnait à lui. Ce serait sans doute dur de la détacher un peu de lui mais Jack avait trouvé la parade. Skip Tyler était en train de procéder aux dernières dispositions.

Jack conduisit lentement et prudemment, comme s'il transportait une cargaison d'œufs fêlés. Les habitudes reprises à la CIA le faisaient rêver d'une cigarette mais il savait qu'il allait devoir y renoncer, avec Cathy en permanence à la maison. Il prit soin de ne pas passer par la route qu'avait prise Cathy le jour où...

Ses mains se crispèrent sur le volant, comme elles le faisaient depuis des semaines. Il savait qu'il devait cesser d'y penser constamment. Cela devenait une obsession et ne servait à rien.

Le paysage avait changé depuis... l'accident. Les arbres dénudés avaient maintenant des bourgeons qui éclataient et de petites feuilles vert tendre. Il y avait des chevaux et des vaches dans les prés. On apercevait même de petits veaux et des poulains et Sally pressait son nez contre la vitre pour les regarder. Comme tous les ans, la vie se renouvelait, se dit Ryan. Sa famille était rétablie, réunie, et le resterait, il y veillerait. Enfin ce fut le dernier virage dans Falcon's Nest Road. Jack remarqua qu'il y avait des camions de la compagnie d'électricité partout et il se demanda brièvement ce qu'ils faisaient. Il tourna à gauche dans son allée.

— Skip est ici ? demanda Cathy.

— On le dirait, répondit Jack en ravalant un grand sourire.

— Ils sont rentrés, annonça Alex.

— Ouais, répliqua Louis.

Ils étaient tous deux perchés au sommet d'un pylône, apparemment pour installer les nouvelles lignes à haute tension et essayer le transformateur expérimental.

— Tu sais, le lendemain du boulot, dit l'ouvrier, y avait une photo de la dame dans les journaux. Un petit môme était passé à travers une vitrine et avait eu la figure toute coupée. C'était un petit frangin, Alex. La dame lui a sauvé les yeux.

— Je m'en souviens, Louis.

Alex leva son appareil et prit rapidement une série de photos.

— J'aime pas déconner avec des mômes, Alex. Un flic, c'est différent, ajouta Louis sur la défensive.

Comme Alex, il lui restait encore quelques scrupules, et faire du mal à des enfants, ce n'était pas une chose qu'il pouvait accepter froidement.

— Nous avons peut-être eu de la chance.

Objectivement, Alex savait que c'était une façon de penser stupide, pour un révolutionnaire. La sensiblerie n'avait pas de place dans sa mission, elle entravait ce qu'il avait à faire. Mais il savait aussi que les tabous s'opposant aux attaques contre des enfants faisaient partie de la programmation génétique de tout être humain. Alors, chaque fois que ce serait possible, il se promettait de ne pas faire de mal à des enfants. Cela lui vaudrait de la sympathie, au sein de la communauté qu'il voulait libérer.

— Ouais.

— Alors qu'est-ce que tu as vu ?

— Ils ont une bonne, noire, bien sûr. Une belle femme, elle vient en Chevrolet. Il y a quelqu'un d'autre, en ce moment. Un grand gaillard qui marche drôlement.

— Bien.

Alex prit bonne note de la première et se désintéressa du second. L'homme ne devait être qu'un ami de la famille.

— Les flics, la police de l'État, passent par ici toutes les deux heures minimum. Y en a un, hier après-midi, qui m'a demandé ce que nous faisions. Ils gardent un œil sur la maison. Il y a aussi une ligne téléphonique supplémentaire, sûrement reliée à un système d'alarme.

— D'accord. Continue d'ouvrir l'œil mais sans trop te faire remarquer.

— Tant que tu voudras.

— Chez nous, souffla Ryan.

Il s'arrêta, descendit de voiture et alla ouvrir la portière de Sally. Cette fois, elle ne jouait pas avec la boucle de sa ceinture. Il la détacha lui-même et souleva sa petite fille. Elle lui noua les bras autour du cou et, pendant un instant, la vie redevint ce qu'elle était. Il porta Sally jusqu'à la porte, en la serrant contre lui.

— Joyeux retour !

Skip leur ouvrait déjà.

— Où est ma surprise ? demanda aussitôt Sally.

— Une surprise ? Je ne suis au courant de rien, répondit Tyler d'un air étonné.

— Papa !

Jack eut droit à un regard accusateur.

— Entrez donc, dit Tyler.

Mrs. Hackett était là aussi. Elle avait préparé à déjeuner pour tout le monde. Mère célibataire avec deux garçons, elle travaillait dur pour les élever. Ryan posa sa petite fille et la regarda marcher vers la cuisine. Skip Tyler aussi regardait les petites jambes raides couvrir la distance.

— Dieu, c'est ahurissant comme les gosses guérissent ! s'écria-t-il.

Il fit signe à Jack et ils sortirent tous les deux. Ils s'engagèrent sous les arbres, au nord de la maison des Ryan, et y trouvèrent la surprise, attachée à un arbre. Jack détacha la chaîne et ramassa le cadeau.

— Merci de l'avoir apporté.

— Ecoute, c'est bien le moins ! Ça fait plaisir de la voir revenir, mon vieux !

Les deux hommes retournèrent vers la maison. Jack risqua un coup d'œil au coin de la porte et vit que Sally réglait déjà son compte à un sandwich de beurre de cacahuètes.

— Sally... dit-il.

Sa femme le regardait, déjà bouche bée. La petite fille tourna la tête juste au moment où Jack posait le chiot par terre.

C'était un labrador noir, juste assez âgé pour être séparé de sa mère. Le petit chien n'eut besoin que d'un regard pour savoir tout de suite à qui il appartenait. Il courut sur le carrelage, un peu en crabe, avec sa queue qui s'agitait follement. Sally était déjà par terre et elle le saisit dans ses bras. Une seconde plus tard, le chien lui léchait la figure.

— Elle est trop petite pour avoir un chien ! protesta Cathy.

— D'accord, tu pourras le rapporter cet après-midi, répliqua calmement Jack.

Ce propos lui valut un regard noir. Sa fille poussa des cris de ravissement quand le chiot commença à ronger le talon de sa chaussure.

— Elle n'est pas encore assez grande pour un poney, mais un chien est exactement ce qu'il lui faut.

— Tu le dresseras !

— Ce sera facile. Il vient d'une bonne famille. En plus, le labrador a la bouche légère et adore les enfants, expliqua-t-il. Je l'ai déjà inscrit pour des cours.

— Des cours de quoi ? s'exclama Cathy, de plus en plus ahurie.

— Cette race s'appelle labrador *retriever*. Un chien qui rapporte.

— Ça devient gros comment ?

— Oh, dans les trente-cinq kilos.

— C'est plus lourd qu'elle !

— Oui, et ils adorent nager. Il pourra la surveiller dans la piscine.

— Nous n'avons pas de piscine.

— On la commence dans trois semaines, annonça Jack avec un nouveau sourire. Le docteur Schenk dit que la piscine est une excellente thérapie pour ce genre de blessures.

— Tu n'as pas perdu ton temps ! dit Cathy mais elle souriait aussi, maintenant.

— Je voulais un terre-neuve mais ils sont vraiment trop énormes, soixante-dix kilos !

Jack ne dit pas que son premier souhait avait été d'avoir un chien assez grand et fort pour arracher la tête du premier qui s'approcherait de sa fille, mais le bon sens l'avait retenu.

— Eh bien, voilà ta première corvée, dit Cathy en montrant du doigt.

Jack alla chercher un torchon en papier pour éponger la petite mare sur le carrelage. Sa fille vint l'embrasser avec enthousiasme quand il se baissa et il eut bien du mal à se maîtriser mais il le fallait. Sally n'aurait pas compris pourquoi son papa pleurait. Le monde se remettait d'aplomb. Il s'agissait de le garder comme ça.

— J'aurai les photos demain. Je voulais en prendre avant que les arbres aient toutes leurs feuilles. Parce qu'après, on ne pourra plus si bien voir la maison, de la route, dit Alex.

— Et le système d'alarme ?

Alex lut ses notes avec tous les renseignements.

— Comment diable est-ce que tu as fait pour avoir tout ça ?

Dobbens rit en ouvrant une boîte de bière.

— Facile. Si on veut des renseignements sur n'importe quel système d'alarme, on n'a qu'à téléphoner à la compagnie qui l'a installé en disant qu'on travaille pour une compagnie d'assurances. On leur donne un numéro de police, inventé bien sûr, et on a tout ce qu'on veut. Ryan a un système périmètre, et un système de secours contre les intrus « avec clefs », ce qui veut dire que la compagnie a les clefs de la maison. Quelque part dans la propriété, ils ont des rayons infrarouges. Probablement dans l'allée, dans les arbres. Ce type n'est pas un imbécile, Sean.

— Ça n'a pas d'importance.

— D'accord. Je te disais ça comme ça. Autre chose.

— Quoi ?

— On ne touche pas à la gosse, cette fois, ni à la femme si on peut l'éviter.

— Ce n'est pas dans le plan, assura Miller en pensant : *Pauvre lavette. Pour quel genre de révolutionnaire est-ce que tu te prends ?*

— C'était de la part de mes gars, continua Alex en cachant une partie de la vérité. Faut que tu comprennes, Sean. Toucher les enfants, ça fait mauvais effet, chez nous. Ce n'est pas le genre d'image que nous voulons avoir, pas vrai ?

— Et tu veux venir avec nous ?

Dobbens hocha la tête.

— Ça pourrait être nécessaire.

— Je crois que nous pourrions éviter ça. Il suffit d'éliminer toutes les personnes qui ont vu vos têtes.

Tu es vraiment une sale petite brute, pensa Alex, encore que ce soit parfaitement logique. Les morts ne parlaient pas.

— Très bien. Il nous suffit maintenant de trouver un moyen pour endormir un peu les gens de la sécurité, dit l'Irlandais. Je préférerais éviter la force pure.

— J'y ai réfléchi... comment font les armées ?

— Qu'est-ce que tu veux dire ? demanda Miller.

— Je parle des plans, des grands plans. Ils marchent tous parce qu'on montre à l'autre gars ce qu'il s'attend à voir, d'accord ? On le fait tomber dans un panneau. Nous devons les faire regarder du mauvais côté, leur faire passer la mauvaise consigne.

— Et comment ? demanda Miller puis, au bout d'une minute : Ah !

Alex se retira dans sa chambre, laissant Sean devant la télévision, pour vérifier son matériel. Dans l'ensemble, le voyage avait été très utile. Le plan commençait déjà à prendre forme. Il exigerait beaucoup de monde, mais c'était prévu.

Curieusement, le respect de Miller pour Alex avait diminué. L'homme était compétent, certainement, son plan de diversion était même brillant, mais quelle absurde sensiblerie ! Sean n'aimait pas particulièrement faire du mal à des enfants, mais si c'était ce que la révolution exigeait... D'ailleurs, ça attirait bien l'attention. Ça faisait savoir au monde que son organisation et lui étaient sérieux. Tant qu'Alex ne l'aurait pas bien compris, il ne réussirait pas. Mais ce n'était pas le problème de Miller. La première partie de l'opération était maintenant bien gravée dans son esprit. La deuxième était déjà tracée.

Le lendemain à midi, Alex lui donna les photos et le conduisit à une station périphérique du métro de Washington. Miller le prit jusqu'au National Airport pour embarquer à bord du premier des quatre vols qui le ramèneraient chez lui.

Jack entra dans la chambre de Sally vers 23 heures. Le petit chien — Sally l'avait baptisé Ernie — s'était blotti, invisible, dans un coin. Cette acquisition était la chose la plus intelligente qu'il eût faite. Sa fille aimait trop Ernie pour penser à ses blessures et elle lui courait après aussi vite que le lui permettaient ses jambes affaiblies. Cela suffisait pour que son père ferme les yeux sur les souliers grignotés et les flaques que le chiot laissait un peu partout.

Jack remonta les couvertures de Sally et retourna dans sa chambre. Cathy était déjà couchée.

— Elle va bien ?

— Elle dort comme un ange, dit Jack en se glissant à côté d'elle.

— Et Ernie ?

— Il est dans sa chambre, quelque part. J'ai entendu sa queue battre contre le mur.

Il prit sa femme dans ses bras. Cela devenait difficile de l'enlacer. Il lui passa une main sur le ventre et sentit la forme de l'enfant à naître.

— Comment va le prochain ?

— Il est enfin tranquille. Dieu, qu'il est actif ! Ne le réveille pas.

Jack trouva absurde l'idée que des bébés soient réveillés avant de naître mais comment contredire un médecin ?

— Il ?

— C'est ce que dit Madge.

— Et que dit-elle de toi ?

Il tâta les côtes de Cathy. Sa femme avait toujours été mince, mais là, c'était trop.

— Je reprends du poids, répondit-elle. Tu n'as pas à t'inquiéter Tout va bien.

— Tant mieux.

Il l'embrassa et elle murmura dans l'obscurité :

— C'est tout ?

— Tu crois que tu peux supporter plus que ça ?

— Ecoute, Jack ! Je n'ai pas besoin d'aller travailler demain.

— Mais d'autres doivent y aller, protesta-t-il.

Il s'aperçut vite que le cœur n'y était pas.

21

Plans

— Il est consciencieux, estima O'Donnell.

Miller était revenu avec les photos aériennes que Dobbens avait fait reproduire, des cartes topographiques et des photos de la maison des Ryan, vue de la route et de la mer, ainsi que les notes dactylographiées des observations effectuées par les hommes d'Alex.

— Malheureusement, il laisse ses sentiments personnels intervenir dans ses activités, répliqua Miller.

— Et pas toi, Sean ? reprocha amicalement Kevin.

— Cela ne se reproduira plus, promit son chef des opérations.

— Tant mieux. Les erreurs ont ceci d'important qu'elles nous donnent des leçons. Bon, passons en revue ton opération.

Sean prit deux autres cartes et passa vingt minutes à exposer ses idées. Il conclut par la suggestion de diversion de Dobbens.

— Ça me plaît, dit O'Donnell et il se tourna vers son chef des renseignements. Joseph ?

— L'opposition sera redoutable, naturellement, mais le plan en tient compte. La seule chose qui m'inquiète, c'est qu'il faudra mobiliser presque tout notre monde pour ça.

— Pas d'autre moyen, riposta Miller. Ce n'est pas seulement une question de s'approcher assez mais de quitter le coin une fois la mission accomplie. Le chronométrage est crucial...

— Et quand le chronométrage est crucial, déclara O'Donnell, la simplicité s'impose. Y a-t-il autre chose que les autres puissent nous opposer ?

— Je ne crois pas, dit McKenney. Ce plan prévoit le pire.

— Des hélicoptères, dit Miller. Ils ont failli nous avoir la dernière fois. Pas de gros problème si nous y sommes préparés, mais il faut y penser.

— D'accord, approuva O'Donnell. Et la seconde partie de l'opération ?

— Manifestement, nous avons besoin de savoir où se trouvent toutes les cibles, répondit McKenney. Quand voulez-vous que j'active nos gens ?

Sur l'ordre d'O'Donnell, les agents du chef des renseignements restaient terrés depuis quelques semaines.

— Pas encore, dit le chef. Attendons le bon moment. Sean ?

— Je pense que nous devrions attendre que la mission soit totalement arrêtée avant de bouger.

— Oui, cela s'est révélé une bonne idée la dernière fois. Combien de personnes sont nécessaires pour ton opération ?

— Pas moins de quinze. Je crois que nous pouvons compter sur Alex pour trois hommes entraînés, dont lui-même. Plus que ça... Non, nous devons limiter sa participation.

— D'accord, approuva McKenney.

— Et l'entraînement ? demanda O'Donnell.

— Le maximum.

— Pour débuter quand ?

— Un mois à l'avance. Plus longtemps, ce serait un gaspillage de ressources. Pour le moment, j'ai pas mal de travail, dit Miller.

— Voilà donc les plans, dit Murray. Vous pouvez les laisser à votre ambassade ou bien nous les logerons à Blair House, juste en face de la Maison Blanche.

— Avec tout le respect que je dois à vos gars du Secret Service...

Le chef du Groupe de protection diplomatique n'eut pas besoin d'en dire plus. Il était le grand responsable de la sécurité et il n'allait pas se fier à des étrangers plus qu'il n'y était forcé.

— Oui, je comprends. Ils obtiendront un peloton de sécurité complet du Secret Service, plus deux agents de liaison du FBI et l'aide habituelle de la police locale. Finalement, nous aurons deux groupes de reconnaissance héliportés maintenus en alerte durant toute leur visite, un à D.C. et une équipe de soutien à Quantico.

— Combien de personnes sont au courant ? demanda Ashley.

— Le Secret Service et le Bureau ont été déjà complètement avisés. Quand votre avant-garde arrivera, elle verra qu'une reconnaissance a déjà été faite. Les polices locales ne seront prévenues que lorsqu'elles auront besoin de savoir.

— Vous dites que tous les emplacements n'ont pas été reconnus ? demanda Owens.

— Vous voulez que nous examinions déjà les autres points ?

— Non. Non, c'est déjà très ennuyeux de devoir exposer dès maintenant les activités publiques. Leur voyage n'est pas encore officiel, vous savez. Notre meilleure défense, c'est l'élément de surprise.

Owens regarda son collègue du GPD mais ne réagit pas. Le chef du Groupe de protection diplomatique était sur sa liste de suspects et il avait l'ordre de ne confier à personne les détails de son enquête. Owens le pensait inoffensif mais ses inspecteurs avaient découvert quelques irrégularités dans la vie privée de cet homme. Tant qu'on n'aurait pas la certitude que le chef du GPD ne faisait pas l'objet d'un chantage, on ne lui permettrait pas d'en savoir plus.

Le chef du C-13 jeta à Murray un coup d'œil ironique.

— Je crois que vous exagérez, messieurs, mais c'est votre affaire, dit le représentant du FBI en se levant. Vos agents prennent l'avion demain ?

— Oui.

— Très bien. Chuck Avery du Secret Service les attendra à Dulles. Qu'ils n'hésitent pas à demander ce qu'ils veulent. Vous aurez notre entière coopération.

Il regarda partir les deux hommes. Cinq minutes plus tard, Owens était de retour. Murray ne fut pas autrement surpris.

— Qu'est-ce qui se passe, Jimmy ?

— Où est-ce que vous en êtes, sur les types qui ont attaqué Ryan ?

— Au point mort depuis quinze jours. Vous ?

— Nous avons un lien possible... Plus précisément, nous soupçonnons l'existence d'un lien possible.

L'homme du FBI sourit.

— Qui ?

— Geoffrey Watkins.

Cela provoqua une réaction.

— Le type des Affaires étrangères ? Merde ! Quelqu'un d'autre que je connais, sur la liste ?

— Le gars à qui vous venez de parler. Les agents d'Ashley ont découvert qu'il n'est pas entièrement fidèle à sa femme.

— Garçons ou filles ? demanda Murray qui avait saisi une allusion dans le ton d'Owens. Vous voulez dire qu'il ne sait pas, Jimmy ?

— Il ne sait pas que l'itinéraire a été l'objet d'une fuite.

— Ah, c'est la meilleure ! Il y a eu des fuites et vous ne pouvez pas le dire au chef de la sécurité parce que c'est peut-être lui...

— C'est fort improbable mais nous ne pouvons négliger cette possibilité.

— Annulez le voyage, Jimmy. Même si vous devez lui casser une jambe, annulez cette foutue équipée !

— Nous ne pouvons pas. Il refusera. J'ai parlé à Son Altesse avant-hier et je lui ai exposé le problème. Il refuse de laisser gouverner sa vie de cette façon.

— Pourquoi me racontez-vous tout ça, Jimmy ? gémit Murray en levant les yeux au ciel.

— Il faut que j'en parle à quelqu'un. Si je ne peux pas le dire à mes hommes, alors...

Owens écarta les bras.

— Vous voudriez que nous trouvions un moyen d'annuler le voyage pour vous, c'est ça ? demanda Murray en sachant pertinemment qu'Owens ne pouvait répondre. Mettons tout ça à plat, que ce soit clair et net.

— Exact.

— On ne va pas être content du tout, chez nous.

— Ça ne me plaît pas tellement non plus, Dan.

— Enfin, ça donnera quelque chose d'autre à penser à Bill Shaw, marmonna Dan et puis une autre pensée lui vint : Dites-moi, Jimmy, c'est un vif drôlement précieux que vous avez à l'hameçon !

— Il le sait. C'est à nous d'écarter les requins, n'est-ce pas ?

Murray secoua la tête. La solution idéale serait évidemment de trouver un moyen d'annuler le voyage. Cela impliquait l'intervention du Département d'Etat. Les gars des Affaires étrangères repousseraient vivement cette idée, Murray le savait. On ne peut pas désinviter un futur chef d'Etat parce que le FBI et le Secret Service ne pensent pas pouvoir garantir sa sécurité ; ils diraient que ce serait ridiculiser les forces de l'ordre américaines, tout en sachant que sa protection n'était pas de leur responsabilité.

— Qu'est-ce que vous avez sur Watkins ? demanda-t-il au bout de quelques instants, et Owens résuma ses « preuves ». C'est tout ?

— Nous creusons encore mais jusqu'à présent il n'y a rien de plus concret. Et ce pourrait n'être que des coïncidences, bien sûr...

— Non, il me semble que vous avez raison, grommela Murray qui ne croyait pas non plus aux coïncidences. Avez-vous pensé à débusquer le gibier ?

— Introduire un changement dans l'itinéraire ou l'emploi du

temps, vous voulez dire ? Oui, nous y avons pensé. Nous pourrions faire ça, voir si Watkins va à la librairie, arrêter les deux hommes... si nous parvenons à confirmer que ce qui se passe est bien ce que nous croyons. Malheureusement, ce serait détruire le seul lien que nous ayons avec l'ULA, Dan. Pour le moment, nous surveillons Cooley d'aussi près que nous l'osons. Il est toujours en voyage. Si nous découvrons qui il contacte, alors nous pourrons peut-être conclure toute l'opération. Ce que vous suggérez est une option, mais pas la meilleure. Nous avons le temps, vous savez. Nous avons plusieurs mois avant d'être forcés de faire quelque chose d'aussi radical.

Le hochement de tête de Murray fut moins un accord qu'un signe de compréhension. La possibilité de découvrir et de détruire la bande d'O'Donnell était très tentante pour Scotland Yard. L'arrestation de Cooley, maintenant, tuerait cet espoir. Ils n'y renonceraient pas facilement. Il savait que la réaction du FBI serait à peu près la même.

— Jack, je veux que vous veniez avec moi, dit Marty Cantor. Sans poser de questions.

— Quoi ? demanda Ryan, et il obtint un regard accusateur. Oh bon, bon !

Il prit les dossiers sur lesquels il travaillait, les enferma à double tour dans son armoire et prit sa veste. Cantor le précéda vers l'ascenseur. En arrivant au rez-de-chaussée, il marcha rapidement vers l'annexe, derrière le bâtiment principal. Une fois dans l'aile ouest, ils durent passer par cinq contrôles de sécurité. Dix minutes plus tard, il était au troisième étage dans une pièce uniquement identifiée par son numéro.

— Jack, je vous présente Jean-Claude. C'est un de nos collègues français.

Ryan serra la main d'un homme qui devait avoir vingt ans de plus que lui et dont la figure reflétait une certaine ironie.

— Qu'est-ce qui se passe, Marty ?

— Professeur Ryan, dit Jean-Claude, on m'apprend que vous êtes celui que nous devons remercier.

— Pour quelle...

Ryan s'interrompit. Oh-oh ! Le Français le conduisit vers un écran de télévision.

— Vous n'avez jamais vu ça, Jack, avertit Cantor alors qu'une image se formait sur l'écran de contrôle.

C'était une photographie par satellite, Ryan le comprit tout de suite à l'angle de prise de vue, qui changeait très lentement.

— Quand ? demanda-t-il.

— Hier soir chez nous, vers 3 heures du matin heure locale.

— Exact, approuva Jean-Claude, les yeux rivés sur l'écran.

Ryan pensa reconnaître le camp 20. Celui qui appartenait à Action Directe. L'espacement entre les baraquements était familier. L'image infrarouge montrait que trois d'entre eux étaient chauffés. L'éclat des signaux thermiques lui disait que la température au sol devait être proche de zéro. Au sud du camp, derrière une dune, deux véhicules stationnaient. Jack ne put distinguer si c'était des jeeps ou de petits camions. En regardant plus attentivement, il vit des silhouettes diffuses qui se déplaçaient sur l'arrière-plan froid : des hommes. A leur façon de marcher : des soldats. Il en compta huit, partagés en deux groupes égaux. Près d'un des baraquements, il y avait une lueur plus vive. Il devait y avoir un homme debout... une des sentinelles du camp qui fumait en faction, pour ne pas s'endormir. Une erreur.

— Maintenant, avertit Jean-Claude.

Il y eut un bref éclair, venant d'un des huit intrus ; c'était bizarre de voir cela sans le son. Ryan ne sut pas si le garde avait bougé mais la cigarette certainement ; elle vola à environ deux mètres après quoi les deux images restèrent stationnaires. Une mise à mort, se dit-il. *Dieu de Dieu, qu'est-ce que je regarde ?* Les huit silhouettes pâles entrèrent dans le camp, d'abord dans le baraquement de garde ; c'était toujours le même. Quelques instants plus tard, elles ressortaient. Elles se redéployèrent ensuite en deux groupes de quatre, chacun se dirigeant vers une des baraques « éclairées ».

— Qui sont les soldats ? demanda Jack.

— Des paras, répondit Jean-Claude avec simplicité.

Certains hommes reparurent trente secondes plus tard. Au bout d'une autre minute, d'autres ressortirent... plus nombeux qu'ils n'étaient entrés. Deux hommes semblaient porter un fardeau. Et puis une vive clarté arriva sur l'image, qui effaça une bonne partie du paysage. C'était un hélicoptère dont les moteurs entravaient les rayons infrarouges. La qualité de l'image se détériora alors que la caméra plongeait en zoom. Deux autres hélicoptères se trouvaient dans le secteur. L'un d'eux se posa près des véhicules et les jeeps furent embarquées. Ensuite, cet hélicoptère décolla et un autre le suivit à ras de terre, sur plusieurs kilomètres, en effaçant les traces des véhicules avec le sable soulevé par son rotor. Lorsque le satellite perdit la scène de vue, tout le monde était parti. L'exercice avait duré, en tout, dix minutes.

— Rapide et propre, souffla Marty.

Jack ne put retenir sa question :

— Vous l'avez eue ?

— Oui, répondit Jean-Claude, et cinq autres, dont quatre en vie. Nous les avons tous emmenés, y compris les gardes du camp qui, j'ai le regret de le dire, n'ont pas survécu à l'affaire.

Les regrets du Français étaient négligemment lancés, par simple politesse. Sa figure exprimait ce qu'il pensait réellement.

— Des blessés, chez vous ? demanda Cantor.

Un mouvement de tête amusé.

— Non. Ils dormaient tous, voyez-vous. L'un avait un pistolet à côté de son lit de camp et il a commis l'erreur de vouloir le prendre.

— Vous avez enlevé tout le monde, même les gardes du camp ?

— Naturellement. Ils sont à présent au Tchad. Les vivants sont interrogés.

— Comment avez-vous arrangé la couverture par satellite ? demanda Jack.

La réponse s'accompagna d'un haussement d'épaules.

— Une heureuse coïncidence.

Ben voyons, pensa Jack. Sacrée coïncidence. Je viens de voir la rediffusion instantanée de la mort de trois ou quatre personnes. Terroristes, rectifia-t-il. A part les gardes du camp, qui aidaient les terroristes. Le chronométrage ne peut être un hasard. Les Français voulaient que nous sachions que leurs opérations de contre-terrorisme ne sont pas des plaisanteries.

— Pourquoi suis-je ici ?

— Mais c'est grâce à vous ! s'exclama Jean-Claude. J'ai le plaisir de vous transmettre les remerciements de mon pays.

— Que va-t-il arriver aux gens que vous avez capturés ?

— Savez-vous combien de personnes ils ont assassinées ? Ils répondront de ces crimes.

— Vous vouliez voir un succès, Jack. Vous en avez vu un.

Ryan réfléchit. Le transport de cadavres des gardes du camp lui disait comment l'affaire se terminerait. Personne ne devait savoir ce qui s'était passé. Bien sûr, il resterait des traces de balles, deux ou trois traînées de sang, mais pas de cadavres. Les assaillants avaient, littéralement, couvert leur piste. Il ne restait rien qui puisse incriminer les Français. Dans ce sens, c'était une opération secrète parfaite. Et si l'on s'était donné tant de mal pour qu'elle le soit, il n'y avait aucune raison de penser que ces membres d'Action Directe se retrouveraient devant un jury. On ne s'imposerait pas autant d'efforts pour affronter ensuite la publicité d'un procès, se dit Jack. *Adieu, Françoise Théroux... J'ai condamné ces gens à mort,* pensa-t-il finalement. Une seule personne suffisait à troubler sa conscience. Il se rappela la photo de police qu'il avait vue de son visage et l'image floue d'une fille en bikini.

— Elle a assassiné au moins trois personnes, dit Cantor en lisant dans sa pensée.

— Professeur Ryan, elle n'a pas de sentiments. Il ne faut pas vous laisser abuser par sa figure, conseilla Jean-Claude. Ils ne peuvent pas tous avoir la tête d'Hitler.

Mais ce n'était qu'une partie du problème, pour Jack. La beauté de cette fille ne servait qu'à souligner sa nature humaine. Il s'avoua pourtant qu'il n'aurait éprouvé que de la satisfaction si elle s'était appelée Sean Miller.

— Pardonnez-moi, dit-il. Ce doit être mon caractère romanesque.

— Mais bien sûr, répondit généreusement le Français. C'est regrettable, mais ces gens-là ont choisi, professeur, pas vous. Vous avez contribué à venger la mort d'innocents et vous avez sauvé la vie de gens que vous ne connaîtrez jamais.

— Heureux de vous avoir rendu service, colonel, dit Cantor.

Des mains furent serrées à la ronde et Marty ramena Jack dans le bâtiment principal.

— Je n'aurai sûrement pas envie de revoir une chose pareille, dit Jack dans le corridor. Je ne veux pas voir leur tête, quoi. Je veux dire... ah, merde, je ne sais pas ce que je veux dire, c'est simplement... Au fait, qui est ce type ?

— Le chef du bureau de la DGSE à Washington. Il a servi d'agent de liaison. Leur opération était toute prête à démarrer et il a donné le feu vert en moins de six heures. Une performance impressionnante.

— Ils voulaient nous impressionner, sans doute. Ils ne vont pas les rapatrier, n'est-ce pas ?

— Non. Je suis à peu près certain que ces gens ne seront pas jugés. Rappelez-vous les problèmes qu'ils ont eus la dernière fois qui'ils ont instruit un procès de membres d'Action Directe. Les jurés ont reçu des menaces au téléphone, ils se sont récusés les uns après les autres et tout a fini en eau de boudin. Je comprends qu'ils ne veuillent plus en passer par là... Enfin, ça ne nous regarde pas. Et leur système n'est pas le même que le nôtre. Nous avons simplement transmis un renseignement à un allié.

— Un tribunal américain appellerait ça de la complicité d'homicide volontaire.

— C'est possible, marmonna Cantor. Personnellement, je préfère ce qu'en dit Jean-Claude.

— Pourquoi partez-vous en août, alors ? demanda Ryan.

384

Cantor lui répondit sans le regarder :

— Vous le saurez peut-être un jour, Jack.

Seul dans son bureau, Ryan ne put chasser de sa pensée ce qu'il avait vu. A huit mille kilomètres, des agents de la DGSE interrogeaient cette fille. Si c'était du cinéma, leurs méthodes seraient brutales. Ryan préférait ne pas savoir comment ils s'y prenaient dans la réalité. Il se dit que les membres d'Action Directe l'avaient bien cherché. D'abord, ils avaient fait consciemment leur choix. Ensuite, en bafouant la justice française, ils avaient donné à leurs adversaires une excuse pour outrepasser les garanties constitutionnelles... mais était-ce bien une excuse ?

— Qu'est-ce que papa en penserait ? se demanda-t-il tout haut.

Et puis une autre question se présenta. Il décrocha son téléphone et tapa un numéro.

— Cantor.

— Pourquoi, Marty ?

— Pourquoi quoi ?

— Pourquoi m'avez-vous laissé voir ça ?

— Jean-Claude voulait faire votre connaissance et il voulait vous montrer aussi ce que vos renseignements avaient permis.

— C'est bidon, Marty ! Vous m'avez autorisé à voir une opération en direct... d'accord, enregistrée mais c'est pareil. Ce n'est pas dans mes attributions. Vous auriez pu lui dire que je n'y étais pas habilité et la question aurait été réglée.

— D'accord. Vous avez eu un peu de temps pour y réfléchir. Dites-moi ce que vous en pensez.

— Je n'aime pas ça.

— Pourquoi ?

— C'était une transgression de la loi.

— Pas de la nôtre. Comme je vous le disais tout à l'heure, nous n'avons fait que transmettre un renseignement à une nation amie.

— Mais ils s'en sont servis pour tuer.

— A quoi croyez-vous que servent les SR, Jack ? Qu'auraient-ils pu faire ? Non, répondez d'abord à ceci : supposez qu'il s'agisse d'étrangers qui auraient assassiné des Français au... disons au Liechtenstein et soient rentrés en vitesse à leur base ?

— Ce n'est pas la même chose ! Ceci, c'est plus... plus un acte de guerre. Les gens qu'ils traquaient étaient leurs compatriotes, qui avaient commis des crimes dans leur propre pays et... et qui étaient donc soumis aux lois françaises.

— Et s'ils avaient été d'un autre camp ? Si ces paras avaient fait un travail pour nous, ou pour les Brits, et avaient éliminé vos copains de l'ULA ?

— C'est différent ! riposta aigrement Ryan avant de se demander : *Mais pourquoi ?...* C'est personnel, ça. Vous ne pouvez pas exiger que j'aie les mêmes sentiments dans ce cas-là.

— Ah non ? fit Cantor, et il raccrocha.

Ryan contempla l'appareil pendant quelques secondes avant de le repousser. Qu'est-ce que Marty cherchait à lui dire ? Il repassa les événements dans sa tête, pour s'efforcer d'y trouver une logique.

Qu'y avait-il de sensé, dans tout cela ? Etait-il normal que des dissidents politiques s'expriment avec des bombes et des mitraillettes ? Etait-il raisonnable que de petites nations utilisent le terrorisme pour modifier la politique des grandes ? Ryan grogna. Tout dépendait du camp dans lequel on se trouvait. Etait-ce complètement nouveau ?

Oui et non. Le terrorisme d'Etat, sous la forme des pirates barbaresques, avait été la première mise à l'épreuve des Etats-Unis en tant que nation. L'objectif de l'ennemi n'était alors que la simple cupidité. Les Etats barbaresques exigeaient un tribut pour accorder le droit de passage à la flotte marchande américaine, mais on avait fini par estimer que trop, c'était trop. Preble avait emmené l'US Navy encore en gestation en Méditerranée pour y mettre fin. Non, rectifia Jack, pour mettre fin aux sévices que subissait l'Amérique.

La violence n'avait pas changé. Ce qui avait changé, c'était les règles auxquelles obéissaient les grandes puissances et les objectifs de leurs ennemis. Deux cents ans plus tôt, quand une petite nation offensait une grande, des navires et des hommes étaient envoyés pour régler la question. Mais le temps des représailles à coups de trique était révolu. Les plus petits pays avaient maintenant des arsenaux d'armes modernes qui rendaient les expéditions punitives trop coûteuses pour des sociétés qui avaient appris à économiser la vie de leurs jeunes hommes. Un seul régiment ne suffisait plus à mettre les choses au point et le déplacement de toute une armée n'était pas simple. Sachant cela, le petit pays était capable d'infliger de graves blessures ou, avec encore moins de risques, d'en financer d'autres pour les infliger. Ce n'était même pas la peine de se presser. Ce genre de conflit larvaire pouvait durer des années, tant étaient minimes les ressources nécessaires et tant était différent le prix accordé par les uns et les autres à la vie humaine.

Donc, le nouveau ce n'était pas la violence mais le fait que la nation qui y avait recours ou qui la finançait était en sécurité. Au niveau international, le terrorisme n'interrompait même pas les relations diplomatiques. L'Amérique elle-même avait des ambassades dans certaines de ces nations. Le terrorisme était encore traité comme un crime de droit commun. Jack avait affronté Miller à Old Bailey, pas dans un conseil de guerre. *Ils peuvent même utiliser cela contre nous*, pensa-t-il avec étonnement. *Si nous traitons les terroristes comme des activistes politiquement motivés, nous leur faisons un honneur qu'ils ne méritent pas. Si nous les traitons en soldats et les tuons comme tels, alors nous les légitimons en transgressant nos propres lois.* La seule faiblesse des terroristes était leur « négativité ». Ils représentaient un mouvement politique qui n'avait rien d'autre à proposer que l'idée que la société où ils vivaient était injuste. Tant que la population de cette société pensait autrement, ils ne pouvaient aller plus loin. Le processus démocratique qui leur était bénéfique était aussi leur pire ennemi politique. Leur principal objectif, donc, était l'élimination de ce processus, en convertissant la justice en injustice afin d'éveiller chez les membres de la société de la sympathie pour eux.

L'élégance du concept était étourdissante. Les terroristes pouvaient faire la guerre tout en étant protégés par le processus démocratique de leur ennemi. Si les terroristes bouleversaient ce processus, ils avaient des chances de gagner un soutien politique supplémentaire mais tant qu'il restait intact ils ne pouvaient perdre la partie. Ils avaient la possibilité de détenir toute une société en otage contre elle-même et ses préceptes les plus importants, en la mettant au défi de changer.

La seule solution était la coopération internationale. Il fallait couper les terroristes de leur soutien. Laissés à leurs propres ressources, ils ne seraient plus qu'un réseau de grand banditisme... Mais les démocraties trouvaient plus facile de résoudre seules leurs problèmes nationaux, plutôt que s'unir pour frapper un coup décisif, en dépit de tous les beaux discours prétendant le contraire. Est-ce que cela venait de changer ? se demanda Ryan. La CIA avait transmis des renseignements sur des terroristes et une action avait immédiatement suivi. Ce qu'on lui avait montré tout à l'heure était par conséquent un pas dans la bonne direction. Ce qui le troublait, son raisonnement actuel, était une conséquence de sa civilisation.

Cantor entra dans le bureau de l'amiral Greer.

— Alors ? demanda le DDI.

— Nous lui accorderons un B-plus, ou même un A-moins. Tout dépend de la leçon qu'il en tirera.

— Crise de conscience ?

— Ouaip.

— Il est grand temps qu'il apprenne ce qu'est réellement le jeu. Tout le monde doit l'apprendre. Il restera, déclara Greer.

— Probablement.

La camionnette essaya de tourner dans l'allée d'entrée passant sous le bâtiment Hoover mais un garde lui fit signe de circuler. Le conducteur hésita, en partie frustré, en partie furieux, et chercha une autre solution. La densité de la circulation n'arrangeait rien. Finalement, il fit le tour du pâté de maisons jusqu'à ce qu'il trouve un parking public. L'employé toisa avec mépris le véhicule plébéien — plus accoutumé qu'il était aux Buick et aux Cadillac. Le conducteur et son fils s'en moquèrent. Ils sortirent et descendirent la rue pour entrer à pied par le chemin interdit à leur camionnette.

L'agent de service à la réception nota l'arrivée de deux personnes assez pauvrement habillées, dont l'aîné portait sous le bras un paquet enveloppé dans un blouson de cuir. Son attention fut aussitôt éveillée. Il fit signe aux visiteurs de s'approcher.

— Vous désirez, monsieur ?

— Salut, dit l'homme. J'ai quelque chose pour vous.

Il déroula le blouson et exhiba une mitraillette. Il apprit aussitôt que ce n'était pas le moyen de se mettre dans les petits papiers du FBI.

L'agent de service empoigna l'arme et la souleva du bureau, tout en se levant et en portant la main à son revolver d'ordonnance. Le bouton d'alarme, sous le bureau, avait déjà été pressé et deux autres agents arrivaient. Le premier vit immédiatement que le cran de sûreté de l'arme était mis et qu'il n'y avait pas de chargeur dans la crosse.

— C'est moi qui l'ai trouvée ! annonça fièrement le petit garçon.

— Quoi ? demanda un des nouveaux agents.

— Et j'ai pensé à l'apporter ici, déclara le père.

— Faites-moi voir ça !

Un autre homme, un supérieur, venait de surgir de la salle de garde où il avait assisté à la scène sur les écrans de contrôle. L'agent de service vérifia de nouveau que l'arme était inoffensive et la lui remit.

C'était une Uzi, une mitraillette israélienne de 9 mm utilisée dans le monde entier pour sa qualité, son équilibre et sa précision. Malgré son aspect de camelote, elle n'avait rien de bon marché. Celle-ci était couverte de rouille et de l'eau en suintait. Le supérieur ouvrit la culasse et regarda le long du canon. L'arme avait servi et n'avait pas été nettoyée. Il était impossible de dire depuis combien de temps, mais il n'y avait pas beaucoup d'affaires sur lesquelles le FBI enquêtait où l'on avait employé ce type de mitraillette.

— Où avez-vous trouvé ça, monsieur ?

— Dans une carrière, à environ cinquante kilomètres d'ici, répondit l'homme.

— C'est moi qui l'ai trouvée ! insista l'enfant.

— C'est vrai, c'est lui, reconnut le père. J'ai pensé que c'était ici que je devais l'apporter.

— Vous avez eu raison, monsieur. Si vous voulez venir avec moi, s'il vous plaît ?

L'agent du bureau leur donna à tous deux des laissez-passer de visiteurs. Puis il reprit son travail avec les deux autres, de service à l'entrée, en se demandant ce que tout cela voulait dire.

Au dernier étage, les quelques personnes se trouvant dans le couloir furent étonnées de voir un homme qui se promenait avec une mitraillette mais ce n'était pas l'habitude du Bureau de faire trop attention ; l'homme armé avait un laissez-passer et il portait l'arme correctement. Quand ils entrèrent dans un bureau, cependant, la secrétaire eut un sursaut.

— Bill est là ? demanda l'agent.

— Oui, je vais...

L'agent l'écarta d'un geste et fit signe aux visiteurs de le suivre dans le bureau de Shaw. La porte était ouverte. Shaw parlait à un de ses hommes. L'agent spécial Richard Allden s'avança et posa l'Uzi sur le sous-main.

— Dieu de Dieu, Richie ! s'écria Shaw. Qu'est-ce que c'est que ça ?

— Bill, ces deux personnes viennent d'entrer en bas et nous l'ont donnée. J'ai pensé que c'était intéressant.

Shaw regarda les deux personnes et les invita à s'asseoir sur le canapé contre le mur. Il convoqua deux autres agents et un spécialiste du laboratoire de balistique. Pendant que tout cela s'organisait, sa secrétaire apporta une tasse de café au père et un Dr Pepper pour le fils.

— Pourrais-je avoir votre nom, s'il vous plaît ?

— Je m'appelle Robert Newton et voilà mon fils Leon.

Il donna aussi son adresse et son numéro de téléphone, sans qu'on les lui demande.

— Où avez-vous trouvé cette arme ? demanda Shaw tandis que ses subordonnés prenaient des notes.

— Ça s'appelle la Carrière Jones. Je peux vous montrer sur la carte.

— Que faisiez-vous là ?

— J'étais à la pêche. C'est moi qui l'ai trouvée, leur rappela Leon.

— Je ramassais du bois à brûler, expliqua son père.

— En cette saison ?

— Ça vaut bien mieux qu'en été, quand il fait si chaud ! s'exclama M. Newton avec logique. Et puis le bois est sec. Je travaille dans le bâtiment mais c'est plutôt calme, en ce moment, alors j'étais allé chercher du bois. Le gamin n'a pas école aujourd'hui, et je l'ai emmené. Leon aime bien pêcher. Il y en a des gros, dans la carrière.

— Ah, très bien, dit Shaw avec un sourire. Tu en as déjà pris des gros, Leon ?

— Non, mais j'ai bien failli, la dernière fois.

— Et alors ?

M. Newton fit signe à son fils de parler.

— Mon hameçon s'est accroché à quelque chose de lourd, vous savez ? Alors j'ai tiré, tiré, et puis ça s'est détaché du fond et j'ai essayé de le ramener, en tournant le moulinet, mais je n'arrivais pas à le soulever. Alors j'ai appelé papa.

— C'est ça. Je l'ai ramené, dit le père. L'hameçon était pris dans le pontet. C'est quelle espèce d'arme, ça ?

— Une Uzi. C'est fabriqué en Israël, surtout, répondit l'expert de la balistique. Il y a au moins un mois que celle-ci est dans l'eau.

— J'ai peur de l'avoir pas mal manipulée. J'espère que je n'ai pas effacé les empreintes.

— Pas après un tel séjour dans l'eau, monsieur Newton, répliqua Shaw. Et vous l'avez tout de suite apportée ici ?

— Ben oui, nous l'avons trouvée il y a... oh, une heure et demie. Il n'y avait pas de chargeur.

— Vous connaissez les armes à feu ? demanda le spécialiste.

— J'ai passé un an au Viêt-nam. J'étais simple soldat, dans la 173e aéroportée. Je connais assez bien les M-16, dit Newton en souriant. Et puis je chassais, dans le temps.

— Parlez-nous de cette carrière, dit Shaw.

— C'est à l'écart de la route principale, à environ un kilomètre. Il y a beaucoup d'arbres, par là. C'est là que je trouve mon bois à brûler. Je ne sais pas à qui ça appartient. Des tas de voitures y vont. Vous savez, des amoureux du samedi soir, un coin comme ça.

— Est-ce qu'il vous est arrivé d'entendre des coups de feu, là-bas ?

— Non, sauf pendant la saison de la chasse. Il y a des écureuils, beaucoup d'écureuils. Et alors, cette arme-là ? Ça vous dit quelque chose ?

— C'est possible. C'est le type de mitraillette qui a servi pour le meurtre d'un officier de police et...

— Ah oui ! Cette dame et sa petite fille, près d'Annapolis, hein ?...
Ah merde, alors.

Shaw examina le gamin. Il devait avoir neuf ans et il avait des yeux
vifs, intéressés par les photos sur les murs du bureau, des souvenirs des
nombreux postes de Shaw.

— Monsieur Newton, lui dit-il, vous nous avez rendu un grand
service.

— Ah oui ? répondit Leon. Qu'est-ce que vous allez faire avec le
flingue ?

Ce fut l'expert de la balistique qui l'expliqua :

— Tout d'abord, nous allons le nettoyer et nous assurer qu'il est
inoffensif. Ensuite, nous tirerons avec. Vous pouvez renoncer à tous les
autres examens, dit-il à Shaw. L'eau de cette carrière doit être
chimiquement active. La corrosion est assez grave... Et toi, si tu attrapes
du poisson là-bas, je te conseille de ne pas le manger avant de l'avoir
montré à ton père pour être sûr qu'il est bon.

— D'accord, assura le petit.

— Des fibres, dit Shaw.

— Ouais, peut-être. Ne vous en faites pas, s'il y en a nous les
trouverons.

— Et le canon ?

— Peut-être, répliqua l'homme. Au fait, cette mitraillette vient de
Singapour. Elle est donc relativement neuve. Les Israéliens leur ont
accordé la licence pour les fabriquer il y a seulement dix-huit mois.
C'est la même usine qui fabrique des M-16 sous licence de Colt.

Il lut les numéros de série, qui seraient télexés à l'attaché juridique
du FBI à l'ambassade de Singapour en quelques minutes.

— Je peux regarder ? demanda Leon. Je ne vous gênerai pas.

— Ecoute, je veux causer encore un moment avec ton papa, lui dit
Shaw. Alors si tu veux un de nos agents te fera voir notre musée. Tu
verras comment nous avons arrêté tous les vieux gangsters. Si tu attends
dehors, quelqu'un va venir te chercher.

— D'accord !

— Nous ne devrons rien dire à personne, n'est-ce pas ? demanda
M. Newton quand son fils fut parti.

— En effet, monsieur. C'est important pour deux raisons. Pre-
mièrement, nous ne voulons pas que les coupables sachent que nous
avons opéré une percée dans cette affaire, une importante percée,
peut-être. Vous avez peut-être fait quelque chose de très important,
monsieur Newton. La seconde raison, c'est la protection de votre
famille et de vous-même. Ces gens-là sont très dangereux. Ils ont

tenté de tuer une femme enceinte et sa petite fille de quatre ans.

Cela retint toute l'attention de Robert Newton, qui avait cinq enfants, dont trois filles.

— Et maintenant, avez-vous déjà remarqué des personnes, autour de cette carrière ? demanda Shaw.

— Comment ça ?

— N'importe qui.

— Il y a peut-être deux ou trois autres types qui viennent couper du bois. Je connais leurs noms. Enfin leurs prénoms, hein. Et comme je disais, les amoureux aiment bien y venir, dit-il en riant. Une fois, j'ai dû en aider un. Parce que le chemin n'est pas formidable, vous savez, et la voiture de ce gosse s'était embourbée. Une fois, c'était un mardi, je ne pouvais pas travailler ce jour-là parce que la grue était tombée en panne et je n'avais pas envie de traîner à la maison, hein ? Alors je suis allé couper du bois. Il y avait une camionnette qui arrivait par ce chemin. Elle avait bien du mal, dans la boue. J'ai dû attendre au moins dix minutes parce qu'elle bloquait la route, en glissant, en dérapant.

— Quel genre de véhicule ?

— Foncé. Le genre avec la porte coulissante sur le côté, une fourgonnette, et elle avait été arrangée, comme qui dirait, avec des vitres foncées, voyez ?

Bingo, pensa Shaw.

— Avez-vous vu le conducteur, quelqu'un à l'intérieur ?

Newton réfléchit un moment.

— Ouais... Un Noir. Il était... Ouais, je me souviens, il gueulait, sauf votre respect. Devait être furieux d'être embourbé comme ça. Je ne pouvais pas l'entendre, notez, mais je voyais qu'il criait, vous savez ? Il était barbu et il avait un blouson de cuir, comme celui que je mets pour aller au travail.

— Rien d'autre, à propos de la fourgonnette ?

— Je crois qu'elle faisait du bruit, comme si elle avait un gros moteur V-8. Ouais, fallait que ce soit une camionnette spéciale, pour avoir ça.

Shaw regarda ses hommes qui prenaient des notes à toute vitesse.

— Les journaux disaient que les bandits étaient blancs, dit Newton.

— Les journaux ne savent pas toujours tout.

— Vous voulez dire que le salaud qui a tué ce flic était un Noir ? s'écria Newton, dégoûté car il l'était aussi. Et il a essayé de tuer aussi cette famille... Merde !

— Monsieur Newton, ceci est un secret. Est-ce que vous me

comprenez bien ? Vous ne pouvez parler de ça à personne, pas même à votre fils... Au fait, il était là ?

— Non, il était à l'école.

— Très bien. Vous ne devez en parler à personne. C'est pour votre protection, et celle de votre famille. Il s'agit d'hommes très dangereux.

— D'accord... Alors comme ça, vous voulez dire que nous avons des gens qui se baladent avec des mitraillettes, qui tuent des gens, ici ? Pas au Liban ni tout ça, mais ici chez nous ?

— Hé oui, hélas !

— Dites donc ! J'ai pas passé un an au Viêt-nam pour voir ça ici où nous vivons !

Quelques étages plus bas, deux experts avaient déjà démonté l'Uzi. Un petit aspirateur fut passé sur toutes les pièces, dans l'espoir d'y découvrir des fibres de tissu correspondant à celles qui avaient été prélevées dans la fourgonnette. On procéda à un dernier examen soigneux. L'immersion prolongée n'avait pas fait de bien aux estampilles mais le canon et la culasse, en acier plus résistant, étaient en meilleur état. Le chef du laboratoire remonta la mitraillette lui-même, rien que pour montrer à ses techniciens qu'il en était encore capable. Il prit son temps, en graissant chaque pièce, et manœuvra finalement la culasse pour s'assurer qu'elle fonctionnait correctement.

— C'est bon, dit-il tout haut.

Il laissa l'arme sur la table, la culasse fermée sur une chambre vide. Ensuite il alla prendre dans une armoire un chargeur d'Uzi et le chargea de balles de 9 mm. Il le mit dans sa poche.

Les visiteurs trouvaient toujours la procédure quelque peu incongrue. Les techniciens étaient en blouse blanche, comme des médecins, quand ils essayaient les armes. L'homme se mit des protège-oreilles, insinua le canon dans une fente et tira une première balle, pour être certain que la mitraillette fonctionnait bien. Puis il garda le doigt sur la détente et vida le chargeur en quelques secondes. Enfin, il le retira, vérifia que l'arme était bien vide et la remit à son assistant.

— Je vais me laver les mains. Nous allons vérifier ces projectiles.

Le chef était un homme méticuleux.

Quand il eut fini de s'essuyer les mains, il avait une petite collection de vingt balles tirées. La chemise métallique de chacune présentait des marques caractéristiques laissées par le filetage du canon. Les traces étaient à peu près les mêmes sur chaque balle, mais avec de très légères différences car en chauffant le canon se dilatait un peu.

Il prit une petite boîte parmi les pièces à conviction. Elle contenait

393

la balle qui avait traversé de part en part un agent de police. *C'est bien peu de chose pour supprimer la vie d'un homme*, pensa-t-il, pas même trente grammes de plomb et d'acier, à peine déformée par sa trajectoire mortelle. Mieux valait ne pas trop y penser. Il la plaça d'un côté du microscope de comparaison et en prit une autre parmi celles qu'il venait de tirer. Puis il ôta ses lunettes et se pencha sur les oculaires. Les balles étaient... à peu près semblables. Elles avaient manifestement été tirées par le même type d'arme. Il changea d'échantillon. Plus rapprochant. La troisième balle fut encore plus semblable. Il fit lentement tourner l'échantillon, avec précaution, en le comparant à la balle prise dans la boîte des pièces à conviction et...

— Ces deux-là font la paire !

Il s'écarta du microscope et un autre technicien vint s'y pencher pour vérifier.

— Oui, pas de doute, c'est la paire. A cent pour cent, reconnut-il.

Le patron ordonna à ses hommes de vérifier toutes les autres balles et alla au téléphone.

— Shaw.

— C'est la même arme. Certitude à cent pour cent. J'ai la sœur jumelle de la balle qui a tué le policier. Ils sont en train de comparer avec celles de la Porsche.

— Bien joué, Paul !

— Et comment ! Je vous rappelle dans un moment.

Shaw raccrocha et regarda ses agents :

— Messieurs, nous venons de réussir une percée dans l'affaire Ryan.

22
Procédures

Ce même soir, Robert Newton conduisit les agents à la carrière. Le lendemain à l'aube, toute une équipe de techniciens et d'experts analysaient les prélèvements de terre du site. Deux plongeurs entrèrent dans l'eau boueuse et dix agents furent postés sous les arbres pour guetter des visiteurs éventuels. Une autre équipe rendit visite aux ramasseurs de bois qui connaissaient Newton et les interrogea. D'autres encore allèrent interroger les habitants des fermes environnantes, au bord de la route conduisant au bois. Des échantillons de terre furent prélevés pour être comparés avec ceux qui avaient été aspirés pour être comparés avec ceux qui avaient été aspirés dans la fourgonnette. Les traces de pneus furent photographiées, pour être analysées plus tard.

Les techniciens de la balistique avaient déjà effectué d'autres essais avec l'Uzi. Le rapport entre l'arme et la camionnette était maintenant absolument certain. Le numéro de série avait été confirmé par la manufacture de Singapour et des archives étaient consultées pour savoir où l'arme avait été expédiée. Les noms de tous les armuriers du monde étaient dans l'ordinateur du Bureau. Le but même de la technique experte du FBI était, à partir d'un seul petit renseignement, de remonter une affaire criminelle complète.

Mais tous ces enquêteurs ne pouvaient passer inaperçus. Alex Dobbens passait tous les jours près de la route de la carrière, en se rendant à son travail. Il aperçut deux véhicules débouchant sur la route, du chemin en terre battue. Ils n'avaient aucune marque distinctive mais des plaques d'immatriculation fédérales et cela lui suffit.

Dobbens était un homme de sang-froid et méticuleux. Tout ce qu'il faisait découlait d'un plan. Ses hommes avaient du mal à le comprendre mais on ne peut discuter devant la réussite et tout ce qu'entreprenait Dobbens réussissait. Cela lui valait le respect et l'obéissance de personnes qui avaient naguère été trop passionnées pour ce qu'Alex considérait comme leur mission dans la vie.

C'était inhabituel, pensa-t-il, de voir deux voitures sortir ensemble de cette route. Ça l'était encore plus si elles avaient toutes deux des plaques fédérales. Par conséquent, les fédéraux devaient avoir appris qu'il se servait de la carrière pour l'entraînement au maniement d'armes. Il se demanda qui l'avait dénoncé. Un chasseur, peut-être, un de ces ruraux qui chassent les écureuils et les oiseaux. Ou un de ces coupeurs de bois, peut-être. Ou encore un gosse d'une ferme voisine. Quelle importance ?

Il avait emmené ses hommes tirer là-bas quatre fois, la dernière quand l'Irlandais était venu. *Mmmm, qu'est-ce que ça peut faire ?* demanda-t-il à la route devant son capot. Il y avait des semaines. A chaque fois, ils avaient tiré uniquement pendant l'heure de pointe, le plus souvent dans la matinée. Même aussi loin de D.C., il y avait beaucoup de circulation, des voitures et des camions sur la route, assez pour faire un bruit d'enfer dans la campagne. Il était donc fort improbable qu'on les ait entendus. Bien.

Chaque fois qu'ils s'étaient entraînés là-bas, Alex avait pris grand soin de ramasser les douilles et il était certain qu'ils n'avaient rien oublié, pas même un mégot de cigarette. Ils ne pouvaient éviter de laisser des traces de pneus mais c'était justement pourquoi il avait choisi ce coin isolé ; pas mal de gosses venaient flirter en voiture pendant le week-end et les traces de pneus ne manquaient pas.

Il se souvint qu'ils s'y étaient débarrassé de l'arme du crime mais qui aurait pu la découvrir ? L'eau dans cette carrière avait près de vingt-cinq mètres de profondeur — il avait vérifié — et avait l'air aussi engageante qu'une rizière, boueuse, la surface couverte d'une espèce d'écume répugnante. Pas un endroit propice à la baignade. Ils n'y avaient jeté que l'arme qui avait tiré. Aussi invraisemblable que cela paraisse, il était contraint de supposer qu'elle avait été repêchée. Comment c'était arrivé, cela n'avait pas d'importance pour le moment. Il se dit qu'il leur fallait maintenant se débarrasser de toutes les autres. On peut toujours se procurer des armes neuves.

Que peuvent apprendre les flics ? se demanda-t-il. Il connaissait bien les diverses procédures policières. Il possédait plusieurs ouvrages sur les techniques d'investigation, des manuels utilisés pour l'entraînement des flics dans leurs diverses académies, par exemple *Homicide Investigation* de Snyder et la *Law Enforcement Bible*. Ses hommes et lui les avaient étudiés avec autant d'assiduité que les futurs flics.

Il ne pouvait pas y avoir d'empreintes sur la mitraillette. Après le séjour dans l'eau, ces traces avaient disparu depuis longtemps. Alex avait manié et nettoyé l'arme mais il ne s'inquiétait pas à ce sujet.

La fourgonnette avait disparu. Elle avait été volée, d'abord, et ensuite modifiée par un des hommes d'Alex, équipée de quatre jeux de plaques différents. Les plaques avaient été jetées depuis longtemps, sous un pylone électrique dans le canton d'Anne Arundel. Si l'enquête avait évolué de ce côté-là, il l'aurait su. La fourgonnette elle-même avait été complètement nettoyée, essuyée, la terre de la carrière... c'était un sujet de réflexion mais le véhicule aboutissait quand même à une impasse. Ils n'y avaient rien laissé qui puisse la relier à son groupe.

Est-ce que ses hommes avaient parlé, peut-être l'un d'eux troublé par sa conscience à cause de l'enfant qui avait failli mourir ? Encore une fois, si c'était arrivé, il se serait réveillé cet après-midi pour trouver un insigne de police et un pistolet sous son nez. Donc, c'était à écarter. Probablement. Il se promit d'en parler à ses gens, de bien leur rappeler qu'ils ne devaient parler à personne de ce qu'ils faisaient.

Aurait-on vu sa figure ? Alex se maudissait encore d'avoir agité la main à l'hélicoptère. Mais il avait un chapeau, des lunettes de soleil, une barbe et tout cela avait disparu, ainsi que le blouson, le jean et les bottes. Il avait encore ses gants de travail, mais on pouvait acheter les mêmes dans n'importe quelle quincaillerie. *Alors fous-les en l'air et achètes-en une autre paire,* se dit-il. *Et garde le ticket de caisse.*

Il repassa en revue tout ce qu'il savait, en pensant qu'il se laissait probablement bêtement impressionner. Les fédéraux pouvaient très bien enquêter sur toute autre chose, mais c'était stupide de prendre des risques inutiles. Il fallait se débarrasser de tout ce qu'ils avaient utilisé à la carrière. Jamais ils ne retourneraient là-bas. Les groupes gauchistes qu'il avait côtoyés quand il était au collège s'étaient désintégrés à cause de leur arrogance et de leur imprudence, leur sous-estimation des talents de leurs ennemis. Fondamentalement, ils avaient disparu parce qu'ils étaient indignes de réussir. La victoire appartient à ceux qui sont préparés à la remporter, estimait Alex. Il était même capable de se retenir de se féliciter d'avoir repéré les fédéraux. C'était de la simple prudence, pas du génie. Il avait déjà un nouveau site prometteur, pour le maniement d'armes.

— Erik Martens, souffla Ryan. Nous nous retrouvons.

Tous les renseignements du FBI avaient été transmis en quelques heures au groupe de travail de la Central Intelligence Agency. L'Uzi récupérée — Ryan s'émerveillait de ce coup de chance incroyable ! — avait été fabriquée, constata-t-il, à Singapour, dans une usine qui produisait aussi une version du fusil d'assaut M-16 qu'il avait porté dans le Corps ainsi que d'autres armes de guerre, de l'Est ou de l'Ouest, pour la vente aux pays du tiers monde... et à d'autres clients intéressés. Grâce à ses travaux de l'été précédent, Ryan savait qu'il existait bon nombre de ces usines et bon nombre de gouvernements dont le seul critère pour la légalité d'un achat d'armes était la solvabilité de l'acheteur. Même ceux qui demandaient pour la forme des précisions sur l'utilisateur final fermaient souvent les yeux sur la réputation d'un trafiquant qui ne prouvait pas catégoriquement qu'il se plaçait du mauvais côté de la ligne diffuse séparant les honnêtes gens des autres.

Tel était le cas de M. Martens. Très compétent dans ses affaires, avec des relations remarquables, Martens avait travaillé avec les rebelles de l'UNITA soutenus par la CIA, en Angola, jusqu'à ce qu'une filière plus régulière soit établie. Son principal atout, cependant, était son adresse pour obtenir des articles destinés au gouvernement sud-africain. Ainsi, il lui avait récemment fourni les machines-outils et les matrices pour la fabrication du missile anti-chars Milan, une arme qui ne pouvait être légalement exportée au gouvernement afrikaner à cause de l'embargo occidental. Pour cet exploit, il avait dû toucher la forte somme mais la CIA n'avait pas pu en connaître l'importance. Martens possédait son propre avion d'affaires, un Grunman G-3 à réaction au rayon d'action intercontinental. Pour être sûr de pouvoir le faire voler partout où il le voulait, il avait obtenu des armes pour plusieurs nations d'Afrique noire et même des missiles pour l'Argentine. Dans n'importe quel coin du monde il pouvait trouver un gouvernement qui avait une dette envers lui. Il aurait fait sensation à Wall Street ou dans n'importe quel autre marché. Ryan sourit tout seul. Cet homme traitait avec n'importe qui et vendait des armes comme les gens de Chicago échangeaient des prévisions sur le cours des céréales.

C'était entre ses mains que les UZI de Singapour étaient arrivées. Tout le monde adorait l'UZI. Les Tchèques avaient essayé de la copier sans grand succès commercial. Les Israéliens en vendaient par milliers à des forces militaires ou de sécurité et toujours — enfin, la plupart du temps — en se pliant aux règles imposées par les Etats-Unis. Ryan vit dans le dossier que beaucoup de ces armes avaient trouvé le chemin de l'Afrique du Sud jusqu'à ce que l'embargo rende ce trafic plus difficile. Il se demanda si c'était pour cela qu'ils avaient fini par laisser d'autres fabriquer l'arme sous licence. Laisser quelqu'un développer le marché pour soi et puis simplement empocher les bénéfices...

L'expédition avait été de cinq mille unités, environ deux millions de dollars au prix de gros. Pas beaucoup, dans le fond, juste de quoi équiper une police municipale ou un régiment de paras, selon l'orientation du gouvernement client. Un envoi assez important pour gonfler les poches de M. Martens, suffisamment réduit pour ne pas trop attirer l'attention. Un camion, peut-être deux, pensa Ryan. Les caisses pouvaient être nichées dans un recoin de son entrepôt.

C'est ce que sir Basil Charleston m'a dit à ce dîner, se rappela Ryan. *Vous n'avez pas fait suffisamment attention à ce type d'Afrique du Sud...* Ainsi, les Brits croyaient qu'il trafiquait avec les terroristes... directement? Non, son gouvernement ne tolérerait pas cela. Probablement pas, rectifia Ryan. Les armes risqueraient de tomber entre les mains de l'African National Congress, qui lui était hostile. Donc, il avait un intermédiaire. Il fallut une demi-heure à Ryan pour se procurer ce dossier et téléphoner à Marty Cantor.

Le dossier se révéla désastreux. Martens avait huit agents intermédiaires connus et quinze suspectés, un ou deux dans chaque pays client... Bien sûr! Ryan forma de nouveau le numéro de Cantor.

— Si je comprends bien, nous n'avons jamais parlé à Martens? demanda-t-il.

— Pas depuis quelques années. Il a fait passer des armes pour nous en Angola, mais nous n'avons pas aimé sa manière de s'y prendre.

— Comment ça?

— Ce type est un truand, répliqua Cantor. Ce n'est pas terriblement insolite dans le commerce des armes mais nous essayons d'éviter ces gens-là. Nous avons installé notre propre filière une fois que le Congrès a abrogé les restrictions sur ces opérations.

— J'ai vingt-trois noms, ici.

— Ouais, je connais le dossier. Nous avons pensé qu'il livrait des armes à un groupe financé par l'Iran, en novembre dernier, mais l'enquête a révélé que non. Il a fallu deux mois pour l'innocenter. Cela aurait été beaucoup plus facile si nous avions pu lui parler.

— Et les Brits? demanda Jack.

— Le mur, répondit Marty. Chaque fois qu'ils essayent de lui parler, un gros soldat afrikaner dit non. On ne peut pas leur en vouloir, dans le fond. Si l'Occident les traite comme des parias, ils se conduisent en parias, tiens donc. L'autre chose à ne pas oublier, c'est que les parias se serrent les coudes.

— Nous ne savons donc pas ce que nous avons besoin de savoir sur ce type et nous n'irons pas le chercher.

— Je n'ai pas dit ça.

— Alors nous envoyons des gens sur le terrain pour vérifier certaines choses ? demanda Ryan plein d'espoir.

— Je n'ai pas dit ça non plus.

— Enfin, bon dieu, Marty !

— Jack, vous n'êtes pas habilité à connaître les opérations sur le terrain. Au cas où vous ne l'auriez pas remarqué, pas un des dossiers que vous avez vus ne vous dit comment les renseignements ont été obtenus.

Ryan l'avait bien remarqué. Les indicateurs n'étaient pas nommés, les lieux de rencontre n'étaient pas précisés ni les méthodes employées pour transmettre l'information.

— D'accord, mais est-ce que je peux supposer sans me tromper que nous allons, par des moyens inconnus, obtenir davantage de renseignements sur ce monsieur ?

— Vous pouvez supposer sans vous tromper que cette possibilité est envisagée.

— Il est peut-être notre meilleure piste !

— Je sais.

— Ça devient très frustrant, Marty, dit Ryan pour se défouler car il en avait gros sur le cœur.

— Vous pouvez parler ! rétorqua Cantor en riant. Attendez d'être mêlé à quelque chose de vraiment important... pardon, mais vous me comprenez. Comme ce que pense vraiment le Politburo de ceci ou de cela, ou quelle est la puissance ou la précision de leurs missiles, ou si les Russes ont infiltré quelqu'un dans ce bâtiment.

— Un problème à la fois !

— Ouais, ça doit être bien, petit, de n'avoir qu'un problème à traiter à la fois.

— Quand pouvons-nous espérer voir quelque chose sur Martens ? demanda Ryan.

— Vous le saurez quand ça arrivera. Promis. Salut.

— Au poil.

Jack passa le reste de la journée et une partie d'une autre à fouiller dans les dossiers des gens avec qui Martens avait traité. Les deux jours suivants, il dut reprendre ses cours et ce fut un soulagement, mais il avait découvert une filière possible. Les moteurs Mercury trouvés sur le Zodiac utilisé par l'ULA étaient probablement — la comptabilité s'était quelque peu perdue en Europe — passés par un trafiquant maltais avec lequel Martens avait fait des affaires.

La bonne nouvelle du printemps, ce fut qu'Ernie apprenait vite. En moins de quinze jours, il prit l'habitude d'aller se soulager dehors, ce qui délivra Jack du message implorant de sa fille : « Papaaaa, y a un petit problèèèèèème... », inévitablement suivi du commentaire ironique de Cathy : « On s'amuse, Jack ? » En réalité, elle reconnaissait que le chien avait été une bonne idée. On n'arrivait à séparer Ernie de la petite fille qu'en tirant très fort sur la laisse. Il dormait dans son lit, en se levant régulièrement pour faire sa ronde dans la maison. Au début, ce fut plutôt déconcertant de voir le chien — ou plutôt une masse noire plus sombre que la nuit — venir faire son rapport et annoncer que tout allait bien avant de retourner dans la chambre de Sally pour deux nouvelles heures de sommeil protecteur.

C'était encore un chiot, avec des pattes incroyablement longues et de gros pieds patauds et il aimait encore se faire les dents. Quand il s'attaqua à une jambe d'une des poupées Barbie de Sally, il en résulta de furieuses récriminations de la part de sa propriétaire qui ne se radoucit que lorsqu'il lui lécha la figure pour se faire pardonner.

Sally était enfin redevenue normale. Comme les médecins l'avaient promis, ses jambes étaient totalement guéries et elle courait maintenant comme avant le drame. Quand elle commença à faire tomber des verres ou des vases des tables sur son passage, ses parents étaient si heureux qu'ils ne pouvaient se résoudre à la gronder. De son côté, Sally subissait beaucoup de grandes embrassades spontanées qu'elle ne comprenait pas très bien. Elle avait été malade et maintenant elle allait bien, c'était tout. Jack mit longtemps à s'apercevoir que la petite fille ne soupçonnait pas qu'il y avait eu une attaque. Quand elle en parlait, rarement, c'était toujours « la fois où la voiture s'est cassée ». Elle devait encore être examinée par les médecins, toutes les quelques semaines. Elle détestait et redoutait ces séances mais elle s'y était accoutumée.

Comme elle s'était accoutumée aux changements de sa mère. Le bébé commençait réellement à se développer. La fine charpente menue de Cathy semblait mal faite pour une telle épreuve. Tous les matins après sa douche elle se contemplait, toute nue, dans la glace en pied de la penderie et s'en détournait avec une expression à la fois fière et affligée en passant ses mains sur les modifications quotidiennes.

— Ça va empirer, lui dit son mari alors qu'elle sortait de la douche un matin.

— Merci, Jack. J'avais vraiment besoin d'entendre ça.

— Est-ce que tu peux voir tes pieds ?

— Non, mais ils se rappellent à mon bon souvenir.

Ses chevilles avaient enflé, d'abord, les pieds suivaient.

— Pour moi, tu es fantastique, bébé.

Jack se tenait derrière elle, les bras tendus pour lui soutenir le ventre. Il posa sa joue sur le sommet de la tête de sa femme.

— Je t'aime...

Elle se regardait encore dans la glace. Jack vit sa figure, son léger sourire. Une invitation ? Il glissa ses mains en remontant, pour savoir.

— Aïe ! Ils me font mal.

— Pardon.

Il relâcha son étreinte, pour ne fournir qu'un support aux seins lourds.

— Est-ce qu'il y a quelque chose de changé, là ?

— Il t'a fallu tout ce temps pour le remarquer ? C'est malheureux que je doive supporter ça pour que ça m'arrive.

Le sourire s'élargit imperceptiblement. Cathy se renversa un peu en arrière, en frottant son dos contre le torse velu de son mari. Elle adorait cela.

— Tu es belle, murmura-t-il. Tu rayonnes.

— Oui, eh bien, il faut que j'aille rayonner au travail, dit-elle, mais Jack n'ôta pas ses mains. Je dois m'habiller, Jack.

— Comment est-ce que je t'aime ? chuchota-t-il dans les cheveux humides. Laisse-moi compter les façons de t'aimer. Une... deux... trois...

— Pas maintenant, vicieux !

— Pourquoi ?

— Parce que je dois opérer dans trois heures et tu dois aller chez les barbouzes.

Elle ne bougea pas, cependant. Les moments étaient rares où ils étaient seuls.

— Je n'y vais pas aujourd'hui. Je suis coincé par un séminaire à l'Académie. J'ai peur que le département soit un peu en rogne contre moi...

Ses mains étaient caressantes. Il regardait toujours Cathy dans la glace. Elle avait fermé les yeux. *Au diable le département...*

— Dieu, que je t'aime !

— Ce soir, Jack.

— Promis ?

— Tu m'as convaincue, beau parleur. Maintenant je...

Elle saisit les mains de Jack, les tira vers le bas et les appuya contre la peau tendue de son ventre.

Il — le bébé était indiscutablement un garçon, pour eux — était bien éveillé, il se retournait et gigotait.

— Ah ! s'exclama le père.

Cathy lui déplaça les mains, pour qu'il suive les mouvements du bébé.

— Quel effet est-ce que ça fait ?

— C'est une sensation agréable... sauf quand j'essaie de m'endormir ou quand il me donne un coup de pied dans la vessie pendant que j'opère.

— Est-ce que Sally était aussi... aussi forte ?

— Je ne crois pas.

Elle ne dit pas que ce n'était pas en ces termes que l'on pensait. C'était simplement la sensation que le bébé qu'on portait était en bonne santé, bien vivant, mais jamais aucun homme ne pourrait comprendre cela. Pas même Jack. Cathy Ryan était fière. Elle savait qu'elle était un des meilleurs chirurgiens ophtalmologues du monde. Elle se savait jolie, séduisante, et se donnait du mal pour le rester ; même à présent, déformée par sa grossesse, elle savait qu'elle n'avait rien perdu de son charme. Elle le sentait à la réaction biologique de son mari, contre son dos. Mais, plus encore, elle savait qu'elle était une femme, qu'elle faisait une chose que Jack ne pourrait jamais imiter ni comprendre pleinement. Mais après tout, se dit-elle, il faisait aussi des choses qu'elle ne comprenait pas.

— Il faut que je m'habille.

— D'accord.

Il lui embrassa la nuque, en prenant son temps. Il devrait se contenter de ce baiser jusqu'au soir.

— J'en suis à onze, dit-il en s'écartant.

— Onze quoi ?

— Façons de t'aimer !

— Idiot ! Seulement onze ? protesta-t-elle en le giflant avec son soutien-gorge.

— Il est encore tôt. Mon cerveau n'est pas encore très fonctionnel.

— Je le vois bien.

Le plus drôle, pensait-elle, c'était que Jack ne se trouvait pas beau. Mais elle aimait sa forte mâchoire, sauf quand il oubliait de la raser, et ses yeux tendres, pleins de bonté. Elle regarda les cicatrices de son épaule et se rappela son horreur quand elle avait vu son mari se précipiter vers le danger, puis sa fierté de ce qu'il avait accompli. Cathy savait que Sally avait failli mourir à la suite de cette action d'éclat mais Jack n'aurait pu le prévoir. Et elle-même était responsable aussi, se dit-elle en se jurant que plus jamais elle ne laisserait Sally jouer avec la boucle de sa ceinture de sécurité. Ils avaient tous payé cher le tour qu'avait pris leur vie. Sally était presque entièrement remise, tout comme elle-même, mais elle savait que ce n'était pas vrai de son mari, qui avait veillé pendant qu'elle dormait.

Sa profession médicale, curieusement, l'avait amenée à croire au destin. Le temps de certaines personnes était compté. Si leur heure n'avait pas sonné, le hasard ou un bon chirurgien sauvait la vie en question, mais si c'était l'heure, les plus habiles médecins du monde n'y pouvaient rien changer. Le docteur Caroline Ryan reconnaissait que c'était une singulière façon de penser, pour un médecin, et elle la comprenait par la certitude professionnelle d'être un instrument capable de déjouer cette force régnant sur le monde, mais elle avait aussi choisi un domaine où il s'agissait rarement d'une question de vie ou de mort. Une de ses amies était devenue pédiatre spécialisée en cancérologie. C'était un domaine qui exigeait les meilleurs et qui l'avait tentée mais elle savait que l'effet, sur elle, en serait intolérable. Comment oserait-elle porter un enfant alors que d'autres mouraient sous ses yeux ? Comment pourrait-elle créer une vie sans pouvoir empêcher qu'une autre se perde ? C'était une chose d'engager sa vie, mais une tout autre affaire d'engager son âme.

Jack, lui, en avait le courage, elle le savait. Cela aussi avait son prix. L'angoisse qu'elle sentait de temps en temps chez lui ne pouvait venir que de là. Elle était sûre que son mystérieux travail à la CIA avait pour but de trouver et de tuer les hommes qui l'avaient attaquée. Elle-même ne verserait certainement pas de larmes sur ceux qui avaient failli tuer sa petite fille mais c'était un objectif qu'en sa qualité de médecin elle ne parvenait pas à envisager. Et ce n'était manifestement pas facile pour son homme non plus. Il avait dû se passer quelque chose, ces derniers jours, et il se débattait avec cet incident dont il était incapable de parler, tout en essayant de sauvegarder le reste de son monde, de maintenir intacte son affection pour sa famille. Ce n'était pas facile. Jack était un homme fondamentalement bon, généreux, par tant de côtés l'homme idéal — *du moins pour moi,* pensa Cathy. Il était tombé amoureux d'elle à leur première rencontre et elle se rappelait chaque minute de la cour qu'il lui avait faite. Elle se souvenait de sa demande en mariage maladroite — hilarante, *a posteriori* — et de la terreur dans ses yeux quand elle avait hésité à répondre, comme s'il se trouvait indigne d'elle, l'idiot. Elle se rappelait surtout son expression quand Sally était née.

L'homme qui avait tourné le dos au monde des investissements où les loups se mangeaient entre eux, l'homme qui avait préféré retourner à l'éducation de jeunes esprits, était maintenant absorbé par quelque chose qu'il n'aimait pas. Cathy aurait voulu partager sa tâche, comme il avait eu parfois à partager sa propre dépression à la suite d'une opération manquée. Elle avait eu terriblement besoin de lui pendant ces dernières semaines, mais maintenant c'était lui qui avait besoin d'elle.

— Qu'est-ce qui te trouble, Jack ? Je ne peux pas t'aider ?

— Je ne peux pas en parler, répondit Jack en nouant sa cravate. C'était une bonne chose, je crois, mais dont on ne peut pas être très fier.

— Les gens qui...

— Non, pas eux. Si c'était eux... si c'était eux, je serais tout sourires. Mais à leur propos il y a eu un coup de chance. Le FBI... je ne devrais vraiment pas te le dire mais ça ne sortira pas de cette chambre. Le FBI a retrouvé l'arme. Ça pourrait être important mais nous n'en sommes pas encore sûrs. L'autre chose... eh bien, je ne peux pas en parler du tout. Je le regrette bien.

— Tu n'as rien fait de mal ?

A cette question, il changea de figure.

— Non. J'y ai bien réfléchi depuis quelques jours. Tu te rappelles le jour où tu as été obligée d'enlever un œil à cette femme ? Tu en étais très malheureuse mais tu l'as fait parce que c'était nécessaire. C'est la même chose.

Il se retourna vers la glace. *Quelque chose de ce genre.*

— Jack, je t'aime et je crois en toi. Je sais que ce que tu fais est bien.

— J'en suis heureux, bébé, parce que parfois je n'en suis pas tellement sûr.

Il tendit les bras et elle s'y blottit. Dans une base militaire française, au Tchad, une autre jeune femme devait connaître bien autre chose qu'un tendre enlacement, pensa-t-il. *A qui la faute ? Une chose est certaine, elle n'est pas comme ma femme, pas comme cette fille merveilleuse...*

Il la sentait contre lui, il sentait le bébé qui bougeait et, enfin, il en fut certain... Comme sa femme, toutes les autres femmes devaient être protégées, tous les enfants, tous les êtres vivants qui étaient considérés comme de simples abstractions par ceux qui s'entraînaient dans ces camps. Ils n'étaient pas des abstractions, ils étaient bien réels. Et il fallait traquer les terroristes de toutes les manières. Si l'on pouvait le faire par des moyens civilisés, tant mieux ; sinon, alors il fallait faire de son mieux et compter sur sa conscience pour ne pas dépasser la mesure. Jack pensait pouvoir se fier à sa conscience. Il la tenait dans ses bras. Il embrassa tendrement sa femme sur la joue.

— Merci. Ça fait douze.

Les examens de fin d'année arrivèrent : une nouvelle classe de midships allait rejoindre la flotte et le corps. Ryan resta prisonnier de son véritable emploi pendant une semaine, pour finir de mettre à jour une montagne de documents. Ni le département d'histoire de l'Académie ni la CIA n'étaient très contents de lui, à présent. Sa tentative de servir deux maîtres n'avait pas été un succès. Les deux emplois en avaient souffert et il savait qu'il aurait à choisir l'un ou l'autre. C'était une décision qu'il évitait encore consciemment alors que les preuves de son inéluctabilité s'entassaient autour de lui.

— Salut, Jack !

Robby entra, en uniforme blanc ordinaire.

— Prends-toi un siège, commandant ! Comment ça se passe, dans le métier des ailes ?

— On ne se plaint pas, répondit Jackson. Tu aurais dû être dans le Tomcat avec moi, la semaine dernière. Ah, je te jure, je suis de nouveau aux commandes. Je me bagarrais avec un gars en A-4 qui jouait l'agresseur et je peux te dire que je lui ai gâché sa journée. C'était si chouette... Je suis fin prêt !

— Tu pars quand ?

— Je dois me présenter au rapport le 5 août. Je partirai probablement d'ici le 1er.

— Pas avant que nous vous ayons à dîner Sissy et toi, dit Jack en jetant un coup d'œil à son agenda. Le 30 est un vendredi. 19 heures. O.K. ?

— A vos ordres, chef.

— Que va faire Sissy, là-bas ?

— Eh bien, il y a un petit orchestre symphonique à Norfolk. Elle sera deuxième piano soliste, et puis elle donnera des leçons.

— Tu sais qu'il y a un centre de fécondation in-vitro, là-bas. Vous pourriez finalement avoir un gosse.

— Ouais. Cathy lui en a parlé. Nous y pensons mais... eh bien, Sissy a déjà eu beaucoup de déceptions, tu sais.

— Tu veux que Cathy lui parle encore ?

Robby réfléchit un peu.

— Oui, elle le fait mieux que moi. Comment va-t-elle, avec le prochain ?

— Elle râle beaucoup à cause de sa silhouette, dit Jack en riant. Pourquoi est-ce qu'elles refusent de comprendre qu'elles sont si belles quand elles sont enceintes ?

— Ouais...

Robby sourit, en se demandant si sa femme serait un jour aussi belle pour lui. Jack eut des remords d'avoir touché un point sensible et changea de conversation.

— Au fait, qu'est-ce qui se passe avec tous ces bateaux ? J'en ai vu toute une floppée garés sur le front de mer, ce matin.

— On dit mouillés, espèce de terrien ignorant. On remplace les piles à la base navale d'en face. Ça doit durer deux mois, en principe. Rien de bien grave. Le travail devrait être terminé à temps pour la prochaine année scolaire. Note que je m'en fiche un peu. A ce moment-là, je passerai mes matinées à vingt-cinq mille pieds, mon vieux, dans mon élément. Et toi, qu'est-ce que tu feras ?

— Qu'est-ce que tu veux dire ?

— Est-ce que tu seras ici ou à Langley ?

Ryan regarda par la fenêtre.

— Franchement, je n'en sais rien. Nous avons un bébé en route et un tas d'autres choses en tête.

— Vous ne les avez pas encore retrouvés ?

— Non. Nous pensions avoir une bonne piste, mais ça n'a rien donné. Ces types sont des pros, Robby.

Jackson réagit avec une passion surprenante.

— Connerie ! Les professionnels ne s'en prennent pas aux gosses. S'ils veulent faire un carton sur un soldat ou un flic, d'accord, ce n'est pas bien mais je peux le comprendre. Les soldats et les flics sont armés, ils peuvent riposter et ils ont de l'entraînement. Alors c'est un match à égalité et la partie est régulière. En attaquant des non-combattants, ils se conduisent simplement comme de foutus gangsters. Ils sont peut-être malins mais ils ne sont certainement pas des professionnels. Les professionnels risquent leur peau pour de vrai.

Jack secoua la tête. Robby avait tort mais il ne savait pas comment l'expliquer à son ami. Le code de Jackson était celui du guerrier. Sa règle numéro un : On n'attaque pas délibérément des êtres sans défense. C'était déjà assez grave lorsque cela arrivait accidentellement. Le faire exprès, c'était lâche, méprisable et ceux qui le faisaient ne méritaient que la mort. Ils se mettaient au ban de la société.

— Ils jouent un drôle de jeu, Jack, reprit le pilote. Il y a une chanson, là-dessus. Je l'ai entendue chez Riordan, à la Saint Patrick. « J'ai appris tous mes héros et je veux les imiter, tenter ma chance au jeu des patriotes », quelque chose comme ça. Mais la guerre n'est pas un jeu, c'est un métier ! Eux, ils s'appellent « patriotes » et ils s'en vont tuer des gosses. Des salauds. Dans la flotte, Jack, je pilote mon Tomcat. Je n'aime pas beaucoup les Russes mais les gars qui pilotent leurs Bears connaissent leur boulot. Nous connaissons le nôtre et les deux côtés se respectent. Il y a des règles et les deux camps les observent. C'est comme ça que ça doit être.

— Le monde n'est pas si simple, Robby.

— Oui, eh bien il devrait l'être ! s'écria Jackson et Ryan fut surpris par sa véhémence. Dis à ces gars de la CIA de nous les trouver, trouve quelqu'un pour donner l'ordre et j'escorterai la force de frappe !

— Les deux dernières fois que nous avons fait ça, nous avons eu des pertes, fit observer Ryan.

— Nous prenons nos risques. C'est pour ça que nous sommes payés, Jack.

— Oui, mais avant, nous voulons vous avoir à dîner.

Jackson sourit d'un air penaud.

— Je ne ferai pas de grands discours. Promis. Habillé ?

— Robby ! Tu m'as déjà vu habillé ?

23

Mouvement

— Nous avons reçu celles-ci hier soir.

L'homme qui examinait les photos avec lui grisonnait, portait des lunettes sans monture et un nœud papillon. Marty se tenait dans un coin et gardait le silence.

— Nous pensons que c'est un de ces trois camps, d'accord ?

— Oui, les autres sont identifiés, approuva Ryan et cela provoqua une grimace.

— C'est vous qui le dites, mon garçon.

— O.K., ces deux-là sont actifs ; celui-là l'était la semaine dernière et celui-ci il y a deux jours.

— Et le 20, le camp d'Action Directe ? demanda Cantor.

— Fermé depuis le raid des Français. J'ai vu l'enregistrement, dit l'homme avec un sourire admiratif. Enfin bref, voilà.

C'était une des rares photos de jour, en couleurs mêmes. Le polygone de tir à côté du camp montrait six hommes alignés. L'angle empêchait de voir s'ils étaient armés.

— Entraînement au maniement d'armes ? hasarda Ryan.

— C'est ça ou alors ils pissent en rang.

Cela passait pour de l'humour.

— Attendez ! Vous dites que ces photos sont arrivées hier soir ?

— Regardez l'angle du soleil.

— Ah oui. Le petit matin.

— Minuit chez nous, très bien, dit le spécialiste en pensant : *Les amateurs ! Tout le monde croit savoir lire une photo de reconnaissance.*

Vous ne voyez pas d'armes mais regardez ces petits points lumineux, là. Ça pourrait être des reflets de soleil sur des douilles éjectées. Les six hommes, sont probablement des Européens du nord parce qu'ils sont très pâles ; voyez celui-là, avec les coups de soleil, ses bras sont un peu roses. Tous des hommes, apparemment, d'après les cheveux courts et l'habillement. Alors la question se pose. Qui diable sont-ils ?

— Ils ne sont pas d'Action Directe, déclara Marty.

— Comment le savez-vous ? demanda Ryan.

— Ceux qui ont été enlevés ont été jugés par un tribunal militaire et exécutés il y a quinze jours.

— Dieu ! s'exclama Ryan en détournant les yeux. Je ne voulais pas le savoir, Marty.

— Ceux qui l'ont demandé ont été assistés par un prêtre. J'ai trouvé ça très bien de la part de nos collègues... Il paraît que les lois françaises permettent ce genre de procès dans certaines circonstances très particulières. Donc, en dépit de ce que nous avons pensé tous les deux sur le moment, tout a été fait conformément à la loi. Ça va mieux comme ça ?

— Un peu, avoua Ryan après réflexion.

Cela ne changeait pas grand-chose pour les terroristes mais au moins la loi avait été respectée et c'était une des choses que signifiait le mot « civilisation ».

— Bien. Il y en a deux qui se sont mis à table, avant. La DGSE a pu arrêter deux autres membres dans les environs de Paris — ça n'a pas encore été révélé à la presse — et a découvert une pleine grange d'armes et d'explosifs. Ils n'ont peut-être pas été complètement neutralisés mais ils ont pas mal souffert.

— Parfait, approuva l'homme au nœud papillon. Et c'est ce garçon-là qui a mis le doigt dessus ?

— Tout ça parce qu'il aime regarder des nichons de cinq kilomètres d'altitude, répliqua Cantor.

— Comment se fait-il que personne d'autre avant moi ne l'ait remarqué ? demanda Ryan qui aurait préféré que d'autres le fassent.

— Parce qu'il n'y a pas assez de monde dans ma section. Je viens à peine d'être autorisé à en embaucher dix nouveaux. Je les ai déjà choisis. Des hommes qui quittent l'Air Force. Des pros.

— Et l'autre camp ?

Une autre photo apparut.

— Voilà. A peu près la même chose. Nous avons deux personnes visibles...

— Dont une fille, dit aussitôt Ryan.

— Une personne qui semble avoir des cheveux longs, sur les épaules, reconnut l'expert. Ça ne veut pas forcément dire que c'est une fille.

Jack réfléchit, en examinant le maintien et la posture de la personne.

— En supposant que c'est une fille, qu'est-ce que ça nous dit ? demanda-t-il à Marty.

— Dites-le-moi.

— Nous n'avons aucune indication qu'il y ait des femmes à l'ULA, mais nous savons que la PIRA en compte. C'est bien ce camp : rappelez-vous la jeep que nous avons vue, qui allait de l'un à l'autre et qui était plus tard garée ici, dit Ryan, puis il hésita et reprit vivement la photo avec les six personnes alignées sur le polygone de tir. Celui-là, c'est le bon.

— Sur quoi vous basez-vous pour dire ça ? intervint l'analyse des photos.

— Disons que c'est une forte intuition, répondit Ryan.

— Très bien. La prochaine fois que j'irai aux courses, je vous emmènerai et vous choisirez mes chevaux. Ecoutez, le truc avec ces photos, c'est que ce qu'on voit, c'est tout ce qu'on a. Si vous y lisez trop de choses, vous allez commettre des erreurs. De grosses erreurs. Ce que vous avez là, c'est simplement six personnes en rang qui tirent *probablement* au pistolet. C'est tout.

— Rien d'autre ? demanda Cantor.

— Nous avons un passage de nuit à environ 22 heures, heure locale, cet après-midi chez nous. Je vous apporterai les clichés dès qu'ils nous arriveront.

— Très bien. Merci.

L'expert repartit vers son cher matériel de photographie.

— Je crois qu'on appelle ce genre d'homme un empiriste, observa Ryan au bout d'un moment, et cela fit rire Cantor.

— Quelque chose comme ça. Il fait ça depuis le temps où les U-2 survolaient la Russie. C'est un véritable expert. L'important, c'est qu'il ne dit rien avant d'en être absolument certain. Ce qu'il a expliqué est vrai, on peut facilement voir ce qu'on veut sur ces trucs-là.

— Je l'admets, mais vous êtes d'accord avec moi ?

— Ouais.

Cantor s'assit au bureau à côté de Ryan et examina la photo à la loupe. Les six hommes alignés n'étaient pas complètement nets. L'air chaud montant du désert, même dans le petit matin, nuisait à la clarté de l'image. C'était comme si on regardait à travers un mirage scintillant sur une chaussée plate. La caméra du satellite avait une très grande rapidité de diaphragme — les photorécepteurs étaient entièrement électroniques, d'ailleurs — qui corrigeait en grande partie le flou mais on n'apercevait tout de même que six silhouettes humaines. On distinguait les vêtements, des chemises kaki clair à manches courtes et un pantalon, ainsi que la couleur des cheveux. Un reflet sur le poignet d'un homme semblait indiquer une montre ou un bracelet. Une des figures était plus foncée qu'elle ne devrait l'être — son avant-bras nu était très pâle — et cela révélait peut-être une courte barbe... *Miller porte une barbe, maintenant,* pensa Ryan.

— Ah zut, si seulement c'était un peu plus net...

— Oui, reconnut Marty. Mais ce que vous voyez est le résultat de trente ans de travail et de Dieu sait combien de dollars. Dans les climats froids, c'est un peu meilleur mais on ne peut jamais reconnaître une figure.

— C'est le camp, Marty. C'est celui-là. Nous devons avoir quelque chose qui le confirme, ou qui confirme au moins... je ne sais quoi.

— Hélas non. Nos collègues français ont interrogé les hommes qu'ils ont capturés. La seule réponse qu'ils ont obtenue, c'est que les camps étaient totalement isolés les uns des autres. Quand les groupes se rencontraient, c'était presque toujours en terrain neutre. Ils n'étaient même pas certains qu'il y avait un camp, là.

— Ça, ça nous dit quelque chose !

— La voiture ? Ce pourrait être l'armée, vous savez. Peut-être le type chargé de surveiller les gardes. Ce n'était pas forcément un des acteurs qui allait de ce camp à celui des Provisoires. A vrai dire, il y a de fortes raisons de croire que ce n'en était pas un. Le cloisonnement est une mesure de sécurité logique. Il est raisonnable que ces camps soient isolés les uns des autres. Ces gens-là connaissent l'importance de la sécurité et même s'ils n'y croyaient pas avant, l'opération française la leur a bien rappelée.

Ryan n'avait pas pensé à cela, que le raid contre le camp d'Action Directe avait dû faire son effet sur les autres.

— Vous voulez dire que nous nous sommes tiré une balle dans le pied ?

— Non. Nous avons envoyé un message qui valait la peine d'être transmis. Autant que nous puissions le déterminer, personne ne sait ce qui s'est réellement passé. Nous avons des raisons de penser qu'un mouvement rival a réglé ses comptes. Ces groupes ne s'aiment pas tous entre eux, vous savez. Alors nous aurons au moins semé le doute parmi les groupes eux-mêmes, ainsi que chez ceux qui les abritent. C'est le genre de choses qui pourrait nous valoir des fuites, des renseignements mais il faudra du temps avant de le savoir.

— A part ça, maintenant que nous savons que ce camp a de fortes chances d'être celui que nous voulons, qu'est-ce que nous allons y faire ?

— Nous y travaillons. Je ne peux pas en dire plus.

— C'est bon... Vous voulez du café, Marty ?

La figure de Cantor prit une expression bizarre.

— Non. Je cesse le café pour le moment.

Ce que Cantor ne disait pas, c'était qu'une grande opération était prévue. Comme souvent dans ces cas-là, très peu de participants étaient au courant. Un groupe de combat allait se former autour du USS *Saratoga* qui devait naviguer en Méditerranée et passer au nord du golfe de Syrte dans quelques jours. Selon l'habitude, la formation serait suivie par un AGI soviétique — un de ces chalutiers qui pêchaient des renseignements au lieu de maquereaux — qui transmettrait les informations aux Libyens. Quand le porte-avions se trouverait directement au nord de Tripoli, au milieu de la nuit, un agent sous contrôle français interromprait le courant électrique de quelques installations radar, juste après que le porte avions aurait lancé ses vols de nuit. Cela devrait en principe créer une certaine panique, mais le commandant du groupe naval ne se doutait pas du tout qu'il s'agissait d'autre chose que de simples vols de routine. On espérait que le même commando français qui avait attaqué le camp 20 serait capable de répéter l'opération contre le camp 18. Marty ne pouvait rien révéler de tout cela à Ryan mais le fait que les Français acceptent de fournir une telle coopération aux Américains indiquait assez bien qu'Action Directe avait été démantelée. La CIA avait aidé à venger le meurtre d'un ami du président de la République française. Quels que soient les différends entre les deux pays, les dettes d'honneur étaient toujours payées. Cela plaisait au sens des convenances de Cantor, mais seulement vingt personnes étaient au courant, à l'Agence. L'opération devait durer quatre jours. Un officier supérieur du Directorat des opérations travaillait déjà avec les paras français qui, rapportait-il, étaient impatients de prouver encore une fois leur valeur. Avec un peu de chance, le groupe terroriste qui avait eu la témérité de commettre un meurtre aux Etats-Unis et un attentat en Grande-Bretagne serait grièvement atteint par les soldats d'une troisième nation. En cas de succès, ce serait un précédent annonçant un nouveau et précieux développement de la lutte contre le terrorisme.

Dennis Cooley travaillait à ses registres. Il était tôt, le magasin n'était pas encore ouvert et c'était l'heure qu'il choisissait généralement pour mettre de l'ordre dans sa comptabilité. Ce n'était pas bien difficile. Sa boutique ne traitait pas tellement d'affaires. Il fredonnait tout seul, sans se douter de l'irritation que cela provoquait chez l'homme à l'écoute du micro dissimulé parmi les rayonnages. Brusquement, son fredonnement se tut et il se redressa. Que se passait-il ?... Il respirait une fumée âcre.

Il regarda de tous côtés pendant plusieurs secondes avant de lever les yeux. La fumée venait du plafonnier. Il se précipita sur l'interrupteur et le claqua du plat de la main. Un éclair bleu jaillit du mur et il ressentit une décharge électrique qui lui engourdit le bras jusqu'au coude. Il regarda son bras avec étonnement, remua les doigts et releva la tête pour observer la fumée qui semblait se dissiper. Il n'attendit pas de la voir disparaître. Cooley avait un extincteur dans son arrière-boutique. Il courut le chercher, tira sur la goupille de sécurité et braqua l'appareil sur l'interrupteur. Plus de fumée de ce côté-là. Il monta sur sa chaise pour se rapprocher du plafonnier mais déjà la fumée avait presque complètement disparu. L'odeur s'attardait. Cooley resta plus d'une minute sur la chaise, que le tremblement de ses genoux faisait vaciller, en tenant son extincteur et en se demandant ce qu'il devait faire. Appeler les pompiers ? Mais il n'y avait pas de feu. Tous ses livres inestimables... Il avait la respiration oppressée, maintenant. Il faillit céder à la panique avant de se persuader qu'il n'y avait pas de quoi s'affoler. En se retournant, il vit trois personnes qui le regardaient avec curiosité, à travers la vitrine.

Avec un sourire penaud, il abaissa son extincteur et fit un geste comique aux spectateurs. La lumière était éteinte, l'interrupteur fermé. Le feu, s'il y avait eu feu, était éteint aussi. Il décida d'appeler l'électricien de l'immeuble. Cooley ouvrit sa porte pour dire aux commerçants voisins ce qui lui arrivait. L'un d'eux répliqua que l'installation électrique de tout le passage était horriblement désuète. C'était une chose à laquelle Cooley n'avait jamais pensé. L'électricité était l'électricité. On appuyait sur l'interrupteur et la lumière s'allumait, tout simplement. Cela l'agaça qu'un système sur lequel on comptait soit indigne de confiance. Une minute plus tard, il téléphonait au gérant qui promit qu'un électricien serait là dans une demi-heure.

L'homme arriva quarante minutes plus tard en s'excusant d'avoir été retardé par des encombrements. Il commença par admirer les étagères de livres. Ensuite, il jugea :

— Ça sent le fil grillé. Vous avez de la chance, monsieur. Ces court-circuits provoquent souvent des incendies.

— Est-ce que ce sera difficile à arranger ?

— Je pense qu'il va falloir refaire toute l'installation. Y a des années que ça aurait dû être fait. Cette vieille bâtisse... Je parie que l'installation électrique est plus vieille que moi, c'est-à-dire deux fois trop vieille.

Cooley lui montra où était la boîte à fusibles, dans l'arrière-boutique, et l'homme se mit au travail. Dennis craignait d'allumer sa lampe de bureau, alors il resta assis dans la pénombre en attendant que l'ouvrier ait fini.

L'électricien coupa le courant au compteur et examina les fusibles. La boîte portait encore son étiquette d'inspection d'origine et quand il eut essuyé la poussière, il lut la date : 1919. Stupéfait, il secoua la tête. Près de soixante-dix ans ! Il dut déplacer des objets pour arriver au mur et fut étonné de voir qu'il avait été récemment replâtré. Il se dit qu'il pourrait autant commencer par là. Il ne voulait pas endommager le mur plus qu'il ne le fallait. Avec un marteau et un ciseau à froid, il cassa le plâtre neuf et découvrit le fil...

Mais ce n'était pas le bon. Celui-là avait une isolation en plastique, au lieu du chatterton utilisé au temps de son grand-père. Et il n'était pas tout à fait où il aurait dû se trouver, non plus. Bizarre, se dit-il. Il tira sur le fil qui se détacha facilement.

— Monsieur Cooley, monsieur ? appela-t-il et quand le libraire arriva, il lui demanda : Vous savez ce que c'est, ça ?

Nom de Dieu de merde ! jura le policier dans la chambre du dernier étage. Nom de Dieu de nom de Dieu !

Il se tourna vers son compagnon, la mine totalement choquée, et ordonna :

— Téléphone au commandant Owens !

— Je n'ai jamais rien vu de pareil.

L'électricien coupa le bout du fil et le montra. Il ne comprenait pas pourquoi le libraire était si pâle.

Cooley non plus n'avait jamais rien vu de pareil mais il avait deviné ce que c'était. La section de fil ne montrait rien, seulement le revêtement isolant en polyvinyle, sans le fil de cuivre qu'on s'attend à voir dans des circuits électriques. Caché à l'autre extrémité, il y avait un microphone ultra-sensible. Il se ressaisit au bout d'un moment, mais sa voix demeurait blanche :

— Je ne vois pas du tout ce que ça peut être. Mais continuez.

— Bien, monsieur.

L'électricien reprit sa recherche du fil électrique. Cooley était déjà au téléphone.

— Beatrix ?

— Bonjour, monsieur Dennis. Comment allez-vous ce matin ?

— Pouvez-vous venir au magazin, maintenant ? J'ai un petit imprévu.

— Certainement. Je peux être là dans un quart d'heure.

Elle habitait à deux pas de la station de métro de Holloway Road et la ligne de Piccadilly était directe.

— Merci, Beatrix. Vous êtes un amour, ajouta-t-il avant de raccrocher.

Le cerveau de Cooley travaillait maintenant à mach-1. Il n'y avait rien dans son magasin ni à son domicile qui pût l'incriminer. Il décrocha de nouveau son téléphone mais il hésita. Ses instructions, pour un cas semblable, étaient d'appeler un certain numéro qu'il connaissait par cœur... mais s'il y avait un microphone dans son bureau, son téléphone... et celui de son appartement... Cooley transpirait malgré la fraîcheur de la température. Il se força à se détendre. Jamais il n'avait rien dit de compromettant à l'un ou l'autre appareil... n'est-ce pas ? En dépit de toute son astuce, Cooley n'avait jamais affronté de danger et la panique le reprenait. Il dut faire appel à toute sa concentration d'esprit pour se rappeler les procédures opérationnelles, les choses qu'il avait apprises et pour lesquelles il s'était exercé depuis des années. Il se dit qu'il ne s'en était jamais écarté. Pas une seule fois. Il en était sûr. Quand ses tremblements se furent enfin calmés, la sonnette de la porte tinta. C'était Beatrix. Il saisit son manteau.

— Vous allez revenir, monsieur Dennis ?

— Je ne sais pas, je vous téléphonerai.

Il se précipita dehors, laissant son employée interloquée.

Il fallut dix minutes pour trouver James Owens, qui était dans sa voiture au sud de Londres. Il donna immédiatement des ordres pour filer Cooley et l'arrêter s'il tentait de quitter le pays. Deux hommes surveillaient déjà la voiture du libraire et se tenaient prêts à le prendre en filature. Deux autres se hâtèrent vers le passage mais ils arrivèrent à l'instant même où il en sortait, et ils étaient du mauvais côté de la rue. L'un d'eux sauta de la voiture et le suivit, s'attendant à ce qu'il tourne dans Berkeley Street, vers son agence de voyage. Mais Cooley s'engouffra dans la station de métro. Pris de court, l'inspecteur courut vers la bouche qui se trouvait sur son trottoir. La foule des voyageurs matinaux lui cachait la vue de son objectif. En moins d'une minute, il fut certain que son homme avait pris une rame qu'il avait lui-même manquée. Cooley s'était échappé.

L'inspecteur remonta en courant dans la rue et alerta par radio la police de l'aéroport de Heathrow, où aboutissait la ligne de métro. Cooley prenait toujours l'avion quand il ne se servait pas de sa voiture. L'agent fit aussi envoyer des voitures de police à toutes les stations de la ligne de Piccadilly. Mais le temps était vraiment trop juste.

Cooley était descendu à la station suivante, comme il l'avait appris à l'entraînement. Puis il prit un taxi jusqu'à la gare de Waterloo. Ce fut de là qu'il téléphona.

— Cinquante-cinq vingt-neuf, lui répondit-on.

— Ah, excusez-moi. Je voulais le soixante-six trente. Je vous demande pardon.

Il y eut deux secondes d'hésitation au bout du fil.

— Ah... Ce n'est rien, aucune importance, assura la voix sur un ton indiquant que cela en avait beaucoup.

Colley raccrocha et alla prendre un train. Il avait toutes les peines du monde à ne pas regarder par-dessus son épaule.

— Ici Geoffrey Watkins, dit-il en décrochant.

— Oh, je vous demande pardon, répondit une voix. J'essaie de joindre M. Titus. Vous n'êtes pas le soixante-deux quatre-vingt-onze ?

Tous contacts rompus jusqu'à nouvel ordre, lui disait ce numéro. *Ne sais pas si vous êtes en danger. Vous aviserai si possible.*

— Non, ici c'est le soixante-deux zéro neuf, répondit-il.

Compris. Watkins raccrocha et se tourna vers sa fenêtre. Il avait l'impression qu'une boule de plomb glacée s'était matérialisée dans son estomac. Il serra les dents puis il prit sa tasse de thé. Pendant le reste de la matinée, il lui fut difficile de se concentrer sur le livre blanc du Foreign Office qu'il lisait. Il eut besoin de deux whiskies bien tassés avec son déjeuner pour se calmer un peu.

A midi, Cooley était à Douvres, à bord d'un ferry-boat à destination du continent. Il était sur ses gardes, maintenant, assis dans un coin du pont supérieur, regardant par-dessus son journal si quelqu'un l'observait. Il avait failli prendre l'aéroglisseur pour Calais mais s'était ravisé au dernier moment. Il avait assez d'argent sur lui pour le ferry Douvres-Dunkerque, mais pas pour l'aéroglisseur et il ne voulait pas laisser des chèques derrière lui. La traversée ne durait d'ailleurs que deux heures et quart. Une fois en France, il prendrait un train pour Paris, et ensuite des avions. Il commençait à peine à se sentir en sécurité. Cooley n'avait jamais éprouvé ce genre de peur et elle lui laissait un goût abominable. La haine sourde qui couvait en lui depuis des années le rongeait à présent comme un acide. *Ils* l'avaient forcé à s'enfuir. *Ils* l'avaient espionné, lui ! A cause de toutes ses précautions et de toute son habileté professionnelle, Cooley n'avait jamais envisagé la possibilité d'être repéré. Il s'était cru trop malin pour ça. Il rageait de s'être trompé. Il avait perdu sa librairie et tous les livres qu'il aimait, volés par les maudits Brits ! Il replia son journal avec soin et le posa sur ses genoux tandis que le bateau s'engageait dans la Manche, une mer d'huile sous un soleil d'été. Sa figure poupine était tournée vers le large, son regard aussi calme que celui d'un homme en contemplation devant son jardin, alors que des fantasmes de sang et de mort lui passaient par la tête.

Jamais on n'avait vu Owens aussi furieux. La surveillance de Cooley avait été si facile, si routinière... mais ce n'était pas une excuse, dit-il à ses hommes. Ce petit patapouf à l'air inoffensif, comme l'appelait Ashley, leur avait filé sous le nez aussi adroitement qu'un homme entraîné à Moscou Centre. Il y avait des agents dans tous les aéroports de Grande-Bretagne, avec des photos de Cooley, et s'il s'était servi d'une carte de crédit pour prendre un billet, n'importe lequel, les ordinateurs avertiraient immédiatement Scotland Yard mais Owens avait la triste certitude que l'homme avait déjà quitté le pays. Le chef du C-13 donna congé à ses gens.

Ashley était dans la pièce aussi, et ses hommes avaient également été surpris la garde baissée. Owens et lui fulminaient de la même colère mêlée de désespoir.

Un agent était venu apporter l'enregistrement d'un coup de téléphone à Geoffrey Watkins donné moins d'une heure après la disparition de Cooley. Ashley et Owens l'écoutèrent. La conversation durait vingt secondes. Et ce n'était pas la voix de Cooley. Sinon, ils auraient arrêté Watkins sur-le-champ. En dépit de tous leurs efforts, ils n'avaient strictement rien contre lui.

— Il y a un M. Titus dans l'immeuble. La voix a même donné le bon numéro. Ça pourrait très bien être un simple faux numéro.

— Mais ça ne l'était pas, bien sûr.

— C'est la combine, vous savez. On a des messages préparés d'avance, qui ont l'air parfaitement anodins. Ceux qui ont entraîné ces gens-là savaient y faire. Et la librairie ?

— La jeune Beatrix ne sait absolument rien. Nous avons des hommes qui perquisitionnent en ce moment mais jusqu'à présent ils n'ont rien trouvé du tout dans ces sacrés vieux bouquins. Même chose à son domicile, grogna Owens en se levant. Un électricien... Des mois de travail foutus en l'air parce qu'il arrache le mauvais fil!

— On le retrouvera. Il ne doit pas avoir beaucoup d'argent sur lui. Il devra utiliser sa carte de crédit.

— Il a déjà quitté le pays. Ne me dites pas le contraire!

— Oui, reconnut Ashley à contrecœur. On ne peut pas toujours gagner, James.

— C'est tellement agréable d'entendre ça! rétorqua sèchement Owens. Ces salauds nous ont dépistés à chaque pas. Le préfet va me demander comment il se fait que nous n'avons pas été foutus de nous décroiser les bras à temps et il n'y a pas moyen de répondre à cette question.

— Quelles sont les prochaines mesures, alors?

— Au moins, nous savons la tête qu'il a. Nous... nous partageons ce que nous savons avec les Américains, tout. Je dois voir Murray, ce soir. Il a laissé entendre qu'ils avaient une opération en train dont il ne peut pas parler, sûrement la CIA.

— D'accord. Ici ou là-bas?

— Là bas... Je commence à en avoir ras le bol de cette boîte!

— Vous devriez faire le compte de vos succès, mon vieux. Vous êtes le meilleur que nous ayons eu à ce poste depuis des années.

Owens ne fit que grogner. Il savait que c'était la vérité. Sous sa direction, le C-13 avait réussi des coups majeurs contre les Provisoires. Mais à ce poste comme à tant d'autres la question des supérieurs étaient toujours: Qu'est-ce que vous avez accompli *aujourd'hui*? Hier, c'était de l'histoire ancienne.

— Le contact suspecté de Watkins s'est envolé, annonça-t-il trois heures plus tard.

— Que s'est-il passé?

Murray ferma les yeux et secoua tristement la tête au milieu de l'explication.

— Il nous est arrivé le même genre de chose, dit-il lorsque Owens eut fini. Un agent renégat à la CIA. Nous surveillions son domicile, et puis nous avons laissé les choses s'établir dans une confortable routine et alors... zip! il a fait un pied de nez à l'équipe de surveillance. Sa trace a été retrouvée à Moscou huit jours plus tard. Ça arrive, Jimmy.

— Pas à moi, gronda Owens. Pas jusqu'à présent, je veux dire.

— De quoi a-t-il l'air ?

Owens jeta une collection de photos sur le bureau. Murray les feuilleta.

— Un petit bonhomme bien falot, on dirait. Presque chauve…, dit l'homme du FBI puis il réfléchit un moment et décrocha son téléphone, en tapant quatre chiffres. Fred ? Dan. Vous voulez venir à mon bureau une minute ?

L'homme arriva quelques instants plus tard. Murray ne le présenta pas et Owens ne posa pas de question. C'était inutile. Il avait remis deux copies de chaque photo. Fred prit les siennes et les examina.

— Ce serait qui, ce type-là ?

Owens le lui expliqua en quelques mots et conclut :

— Il est probablement à l'étranger, maintenant.

— Bon, s'il fait surface dans un de nos réseaux, je vous avertirai, promit Fred, et il les quitta.

— Savez-vous ce qu'ils fabriquent ? demanda Owens.

— Non. Je sais qu'il se passe quelque chose. Le Bureau et l'Agence ont préparé une opération, mais c'est compartimenté et je n'ai pas encore été mis au courant.

— Est-ce que vous avez joué un rôle dans le raid contre Action Directe ?

— Je ne sais pas de quoi vous parlez, répondit pieusement Murray en se demandant : *Comment diable avez-vous entendu parler de ça, Jimmy ?*

— Je m'en doutais, répondit Owens en maudissant la sécurité. Dan, nous nous inquiétons pour la sécurité personnelle de…

Murray leva les mains comme un homme aux abois.

— Je sais, je sais. Et vous avez raison. Nous devrions collaborer avec vos services, pour ça. Je vais téléphoner moi-même au directeur.

Le téléphone sonna. C'était pour Owens.

— Oui ?

Le chef du C-13 écouta pendant une minute, avant de remercier et de raccrocher. Il soupira.

— Cette fois c'est sûr, il est sur le continent, Dan. Il a pris un billet de chemin de fer avec sa carte de crédit. Dunkerque-Paris. Il y a trois heures.

— Faites-le arrêter par les Français.

— Trop tard. Le train est arrivé il y a vingt minutes. Il a complètement disparu, maintenant. D'ailleurs, nous n'avons rien qui nous permette de l'arrêter.

— Et Watkins a été alerté ?

420

— A moins que ce soit un authentique faux numéro, ce dont je doute, mais allez essayer de prouver ça dans un tribunal !

— Ouais.

Les juges ne comprendraient pas.

— Et ne me dites pas qu'on ne peut pas gagner à tous les coups ! Je suis payé pour réussir !

Owens considéra le tapis puis il releva la tête.

— Excusez-moi, je vous en prie.

— Baaah, fit Murray avec un geste indifférent. Vous avez déjà eu de mauvais jours. Moi aussi. Ça fait partie de notre sacré métier. Ce qu'il nous faut dans ces moments-là, c'est une bonne bière. Descendons et je vous paierai même un hamburger.

— Quand appellerez-vous le directeur ?

— C'est l'heure du déjeuner, là-bas. Il a toujours une réunion à ce moment-là. Nous attendrons un peu.

Ryan déjeunait ce jour-là avec Cantor à la cafétéria de la CIA. Elle ressemblait à n'importe quelle cantine de bâtiment officiel. Les plats proposés étaient sans intérêt. Ryan décida d'essayer les lasagnes mais Marty resta fidèle à la salade de fruits avec du cake. C'était un curieux régime mais Jack comprit en le voyant avaler un comprimé avant son repas, avec du lait.

— Des ulcères, Marty ?

— Qu'est-ce qui vous donne cette idée ?

— Je suis marié avec un toubib, rappelez-vous. Vous venez de prendre du Taganet.

— Cette boîte finit par vous tuer, avoua Cantor. Mon estomac a commencé à faire des siennes l'année dernière. Dans ma famille, tout le monde a un ulcère, un jour ou l'autre. De mauvais gènes, je suppose. Le médicament fait un peu de bien mais le médecin dit que j'ai besoin d'un environnement plus calme.

— Vous faites vraiment de longues journées.

— Enfin... On a offert à ma femme une chaire à l'université du Texas. Elle est mathématicienne. Et pour dorer la pilule on m'a aussi offert une chaire de science politique. Et c'est bien mieux payé qu'ici, par-dessus le marché. Ça fait douze ans que je suis ici. Longtemps.

— Pourquoi vous désolez-vous ? C'est épatant d'enseigner, j'adore ça ! Et vous êtes excellent professeur. Il y a même là-bas une bonne équipe de football.

— Ouais... elle est déjà parti et je vais la rejoindre dans quelques semaines. Cette boîte va me manquer.

— Ça vous passera. Rendez-vous compte, vous pourrez aller et venir dans les bâtiments sans demander la permission à un ordinateur !

Cantor but son lait et considéra Ryan.

— Qu'est-ce que vous allez faire ?

— Demandez-moi ça quand le bébé sera né, répondit Ryan qui ne voulait pas s'attarder sur cette question.

— L'Agence a besoin de garçons comme vous, Jack. Vous avez du flair. Vous ne pensez pas et n'agissez pas en fonctionnaire. Vous dites ce que vous pensez. Tout le monde n'en fait pas autant, dans cette baraque, et c'est pour ça que vous plaisez tant à l'amiral.

— Lui ? Je ne lui ai pas parlé depuis...

— Il sait ce que vous faites, assura Cantor en souriant.

Ryan comprit.

— Ah ! C'est donc ça.

— C'est ça. Le vieux tient réellement à vous, Jack. Vous ne savez toujours pas quelle était l'importance de cette photo que vous avez tirée du lot, n'est-ce pas ?

— Je n'ai fait que vous la montrer, Marty, protesta Ryan. c'est vous qui avez établi le rapport.

— Vous avez fait exactement ce qu'il fallait, ce que doit faire un analyste. Il y avait plus de réflexion là-dedans que vous ne vous en doutez. Vous avez un don pour ce genre de travail. Si vous ne le sentez pas, moi je le vois. Dans deux ans, vous serez prêt à me remplacer.

Cantor contempla les lasagnes et réprima une grimace. Comment pouvait-on manger ça ?

— Chaque chose en son temps, Marty.

Ils s'en tinrent là.

Une heure plus tard, Ryan était de retour dans son bureau. Cantor entra.

— Nous avons une photo d'un homme soupçonné d'appartenir à l'ULA, annonça-t-il tout de suite. Elle date d'une semaine à peine. Nous l'avons reçue de Londres il y a deux heures.

— Dennis Cooley, murmura Ryan en l'examinant, et il rit. Il a l'air d'une vraie lavette. Que s'est-il passé ?

— Un manque de pot pour les Brits mais peut-être un coup de chance pour nous. Regardez bien la photo.

— Vous voulez dire... Il est presque chauve... Ah oui ! Nous pouvons identifier le type s'il se retrouve dans un des camps. Tous les autres ont des cheveux.

— Vous avez mis le doigt dessus. Et le patron vous a habilité pour un truc. Une opération est prévue contre le camp 18.

— Quelle sorte ?

— La sorte que vous avez déjà vue. Est-ce que ça vous tracasse toujours ?

— Non. Non, pas tellement. (*Ce qui me tracasse, c'est justement que cela ne me trouble plus. Je devrais l'être...*) Pas contre ces types-là, sûrement pas ! Quand ?

— Je ne peux pas vous le dire mais bientôt.

— Alors pourquoi est-ce que vous m'avertissez... Joli coup, Marty, mais pas très subtil. Est-ce que l'amiral tient tant que ça à ce que je reste ?

— Concluez vous-mêmes.

Une heure après, le spécialiste de la photo était de retour. Un autre satellite était passé au-dessus du camp à 22 h 08 heure locale. L'image infrarouge montrait huit personnes alignées sur le polygone de tir. Des langues de feu brillantes jaillissaient de deux des silhouettes. C'était un exercice de tir de nuit et ils étaient maintenant au moins huit.

— Que s'est-il passé ?

O'Donnell attendait Cooley à l'aéroport. Un coupe-circuit lui avait fait savoir qu'il était en cavale mais il n'en apprenait la raison qu'à présent :

— Il y avait un micro dans ma boutique.

— Vous en êtes sûr ?

Cooley montra le bout de fil qui était dans sa poche depuis trente-six heures. O'Donnell arrêta la Land Cruiser Toyota sur le bas-côté pour mieux l'examiner.

— Marconi fabrique ça pour les services secrets. Ultra-sensible. Depuis combien de temps était-il là ?

Cooley ne se souvenait pas qu'une personne soit entrée sans lui dans son arrière-boutique.

— Je n'en ai pas la moindre idée.

O'Donnell redémarra, en direction du désert. Il réfléchit à la question sur près de deux kilomètres. Quelque chose avait mal tourné, mais quoi... ?

— Est-ce que vous avez eu l'impression d'être suivi ?

— Jamais !

— Vous en êtes-vous toujours bien assuré ?

Cooley hésita et ce fut une réponse suffisante pour O'Donnell.

— Dennis, avez-vous jamais transgressé les règles ? Jamais ?

— Jamais, Kevin, bien sûr que non ! Ce n'est pas possible que...

Enfin, bon dieu, ça fait trois semaines que je n'ai eu aucun contact avec Watkins !

— Depuis votre dernier voyage à Cork, murmura O'Donnell en clignant des yeux au soleil éblouissant.

— Oui, c'est ça. Vous aviez un agent de sécurité qui me surveillait. Est-ce que quelqu'un me suivait ?

— Si oui, il était drôlement habile et il n'aurait pas pu trop s'approcher...

L'autre possibilité qu'O'Donnell envisageait, naturellement, c'était que Cooley avait trahi. *Mais dans ce cas*, pensa le chef de l'ULA, *il ne serait pas venu ici. Il me connaît, il sait où je vis, il connaît McKenney, Sean Miller, il est au courant pour la flottille de pêche à Dundalk.* O'Donnell se rendait soudain compte que Cooley en savait long. Non, s'il avait tourné casaque, il ne serait pas là. Cooley transpirait malgré la climatisation de la voiture. Il n'avait pas l'estomac à risquer sa vie de cette façon. C'était visible.

— Alors, Dennis, qu'est-ce que nous allons faire de vous ?

Le cœur de Cooley battait irrégulièrement mais il parla avec détermination.

— Je peux participer à la prochaine opération.

O'Donnell sursauta et tourna un instant la tête, surpris.

— Pardon ?

— Les foutus Anglais, Kevin... Ils s'en sont pris à moi !

— C'est un risque du métier, vous savez.

— Je parle très sérieusement, insista Cooley.

Un homme de plus, cela ne ferait pas de mal...

— Etes-vous en forme, pour ça ?

— Je le serai !

Le chef prit sa décision.

— Alors vous pourrez commencer cet après-midi.

— Il s'agira de quoi ?

O'Donnell le lui expliqua.

— On dirait que votre intuition était bonne professeur Ryan, dit le lendemain après-midi l'homme aux lunettes sans monture. Je crois bien que je vais vous emmener aux courses.

Il était là devant un des baraquements, un petit homme corpulent dont le crâne chauve en sueur luisait au soleil. Le camp 18 était le bon.

— Excellent ! s'exclama Cantor. Nos amis anglais ont vraiment marqué un point avec ce truc-là. Merci, dit-il à l'expert en photographie.

— Quand aura lieu l'opération ? demanda Ryan quand l'homme fut parti.

— Après-demain avant l'aube. Ce qui fera... 20 heures chez nous, je crois.

— Est-ce que je pourrai regarder en direct ?

— Peut-être.

— C'est un secret difficile à garder.

— La plupart le sont, avoua Cantor. Mais...

— Oui, je sais, dit Jack en rangeant ses dossiers sous clef. Dites à l'amiral que j'ai une dette envers lui.

En rentrant chez lui, Ryan réfléchit à ce qui pouvait se passer. Il s'apercevait que son attente n'était pas très différente de... Noël ? Non, ce n'était pas ainsi qu'il fallait y penser. Il se demanda ce que son père avait éprouvé avant une importante arrestation résultant d'une longue enquête. C'était une chose qu'il ne lui avait jamais demandée. Il fit alors ce qu'il avait de mieux à faire : il n'y pensa plus. D'ailleurs, c'est ce qu'il devait faire de tout ce qu'il voyait à Langley.

Il y avait une voiture inconnue devant sa maison, quand il y arriva, juste à côté de la future piscine presque terminée. Elle avait des plaques du corps diplomatique. Quand il entra chez lui, il trouva trois hommes en conversation avec sa femme. Il en reconnut un, sans pouvoir se rappeler son nom.

— Bonjour, professeur Ryan. Je suis Geoffrey Bennett de l'ambassade britannique. Nous nous sommes rencontrés à...

— Oui, je me souviens, maintenant. En quoi pouvons-nous vous être utiles ?

— Leurs Altesses Royales doivent venir en visite aux Etats-Unis dans quelques semaines. Il paraît que vous les avez invitées, quand vous avez fait leur connaissance, et elles aimeraient savoir si l'invitation tient toujours.

— Vous voulez rire !

— Ils ne plaisantent pas, Jack, et j'ai déjà dit oui, intervint Cathy et même Ernie remuait follement la queue.

— Naturellement ! Ayez l'obligeance de leur dire que nous serons très honorés de les recevoir. Est-ce que le prince et la princesse passeront la nuit ici ?

— Probablement pas. On espère qu'ils puissent venir dans la soirée.

— Pour dîner ? Parfait. Quel jour ?

— Vendredi 30 juillet.

— Très bien.

— Excellent. J'espère que cela ne vous gênera pas si nos agents de la sécurité, ainsi que vos types du Secret Service, effectuent une inspection de sécurité la semaine prochaine.

— Faudra-t-il que je sois là, pour ça ?

— Je peux m'en occuper, Jack. Je suis en congé, souviens-toi.

— Ah oui, naturellement, dit Bennett. Le bébé est prévu pour quand ?

— Dans la première semaine d'août... Ça va peut-être poser un problème, reconnut Cathy à retardement.

— S'il arrive un événement inattendu, soyez certaine que Leurs Altesses comprendront. Un dernier mot. C'est une démarche privée, qui ne fait pas partie des réceptions publiques de ce voyage. Nous devons vous demander de garder le secret.

— Bien sûr, je comprends, dit Ryan.

— S'ils doivent venir dîner, y a-t-il quelque chose qu'il ne faille pas leur servir ? demanda Cathy.

— Que voulez-vous dire ?

— Eh bien, il y a des personnes qui sont allergiques au poisson, par exemple.

— Ah, je vois. Non, pas que je sache.

— Parfait, le dîner Ryan classique alors, dit Jack. Ah mais... aïe !

— Qu'y a-t-il ? demanda Bennett.

— Nous avons du monde, ce soir-là.

— Ah, c'est vrai ! s'exclama Cathy. Robby et Sissy.

— Vous ne pouvez pas les décommander ?

— C'est une petite réception d'au revoir. Robby — il est pilote de chasse dans l'aéronavale, nous enseignons tous deux à l'Académie — Robby est réintégré dans la flotte. Est-ce que cela les gênera ?

— Son Altesse, professeur Ryan...

— Robby est un ami. Je ne peux pas le décommander. Et il plaira à Son Altesse. Elle a piloté des chasseurs aussi, n'est-ce pas.

— Eh bien, oui, mais...

— Vous vous rappelez le soir où nous nous sommes rencontrés ? Sans lui, je n'aurais sans doute pas tenu le coup. Ecoutez, ce garçon est capitaine de corvette de la marine américaine, il pilote un avion de chasse de quarante millions de dollars. Il ne présente sûrement pas un risque pour la sécurité. Sa femme est une pianiste remarquable, insista Ryan, mais il vit que Bennett n'était toujours pas convaincu. Monsieur Bennett, faites enquêter sur Rob par votre attaché et demandez à Son Altesse si elle est d'accord.

— Et si elle s'y oppose ?

426

— Le prince ne s'y opposera pas. Je le connais.

Il n'objectera pas. C'est la sécurité qui sera exaspérée.

Cette réflexion prit l'Anglais de court.

— Ma foi... Je ne peux rien reprocher à votre sens de la loyauté, professeur. Je poserai la question au bureau de Son Altesse. Mais je dois insister pour que vous ne disiez rien au commandant Jackson.

— Vous avez ma parole.

Jack faillit éclater de rire. Il avait hâte de voir la tête de Robby.

— Maximum de contractions, dit Jack ce soir-là.

Ils répétaient les exercices respiratoires, en vue de l'accouchement. Cathy commença à haleter. Il savait que c'était une affaire sérieuse, que l'apparence seule était ridicule.

— Fin des contractions. Respiration profonde. Je pensais à des steaks grillés, des pommes de terre au four, du maïs frais en épi et une bonne salade.

— C'est trop simple ! protesta Cathy.

— Partout où ils iront, ici, les gens vont les assommer avec de la cuisine française fantaisie. Quelqu'un doit bien leur faire goûter un bon repas américain. Tu sais que je réussis parfaitement les steaks sur le gril et ta salade d'épinards crus est célèbre.

Cathy se mit à rire, mais cela commençait à lui être difficile.

— D'accord. Et puis d'ailleurs, si je me penche plus de quelques minutes sur un fourneau, j'ai la nausée.

— Ce doit être dur, d'être enceinte.

— Tu devrais essayer !

— Mais c'est la seule chose dure qu'on demande aux femmes.

— *Quoi !*

— Apprends l'histoire. Qui c'est qui devait s'en aller tuer le bison ? L'homme. Qui c'est qui devait le rapporter ? L'homme. Qui c'est qui devait chasser l'ours de la porte ? L'homme. Nous faisons tous les durs travaux. C'est toujours moi qui dois sortir les ordures tous les soirs. Est-ce que tu m'entends me plaindre ?

Il la fit rire, de nouveau. Il avait bien deviné son humeur : elle ne voulait pas être plainte, elle était bien trop fière.

— Je t'assommerais avec plaisir mais ce serait idiot de casser une excellente massue sur quelque chose d'aussi indigne.

— D'ailleurs, j'étais là la dernière fois et ça ne m'a pas paru si épouvantable.

— Si je pouvais bouger, Jack, je te tuerais pour celle-là !

Il changea de place, pour s'asseoir à côté de sa femme.

— Nah ! Je ne crois pas. Je veux que tu formes une image dans ton esprit.

— Une image de quoi ?

— De la tête de Robby quand il arrivera ici pour dîner. Je vais un peu changer les heures.

— Je te parie que Sissy prendra ça plus calmement que lui.

— Combien ?

— Vingt dollars.

— Tenu ! dit Jack et il regarda sa montre. Les contractions reprennent. Respiration profonde...

Une minute plus tard, Jack fut stupéfait de constater qu'il respirait de la même façon que sa femme. Et cela les fit rire tous les deux.

24

Liaisons
manquées et réussies

Le jour du raid, il n'y avait pas de nouvelles photos du camp 18. Une tempête de sable avait balayé la région au moment du passage du satellite et les caméras ne purent la pénétrer mais un satellite météo géosynchrone indiqua que la tempête s'était éloignée. Ryan fut averti après déjeuner que le raid était en cours et il passa un après-midi agité, à frémir d'impatience. Une analyse approfondie des photos existantes montrait qu'il y avait de douze à dix-huit personnes dans le camp, en plus de la garde militaire. Si le chiffre le plus élevé était exact, et l'estimation officielle de l'importance de l'ULA aussi, cela représentait plus de la moitié de ses membres. Ryan s'en inquiétait peu. Si les Français n'envoyaient que huit paras... mais il se rappela alors ses propres opérations dans les marines. Ils attaqueraient l'objectif à 3 heures du matin. Ils auraient l'élément de surprise en leur faveur. Le groupe d'assaut aurait des armes chargées et armées... visant des hommes endormis. La surprise, aux mains d'un commando d'élite, c'était l'équivalent militaire d'une tornade. Rien ne pouvait y résister.

Ils sont dans leurs hélicoptères, en ce moment, pensa Ryan. Il se rappelait ses propres vols dans ces appareils fragiles, bizarres, en se demandant comment étaient ces hommes. Sûrement pas très différents des marines avec lesquels il avait servi : tous des volontaires, et même doublement puisqu'ils devaient être volontaires aussi pour l'entraînement au parachutisme. Ils avaient fait un troisième choix, pour faire partie des brigades anti-terroristes. Ce devait être en partie pour la solde supplémentaire et en partie pour la fierté d'appartenir à une petite force très spéciale — comme la force de reconnaissance du Marine Corps — mais surtout parce qu'ils savaient que cette mission valait la peine d'être accomplie. Tous les soldats de métier honnissaient les terroristes et chacun rêvait certainement d'en affronter dans une bataille à égalité, sur une base de courage et d'habileté, sur la base de la pure virilité. C'était ce concept qui faisait du soldat de métier en quelque sorte un romantique.

Ils étaient nerveux, dans leur hélicoptère. Certains devaient s'agiter et en avoir honte. D'autres aiguisaient peut-être leurs couteaux. D'autres encore plaisantaient tranquillement. Les officiers et sous-officiers donnaient l'exemple du calme en repassant leurs plans. Ils devaient jeter des coups d'œil autour d'eux, impatients de se sortir de cet appareil. Pendant quelques minutes, Jack vola avec eux.

— Bonne chance, les gars, chuchota-t-il au mur.

Les heures se traînaient. Ryan avait l'impression que les chiffres, sur sa montre à lecture directe, répugnaient à changer et il lui était impossible de se concentrer sur son travail. Il examina encore une fois les photos du camp, recompta les petites silhouettes, étudia le terrain environnant pour chercher de quel côté aurait lieu l'approche finale. Il se demanda si les paras avaient l'ordre de prendre les terroristes vivants. Il ne sut que répondre. D'un point de vue légal, cela n'avait probablement pas d'importance. Si le terrorisme était la version moderne de la piraterie — l'analogie lui parut assez adéquate —, alors l'ULA était un gibier pour n'importe quelle armée du monde. Par ailleurs, s'ils étaient pris vivants, ils pourraient être publiquement jugés et exhibés. L'impact psychologique, sur les autres groupes, serait réel. Si cela ne les terrifiait pas, leur attention serait tout de même retenue. Cela les effraierait de savoir qu'ils n'étaient pas en sécurité, même dans leurs repaires les plus isolés et les plus sûrs. Certains membres prendraient leurs distances et deux ou trois parleraient peut-être.

Marty entra dans le bureau.

— Prêt à y aller ?

— Ah oui, alors !

— Vous avez dîné ?

— Non. Peut-être plus tard.

— Ouais.

Il se rendirent dans l'annexe. Les couloirs étaient presque déserts, maintenant. Dans l'ensemble, la CIA fonctionnait comme n'importe quelle entreprise. A 17 heures, la majorité des employés rentraient chez eux pour dîner et regarder la télévision.

— Cette fois, c'est en direct, Jack. Souvenez-vous que vous ne pourrez rien en révéler, dit Cantor et Jack lui trouva l'air plutôt fatigué.

— Marty, si elle réussit, je dirai à ma femme que l'ULA est hors d'état de nuire. Elle a le droit de le savoir.

— Je comprends. Du moment qu'elle ne sait pas comment ça s'est passé.

— Ça ne l'intéresserait pas, assura Jack alors qu'ils entraient dans la pièce où se trouvait l'écran de contrôle.

Jean-Claude était de nouveau présent.

— Bonsoir, monsieur Cantor, professeur Ryan, dit-il.

— Comment se passe l'opération ? demanda Marty.

— Ils sont sous silence radio, répondit le colonel.

— Ce que je ne comprends pas, c'est comment ils peuvent faire ça deux fois de la même façon, dit Ryan.

— Il y a un risque, répliqua énigmatiquement Jean-Claude. Mais votre porte-avions retient en ce moment toute leur attention.

— Le *Saratoga* a une attaque alpha en l'air, expliqua Marty. Deux escadrilles de chasse et trois d'assaut, plus la couverture de brouillage et de radar. Ils patrouillent en ce moment sur cette « ligne de la mort ». D'après nos écoutes électroniques, les Libyens perdent un peu la tête. Enfin, on verra.

— Le satellite passera au-dessus de l'horizon dans vingt-quatre minutes, annonça le technicien. Le temps local est au beau, semble-t-il. Nous devrions avoir de bons clichés.

Ryan regretta de ne pas avoir de cigarettes. Elles facilitaient l'attente mais chaque fois Cathy sentait qu'il avait fumé à son haleine, ça faisait toute une histoire. En ce moment, le commando devait ramper pour les mille derniers mètres. Ryan avait fait cet exercice. Ils reviendraient avec les mains et les genoux en sang, du sable dans les plaies. C'était incroyablement fatigant et plus difficile encore avec la présence de gardes armés sur l'objectif. On devait calculer ses mouvements et guetter le moment où ils tourneraient la tête, et il fallait garder le silence. Le commando devait porter le minimum de matériel, des armes de poing, quelques grenades peut-être, deux ou trois radios, et avancer à ras du sol à la manière d'un tigre, les yeux et les oreilles aux aguets.

Tout le monde regardait l'écran éteint, chacun d'eux fasciné par ce qu'ils imaginaient.

— Ça y est, dit le technicien. Les caméras se mettent en ligne, la télémétrie de programmation reçue. Acquisition de l'objectif dans quatre-vingt-dix secondes.

L'écran s'alluma, montrant une mire. Il y avait des années que Ryan n'en avait pas vu.

— On reçoit un signal.

L'image apparut alors. C'était encore à l'infrarouge et Ryan fut déçu ; il s'attendait à autre chose. L'angle bas révélait très peu du camp. On ne distinguait pas le moindre mouvement. Le technicien fronça les sourcils et agrandit le champ de vision. Rien, pas même les hélicoptères.

L'angle changeait lentement et l'on avait du mal à croire que le satellite de reconnaissance fonçait sur orbite à près de trente mille kilomètres à l'heure. Ils virent enfin tous les baraquements. Ryan cligna les yeux. Un seul était éclairé, sur l'image infrarouge. *Aïe !* Un seul — celui des gardes — était chauffé. Qu'est-ce que cela voulait dire ? *Ils sont partis... il n'y a plus personne... et le commando n'est pas là non plus...*

Ryan dit ce que les autres n'osaient dire :

— Quelque chose a mal tourné.

— Quand pourront-ils nous apprendre ce qui s'est passé ? demanda Cantor.

— Ils ne peuvent pas rompre le silence radio avant plusieurs heures.

Deux heures se traînèrent ensuite qu'ils passèrent dans le bureau de Marty. On leur fit monter des sandwiches. Cantor ne mangea rien. Jean-Claude se taisait mais il était manifestement déçu. Le téléphone sonna. Ce fut lui qui répondit en français. La conversation dura quatre à cinq minutes. Il raccrocha et se retourna.

— Le commando a rencontré une unité de l'armée régulière à cent kilomètres du camp, apparemment une unité blindée en manœuvres. Ce n'avait pas été prévu. En arrivant à basse altitude, les hélicoptères sont tombés tout à coup sur elle. Les soldats ont ouvert le feu sur eux. L'élément de surprise était perdu et ils ont dû faire demi-tour.

Jean-Claude n'avait pas besoin d'expliquer que ce genre d'opération réussissait, au mieux, moins d'une fois sur deux.

— C'est ce que je craignais, murmura Jack.

Il regarda le plancher. Nul besoin de lui dire que la mission ne pourrait pas être répétée. Ils avaient pris un gros risque, en tentant deux fois de suite de la même façon une mission secrète. Il n'y aurait pas de troisième tentative.

— Il n'y a pas eu de pertes chez vous ?

— Non. Un hélicoptère a été endommagé, mais a réussi à regagner sa base. Aucune perte.

— Remerciez vos services d'avoir essayé, colonel, dit Cantor.

Puis il s'excusa et se rendit rapidement aux toilettes. A peine arrivé, il vomit. Son ulcère se remettait à saigner. Il essaya de se redresser mais fut pris d'un malaise et tomba contre la porte, en se heurtant violemment la tête.

Jack entendit le bruit et courut voir ce que c'était. Ce fut difficile d'ouvrir la porte mais il trouva enfin Marty par terre. Le premier mouvement de Ryan fut de demander à Jean-Claude d'appeler un médecin mais il ne savait pas lui-même comment le faire, dans ce bâtiment. Il aida Marty à se relever, le soutint et le ramena dans le bureau où il le fit asseoir dans un fauteuil.

— Qu'est-ce qui lui arrive ?

— Il vient de vomir du sang... comment appelle-t-on...

Jack s'interrompit et se décida à prévenir l'amiral Greer.

— Marty a eu un malaise. Nous avons besoin d'un médecin ici.

— Je m'en occupe. Je suis là dans deux minutes, répondit l'amiral.

Jack retourna aux toilettes et revint avec un verre d'eau et du papier hygiénique. Il essuya les lèvres de Cantor et lui tendit le verre.

— Rincez-vous la bouche.

— Mais non, ça va aller.

— Ne faites pas l'idiot ! Vous avez trop travaillé, vous vouliez tout terminer avant de partir, hein ?

— Fallait... fallait bien.

— Ce que vous devez faire, Marty, c'est vous tirer d'ici avant que cette boîte vous dévore.

Cantor fut pris d'une nouvelle nausée.

Tu ne plaisantais pas, Marty, pensa Jack. La guerre se livre ici aussi. Tu voulais que cette mission réussisse, encore plus que moi !

— Alors quoi ?

Greer entra en coup de vent. Il avait même l'air un peu dépenaillé.

— Il a vomi du sang, expliqua Jack.

— Ah, bon dieu, Marty !

Ryan ne savait pas qu'il y avait une infirmerie à Langley. Un homme arriva rapidement, qui se présenta comme un infirmier. Il examina Cantor et puis un garde de la sécurité et lui l'installèrent dans un fauteuil roulant. Ils l'emmenèrent et les trois hommes restant dans le bureau échangèrent des regards inquiets.

— Est-ce qu'on peut mourir d'ulcère ? demanda Ryan à sa femme, vers minuit.

— Quel âge a-t-il ? demanda Cathy.

Jack le lui dit et elle réfléchit un moment.

— Ça peut arriver mais c'est assez rare. C'est quelqu'un à ton travail ?

— Mon supérieur à Langley. Il prenait du Taganet mais il a vomi du sang, ce soir.

— Il a peut-être essayé de s'en passer. C'est un des problèmes. On prescrit des médicaments aux gens et dès qu'ils se sentent mieux, ils cessent de les prendre. Même des gens intelligents ! Est-ce que c'est tellement stressant, là-bas ?

— Ce devait l'être pour lui.

— Ah bravo ! Oh, il s'en tirera sûrement. Il faut vraiment se donner du mal pour avoir des ennuis graves avec des ulcères, de nos jours. Tu es sûr que tu veux travailler là-bas ?

— Non. Ils me veulent mais je ne prendrai pas de décision avant que tu aies perdu un peu de poids.

— Je te conseille de ne pas être loin, quand je commencerai à avoir les douleurs.

— Je serai là quand tu auras besoin de moi.

— On les a presque eus, annonça Murray.

— La même bande qui a eu Action Directe, hein ? Oui. J'ai entendu dire que c'était une mission joliment exécutée. Qu'est-ce qui s'est passé ? demanda Owens.

— Le commando a été aperçu à cent kilomètres de l'objectif et a dû rebrousser chemin. D'après l'examen des photos, il semble que nos amis avaient déjà levé le pied, d'ailleurs.

— Superbe. Je vois que la chance ne nous quitte pas. Où sont-ils allés, à votre avis ?

— Je ne peux faire que la même supposition que vous, Jimmy, grogna Murray.

Owens regarda par la fenêtre. Le soleil n'allait pas tarder à se lever.

— Ouais. A part ça, nous avons blanchi l'homme du GPD et nous lui avons raconté toute l'histoire.

— Comment l'a-t-il prise ?

— Il a immédiatement offert sa démission mais le préfet et moi l'en avons dissuadé. Nous avons tous nos petites faiblesses, dit généreusement l'Anglais. Il est très bon dans ce qu'il fait. Vous serez heureux de savoir que sa réaction a été la même que la vôtre. Il a dit que nous devrions nous arranger pour que Son Altesse tombe d'un de ses poneys de polo et se casse une jambe. Ne le répétez pas, je vous en prie.

— C'est rudement plus facile de protéger les froussards, n'est-ce pas ? Ce sont les courageux qui nous compliquent la vie. Vous voulez que je vous dise ? Vous allez avoir un bon roi, un jour. S'il vit assez longtemps, ajouta Murray. Enfin, si ça peut vous rassurer, leur sécurité, aux Etats-Unis sera *serrée*. Exactement la même que pour notre président.

Et c'est censé me rassurer, ça ? se demanda Owens en songeant aux présidents américains qui avaient failli être assassinés par des fous, sans même parler de Kennedy. Il était possible, naturellement, que l'ULA soit retournée se terrer dans son trou, où que ce soit, mais son instinct lui disait le contraire. Murray était un excellent ami, Owens connaissait et respectait les agents du Secret Service qui formaient le réseau de sécurité, mais celle de Leurs Altesses était la responsabilité du Yard et il n'aimait pas qu'elle soit à présent en majorité entre des mains étrangères. Il s'était personnellement senti offensé lors de la dernière visite officielle du président américain en Grande-Bretagne, quand le Secret Service s'était bien appliqué à repousser les services locaux à l'écart, le plus loin possible. Maintenant, il les comprenait un peu mieux.

— Le loyer est de combien ? demanda Dobbens.

— Quatre cent cinquante par mois, répondit l'agent immobilier. Tout meublé.

— Mmmouais.

Le mobilier n'avait rien d'impressionnant, constata Alex, mais cela n'avait aucune importance.

— Quand est-ce que mon cousin pourra s'installer ?

— Ce n'est pas pour vous ?

— Non, c'est mon cousin. Il est dans les mêmes affaires que moi. Il est nouveau dans la région. C'est moi qui serai responsable du loyer, bien sûr. Une caution de trois mois d'avance, vous disiez ?

— Oui, répondit l'agent qui n'en avait demandé que deux.

— Des espèces, ça vous va ?

— Bien sûr. Nous allons retourner à l'agence et nous réglerons la paperasse.

— Je suis un peu en retard, malheureusement. Vous n'avez pas le contrat avec vous ?

— Si, nous pouvons faire ça ici.

L'agent retourna à sa voiture et revint avec un bloc-notes et un contrat de location passe-partout. Il ne savait pas qu'il se condamnait à mort, que personne d'autre, à son agence, n'avait vu la figure de cet homme.

— Je reçois mon courrier à une boîte postale. Je le prends en allant à mon travail, dit Dobbens, ce qui réglait la question du domicile.

— Quel genre de travail, vous avez dit ?

— Je travaille au Laboratoire de physique appliquée, ingénieur électricien. Je ne peux malheureusement pas vous donner plus de détails. Nous exécutons beaucoup de travaux pour le gouvernement, vous comprenez.

Alex plaignait vaguement cet homme, qui était assez agréable, qui ne lui avait pas fait perdre son temps comme tant d'autres agents immobiliers. Dommage. C'est la vie, pensa-t-il.

— Vous payez toujours en espèces ?

— C'est une façon d'être sûr qu'on en a les moyens, répondit Alex en riant.

— Voulez-vous signer là, s'il vous plaît ?

— C'est sûr.

Alex signa avec son propre stylo, de la main gauche comme il s'y était entraîné. Puis il compta des billets.

— Et voilà mille trois cent cinquante.

— C'est réglé, dit l'agent en lui remettant les clefs et un reçu.

— Parfait. Merci, monsieur. Il emménagera probablement la semaine prochaine, la suivante au plus tard.

Les deux hommes se serrèrent la main et sortirent reprendre leurs voitures. Alex nota le numéro de celle de l'agent ; c'était sa voiture personnelle, pas un véhicule de l'agence. Alex nota aussi le signalement, quand même, pour être bien sûr que ses hommes ne se trompent pas de victime. Il était heureux que ce ne soit pas une femme. Alex savait qu'il lui faudrait se débarrasser de ce préjugé, un jour ou l'autre, mais pour le moment c'était une question qu'il préférait éviter. Il suivit l'agent sur quelques centaines de mètres puis retourna dans une rue transversale et revint à la maison.

Elle n'était pas vraiment idéale mais presque. Trois petites chambres. La cuisine était très bien, et le living-room aussi. Le plus précieux, c'était le garage et le demi-hectare de terrain. La propriété était entourée de haies et se trouvait dans un quartier ouvrier à moitié rural, où les maisons étaient espacées d'environ quinze mètres. Ce serait un excellent repaire.

Il se rendit ensuite à l'aéroport national de Washington et prit un vol à destination de Miami. Là, il attendit trois heures durant une correspondance pour Mexico. Miller l'attendait à l'hôtel convenu.

— Salut, Sean.

— Salut, Alex. Tu bois quelque chose ?

— Qu'est-ce que tu as ?

— J'ai apporté une bouteille de whisky convenable, à moins que tu

436

préfères l'alcool local. La bière n'est pas mauvaise mais moi, on ne me fera pas boire un truc avec un ver dans la bouteille.

— Alex choisit la bière. Il ne s'embarrassa pas d'un verre.

— Alors ?

Dobbens vida la boîte d'un long trait. C'était bon de pouvoir se détendre, se détendre réellement. Jouer constamment la comédie, chez lui, c'était éreintant.

— J'ai la maison toute prête. J'ai fait ça ce matin. Elle sera au poil pour ce que nous voulons. Et tes hommes ?

— En route. Ils arriveront comme prévu.

Alex approuva et prit une seconde bière.

— Bien. Voyons un peu comment l'opération se déroulera.

— C'est toi qui l'as inspirée, Alex.

Miller ouvrit sa serviette et y prit des cartes et des plans. Il les étala sur la table basse. Alex ne souriait pas. Miller cherchait à lui passer la main dans le dos et il n'aimait pas ça. Il écouta pendant vingt minutes.

— Pas mal, pas mal du tout, mais va falloir changer deux trois trucs.

— Quoi ? demanda Miller, déjà irrité par le ton de Dobbens.

— Ecoute, mec, va y avoir au moins quinze types de la sécurité, exactement là, dit Alex en mettant un doigt sur la carte. Et tu devras les avoir en vitesse, du premier coup, d'accord ? Il ne s'agit pas de flics de la circulation. Ces mecs-là sont entraînés et bien armés. Et ils ne sont pas précisément cons non plus. Si tu veux que ce truc réussisse, petit, tu dois frapper fort au premier coup. Et ton chronométrage n'est pas fameux. Non, nous devons resserrer un peu plus tout ça, Sean.

— Mais ils seront au mauvais endroit ! protesta Miller aussi calmement qu'il le put.

— Et tu voudrais qu'il cavalent partout librement ? Pas question, petit ! Je te conseille de penser à les éliminer aussi sec, dans les dix premières secondes. Pense à eux comme à des soldats. Nous parlons guerre, combat, ici.

— Mais si la sécurité doit être aussi serrée que tu le dis...

— Je peux m'en occuper. Tu n'as donc pas compris ce que je fais ? Je peux te mettre tes tireurs exactement au bon endroit, exactement au bon moment.

— Et comment diable vas-tu t'y prendre ?

Miller était incapable de se calmer, à présent. Cet Alex le faisait voir rouge.

— Doucement, petit, dit Dobbens en souriant, ravi de montrer à cette tête en l'air comment on faisait les choses. Tout ce que t'auras...

Quand il eut terminé ses explications, Miller demanda d'un ton sec :

— Et tu te figures réellement que tu pourras leur passer sous le nez comme ça ?

— Facile. Je peux écrire mes propres ordres de travail, souviens-toi.

Miller lutta de nouveau pour se dominer et cette fois il y parvint. Il se dit de considérer objectivement l'idée d'Alex. Il n'aimait pas se l'avouer, mais le plan était excellent. Cet amateur noir lui disait comment monter une opération et le fait qu'il eût raison ne servait qu'à tout aggraver.

— Ecoute, mon vieux, ce n'est pas seulement mieux, c'est plus facile !

Alex mettait un peu d'eau dans son vin. Ces petits Blancs arrogants avaient besoin de garder leur fierté, pensait-il. Ce garçon avait l'habitude d'imposer sa volonté. Il n'était pas bête, Dobbens le reconnaissait, mais trop inflexible. Une fois qu'il s'était décidé pour une idée, il ne voulait rien changer. Jamais il n'aurait pu faire un bon ingénieur.

— Rappelle-toi la dernière opération que nous avons montée pour toi. Fais-moi confiance, vieux. J'avais raison, l'autre fois, pas vrai ?

En dépit de toute son habileté technique, Alex n'était pas très doué pour les rapports humains. Cette dernière réflexion raviva la colère de Miller mais il respira profondément et continua de regarder la carte. *Maintenant je sais pourquoi les Yanks aiment tant leurs négros !*

— Laisse-moi y réfléchir.

— Bien sûr. Tiens, je vais te dire. Je m'en vais dormir un peu. Tu peux prier sur la carte tant que tu voudras.

— Qui d'autre, en plus de la sécurité et des objectifs ?

Alex s'étira.

— Ils feront peut-être venir un traiteur. Ah, merde, je ne sais pas. J'imagine qu'ils auront leur bonne. Parce qu'on ne peut pas avoir ce genre d'invités sans des larbins, pas vrai ? Et on ne doit pas la toucher non plus, mec. C'est une sœur, une belle femme. Et rappelle-toi ce que je t'ai dit pour la dame et la petite môme. Si c'est nécessaire, je n'en mourrai pas, mais si tu les descends histoire de rire, Sean, c'est à moi que tu rendras des comptes. Essayons de rester des pros. Tu as trois honnêtes objectifs politiques, ça suffit. Le reste, c'est de la monnaie d'échange, nous pourrons nous en servir comme gages de bonne volonté. Ce n'est pas important pour toi, petit, mais ça l'est bougrement pour moi. Tu piges ?

438

— Très bien, Alex.

Sean décida alors qu'Alex ne verrait pas la fin de cette opération. Ce ne devrait pas être trop difficile à arranger. Avec son absurde sensiblerie, il n'était pas digne d'être un révolutionnaire. *Tu mourras en brave. Nous allons au moins faire de toi un martyr.*

Deux heures plus tard, Miller s'avoua que c'était malheureux. Cet homme avait un authentique talent pour monter des opérations.

Les agents de la sécurité arrivèrent tellement en retard que Ryan ne les suivit que de quelques secondes. Ils étaient trois, sous les ordres de Chuck Avery du Secret Service.

— Navré, nous avons été retenus, dit Avery quand ils se serrèrent la main. Je vous présente Bert Longley et Mike Keaton, deux de nos collègues britanniques.

— Bonjour, monsieur Longley ! cria Cathy du perron.

Il ouvrit de grands yeux en voyant son état.

— Mon Dieu ! Nous devrions peut-être amener un médecin avec nous ! Je ne me doutais pas du tout que c'était pour bientôt.

— Celui-là sera en partie anglais, intervint Jack. Entrez donc.

C'est M. Longley qui nous a donné notre escorte, quand tu étais à l'hôpital, expliqua Cathy à son mari. Je suis enchantée de vous revoir, monsieur.

— Comment vous sentez-vous ?

— Un peu fatiguée, mais ça va.

— Est-ce que vous avez réglé le petit problème de Robby ? demanda Jack.

— Oui, oui, bien sûr. Il faut excuser M. Bennett. J'ai peur qu'il prenne les instructions trop à la lettre. Nous n'avons pas de problèmes avec un officier de marine. En réalité, Son Altesse se fait une joie de le connaître. Alors, pouvons-nous examiner les lieux, maintenant ?

— Si ça ne vous ennuie pas, dit Avery, j'aimerais bien jeter un coup d'œil à votre falaise.

— Suivez-moi, messieurs.

Jack fit sortir les trois hommes par la porte-fenêtre coulissante donnant sur la terrasse, face à la baie de la Chesapeake.

— Admirable ! s'exclama Langley.

— Notre seul tort a été de ne pas séparer la salle à manger du living-room, seulement le plan était conçu ainsi et nous n'avons trouvé aucune façon élégante de le modifier. Mais toutes ces fenêtres nous offrent une belle vue, quand même.

— C'est certain, et aussi une bonne visibilité pour nos gars, observa Keaton en regardant de tous côtés.

Sans parler d'un champ de tir commode, pensa Jack.

— Combien d'hommes allez-vous faire venir ? demanda-t-il.

— C'est un détail dont nous ne pouvons pas parler.

— Plus de vingt ? insista Jack. J'ai l'intention de préparer du café et des sandwiches pour vos agents. Ne vous inquiétez pas. Je n'en ai même pas parlé à Robby.

— Si vous prévoyez pour vingt, ce sera amplement suffisant, dit Avery. Rien que du café, ce sera très bien.

— Bien, alors allons voir la falaise.

Ryan descendit les marches de la terrasse et traversa la pelouse.

— Vous devrez faire très attention, messieurs.

— Elle est vraiment très instable ? demanda Avery.

— Sally est passée deux fois de l'autre côté de la barrière et cela lui a valu à chaque fois une bonne fessée. Le problème, c'est l'érosion. La roche de la falaise est de la... du grès, je crois, vraiment friable. J'essaie de la stabiliser. Les services de la conservation de la nature m'ont persuadé de planter ce foutu kudzu et... N'allez pas plus loin !

Keaton venait d'enjamber la petite barrière.

— Il y a deux ans, j'ai vu tomber un bloc de six à sept mètres. C'est pour ça que j'ai fait pousser ces plantes grimpantes. Vous ne pensez pas que quelqu'un va essayer de monter par là, dites-moi ?

— C'est une possibilité, répondit Longley.

— Vous changeriez d'idée si vous examiniez ça d'un bateau. La falaise ne supporterait pas le poids. Un écureuil pourrait grimper, mais c'est tout.

— Quelle est sa hauteur ? demanda Avery.

— Treize mètres là-bas, plus de quinze ici. Les lianes kudzu n'ont fait qu'aggraver son état. C'est à peu près impossible à tuer et essayez de les arracher, vous aurez une belle surprise. Je vous le dis, pour vous en faire une bonne idée, il faut l'examiner d'un bateau.

— C'est ce que nous ferons.

— A l'entrée, cette allée doit bien faire trois cents mètres ? hasarda Keaton.

— Un peu plus de quatre cents, compte tenu des virages. Ça nous a coûté la peau des fesses, pour la paver.

— Et les ouvriers de la piscine ? demanda Longley.

— En principe, elle doit être terminée mercredi.

Avery et Keaton contournèrent la maison par le nord. Les arbres étaient à vingt mètres et il y avait un enchevêtrement de broussailles et de ronces s'étendant on ne savait jusqu'où. Ryan avait planté une longue rangée d'arbustes pour marquer la limite de la propriété. Sally n'avait pas le droit de s'aventurer par là, non plus.

— Ça m'a l'air assez bien protégé, par ici, jugea Avery. Il y a bien deux cents mètres de terrain découvert entre la route et les arbustes, et puis c'est encore à découvert entre la piscine et la maison.

— Hé oui, dit Jack en riant. Vous pouvez installer vos mitrailleuses lourdes à l'orée du bois et installer vos mortiers près de la piscine.

— Nous prenons cela très au sérieux, professeur Ryan, lui reprocha Longley.

— Je sais. Mais cette visite est tout à fait secrète, n'est-ce pas ? Alors on ne peut pas...

Il s'interrompit. Leur expression ne lui plaisait pas du tout. Avery déclara :

— Nous devons toujours supposer que l'adversaire sait ce que nous faisons.

Jack se demanda si c'était tout ou s'ils savaient encore autre chose, mais il était inutile de poser la question...

— Ma foi, pour parler comme un ancien marine, je ne voudrais pas attaquer ce coin-ci à froid. Je sais un peu comment vous êtes entraînés et je ne voudrais pas vous chercher des crosses.

— Nous faisons de notre mieux, assura Avery en regardant toujours de tous les côtés.

Le tracé de l'allée sous les arbres était tel qu'il pourrait utiliser son camion de communications pour la bloquer entièrement. Il se répéta qu'il y aurait dix hommes de l'Agence, six Brits, un agent de liaison du Bureau et probablement deux ou trois agents de la police routière pour régler la circulation sur la route. Tous ses hommes auraient un revolver d'ordonnance et un pistolet-mitrailleur. Ils s'entraînaient au moins une fois par semaine.

Avery n'était quand même pas très content, à la pensée qu'un groupe terroriste armé se promenait en liberté. Mais tous les aéroports étaient surveillés, toutes les forces de police locales alertées. Une seule route aboutissait à cette maison. Le terrain environnant serait difficile à pénétrer, même pour un peloton d'infanterie, et tout dangereux que fussent les terroristes, ils n'avaient jamais livré de bataille rangée. On n'était pas à Londres et les cibles en puissance ne se déplaçaient pas avec insouciance, escortées par un seul garde du corps armé.

— Merci, professeur Ryan. Nous allons examiner la falaise de la mer. Si vous voyez passer un cotre des gardes-côtes, ce sera nous.

— Vous savez comment aller à la station de Thomas Point ? Vous prenez Forest Drive à l'est jusqu'à Arundel-on-the-Bay et vous tournez à droite. Vous ne pouvez pas vous tromper.

— Merci, nous y allons tout de suite.

L'agent immobilier sortit de son bureau juste avant 22 heures. C'était son tour de fermer l'agence. Il avait dans sa serviette une enveloppe pour le dépôt de nuit à la banque et des contrats qu'il comptait revoir le lendemain matin avant d'aller à son travail. Il posa sa serviette sur le siège à côté de lui et mit son moteur en marche. Deux phares arrivèrent juste derrière lui.

— Je peux vous parler ? appela une voix dans l'obscurité.

L'agent se retourna et vit une ombre qui s'approchait.

— Nous sommes fermés, monsieur. L'agence ouvre à...

Il vit alors un pistolet sous son nez.

— Je veux ton fric, mec. Tu restes cool, tout se passera bien, dit l'homme.

Inutile d'effrayer le type, pensait-il. Il risquerait de faire quelque chose de dingue et pourrait avoir de la chance.

— Mais je n'ai pas d'ar...

— La serviette et le portefeuille. Bien lentement, bien sagement et tu seras chez toi dans une demi-heure.

L'agent prit d'abord son portefeuille. Il dut s'y reprendre à trois fois pour déboutonner sa poche arrière et ce fut d'une main tremblante qu'il le tendit. La serviette suivit.

— Il n'y a que des chèques, pas d'espèces...

— C'est ce qu'ils disent tous. Couche-toi à plat ventre sur le siège et compte jusqu'à cent. Ne relève pas la tête avant d'avoir fini et tout ira bien. Tout haut, que je l'entende.

Voyons voir, le cœur doit être là... L'homme passa sa main armée par la portière dont la vitre était baissée. L'agent arriva à sept. Quand le coup partit le bruit de l'automatique équipé d'un silencieux fut encore étouffé, d'être tiré à l'intérieur de la voiture. Le corps tressauta deux ou trois fois, mais pas assez pour nécessiter une deuxième balle. Le tueur ouvrit la portière, remonta la vitre, coupa le contact et éteignit les phares avant d'aller reprendre sa voiture. Il démarra et roula à la limite de vitesse autorisée. Dix minutes plus tard, il jeta la serviette et le portefeuille vides dans une grande poubelle d'un centre commercial. Il retourna sur la route principale et prit la direction opposée. C'était dangereux de garder le pistolet mais il fallait s'en débarrasser plus soigneusement. Le tueur ramena la voiture à sa place — la famille à qui elle appartenait était en vacances — et fit deux à trois cents mètres à pied pour aller reprendre la sienne. *Alex avait raison, comme toujours,* pensait-il. *Si on prévoit tout, si on réfléchit bien et, surtout, si on ne laisse rien traîner derrière soi, on peut tuer tout le monde qu'on veut. Et puis aussi, on n'en parle pas !*

— Salut, Ernie, chuchota Jack.

Le chien n'était qu'une tache sombre sur le tapis clair du living-room. Il était 4 heures du matin. Ernie avait entendu du bruit et il était sorti de la chambre de Sally pour enquêter. Il regarda Jack pendant quelques instants, en remuant la queue, jusqu'à ce que celui-ci le gratte entre les oreilles, puis il retourna chez Sally.

Ils vont revenir, n'est-ce pas ? demanda Jack à la nuit. Il se leva du canapé de cuir et alla aux fenêtres. Il faisait un temps clair. Dans la baie, on voyait les feux de position des bateaux partant de Baltimore ou arrivant du large et les lumières plus spectaculaires des convois chaland-remorqueur naviguant avec une lenteur majestueuse.

Il ne savait pas pourquoi il avait été aussi long à comprendre. Peut-être parce que les activités du camp 18 présentaient presque les choses avec trop d'évidence. C'était le bon moment pour eux de refaire un stage d'entraînement et il était fort possible qu'ils projetaient un gros coup. *Peut-être ici même...*

— Dieu ! Tu étais trop près du problème, Jack, murmura-t-il.

C'était de notoriété publique, depuis quinze jours, qu'ils allaient faire la traversée et l'ULA avait déjà démontré qu'elle était capable d'opérer en Amérique. *Et nous invitons des objectifs chez nous ? C'est malin !* C'était quand même ahurissant. Ils avaient accepté l'invitation à rebours sans penser un instant... et même, quand les agents de la sécurité étaient là, il avait plaisanté. *Pauvre con !*

Il réfléchit au dispositif de sécurité. Sur le plan stratégique, sa maison était un objectif difficile. On ne pouvait rien faire de l'est, la falaise était un obstacle plus dangereux qu'un champ de mines. Au nord et au sud, les bois étaient si denses et enchevêtrés qu'on ne pouvait passer par là sans faire un vacarme horrible et ils ne pouvaient certainement pas s'entraîner à ce genre d'approche dans un désert aride et sans végétation ! Donc, ils devaient venir par l'ouest. Ryan chercha combien d'hommes Avery avait dit... Il n'avait pas précisé, mais il n'avait pas nié quand Jack avait parlé d'une vingtaine. Vingt agents de la sécurité, bien armés et entraînés. Il se rappela les journées de Quantico, le cours des officiers. Et les nuits. Vingt-deux ans, invicible et immortel, quand il buvait de la bière dans les bars du coin. Un soir, dans une boîte, il avait parlé à deux instructeurs de l'académie du FBI qui se trouvait juste au sud de sa base. Ils étaient aussi fiers que les marines. Ils ne prenaient même pas la peine de dire « Nous sommes les meilleurs », ils estimaient que tout le monde le savait. Tout comme les marines. Le lendemain, il avait accepté une invitation à aller tirer sur leur polygone, relever un défi amical. Il lui en avait coûté dix dollars pour apprendre que l'un d'eux était le moniteur du maniement d'armes. Le Secret Service ne devait pas être bien différent, étant donné sa mission.

Si je pars du principe que l'ULA est aussi forte qu'elle en a l'air... et que c'est une visite qui n'a pas été annoncée, une visite privée... Ils n'auront pas l'idée de venir ici... et même, ils sont trop malins pour tenter ce coup-là... Il n'y a donc pas de danger, n'est-ce pas ?

Mais ces mots-là n'avaient plus aucun sens, le danger, la sécurité. Cela dépassait la réalité.

Jack contourna la cheminée pour passer dans l'aile des chambres. Sally dormait, avec Ernie couché en rond sur le pied du lit. Il leva la tête quand Jack entra.

La petite fille dormait paisiblement, toute à ses rêves d'enfant, pendant que son père considérait le cauchemar qui menaçait encore sa famille et qu'il s'était permis d'oublier pendant quelques heures. Il remonta les couvertures et caressa la tête du chien avant de quitter la pièce.

Jack se demanda comment faisaient les personnages publics. Ils vivaient en permanence dans le cauchemar. Il se souvint d'avoir félicité le prince parce qu'il ne laissait pas ces menaces entraver sa vie. *Bravo, mon vieux, ça leur apprendra ! Soyez un objectif sans peur !* On voyait les choses très différemment quand on était soi-même avec sa propre famille un objectif. Ryan l'avoua à la nuit. On fait bonne figure, on obéit aux instructions et on se demande si chaque voiture qui passe ne contient pas un homme armé d'une mitraillette qui entend faire de votre mort une déclaration politique. On arrive à ne pas trop y penser dans la journée, quand on a du travail, mais la nuit l'esprit vagabonde.

Tout cela était d'une incroyable ambiguïté. On ne pouvait pas s'y attarder mais on ne devait pas non plus oublier. On ne pouvait pas permettre que sa vie soit dominée par la peur mais on était incapable de retrouver un sentiment de sécurité. Le fatalisme aurait été d'un bon secours, mais Ryan s'était toujours jugé maître de son destin et il refusait d'admettre qu'il s'illusionnait. Il avait envie de frapper, sinon eux au moins le destin, mais l'un et les autres étaient hors de sa portée, aussi loin que les bateaux dont les feux passaient à des kilomètres de sa fenêtre.

Ils avaient presque réussi la dernière fois. Ils avaient presque gagné la bataille et ils en avaient aidé d'autres à remporter une victoire. Il était capable de riposter, de lutter, et il savait qu'il le ferait au mieux en travaillant dans ce bureau de Langley, en s'intégrant à plein temps dans l'équipe. Il avait joué un rôle assez important — même si ce n'était qu'accidentellement — pour Françoise Théroux, cette jolie fille maléfique morte à présent. C'était le sien, comme les hommes armés avaient le leur. L'Académie allait manquer à Jack, tous ses élèves pleins d'enthousiasme, mais c'était le prix qu'il devait payer pour reprendre la partie.

Il alla boire un verre d'eau avant de se coucher.

— Salut, Jack ! s'écria Robby quand il descendit de voiture dans le parking.

— Tu fais tes bagages ?

— Hé oui ! Presque tout est déjà dans les caisses. Il faut que je mette mon remplaçant au courant.

— Moi aussi.

— Tu pars ? s'étonna Jackson.

— J'ai donné mon accord à l'amiral Greer.

— L'amiral... ah, le type de la CIA ? Alors tu t'es décidé, hein ? Comment est-ce que le département a pris ça ?

— Ils ont réussi à ravaler leurs larmes. En fait, le patron n'était pas très content de toutes mes absences, cette année. Alors on dirait que le dîner d'au revoir sera pour nous deux.

— Ah zut, c'est vrai ! C'est ce vendredi, hein ?

— Ouais. Est-ce que tu peux arriver vers 20 h 15 ?

— Bien sûr. Tu as dit que ce n'était pas habillé, c'est ça ?

— C'est ça.

Jack sourit. *Je t'aurai, mon vieux !*

Le VC-10 de la RAF atterrit à la base d'Andrews à 20 heures et roula vers le même terminal qu'Air Force One, l'avion présidentiel. Les journalistes remarquèrent que la sécurité était extrêmement resserrée ; il y avait toute une compagnie de la police de l'air, plus des agents en civil du Secret Service. Mais il était vrai que la sécurité, sur cette base de l'armée de l'air, était toujours très stricte. L'appareil s'immobilisa exactement à la place qu'il fallait et la passerelle roulante fut poussée vers la porte avant, qui s'ouvrit au bout d'un moment.

L'ambassadeur et des personnalités du Département d'Etat attendaient au pied des marches. Dans l'avion, des agents firent une dernière ronde aux hublots. Enfin, Son Altesse apparut à la porte, suivi par sa jeune femme. Le prince salua de la main les spectateurs éloignés et descendit avec précaution, les jambes ankylosées par le long vol. Au sol, plusieurs officiers des deux nations saluèrent et la directrice du protocole du Département d'Etat fit une révérence. Cela allait lui valoir une réprimande de l'arbitre des bonnes manières, dans le *Washington Post* du lendemain. La petite-fille du commandant de la base, âgée de six ans, offrit une douzaine de roses jaunes à la princesse. Les flashes étincelèrent et les deux personnages royaux sourirent aimablement aux objectifs tout en prenant le temps de dire un mot gentil à toutes les personnes du comité d'accueil. Le prince échangea des plaisanteries avec un officier de marine qui avait été son supérieur et la princesse fit une réflexion sur la lourde chaleur humide qui persistait jusque dans la soirée. La femme de l'ambassadeur lui expliqua que le climat était tel que Washington avait été jadis considéré comme un poste dangereux. Les moustiques porteurs de malaria avaient disparu depuis longtemps, mais le climat n'avait guère changé. Heureusement, tout était climatisé. Les journalistes notèrent la couleur, le style et la coupe de l'ensemble de la princesse, en particulier son chapeau « audacieux ». Elle prenait la pose avec l'assurance d'un mannequin de haute couture, pendant que son mari avait l'air aussi décontracté qu'un cow-boy du Texas, une main dans la poche et la figure fendue d'un large sourire. Les Américains qui n'avaient encore jamais vu le couple de près trouvèrent le prince merveilleusement simple et, naturellement, tous les hommes étaient depuis longtemps tombés amoureux de la princesse.

Les agents de la sécurité ne virent rien de tout cela. Ils tournaient le dos à la scène en balayant d'un regard vigilant la foule massée aux barrières, leur figure marquée de la même expression grave et chacun pensant : *S'il vous plaît mon Dieu, pas pendant mon service !* Ils avaient tous un écouteur radio dans l'oreille qui leur fournissait des renseignements que leur cerveau enregistrait tandis que leurs yeux étaient occupés ailleurs.

Enfin, tout le monde reflua vers la Rolls Royce de l'ambassade et le cortège se forma. Andrews avait plusieurs issues et celle qu'ils empruntèrent n'avait été choisie qu'une heure auparavant. Deux autres Rolls, du même modèle et de la même couleur que la première, étaient intégrées dans la longue file, chacune avec sa voiture éclaireuse et sa voiture de poursuite, et un hélicoptère suivait le défilé. Si quelqu'un avait pris le temps de compter les armes à feu, il serait arrivé à près de cent. L'heure de l'arrivée avait été prévue pour que Washington soit rapidement traversée et, après vingt-cinq minutes, le cortège atteignit l'ambassade britannique. Quelques minutes plus tard, Leurs Altesses étaient en sécurité à l'intérieur et leur responsabilité en d'autres mains.

La plupart des agents américains se dispersèrent pour rentrer chez eux ou reprendre leur poste habituel, mais une dizaine d'hommes et de femmes restèrent dans les parages, bien cachés dans des camions ou des voitures, et quelques agents en tenue supplémentaires firent des rondes autour de l'immeuble.

— L'Amérique, dit O'Donnell. Le pays de toutes les possibilités !

Le journal télévisé de 23 heures montrait l'arrivée en différé.

— Qu'est-ce que tu crois qu'ils font en ce moment ? demanda Miller.

— Ils compensent leur décalage horaire, j'imagine. Ils passent une bonne nuit de sommeil. Alors, tout est au point, ici ?

— Oui, le repaire est préparé pour demain. Alex et ses hommes sont prêts et j'ai étudié les changements du plan.

— Ils sont d'Alex, aussi ?

— Oui, et si j'entends encore un seul conseil de ce salaud arrogant...

— C'est un de nos frères révolutionnaires, dit O'Donnell avec un sourire, mais je vois ce que tu veux dire.

— Où est Joe ?

— A Belfast. Il dirigera la phase deux.

— Tout est bien prévu ?

— Oui. Les deux commandants de brigade et tout le conseil de l'Armée. Nous devrions les avoir tous...

O'Donnell révéla enfin son plan, en totalité. Les agents de pénétration de McKenney travaillaient en liaison étroite avec les principaux hommes de la PIRA ou connaissaient ceux qui travaillaient avec eux. Sur un ordre d'O'Donnell, ils les assassineraient tous, éliminant ainsi la direction militaire de l'IRA provisoire. Il ne resterait absolument personne pour commander l'organisation... excepté un homme que son coup de maître allait catapulter au premier rang et lui valoir le respect du commun des Provisoires. Avec ses otages, il obtiendrait la libération de tous ceux qui étaient derrière des barreaux, même s'il devait pour cela expédier le prince de Galles à Buckingham en pièces détachées. O'Donnell en était certain. Malgré toutes les belles paroles de Whitehall, il y avait des siècles qu'un roi anglais n'avait pas affronté la mort et l'idée du martyre avait plus de succès chez les révolutionnaires que chez les hommes au pouvoir. La pression de l'opinion publique les y formait : ils seraient *contraints* de négocier pour sauver l'héritier du trône. L'ampleur de cette opération donnerait un élan au mouvement et Kevin Joseph O'Donnell prendrait la tête d'une révolution renaissant dans l'audace et le sang...

— La relève de la garde, dit Jack à Marty.

Lui aussi, il avait emballé ses affaires. Un agent de la sécurité vérifierait le contenu de la caisse avant qu'il parte.

— Comment vous sentez-vous ?

— Mieux, mais on se lasse de regarder la télévision de l'après-midi.

— Vous prenez bien vos médicaments ?

— Je n'oublierai plus jamais !

— Je vois qu'il n'y a rien de nouveau sur nos amis.

— Hé non. Ils sont retombés dans ce trou noir où ils vivent. Le FBI a peur qu'ils soient ici, bien sûr, mais il n'y a pas eu la moindre trace d'eux. Naturellement, chaque fois qu'on se sent sûr de soi, en traitant avec ces salopards, on l'a dans le dos. Tout de même, à peu près la seule unité qui n'est pas en alerte rouge, c'est la Force Delta. Toutes les autres sont sur le pied de guerre. S'ils viennent ici et s'ils montrent ne serait-ce qu'un poil de moustache, le monde entier va leur tomber dessus, grommela Cantor. Je serai là lundi et mardi. Vous n'avez pas besoin de me dire au revoir tout de suite. Passez un bon week-end.

— Vous aussi.

Ryan sortit, un nouveau laissez-passer de sécurité accroché à son cou, sa veste sur l'épaule. Il faisait chaud et sa Rabbit n'était pas climatisée. Le retour par la Route 50 fut compliqué par la foule qui se précipitait à Ocean City pour le week-end ; n'importe quoi pour échapper à la chaleur oppressante qui pesait sur toute la région depuis quinze jours. Ils allaient avoir une surprise, pensa Jack. Un front froid était prévu pour bientôt.

— Police du canton de Howard, dit le sergent de semaine au téléphone. Vous désirez, monsieur ?

— C'est bien le 911 ?

— Oui, monsieur. Vous avez un problème ?

— Eh bien, euh, ma femme dit que je ne dois pas m'en mêler, vous savez, mais...

— Voulez-vous me donner votre nom et votre numéro de téléphone, s'il vous plaît ?

— Pas question, écoutez voir, cette maison, là près de chez nous, en bas de la rue. Y a des gens, là, avec des armes, vous savez ? Des mitrailleuses.

— Pardon ? Vous voulez répéter ?

— Des mitrailleuses, pas de blague. J'ai vu une M-60, comme dans l'armée, vous savez, calibre trente, alimentée par une bande, une foutue mitrailleuse. J'ai vu d'autres trucs, aussi.

— Où ça ?

La voix devint précipitée :

— Onze cent seize Green Cottage Lane. Y a peut-être... j'ai vu quatre types, un Noir et trois Blancs. Ils déchargeaient les armes d'un camion. Il était 3 heures du matin, j'avais dû me lever pour aller pisser et j'ai regardé par la fenêtre de la salle de bains, vous savez ? La porte du garage était ouverte et y avait de la lumière et quand ils se sont passé la mitrailleuse, c'était tout éclairé, comme qui dirait, et j'ai bien pu voir que c'était une soixante. Merde, j'en trimballais une dans l'armée, vous savez ? Enfin bref, voilà, c'est tout, si vous voulez y faire quelque chose, c'est vous que ça regarde.

L'homme raccrocha. Le sergent appela tout de suite son capitaine et lui montra ses notes.

— Quoi ? Une mitrailleuse ? M-60 ?

— C'est ce qu'il a dit, il a dit que c'était une calibre trente alimentée par une bande. C'est la M-60, ça. Cette alerte que nous avons reçue du FBI, mon capitaine...

— Ouais.

Le capitaine vit danser devant ses yeux des visions de promotion mais aussi de bataille rangée où ses hommes n'étaient pas les mieux armés.

— Envoyez une voiture. Dites-leur de rester hors de vue et de ne rien tenter. Je vais avertir les fédés.

Moins d'une minute plus tard, une voiture de police se dirigeait vers l'adresse indiquée. L'agent était depuis six ans dans la police cantonale, et tenait beaucoup à y rester une année de plus. Il mit près de dix minutes à arriver sur les lieux. Il gara sa voiture à une centaine de mètres, derrière un gros buisson, et put observer la maison sans s'exposer. Il tenait le fusil de chasse généralement accroché sous le tableau de bord entre ses mains moites, avec une cartouche de chevrotines double-zéro dans le canon. Une autre voiture arriva quatre minutes plus tard et deux agents le rejoignirent. Ensuite, il eut l'impression que le monde entier s'était donné rendez-vous là. D'abord un sergent de patrouille, puis un lieutenant, deux capitaines et, finalement, deux agents du bureau du FBI de Baltimore.

L'agent spécial du FBI responsable du bureau de Baltimore installa une liaison radio avec le siège de Washington mais laissa l'opération entre les mains de la police locale. Celle-ci avait sa propre brigade d'intervention, comme la plupart des forces régionales, et ses hommes se mirent rapidement au travail. Leur premier soin fut d'évacuer les habitants des maisons voisines. Au grand soulagement de tout le monde, ils purent le faire dans tous les cas par le derrière. Les personnes arrachées à leur domicile furent interrogées. Oui, elles avaient vu des gens dans cette maison. Oui, c'était presque tous des hommes blancs mais on avait vu au moins un Noir. Non, on n'avait pas vu d'armes ; d'ailleurs, on avait à peine vu les gens. Une dame pensait qu'ils avaient une camionnette, mais qui restait généralement dans le garage. Les interrogatoires continuèrent pendant que la brigade se rapprochait. Les maisons de la rue étaient toutes du même style et de la même construction et les hommes en visitèrent rapidement une pour se faire une idée du plan. Un homme s'installa dans la maison d'en face et examina les fenêtres de l'objectif à travers la lunette de son fusil.

La brigade aurait pu attendre, mais plus ils tarderaient plus le risque était grand d'alerter le gibier. Les hommes s'avancèrent lentement, prudemment, mettant à profit tout le couvert qu'ils trouvaient jusqu'à ce qu'ils soient à quinze mètres. Les yeux anxieux, vifs, guettaient du mouvement aux fenêtres mais ne voyaient rien. Ils se demandaient si tout le monde dormait. Le chef de la brigade s'élança le premier, en courant à travers le jardin pour s'arrêter sous une fenêtre. Il colla au coin un microphone à ventouse et guetta à l'aide d'un écouteur d'oreille des signes d'occupation. Les autres le virent pencher comiquement la tête de côté et puis il prit une radio que toute l'équipe pouvait entendre :

— La télé marche. Pas de conversation. Je... autre chose, mais je ne sais pas trop quoi.

Il fit signe à sa brigade d'approcher, un homme à la fois, pendant qu'il restait accroupi sous la fenêtre, pistolet au poing. Trois minutes plus tard, tout le monde était prêt.

— Chef de brigade, crépita la radio. Ici le lieutenant Haber. Nous avons là un jeune homme qui dit qu'une camionnette est partie en trombe de cette maison à 16 h 45... c'est à peu près l'heure à laquelle la police a diffusé son appel radio.

Le chef accusa bonne réception du message et le traita comme s'il n'avait aucune importance. L'équipe exécuta une manœuvre d'entrée par effraction. Deux coups de fusil de chasse simultanés firent sauter les gonds de la porte de côté et elle n'était même pas tombée que les hommes se ruaient à l'intérieur de la cuisine en braquant leurs armes. Rien. Ils visitèrent toute la maison avec des mouvements qui faisaient penser à un sinistre ballet. L'exercice ne dura pas plus d'une minute. Le message radio fut diffusé :

— Le bâtiment est sûr.

Le chef de brigade sortit par la porte de devant, son fusil pointé vers le sol, et ôta son masque noir avant de faire signe à tous les autres d'entrer. Le lieutenant et l'agent du FBI traversèrent la rue en courant, tandis que le chef essuyait la sueur de ses yeux.

— Alors ?

— Vous allez adorer ça, répliqua-t-il. Venez voir.

Dans le living-room, il y avait une petite télé couleur qui marchait, posée sur une table. Le plancher était couvert de papiers de MacDonald's et dans l'évier de la cuisine il y avait une cinquantaine de gobelets de carton bien empilés. La chambre de maître — elle devait avoir quelques centimètres carrés de plus que les deux autres — était l'arsenal. Ils y trouvèrent effectivement une mitrailleuse américaine M-60, avec deux caisses de munitions, une douzaine de fusils d'assaut AK-47 dont trois démontés pour être nettoyés et un fusil à lunette. Sur la commode, il y avait une radio scanner. Ses voyants sautillaient et clignotaient. Il y en avait un sur la fréquence de la police cantonale. Contrairement au FBI, la police locale n'employait pas de circuits radio sûrs, c'est-à-dire brouillés. L'agent du FBI retourna à son véhicule et appela Bill Shaw.

— Ils ont donc été à l'écoute de la radio de police et ils se sont tirés, dit Shaw au bout de deux minutes.

— On dirait bien. Les locaux ont diffusé une description de la camionnette. Au moins, ils ont filé si vite qu'ils ont laissé tout un arsenal. Ils ont peut-être la trouille, maintenant. Rien de neuf de votre côté ?

— Négatif.

Shaw était dans le centre de commandement d'urgence du FBI, le bureau 5005 du bâtiment J. Edgar Hoover. Il était au courant de la tentative manquée du raid français contre leur camp d'entraînement. Deux fois, pensa-t-il, ils s'échappent par un coup de chance pure.

— C'est bon, je vais parler à la police routière. Les techniciens sont déjà en route. Restez sur place et en liaison avec les locaux.

— D'accord. Terminé.

Les agents de la sécurité s'installaient déjà. Discrètement, constatait Jack ; leurs voitures étaient garées près de la piscine, qui avait été remplie deux jours plus tôt seulement, avec un camion qui devait contenir du matériel de télécommunication. Jack compta huit personnes à découvert, dont deux avec des Uzis. Avery l'attendait dans le garage.

— Bonne nouvelle... Enfin, du bon et du mauvais.

— Quoi donc ? demanda Ryan.

— Quelqu'un a téléphoné aux flics pour dire qu'il avait vu des gens avec des armes. La police a réagi drôlement vite. Les suspects se sont tirés — ils écoutaient la fréquence radio de la police — mais nous avons capturé tout un arsenal. On dirait que nos amis s'étaient installés un repaire. Malheureusement pour eux, il n'est pas resté très sûr. Ils sont peut-être en cavale. Nous savons quel type de voiture ils utilisent et la police locale a complètement bouclé ce secteur. Et nous balayons tout l'Etat. Le gouverneur a même autorisé l'emploi des hélicoptères de la Garde nationale pour aider aux recherches.

— Où étaient-ils ?

— Dans le canton de Howard, un petit village au sud de Columbia. Nous les avons ratés de cinq minutes mais nous les avons forcés à cavaler à découvert. Ce n'est qu'une question de temps.

— J'espère que les flics sont prudents.

— Oui, monsieur.

— Pas de problèmes, ici ?

— Non, tout se passe très bien. Vos invités devraient arriver à 19 h 45. Qu'allez-vous leur servir à dîner ?

— J'ai acheté du maïs blanc frais, en chemin... Vous avez dû passer devant le marché en venant. Des steaks grillés au feu de bois, des pommes de terre au four et la salade d'épinards de Cathy. Nous allons leur faire goûter de la bonne cuisine américaine bien saine.

Jack ouvrit le hayon de sa Rabbit et y prit un sac d'épis de maïs nouvellement cueillis. Avery sourit.

— Vous me donnez faim.

— Un traiteur va venir à 18 h 30 avec de la viande froide et des petits pains. Je ne vais pas vous laisser tous travailler si longtemps le ventre creux, tout de même ! On ne peut pas rester sur ses gardes si on a faim.

— Nous verrons. Merci.

— Mon père était flic.

— Au fait, nous avons essayé les lumières, autour de la piscine, mais elles ne marchent pas.

— Je sais, l'électricité fait des caprices depuis deux ou trois jours. La compagnie dit qu'ils ont installé un nouveau transformateur qui a besoin d'être réglé, ou je ne sais quoi. Ces sautes de courant ont manifestement endommagé l'interrupteur sur le circuit de la piscine mais jusqu'à présent elles n'ont pas touché la maison. Vous ne comptiez pas vous baigner, n'est-ce pas ?

— Non. Nous voulions nous servir d'une des prises mais il n'en est pas question.

452

— Désolé. Allons, excusez-moi, j'ai des trucs à faire.

Avery regarda partir Ryan, puis il repassa une dernière fois son plan de déploiement. Il y aurait deux véhicules de la police routière à quelques centaines de mètres en bas de la route, pour arrêter toute personne arrivant par là et vérifier ses papiers. Le gros de ses hommes couvrirait la route. Deux seraient en faction de chaque côté de la clairière ; le bois paraissait réellement impénétrable mais ils le surveilleraient quand même. Cela, c'était l'équipe Un. La seconde était formée de six hommes. Il y en aurait trois dans la maison et trois autres, dont un dans le camion de télécommunication, sous les arbres autour de la piscine.

Le piège à chauffards était bien connu de la population du cru. Tous les week-ends, une voiture ou deux se faisaient prendre sur cette portion de l'inter-Etats 70. Il y avait même eu quelque chose à ce sujet dans le journal local. Mais naturellement les gens venus d'ailleurs ne le lisaient pas. L'agent avait arrêté sa voiture juste au-delà d'une petite côte, ainsi les voitures roulant vers la Pennsylvanie passaient en trombe devant son radar sans même s'en apercevoir. Le coin était si rentable qu'il ne se donnait jamais la peine de prendre en chasse un conducteur roulant à moins de cent cinq ct, au moins deux fois par nuit, il épinglait des gens fonçant à cent quarante.

« Guettez une camionnette noire, marque et année inconnues », avait dit quelques minutes plus tôt l'appel général diffusé à la radio. L'agent se dit qu'il devait exister au moins cinq mille de ces camionnettes dans l'Etat du Maryland et qu'elles étaient toutes sur la route le vendredi soir. « N'approcher qu'avec la plus grande prudence. »

Sa voiture de patrouille fut secouée comme un bateau dans le sillage d'un hord-bord alors qu'un véhicule passait en coup de vent. Le radar indiquait cent trente-trois à l'heure. Un client. L'agent démarra et prit la voiture en chasse avant de se rendre compte que c'était une camionnette noire. « N'approcher qu'avec la plus grande prudence... » On n'avait pas donné d'immatriculation...

— Hagerstown, ici Onze. Je poursuis une camionnette de couleur noire, qui a été chronométrée à cent trente-trois. Je roule vers l'ouest sur l'I-70, je suis à environ cinq kilomètres à l'est de la sortie 35.

— Onze, relevez le numéro mais ne tentez pas d'appréhender, je répète, ne tentez *pas* d'appréhender. Relevez le numéro, ralentissez et restez en contact visuel. Nous vous envoyons du renfort.

— D'accord. Je me rapproche maintenant.

Il plaqua l'accélérateur au plancher et regarda son compteur grimper jusqu'à cent quarante-cinq. La camionnette avait un peu ralenti, lui sembla-t-il. Il était maintenant à deux cents mètres derrière elle. Il cligna les yeux. La plaque était visible mais pas le numéro. Il réduisit la distance, plus lentement cette fois. A cinquante mètres, il distingua bien la plaque, une plaque de handicapé. L'agent décrochait son micro pour donner le numéro quand la porte arrière de la camionnette s'ouvrit à la volée.

L'idée le frappa en un éclair. *C'est comme ça que Larry Fontana s'est fait avoir !* Il freina brutalement et tenta de braquer mais le fil du micro s'accrocha à son bras. L'agent se fit tout petit et glissa sous le tableau de bord alors que la voiture dérapait et ralentissait ; il vit une langue de feu blanche comme un rayon de soleil jaillir droit sur lui. A peine avait-il compris ce que c'était qu'il entendit l'impact des balles. Un de ses pneus éclata, le radiateur explosa et cracha une gerbe de vapeur et d'eau. D'autres balles tracèrent un pointillé sur le capot et l'aile droite et l'agent plongea sous le volant pendant que la voiture sautillait et cahotait sur son pneu à plat. Le vacarme se tut enfin. L'agent releva la tête et vit la camionnette à cent mètres qui accélérait pour s'élancer sur une côte. Il voulut lancer un appel radio mais elle ne marchait plus et il découvrit bientôt que deux balles avaient traversé la batterie de la voiture dont l'acide ruisselait sur la chaussée. Il resta un moment debout, immobile, en se demandant pourquoi il était encore en vie. Une autre voiture de police arriva. L'agent tremblait tellement qu'il dut tenir le micro à deux mains.

— Hagerstown, le salaud a mitraillé ma voiture ! C'est une camionnette Ford, de 84, on dirait, plaques de handicapé numéro Nancy deux-deux-neuf-un, vue pour la dernière fois en direction de l'ouest sur l'I-70 à l'est de la sortie 35.

— Vous êtes blessé ?

— Négatif, mais la b-bagnole est foutue. Ils se sont servi d'une putain de m-mitrailleuse contre moi !

Cela déclencha une activité fébrile. Encore une fois, le FBI fut alerté et tous les hélicoptères disponibles de la police routière convergèrent sur les lieux. Pour la première fois, ils avaient à leur bord des hommes armés d'armes automatiques. A Annapolis, le gouverneur se demanda s'il devait envoyer la Garde nationale. Une compagnie d'infanterie fut mise en état d'alerte — elle était déjà engagée dans ses manœuvres du week-end — mais il limita pour le moment l'intervention de la Garde au soutien par hélicoptère de la police routière. La chasse avait lieu dans la région montagneuse du Maryland central. Des avertissements à la population furent diffusés par les radios et stations de télévision locales. Le président passait sa fin de semaine à la campagne et c'était une complication. Les marines de Camp David, et d'autres installations de défense ultra-secrètes blotties dans les collines, raccrochèrent leur tenue de parade bleu marine et les baudriers blancs ; ils échangèrent les pistolets contre des fusils-mitrailleurs et l'uniforme contre la combinaison léopard.

25
Rendez-vous

Ils arrivèrent à l'heure précise. Deux voitures de la police routière restèrent sur la route et trois autres, pleines d'agents de la sécurité, accompagnèrent la Rolls dans l'allée jusqu'à la maison des Ryan. Le chauffeur, qui faisait partie de la force de protection, s'arrêta juste devant la porte et sauta à terre pour ouvrir la portière arrière. Le prince descendit le premier puis il donna la main à sa femme pour l'aider. Le chef du contingent britannique s'entendit avec Avery et les hommes se déployèrent sur les positions prévues. Quand Jack descendit du perron pour accueillir ses invités, il eut l'impression que sa maison était victime d'une invasion armée.

— Je vous souhaite la bienvenue à Peregrine Cliff.

— Bonsoir, Jack, dit le prince en tendant la main. Vous avez une mine superbe.

— Vous aussi, Altesse, répondit Jack, et il se tourna vers la princesse qu'il n'avait jamais encore rencontrée. C'est un grand plaisir pour nous, Votre Altesse.

— Et pour nous, professeur Ryan.

Il les fit entrer dans la maison.

— Comment s'est passé votre voyage, jusqu'à présent ?

— Il fait horriblement chaud, répondit le prince. C'est toujours comme cela, en été ?

— Nous venons de passer deux mauvaises semaines, avoua Jack. (La température avait atteint les trente-cinq degrés à l'ombre dans l'après-midi.) Mais il paraît que ça va changer demain. Nous ne devrions guère dépasser les vingt-sept ou vingt-huit dans les prochains jours, assura-t-il ce qui ne provoqua pas de réaction enthousiaste.

Cathy attendait à l'intérieur avec Sally. La chaleur était particulièrement pénible pour elle, si près de son accouchement. Elle serra des mains mais Sally se rappela la révérence apprise en Angleterre et en fit une superbe, accompagnée d'un petit rire.

— Vous n'allez pas trop mal ? demanda la princesse à Cathy.

— Non, à part la chaleur. Dieu soit loué pour la climatisation.

— Voulez-vous visiter ?

Jack précéda le groupe dans le living-room et le prince s'exclama :

— Quelle vue admirable !

— Oui. A part ça, un premier mot. Personne ne garde sa veste dans ma maison ! décréta Ryan.

— Excellente idée.

Jack lui prit sa veste et alla l'accrocher dans le placard de l'entrée à côté de son vieux parka des marines, puis il ôta la sienne. Cathy avait déjà fait asseoir tout le monde. Sally était perchée à côté de sa mère, les pieds loin du sol, et tirait sa jupe sur ses genoux. Cathy avait du mal à trouver une position confortable.

— Encore combien de temps ? demanda la princesse.

— Huit jours, mais naturellement, avec le numéro deux, on peut avoir des surprises.

— Je l'apprendrai par moi-même dans sept mois.

— Vraiment ? Toutes mes félicitations !

Les deux femmes se sourirent, radieuses.

Jack se leva en entendant arriver une voiture. Il ouvrit la porte et vit Robby et Sissy descendre de leur Corvette. L'agent du Secret Service manœuvrait le camion des télécommunications pour bloquer l'allée d'arrière eux. Robby escalada les marches du perron.

— Qu'est-ce qui se passe ? Qui est ici ? Le président ?

Jack comprit que Cathy avait dû les avertir. Sissy avait une robe bleue, toute simple mais très élégante et Robby avait mis une cravate. Il fut déçu.

— Entrez faire connaissance avec la compagnie, dit-il avec un méchant sourire.

Robby tourna la tête vers les deux hommes près de la piscine, à la veste déboutonnée, puis il regarda Jack d'un air perplexe mais le suivit. Quand ils eurent contourné la cheminée de brique, le pilote ouvrit de grands yeux.

— Commandant Jackson, je présume ? dit le prince en se levant.

— Je te tuerai, Jack, chuchota Robby entre ses dents puis il éleva la voix. Je suis très honoré... euh... Altesse. Permettez-moi de vous présenter ma femme, Cecilia.

Comme cela arrive presque toujours dans ce genre de réunion, on se sépara immédiatement en deux groupes, féminin et masculin.

— Il paraît que vous êtes pilote de l'aéronavale ?

— Oui, et je vais rejoindre la flotte. Je pilote le F-14.

— Ah oui, le Tomcat. J'ai piloté le Phantom. Et vous ?

— J'ai cent vingt heures de vol avec ceux-là. Mon escadrille est passée aux 14 quelques mois après mon arrivée. Je commençais tout juste à comprendre le Phantom quand on nous l'a enlevé. Je... euh... prince... Altesse... Est-ce que vous n'êtes pas officier de marine, aussi ?

— En effet, commandant. Je suis capitaine de vaisseau.

— Ah ! Au moins, maintenant, je sais comment vous appeler, commandant, dit Robby avec un soulagement évident. Je peux ?

— Bien sûr. Vous savez, c'est un peu lassant quand les gens se conduisent d'une façon embarrassée avec vous. Votre ami, là, m'a bien remis à ma place, il y a quelques mois.

Robby finit enfin par sourire.

— Vous connaissez les marines, commandant. Grande gueule et petit cerveau.

Jack comprit que cela promettait d'être une de ces soirées... Il demanda à ses invités ce qu'ils voulaient boire.

— Faut que je vole demain, Jack, répondit Robby, en regardant sa montre. Je suis tenu par la règle des douze heures.

— Vous prenez cela tellement au sérieux ? demanda le prince.

— Je vous jure qu'il vaut mieux, commandant, quand l'oiseau coûte de trente à quarante millions. Si jamais on en casse un, faudrait pas que l'alcool soit responsable. Je suis déjà passé par là.

— Ah ? Que vous est-il arrivé ?

— Un moteur a explosé en vol. J'ai essayé de regagner le pont mais j'ai perdu la pression hydraulique à cinq milles du bateau et j'ai dû m'éjecter. Deux fois, j'ai été éjecté et ça fait deux fois de trop !

— Ah ?

Cette question lança Robby sur la fin de son temps de pilote d'essai à Pax River. *Alors j'étais là à dix mille...* Jack alla à la cuisine pour rapporter du thé glacé à tout le monde. Il y trouva deux hommes de la sécurité, un Américain et un Britannique.

— Tout va bien ? demanda-t-il.

— Oui. Il paraît que nos amis ont été repérés près de Hagers-town. Ils ont mitraillé une voiture de la police routière et ils se sont

458

tirés. L'agent n'a rien, ils l'ont raté. Aux dernières nouvelles, ils roulaient vers l'ouest.

L'agent du Secret Service paraissait très satisfait. Jack regarda par la fenêtre et en vit un autre sur la terrasse.

— Vous êtes sûrs que c'était eux ?

— C'était une camionnette avec des plaques de handicapé. En général, quand ils ont un mode d'opération, ils n'en changent pas trop. Tôt ou tard, ça leur joue un mauvais tour. Tout le secteur est bouclé. Nous les aurons.

— Bravo.

Jack prit son plateau de verres. Quand il revint dans le living-room, Robby expliquait certains aspects du pilotage au prince. C'était visible aux mouvements de ses mains.

— Alors si vous tirez avec le Phoenix à l'intérieur du rayon, il ne peut pas y échapper. Le missile a plus de force G que n'importe quel pilote, conclut Jackson.

— Ah oui ! C'est comme avec le Sparrow, alors ?

— C'est ça, commandant, mais le rayon est plus court, expliqua Robby, les yeux illuminés. Est-ce que vous êtes déjà monté dans un Tomcat ?

— Hélas non, et j'aimerais beaucoup.

— Allez ah, c'est pas compliqué ! Nous emmenons des *civils,* tout le temps ! Bien sûr, faut que ce soit autorisé mais nous avons même emmené là-haut des acteurs de Hollywood. Ce serait simple comme bonjour de vous faire faire un petit tour.

Robby rit en prenant un verre de thé.

— Merci, Jack. Commandant, si vous avez le temps, j'ai l'oiseau !

— Cela me ferait le plus grand plaisir. Nous avons un peu de temps libre…

— Alors on va le faire !

— Je vois que vous vous entendez bien, tous les deux, intervint Jack.

— Très bien, affirma le prince. Il y a des années que je veux faire la connaissance d'un pilote de F-14. Alors, vous dites que ce dispositif de caméra télescopique est réellement efficace ?

— Je vous crois ! Ce n'est pas tellement compliqué. C'est un objectif de puissance dix sur une petite caméra de télé de rien du tout. Vous pouvez identifier votre objectif à quatre-vingt kilomètres. Si vous vous y prenez bien, vous pouvez écrabouiller votre type avant qu'il se rende compte que vous êtes dans le même canton.

— Ainsi, vous cherchez à éviter le duel aérien ?

— L'IMCA, vous voulez dire... Manœuvre de combat aérien, Jack, expliqua Robby au badaud ignorant. Ça changera quand nous aurons les nouveaux moteurs, commandant, mais ouais, plus on peut l'avoir loin, mieux ça vaut. Des fois, on est obligé d'y aller mais alors on perd son plus gros avantage. Notre mission est d'engager l'autre type aussi loin que possible du bateau. C'est pour ça qu'on appelle ça la bataille aérienne extérieure.

— Cela nous aurait été plutôt utile aux Malouines, observa le prince.

— Bien sûr. Si vous engagez l'ennemi au-dessus de votre propre pont, il a déjà gagné le plus gros de la bataille. Nous voulons commencer à marquer des coups à trois cents milles. Si votre Royal Navy avait un porte-avions de bonne taille, cette petite guerre inutile ne serait jamais arrivée.

— Voulez-vous que je vous fasse visiter le reste de la maison ? demanda Jack.

Cela se passait toujours ainsi. On s'arrangeait pour faire faire connaissance à des amis et tout à coup on était complètement à l'écart de la conversation.

— De quand date-t-elle, Jack ?

— Nous nous y sommes installés quelques mois avant la naissance de Sally.

— La boiserie est magnifique. C'est la bibliothèque, là en bas ?

— Oui, Altesse.

La maison était disposée de telle façon que l'on avait une vue plongeante du living-room dans la bibliothèque. La chambre de maître était perchée au-dessus. Une ouverture rectangulaire dans le mur permettait de voir dans le living-room, mais Ryan y avait accroché une gravure, qui coulissait sur un rail, dans un but évident. Jack les fit ensuite descendre dans la bibliothèque et tout le monde apprécia que l'unique fenêtre soit au-dessus du bureau et donne sur la baie.

— Pas de domestiques, Jack ?

— Non, Altesse. Cathy parle d'engager une nurse mais elle ne m'en a pas encore persuadé. Est-ce que tout le monde est prêt pour le dîner ?

La réponse fut enthousiaste. Les pommes de terre étaient déjà dans le four et Cathy alla s'occuper du maïs. Jack prit les steaks dans le réfrigérateur et emmena les hommes dehors.

— Vous allez aimer ça, commandant. Jack est un champion du steak.

460

— Le secret, c'est le charbon de bois, expliqua-t-il. Et bien sûr, d'avoir de la belle viande.

Il avait six superbes tranches de faux-filet et un hamburger pour Sally.

— Où trouves-tu ça, Jack ?

— Un de mes anciens clients de Wall Street a une affaire d'approvisionnement de restaurants. Ceux-ci viennent du Kansas.

Jack déposa les tranches sur le gril, avec une fourchette à long manche, et aussitôt elles se mirent à grésiller agréablement. Il passa au pinceau une sauce barbecue sur la viande.

— La vue est spectaculaire, observa Son Altesse.

— C'est plaisant de voir passer les bateaux, reconnut Jack. Mais ils se font rares, aujourd'hui.

— Ils ont dû écouter la radio, répondit Robby. On a prévu un orage et des vents en tempête pour cette nuit.

— Je n'ai rien entendu.

— C'est le bord d'attaque de ce front froid. Ça se développe assez vite au-dessus de Pittsburgh. Je vole demain, comme je disais, et j'ai téléphoné à la météo de Pax juste avant de venir. Ils m'ont dit que l'orage a l'air assez féroce au radar. Lourde pluie et rafales de vent. Ça devrait nous tomber dessus vers 22 heures.

— Avez-vous beaucoup de ces tempêtes, par ici ? demanda Son Altesse.

— Je vous crois ! Nous n'avons pas des tornades comme dans le Midwest mais les orages d'ici ont de quoi vous dresser les cheveux sur la tête. Je ramenais un oiseau de Memphis l'année... Non, y a deux ans, et j'avais l'impression d'être sur un trampoline. Impossible de contrôler l'appareil. Je vous jure que ça fait peur. A Pax, ils sont en train de ranger tous les oiseaux dans les hangars et ils y mettront les autres dès qu'ils rentreront, bien à l'abri.

— Ce sera au moins utile pour faire un peu baisser la température, dit Jack tout en retournant les steaks.

— Un peu de fraîcheur ne fera pas de mal. Ça, ce n'est que l'orage courant, commandant. Nous en avons de gros trois ou quatre fois par an. Ils déracinent quelques arbres mais tant qu'on n'est pas en l'air ou dans un petit bateau, ça n'a rien de bien grave. En bas dans l'Alabama, on serait bon pour la tornade.

— Vous en avez déjà vu ?

— Plus d'une commandant. Le plus souvent, par chez nous, c'est au printemps. Quand j'avais dix ans, j'en ai vu une arriver de l'autre côté de la route, soulever une maison et aller la déposer à huit cents mètres.

Et elles sont bizarres, vous savez. Celle-là n'a même pas fait tomber la girouette de l'église. Elles sont comme ça. Ça vaut le spectacle, c'est sûr, mais mieux vaut voir ça de loin.

— La turbulence est donc le principal danger en vol ?

— C'est ça. Mais il y a l'eau, aussi. J'ai connu des cas où des réacteurs ont aspiré assez d'eau pour arrêter complètement les moteurs, dit Robby. Tout à coup, on se trouve dans un planeur. Pas drôle. Il vaut mieux éviter ça.

— Et quand on ne peut pas ?

— Une fois, commandant, j'ai dû atterrir sur un porte-avions en plein orage... de nuit. J'ai été bien près de mouiller mon froc !

— Je dois remercier Votre Altesse de faire avouer tout ça à Robby. Je le connais depuis plus d'un an et jamais il n'a reconnu qu'il avait eu le moindre frémissement, là-haut.

— Je ne voulais pas gâcher mon image, expliqua Jackson. On doit coller un pistolet sur la tempe de Jack pour le faire monter dans un avion et je ne voulais pas lui faire encore plus peur.

V'lan ! Robby marquait un point.

La terrasse était maintenant dans l'ombre et une légère brise soufflait du nord. Jack surveillait attentivement ses steaks. Il y avait quelques bateaux dans la baie qui, tous, regagnaient le port. Jack sursauta violemment quand un chasseur à réaction passa en hurlant devant la falaise. Il se retourna et eut tout juste le temps de voir l'appareil au fuselage blanc disparaître vers le sud.

— Qu'est-ce que ça veut dire, Robby ? Ils font ça depuis quinze jours !

Jackson regarda la double queue de l'avion se fondre dans la brume.

— Ils essaient du nouveau matériel sur le F-18. Qu'est-ce qui te gêne ?

— Le bruit !

Robby s'esclaffa.

— Allez, Jack ! C'est pas du bruit, ça, c'est le chant de la liberté !

— Pas mal, commandant, jugea Son Altesse.

— Que diriez-vous maintenant du chant du dîner ?

Robby s'empara du plat et Jack y disposa la viande. Les salades étaient déjà sur la table. Sissy apportait les pommes de terre et le maïs, un tablier protégeant sa jolie robe. Jack servit les steaks et posa le hamburger de Sally sur un petit pain rond. Il assit sa fille sur un gros coussin. Le seul ennui, c'était que personne ne buvait. Il avait acheté quatre bouteilles d'un excellent cru de Californie, pour aller avec la viande, mais tout le monde s'était mis au régime sec.

Planté au milieu de la route, un agent du Secret Service fit signe à la camionnette de s'arrêter.

— Oui, monsieur ? demanda le conducteur.

— Qu'est-ce que vous faites ici ?

La veste de l'agent était déboutonnée. Il n'y avait pas d'arme visible mais le conducteur savait qu'il devait en avoir une. Il compta six hommes dans un rayon de dix mètres autour de lui et quatre autres un peu plus loin.

— Ben quoi, je viens de le dire au flic, là-bas ! répliqua-t-il en faisant un geste.

Les deux voitures de la police routière n'étaient qu'à deux cents mètres derrière lui.

— Pourriez-vous me le répéter, s'il vous plaît ?

— Y a un problème avec le transformateur, au bout de cette route. Et vous voyez bien que c'est une camionnette de la BG & E, non ?

— Attendez ici, s'il vous plaît.

— Tant que vous voudrez.

Le conducteur échangea un coup d'œil avec l'homme assis à côté de lui. L'agent revint avec un collègue, qui avait une radio.

— Où est le problème ?

Le conducteur soupira.

— Et de trois ! Le problème, c'est avec le transformateur électrique au bout de la route, là. Les gens de par ici ne se sont pas plaints de l'électricité ?

— En effet, dit le second agent, Avery. Et nous l'avons remarqué aussi. Qu'est-ce qui se passe ?

L'homme assis à la droite du conducteur répondit :

— Je suis Alex Dobbens, ingénieur électricien. Nous avons installé un nouveau modèle de transformateur, expérimental, sur cette ligne. Il y a un appareil de mesure dans la boîte et il transmet des signaux bizarres, comme si le transfo allait tomber en panne. Nous sommes là pour le vérifier.

— Vous avez des papiers ?

— Bien sûr.

Alex sauta du véhicule et le contourna. Il présenta sa carte d'identité de la BG & E en demandant :

— Qu'est-ce qui se passe, par ici ?

— Pouvons pas le dire, grommela Avery. Vous avez un ordre de travaux ?

Dobbens lui donna son bloc-notes.

— Si vous voulez vérifier, vous n'avez qu'à téléphoner à ce numéro, là en haut de la feuille. C'est le siège de la compagnie à Baltimore. Vous demandez M. Griffin.

Avery parla à sa radio pour donner l'ordre à ses hommes de le faire.

— Vous permettez que nous regardions à l'intérieur de votre camion ?

— Faites comme chez vous, répliqua Dobbens.

Il précéda les deux agents et remarqua que quatre hommes dans les parages surveillaient tout avec vigilance, qu'ils étaient largement déployés et avaient les mains libres. D'autres étaient dispersés dans le jardin. Il tira sur la porte coulissante et fit signe aux deux agents de monter.

Ils virent une masse d'outils, de câbles, de matériel. Avery laissa perquisitionner son subordonné.

— Vous êtes obligé d'y aller maintenant ?

— Le transfo risque de péter. Je pourrais laisser faire mais les gens du quartier risquent de se fâcher si leurs lumières s'éteignent. Les gens sont comme ça, vous savez ? Ça vous dérange que je vous demande qui vous êtes ?

— Secret Service.

Avery montra sa carte. Dobbens resta bouche bée.

— Ah mince ! Vous voulez dire que le président est là ?

— Je ne peux rien dire. Quel est le problème, avec ce transformateur ? Vous dites qu'il est neuf ?

— Ouais, c'est un modèle expérimental. Il utilise un agent réfrigérant inerte au lieu du BPB et il a un conjoncteur-disjoncteur incorporé. C'est là que doit se situer le problème. On dirait que ce transfo est sensible à la température. Nous l'avons réglé plusieurs fois mais nous n'arrivons pas à bien le stabiliser. Ça fait deux mois que je suis sur ce projet. En général je laisse mes ouvriers s'en occuper, mais ce coup-ci le patron a voulu que je surveille ça moi-même... C'est mon projet, après tout.

L'autre agent sauta de la camionnette et secoua la tête. Avery acquiesça. Il appela ensuite le camion de télécommunication dont les occupants avaient téléphoné à la Baltimore Gaz et Electricité qui leur avait confirmé ce que disait Alex.

— Vous voulez qu'un type nous accompagne pour nous surveiller ? demanda Dobbens.

464

— Non, pas la peine. Vous en avez pour combien de temps ?

— Allez savoir ! C'est probablement quelque chose de tout bête, mais nous n'avons pas encore mis le doigt dessus. C'est toujours comme ça, les trucs les plus simples sont les plus emmerdants.

— Un orage est annoncé, dit Avery. Je ne voudrais pas être en haut d'un de ces pylones pendant ces tempêtes-là.

— Ouais, enfin, pendant que nous sommes là à discuter, le travail ne se fait pas. Tout va bien pour vous autres ?

— Oui, oui, allez.

— Vous ne pouvez vraiment pas me dire qui est dans le quartier ?

Avery sourit.

— Désolé.

— Bof, j'ai pas voté pour lui, d'abord, répliqua Dobbens en riant.

— Un instant ! cria le second agent.

— Qu'est-ce qu'il y a encore ?

— Votre pneu avant gauche.

L'homme montra du doigt. Dobbens s'en prit à son conducteur, en voyant une partie de la jante le long du pneu.

— Enfin, nom de dieu, Louis !

— C'est pas de ma faute, chef ! Ils devaient me changer ça ce matin. Je l'ai noté mercredi. Même que j'ai le double de l'ordre, là !

— Ça va, ça va, ne t'énerve pas, grogna Dobbens et il se tourna vers l'agent. Merci, mon vieux.

— Vous ne pouvez pas changer la roue ?

— Pas de cric. On nous l'a volé. C'est toujours l'ennui avec les camions de la compagnie. Il manque toujours quelque chose. Mais ça va aller, ne vous en faites pas. Bon, eh bien nous avons un transfo à arranger. Salut.

Alex remonta à l'avant et agita la main par la portière quand ils démarrèrent.

— Bien joué, Louis.

— Ouais, répondit le conducteur avec un sourire. J'ai pensé que ça ferait bien. J'en ai compté quatorze.

— C'est ça. Trois sous les arbres, doit y en avoir quatre dans la maison. C'est pas eux notre problème... J'espère qu'Ed et Willy n'ont pas eu de pépins.

Dobbens contempla les nuages qui s'amoncelaient à l'horizon.

— Non, non, pas du tout. Tout ce qu'ils avaient à faire, c'était arroser une bagnole à flics et changer de voiture. Les flics étaient plus détendus que j'aurais cru, observa Louis.

— Pourquoi pas ? Ils nous croient ailleurs.

Alex ouvrit une caisse à outils et y prit un émetteur. L'agent l'avait vu mais n'avait fait aucune réflexion. Il ne pouvait pas savoir qu'il était à longue portée. Il n'y avait pas d'armes, dans le véhicule, naturellement, mais les radios étaient encore plus redoutables. Il répéta à la radio ce qu'il avait appris et reçut une réponse. Puis il sourit. Les agents ne s'étaient même pas étonnés de la présence des deux échelles à extension, sur le toit. Il consulta sa montre. Rendez-vous dans quatre-vingt-dix minutes...

— Le drame, c'est qu'il n'existe vraiment aucune manière civilisée de manger le maïs en épi, dit Cathy. Et ne parlons pas de le beurrer !

— C'était quand même excellent, dit le prince. D'une ferme locale, Jack ?

— Cueilli cet après-midi même, confirma Ryan. C'est comme ça que c'est bon.

Depuis quelque temps, Sally mangeait très lentement. Elle se débattait encore avec son hamburger mais personne n'avait envie de quitter la table.

— Jack, Cathy, c'était un dîner délicieux, déclara Son Altesse.

— Et sans discours ! renchérit sa femme.

— Je suppose que toutes ces réceptions officielles doivent finir par être lassantes, dit Robby en se posant une question qu'il ne pouvait formuler : *Quel effet cela fait-il d'être prince ?*

— Ce ne serait pas trop embêtant si les discours étaient originaux, mais j'ai l'impression d'entendre toujours le même ! Excusez-moi, je ne devrais pas dire cela, même entre amis.

— Vous savez, ce n'est pas très différent dans les réunions du département d'histoire, avoua Jack.

A Quantico, en Virginie, le téléphone sonna. La Brigade de sauvetage des otages du FBI avait son propre bâtiment, situé à l'extrémité de la longue rangée de polygones de tir qui lui servait de centre d'entraînement. Un DC 4 sans moteur se trouvait à côté, utilisé pour s'entraîner aux techniques d'assaut sur un avion détourné. Au pied de la colline, il y avait la « maison des otages » et d'autres constructions servant chaque jour à la brigade pour parfaire ses talents. L'agent spécial Gus Werner décrocha le téléphone.

— Salut, Gus, dit Bill Shaw.

— On les a retrouvés ? demanda Werner.

Il avait trente-cinq ans, des cheveux roux et une grosse moustache qu'on ne lui aurait jamais autorisée au temps de Hoover.

— Non, mais je veux que vous réunissiez une équipe d'avant-garde et que vous lui fassiez prendre l'air. Si quelque chose se passe, nous devrons agir vite.

— Normal. Où allons-nous, au juste ?

— A Hagerstown, la caserne de la police routière. On vous y attendra.

— D'accord. J'emmènerai six hommes. Nous pourrons probablement démarrer dans trente à quarante minutes, dès que l'hélico arrivera. Appelez-moi s'il y a du nouveau.

— Entendu. A tout à l'heure.

Shaw raccrocha. Werner alerta l'équipage de l'hélicoptère. Puis il traversa l'immeuble pour se rendre dans la salle de classe, dans le fond. Les cinq hommes de son groupe d'alerte d'urgence s'y trouvaient ; la plupart lisaient. Ils étaient maintenus en état d'alerte depuis plusieurs jours. Cela rendait l'entraînement de routine plus pénible, mais c'était surtout pour se défendre contre l'ennui d'attendre un événement qui ne se produirait probablement pas. Les soirées étaient consacrées à la lecture et à la télévision. Ces hommes-là n'étaient pas des agents du FBI en col blanc. Ils portaient une combinaison aux innombrables poches. Non seulement ils avaient tous l'expérience du travail sur le terrain mais ils étaient presque tous des anciens combattants ou des tireurs d'élite qui épuisaient plusieurs boîtes de munitions par semaine.

— Réveillez-vous, les gars, écoutez un peu, dit Werner. On veut une équipe avancée à Hagerstown. L'hélico sera là dans une demi-heure.

— On annonce un gros orage, objecta un des hommes.

— Emportez vos pilules contre le mal de l'air, répliqua Werner.

— On les a retrouvés ? demanda un autre.

— Non, mais il y a des gens qui s'énervent.

— D'accord.

Cet homme-là était champion de tir, avec un fusil spécial à long canon, déjà prêt dans un étui doublé de caoutchouc mousse. Le matériel de l'équipe tenait dans une douzaine de sacs de marin. Les hommes boutonnèrent leur chemise. Quelques-uns allèrent aux toilettes prendre leurs précautions. Aucun n'était particulièrement surexcité. Dans leur travail, ils attendaient beaucoup plus qu'ils n'agissaient. La Brigade de sauvetage des otages existait depuis plusieurs années mais n'avait encore sauvé personne. Ses membres étaient plutôt utilisés comme brigade d'intervention spéciale et s'étaient taillé une réputation aussi redoutable qu'ils étaient inconnus, sauf dans les milieux du maintien de l'ordre.

— Ouah ! Le voilà qui arrive ! s'écria Robby. Et ça va être une beauté !

En moins de dix minutes, le vent avait changé, passant de la brise légère à des rafales violentes qui faisaient résonner la maison aux hauts plafonds.

— C'était par une nuit noire et orageuse, plaisanta Jack.

Il alla à la cuisine, où trois hommes préparaient des sandwiches pour leurs camarades.

— J'espère que vous avez des imperméables, leur dit-il.

— Nous sommes habitués.

— Ce sera au moins une pluie chaude, dit un des Britanniques. Merci infiniment pour les en-cas et le café.

Les premiers grondements de tonnerre se firent entendre au loin. Jack conseilla :

— Ne restez pas sous les arbres. La foudre gâcherait votre journée.

Il retourna dans la salle à manger, où Robby continuait de parler de ses avions. Le sujet actuel était les catapultes.

— On ne s'y habitue jamais tout à fait, disait-il. En deux secondes, on passe de l'arrêt complet à cent cinquante nœuds.

— Et si quelque chose tourne mal ? demanda le prince.

— On nage, répliqua Robby.

— Monsieur Avery, caqueta la radio.

— Oui ?

— Vous avez Washington en ligne.

— D'accord, je serai là dans une minute.

Avery descendit l'allée vers le camion des télécommunications. Le chef du contingent britannique, Longley, le suivit. Tous deux y avaient d'ailleurs laissé leurs imperméables et ils n'allaient pas tarder à en avoir besoin. Ils voyaient des éclairs, à quelques kilomètres, qui se rapprochaient rapidement.

— Et voilà pour la météo, maugréa Longley.

— J'espérais qu'il passerait à côté.

Le vent les gifla de nouveau, en soulevant de la poussière du champ labouré, de l'autre côté de la route. Ils dépassèrent les deux hommes portant un plateau de sandwiches recouvert d'un torchon. Un jeune chien noir trottinait derrière eux, dans l'espoir qu'ils en laisseraient tomber un.

— Ce Ryan est un type épatant, n'est-ce pas ?

— Il a une adorable petite fille. On peut toujours juger un homme d'après ses gosses, dit Avery.

468

Ils arrivèrent au camion au moment où tombaient les premières gouttes de pluie. L'agent du Secret Service prit le radio-téléphone.

— Ici Avery.

— Chuck, c'est Bill Shaw, du Bureau. Je viens de recevoir un appel des techniciens, à cette maison du canton de Howard.

— Et alors ?

A l'autre bout de la liaison, Shaw regardait un plan en fronçant les sourcils.

— Ils ne trouvent aucune empreinte, Chuck. Ils ont des armes, des munitions, certaines étaient en cours de nettoyage, mais pas d'empreintes. Pas même sur les papiers des hamburgers. Ça sent mauvais, tout ça.

— Et la voiture qui a été mitraillée dans l'ouest du Maryland ?

— Rien du tout, peau de balle. Comme si les mécréants avaient sauté dans un trou et refermé le couvercle sur eux.

C'était tout ce que Shaw avait à dire. Chuck Avery faisait partie du Secret Service depuis le début de sa vie d'adulte ; il était normalement affecté à la protection du président. Cela lui avait donné un point de vue limité et quelque peu paranoïaque de la vie. Pensant à son entraînement, il se dit que cet ennemi-là devait être extrêmement habile...

— Merci pour le tuyau, Bill. Nous garderons les yeux ouverts.

Il enfila son imperméable et reprit sa radio.

— Equipe Un, ici Avery. Rassemblement à l'entrée. Nous avons peut-être une nouvelle menace possible.

Les explications pouvaient attendre.

— Qu'est-ce qui se passe ? demanda Longley.

— Il n'y a pas d'indices concrets dans la maison, les techniciens n'ont pas trouvé d'empreintes, du tout.

Longley comprenait vite, lui aussi.

— Ils n'ont pas pu avoir le temps de tout essuyer. Donc, tout était prévu pour...

— Précisément. Pour commencer, je vais faire élargir le périmètre. Ensuite, nous demanderons des renforts de police. Et nous allons tous nous faire tremper, ajouta Avery alors que la pluie crépitait bruyamment sur la carrosserie.

— Je veux deux hommes de plus dans la maison.

— D'accord. Mais commençons par les mettre tous au courant.

Avery ouvrit la porte et les deux hommes remontèrent par l'allée.

Les agents en faction le long de la route se rassemblèrent à l'entrée de la propriété. Ils étaient sur le qui-vive mais y voyaient mal, avec le vent qui leur chassait la pluie dans la figure et les nuages de poussière venant du champ de l'autre côté. Un agent fit le compte et trouva qu'il en manquait un. Il envoya un de ses camarades chercher l'homme dont la radio ne devait pas marcher Ernie partit avec lui, car l'agent lui avait donné la moitié d'un sandwich.

— Voulez-vous passer dans le living-room, dit Cathy en indiquant les fauteuils, à quelques mètres. Je voudrais desservir.
— Je vais le faire, Cath, proposa Sissy Jackson. Va te reposer.
Elle alla à la cuisine mettre le tablier. Ryan fut certain que sa femme avait averti les Jackson, tout au moins Sissy qui s'était manifestement habillée pour une grande occasion. Tout le monde se leva et Robby alla aux toilettes.

Alex était maintenant au volant.
— On y va, maintenant ! Tout le monde est prêt ?
— En route ! répliqua O'Donnell qui, comme Alex, voulait être en première ligne. Nous avons la météo pour nous.
— C'est bien vrai, reconnut Alex.
Il alluma les phares et vit deux groupes d'agents, écartés de quelques mètres.

La force de sécurité vit approcher les phares. Les hommes gardèrent un œil vigilant sur le véhicule, bien qu'ils sachent ce que c'était et ce que faisaient ces ouvriers. A trente mètres devant eux, il y eut un éclair et une détonation. Certains portèrent instinctivement la main à leur arme mais s'immobilisèrent en voyant que le pneu avant droit du camion avait éclaté et claquait sur la chaussée tandis que le conducteur se débattait pour garder le contrôle. Le véhicule s'arrêta juste à l'entrée de l'allée. Personne n'avait fait de réflexion sur les échelles. Personne ne remarqua leur disparition. Le conducteur sauta à terre et regarda sa roue.
— Ah merde !
A deux cents mètres de là, Avery vit la camionnette arrêtée et son instinct déclencha un signal d'alarme. Il se mit à courir.
La porte de la fourgonnette coulissa, révélant quatre hommes avec des armes automatiques.
Les agents qui se trouvaient tout près réagirent mais trop tard. A peine la porte s'était-elle ouverte que des coups de feu claquèrent, tirés par la première arme. Elle était équipée d'un silencieux cylindrique qui étouffa le bruit mais pas la langue de feu qui troua la pénombre et dès la première seconde cinq hommes s'écroulèrent. Les autres assaillants

tiraient déjà et le premier groupe d'agents fut éliminé sans qu'ils aient riposté. Les terroristes sautèrent à terre et s'attaquèrent au second groupe. Un agent du Secret Service leva son Uzi et tira une courte salve qui tua le premier homme sautant de l'arrière de la camionnette mais le camarade qui le suivait abattit l'agent. Deux autres gardes étaient morts, à présent, et les quatre derniers du groupe se jetèrent à plat ventre et tentèrent de retourner le tir.

— Qu'est-ce que c'est que ça ? s'écria Ryan.

Le bruit était difficile à distinguer, dans le vacarme de la pluie et du tonnerre. Toutes les têtes se tournèrent, dans la pièce. Il y avait un agent britannique dans la cuisine et deux hommes du Secret Service sur la terrasse. L'un d'eux prenait sa radio.

Le revolver d'ordonnance d'Avery était enrayé. Comme chef de l'équipe, il ne s'était pas armé d'autre chose que de son Magnum 357 Smith et Wesson. Son autre main était déjà occupée par sa radio.

— Appelez Washington, nous sommes attaqués ! Nous avons besoin de renforts, immédiatement ! Tireurs inconnus sur le périmètre ouest. Nous avons des morts, nous avons besoin de secours !

Alex plongea dans la camionnette et en retira un lance-roquettes RPG-7. Il distinguait à peine les deux voitures de la police routière, à deux cents mètres. Il ne voyait pas les agents mais ils devaient être là. Il haussa son arme à la hauteur voulue et pressa la détente, ajoutant un nouveau coup de tonnerre à ceux du ciel. Le projectile tomba un peu à court de l'objectif mais son explosion fit pleuvoir des éclats brûlants qui traversèrent un réservoir. Il explosa et les deux véhicules ne furent plus qu'un brasier.

Derrière lui, les tueurs s'étaient déployés. Un seul agent du Secret Service ripostait encore. Alex vit que deux hommes de l'ULA étaient à terre mais les autres prirent l'agent à revers et l'achevèrent.

— Mon Dieu !

Avery avait tout vu, lui aussi. Longley et lui se regardèrent, sachant ce que chacun pensait. *Ils ne nous auront pas, tant que je resterai en vie.*

— Shaw !

Le radio-téléphone crépitait de parasites.

— Nous sommes attaqués. Nous avons des agents à terre, annonça le haut-parleur mural. Un nombre inconnu de... on dirait une foutue guerre, par ici ! Nous avons besoin de secours, tout de suite !

— D'accord, nous y travaillons.

Shaw donna rapidement des ordres et le standard téléphonique s'illumina. Les premiers appels partirent vers les postes de police routière et cantonale les plus rapprochés. Ensuite, la Brigade de sauvetage des otages fut alertée, à Washington. Sa Chevrolet Suburban était prête dans le garage. Shaw regarda l'heure et appela Quantico sur la ligne directe.

— L'hélico se pose en ce moment, répondit Gus Werner.

— Savez-vous où est la maison de Ryan ? demanda Shaw.

— Oui, c'est sur la carte. C'est là que sont les visiteurs en ce moment, n'est-ce pas ?

— Ils sont attaqués. En combien de temps pouvez-vous y être ?

— Quelle est la situation ?

Werner regardait par la fenêtre ses hommes qui chargeaient leur équipement dans l'hélicoptère.

— Inconnue. Nous venons de faire partir l'équipe mais vous arriverez peut-être les premiers. L'homme des communications vient juste d'appeler, il dit qu'ils sont attaqués, que des agents ont été tués.

— Si vous avez du nouveau, prévenez-nous. Nous serons en l'air dans deux minutes.

Werner courut dehors rejoindre ses hommes. Il dut hurler pour être entendu dans le bruit du rotor, puis il rentra précipitamment dans le bâtiment où les agents de surveillance reçurent l'ordre de faire venir le reste de la brigade. Quand il retourna à l'hélicoptère, ses hommes avaient sorti leurs armes des sacs. L'appareil décolla dans la tempête menaçante.

Ryan remarqua l'activité fébrile au-dehors alors qu'un agent britannique sortait de la cuisine et se précipitait à l'extérieur pour s'entretenir brièvement avec ceux du Secret Service. Il rentrait quand des éclairs illuminèrent la terrasse. Un des agents se retourna, leva son arme et tomba à la renverse. La vitre se brisa derrière lui. Les deux autres s'étaient jetés à plat ventre. L'un d'eux se redressa pour tirer et retomba à côté de son camarade. Le dernier entra et cria à tout le monde de se coucher. Jack eut à peine le temps de réagir avant qu'une autre vitre vole en éclats et que le dernier agent de la sécurité s'écroule. Quatre hommes armés surgirent dans les débris de verre. Ils étaient tout en noir, à part la boue sur leurs bottes et leur torse. L'un d'eux arracha son masque. C'était Sean Miller.

472

Avery et Longley étaient seuls, couchés au milieu du jardin. Le Britannique regarda des hommes armés se pencher sur les cadavres des agents, puis se former en deux groupes et marcher vers la maison.

— Nous sommes trop exposés, ici, grommela-t-il. Si nous voulons servir à quelque chose, nous devons reculer sous les arbres.

— Allez devant.

Avery tint son revolver à deux mains et visa une des silhouettes en noir, qui n'était visible que lorsqu'un éclair fulgurait. Elles étaient encore à cent mètres, une très longue portée pour une arme de poing. L'éclair suivant lui donna un objectif. Il tira, manqua son coup et s'attira une tempête de feu. Ces balles le manquèrent aussi mais le bruit de leur impact dans la terre mouillée était bien trop rapproché. La ligne de tir se déplaça. Les tueurs avaient peut-être aperçu Longley courant vers les arbres. Avery tira encore une fois en visant soigneusement et vit un homme s'effondrer, touché à la jambe. La riposte fut plus précise, cette fois. Avery vida son chargeur. Il pensait avoir atteint un autre homme quand tout s'arrêta.

Longley était arrivé sous les arbres et se retournait. Il vit Avery à terre, qui ne bougeait pas alors que les tueurs n'étaient qu'à cinquante mètres. Le Britannique jura et rassembla le reste des hommes. L'agent de liaison du FBI n'avait que son revolver, les trois Britanniques des pistolets automatiques et l'unique agent du Secret Service une Uzi avec deux chargeurs de rechange. Même s'ils n'avaient pas eu de personnes à protéger, ils ne pouvaient fuir nulle part.

— Ainsi, nous nous retrouvons, dit Miller.

Il tenait une mitraillette Uzi et il se baissa pour en ramasser une autre, près d'un des gardes abattus. Cinq autres hommes entrèrent derrière lui. Ils se déployèrent en demi-cercle, pour couvrir Ryan et ses invités.

— Relevez-vous ! Les mains en l'air, que nous puissions les voir !

Jack se releva, le prince à côté de lui. Puis ce fut le tour de Cathy, avec Sally dans ses bras, et la princesse. Trois hommes pivotèrent quand la porte de la cuisine s'ouvrit. C'était Sissy Jackson qui essaya de ne pas lâcher des assiettes alors qu'un tueur l'attrapait par le bras. Deux assiettes tombèrent et se brisèrent quand il la força à lever la main.

Ils ont une bonne, se rappela Miller en voyant la robe foncée et le tablier. Une noire, une belle femme… Il souriait, à présent, la honte de ses missions manquées oubliée. Il avait tous ses objectifs devant lui et, entre les mains, de quoi les éliminer.

— Va te mettre là-bas avec les autres ! ordonna-t-il.

— Mais qu'est-ce que…

— Avance, négresse !

Un autre tueur, le plus petit de la bande, la poussa vers le groupe. Les yeux de Jack s'attardèrent sur lui, une seconde... Il avait déjà vu cette tête-là quelque part.

— Espèce d'ordure ! cria Sissy, indignée, en se retournant pour foudroyer l'homme des yeux en oubliant sa terreur.

— Tu ne devrais pas travailler pour n'importe qui, lui dit Miller. Avance !

— Qu'est-ce que vous allez faire ? demanda Ryan.

— Pourquoi gâcher la surprise ?

A une dizaine de mètres de là, Robby était le plus mal placé pour entendre ce qui se passait. Il se lavait les mains, sans se soucier du tonnerre, quand la fusillade éclata sur la terrasse. Il sortit de la salle de bains pour regarder du côté du living-room au bout du couloir, mais ne vit rien. Ce qu'il entendit lui suffit. Tournant les talons, il monta dans la grande chambre. Son premier mouvement fut d'appeler la police, mais le téléphone ne marchait pas. Il chercha ce qu'il devait faire. C'était tout autre chose que de piloter un chasseur.

Jack a des armes... où diable est-ce qu'il les cache ?... Il faisait noir, dans la chambre, et il n'osait allumer.

Dehors, la rangée de tueurs avançait vers les arbres. Longley déploya ses hommes pour les accueillir. Son travail d'agent de la sécurité ne l'avait pas préparé à ce genre de chose, mais il fit de son mieux. Ils étaient bien à couvert, dans le bois, certains arbres étaient assez gros pour arrêter une balle. Il fit placer son arme automatique sur la gauche.

— FBI, ici approche Patuxent River. Sierra quatre-zéro-un-neuf, à vous.

A bord de l'hélicoptère, le pilote tourna les cadrans du trans-récepteur jusqu'à ce que le code voulu apparaisse. Puis il chercha sur la carte les coordonnées de sa destination. Il savait à quoi elle ressemblait, d'après les photos aériennes, mais elles avaient été prises de jour. La nuit, les choses étaient très différentes et il avait aussi le problème du contrôle de son appareil. Il volait dans un vent de travers de quarante nœuds et les conditions atmosphériques se détérioraient à chaque kilomètre. A l'arrière, les membres de la brigade s'efforçaient de se mettre en tenue camouflée de nuit.

— Quatre-zéro-neuf, virez à gauche sur un cap zéro-deux-quatre. Maintenez l'altitude actuelle. Avertissement, le plus gros de l'orage a l'air de s'approcher de votre objectif, annonça la radio. Vous recommande de ne pas excéder mille pieds. Je vais essayer de vous guider pour contourner le pire.

— Bien reçu.

Le pilote grimaça. Il était évident que le temps, devant eux, était encore plus mauvais qu'il l'avait craint. Il abaissa son siège au maximum, resserra sa ceinture de sécurité, et alluma ses feux de tempête. A part cela, il ne pouvait rien faire d'autre que transpirer, ce qui se faisait automatiquement.

— Les copains, là-derrière, attachez bien vos ceintures !

O'Donnell fit arrêter ses hommes. L'orée du bois était à cent mètres et il savait que des armes s'y cachaient. Un groupe obliqua sur la gauche, l'autre sur la droite. Ils comptaient attaquer par échelons, chaque groupe avançant alternativement et fournissant une couverture à l'autre. Tous ses hommes étaient en noir et armés de mitraillettes, à part un seul qui traînait à quelques mètres derrière. Il regrettait qu'ils n'aient pas apporté d'armes plus lourdes. Il y avait encore beaucoup à faire, il devait emporter ses hommes abattus, un mort et deux blessés. Mais avant tout... Il porta sa radio à sa bouche pour faire venir un de ses pelotons.

Sur la droite d'O'Donnell l'unique agent du Secret Service encore en vie colla son flanc gauche contre un chêne et leva son Uzi. Pour lui et pour ses camarades sous les arbres, il n'y avait pas de retraite possible. Le métal noir des guidons était difficile à distinguer dans la nuit et ses objectifs étaient à peine visibles. L'orage joua encore son rôle, en illuminant un instant la pelouse d'un coup de projecteur qui montra l'herbe verte et les hommes en noir. Il choisit une cible et tira une courte salve mais fit long feu. Les deux groupes d'assaillants ripostèrent et l'agent dut reculer en entendant plus d'une dizaine de balles frapper le chêne. Tout le paysage semblait constellé de petites langues de feu. L'agent du Secret Service se remit en position et épaula de nouveau. Le groupe qui venait directement vers lui courait maintenant sur sa gauche dans les ronces. Il allait être débordé par le flanc... mais alors les tueurs reparurent en tirant dans les buissons et il y eut des éclairs d'une riposte venant de sous les arbres. Tout le monde en fut surpris et, tout à coup, plus personne ne contrôla la situation.

O'Donnell avait projeté de faire avancer ses équipes de chaque côté de la clairière mais à présent des coups de feu provenaient de l'orée du bois au sud et une de ses équipes était exposée, débordée sur deux côtés. Il évalua en un instant la nouvelle situation tactique et donna des ordres.

Ryan rageait en silence. Les tueurs savaient exactement ce qu'ils faisaient et cela réduisait ses options à zéro. Six armes à feu étaient braquées sur ses invités et lui et il n'y pouvait strictement rien. Sur sa droite, Cathy serrait leur fille dans ses bras et Sally elle-même gardait le silence. Ni Miller ni ses hommes ne faisaient inutilement du bruit.

— Sean, ici Kevin, crépita la radio de Miller dans les parasites. Nous avons de l'opposition venant des arbres. Vous les avez ?

— Oui, Kevin. La situation est contrôlée.

— J'ai besoin de secours ici.

— Nous arrivons.

Miller empocha sa radio. Il fit signe à ses camarades et en désigna trois.

— Vous, là, préparez-les. S'ils résistent, tuez-les tous. Vous deux, venez avec moi.

Il les précéda, par la porte-fenêtre brisée, et ils disparurent.

Les trois derniers tueurs avaient ôté leur masque. Deux étaient grands, à peu près de la taille de Ryan, un blond et un brun. L'autre était petit et presque entièrement chauve... *Je le connais, mais d'où ?* C'était lui le plus effrayant. Sa figure était convulsée. Le blond lui donna un paquet de cordes. Une seconde plus tard, il fut évident qu'elles étaient déjà coupées et préparées pour les ligoter tous.

Robby, où diable es-tu ? Jack regarda Sissy, qui pensait la même chose. Elle hocha imperceptiblement la tête et il y avait de l'espoir dans ses yeux. Le petit chauve le remarqua.

— T'en fais pas, tu seras payée, dit-il.

Il posa son arme sur la table du dîner et s'avança avec le blond, pendant que le brun reculait pour les couvrir tous. Dennis Cooley s'approcha d'abord du prince, avec la corde, et lui tira les mains derrière le dos.

Ah, voilà ! Robby leva les yeux. Jack avait rangé son fusil de chasse sur la plus haute étagère de la penderie, ainsi qu'une boîte de cartouches. Il dut se hausser sur la pointe des pieds pour les prendre et son geste fit tomber un pistolet dans un étui. Le bruit le fit grimacer mais il le dégaina vivement et le glissa dans sa ceinture. Il vérifia ensuite le fusil et tira sur la culasse ; il y avait une cartouche dans le canon et le cran de sûreté était mis. Parfait. Il remplit ses poches de cartouches et retourna dans la chambre.

Et maintenant ? Ce n'était pas comme le pilotage d'un F-14, avec un radar pour se braquer sur des cibles à cent cinquante kilomètres et un appareil d'escorte pour repousser les bandits sur ses arrières.

Le tableau... Il fallait s'agenouiller sur le lit pour regarder par là... *Pourquoi diable est-ce que Jack a disposé ses meubles comme ça ?* pesta Jackson. Il posa le fusil et dut se servir de ses deux mains pour faire glisser la gravure sur la tringle. Il ne la déplaça que de quelques centimètres, juste de quoi voir... *Combien... un, deux... trois. Est-ce qu'il y en a d'autres ? Et si j'en laissais un en vie...*

Ils étaient en train de ligoter Ryan. Le prince — le commandant comme il l'appelait en pensée — avait déjà les mains attachées et lui tournait le dos. Quand le petit homme en eut fini avec Jack, il le repoussa sur le canapé. Jackson le vit alors porter les mains sur sa femme.

— Qu'est-ce que vous allez faire de nous ? demanda Sissy.

— Boucle-la, négresse, répondit le nabot.

Même Robby savait que c'était stupide de se formaliser pour si peu ; le problème actuel était infiniment plus grave que les réflexions d'un con de raciste, mais son sang bouillonna quand il vit la femme qu'il aimait tripotée par ce... par *cette petite ordure blanche !*

Une petite voix intérieure lui conseilla de se calmer, de prendre son temps, de réfléchir. Il devait réussir du premier coup. Alors, du calme.

Longley commençait à espérer. Il y avait des amis sous les arbres, sur sa gauche. Il se dit qu'ils venaient peut-être de la maison. L'un d'eux au moins avait une arme automatique et il comptait trois terroristes morts, ou du moins couchés dans l'herbe sans bouger. Il avait tiré cinq coups, tous manqués — la portée était trop longue pour un pistolet, la nuit — mais ils avaient arrêté net les assaillants. Et du secours arrivait. C'était certain. Le camion des télécoms était vide mais l'agent du FBI à sa droite y était allé. Il suffisait d'attendre, de tenir encore quelques minutes...

— J'ai des éclairs au sol, droit devant, annonça le pilote. Je...

Un éclair révéla la maison, pendant un bref instant. Ils ne virent personne mais c'était bien la bonne maison et il y avait des éclats lumineux qui ne pouvaient venir que d'une fusillade, à huit cents mètres environ, alors que l'appareil était secoué dans le vent et la pluie. Le pilote avait beaucoup de mal à voir la terre. Son tableau de bord était vivement illuminé et les éclairs fulgurants décoraient sa vision de toute une collection de taches lumineuses bleues et vertes.

— Dieu de Dieu, gronda Gus Werner à l'interphone. Dans quoi est-ce que nous nous fourrons ?

— Au Viêt-nam, nous appelions ça une L.Z. brûlante, répondit calmement le pilote mais là-bas aussi il avait eu grand peur.

— Demandez Washington.

Le copilote changea de fréquence à la radio et fit signe à l'agent à l'arrière pendant que l'hélicoptère planait.

— Ici Werner.

— Bill Shaw, Gus. Où êtes-vous ?

— Nous avons la maison en vue et il y a une sacrée bataille qui se déroule là-dessous. Est-ce que vous êtes en contact avec les nôtres ?

— Négatif, ils ne sont pas sur les ondes. L'équipe de D.C. est encore à trente minutes. La police routière et cantonale ne sont pas loin mais pas encore sur place. La tempête déracine des arbres un peu partout et il y a des bouchons terribles sur les routes. Vous êtes l'homme sur place, Gus, alors c'est à vous de prendre l'initiative.

La mission de la brigade de sauvetage d'otages était de prendre en main une situation existante, de la stabiliser et de sauver les otages, pacifiquement si possible, sinon par la force. Ce n'était pas une troupe d'assaut ; ils étaient des agents spéciaux du FBI mais ils avaient des camarades, là au sol.

Nous avançons maintenant. Dites à la police et aux agents fédéraux que nous sommes sur les lieux. Nous essaierons de vous tenir informé.

— Bien. Soyez prudent, Gus.

Werner s'adressa au pilote :

— Amenez-nous sur place.

— O.K. Je vais d'abord faire le tour de la maison et puis je reviendrai vous déposer sous le vent. Je ne peux pas vous amener plus près. Le vent est trop violent, je risque de perdre l'appareil, là en bas.

— Allons-y.

Werner se retourna. Ses hommes avaient réussi à s'équiper. Chacun était armé d'un pistolet automatique. Quatre avaient des fusils-mitrailleurs MP-5, comme lui. Le tireur d'élite et son guetteur seraient les premiers à descendre.

— On y va !

Un des hommes fit un geste du pouce levé qui avait l'air beaucoup plus insouciant qu'ils ne l'étaient.

L'hélicoptère fut plaqué vers le sol par une rafale soudaine. Le pilote eut tout juste le temps de le redresser à moins de trente mètres des arbres. La maison n'était plus qu'à quelques centaines de mètres. Ils survolèrent le bord sud de la clairière, ce qui permit à tout le monde de se faire une idée de la situation.

— Ah, dites, ce coin entre la maison et le bord de la falaise, dit le pilote, ça pourrait être assez grand, après tout.

Il augmenta la puissance et l'appareil plongea dans le vent.

— Hélico ! glapit un homme à la droite d'O'Donnell.

Le chef leva les yeux et le vit, une forme spectrale faisant un bruit irrégulier. C'était un risque qu'il avait prévu.

Près de la route, un de ses hommes ôta la bâche d'un lance-missiles Redeye, acheté en même temps que les autres armes.

— Je suis obligé d'utiliser mes feux d'atterrissage, ma vision nocturne est foutue, dit le pilote à l'interphone.

Il tourna à huit cents mètres à l'ouest de la maison des Ryan, dans l'intention de la survoler tout droit et puis de tourner dans le vent et de descendre derrière ce qu'il espérait lui servir d'écran. *Dieu*, pensa-t-il, *on se croirait au Viêt-nam.* D'après les éclairs des coups de feu, au sol, la maison semblait être entre des mains amies. Il alluma ses lumières d'atterrissage. C'était un risque, mais inévitable.

Dieu soit loué, j'y vois clair, maintenant ! se dit-il. Le sol était visible à travers un rideau de pluie scintillante. Il comprit que la tempête allait encore empirer. Il devait opérer son approche avec le nez dans le vent. Le vol dans la pluie réduirait sa visibilité mais au moins, ainsi, il y verrait sur cent ou deux cents mètres... *Quoi !*

Il y avait un homme debout au milieu d'un champ, qui braquait quelque chose. Le pilote perdit de l'altitude à l'instant où un éclair rouge fonçait sur son appareil et ses yeux restèrent rivés sur ce qui ne pouvait être qu'un missile sol-air. Les deux secondes que mit le projectile durèrent pour lui une heure mais le missile passa à travers les pales de son rotor et disparut dans le ciel. Il tira immédiatement sur ses commandes mais il n'avait pas le temps de se remettre de sa manœuvre d'évasion. L'hélicoptère tomba dans un champ labouré à quatre cents mètres de la maison des Ryan. Il n'en bougerait pas tant qu'un camion ne viendrait pas chercher l'épave.

Miraculeusement, deux hommes seulement étaient blessés. Werner était l'un d'eux. Il avait l'impression d'avoir reçu une balle dans le dos. Le tireur d'élite ouvrit la porte et sauta à terre, son guetteur sur ses talons. Les autres suivirent ; un des hommes soutint Werner ; un autre boitillait, une cheville foulée.

La princesse fut la suivante. Elle était plus grande que Cooley et elle réussit à le toiser d'un regard méprisant. Le petit homme la fit pivoter brutalement pour lui lier les mains.

— Nous avons de grands projets pour vous, promit-il quand il eut fini.

— Espèce de petit fumier, je parie que vous ne savez même pas comment ! lui lança Sissy, ce qui lui valut une gifle retentissante.

Robby observait, attendant que le blond s'écarte. Finalement il recula...

26

Le chant de la liberté

Les plombs tirés d'un fusil de chasse se dispersent en éventail à la vitesse de deux centimètres par mètre de trajectoire en ligne. Un éclair fulgura à la fenêtre et Ryan sursauta en entendant le tonnerre aussitôt après, puis il comprit que le fracas avait suivi trop rapidement pour que ce soit le tonnerre. Le tir l'avait manqué d'un mètre et avant qu'il ait le temps de chercher ce qui était passé près de lui, il vit la tête du blond qui explosait dans un nuage rouge alors que son corps s'écrasait contre un pied de table. Le brun regardait par une fenêtre, dans le coin, et il se retourna pour voir tomber son camarade, sans savoir comment ni pourquoi. Pendant une seconde, il regarda fébrilement de tous côtés et puis un cercle écarlate du diamètre d'un 45-tours apparut au milieu de sa poitrine et il fut projeté contre le mur. Le nabot était en train d'attacher les mains de Cathy et se concentrait trop sur sa tâche. Il n'avait pas pris le premier coup de feu pour ce que c'était. Il reconnut bien le second... trop tard.

Le prince lui sauta dessus et le renversa d'un coup d'épaule avant de tomber par terre lui-même. Jack bondit par-dessus la table basse et décocha un grand coup de pied à la tête de Cooley. Il l'atteignit mais perdit l'équilibre et retomba. Cooley resta un moment étourdi puis il se secoua et se tourna vers la table de la salle à manger où il avait posé son arme. Ryan se releva aussi et plaqua le terroriste au sol. Le prince était debout, maintenant. Le petit homme voulut lui lancer un coup de poing, il essaya de ruer dans les jambes de Jack mais il s'immobilisa en sentant le canon chaud d'un fusil de chasse posé contre son nez.

— Bouge pas, ordure, ou je te fais sauter la tête.

Cathy avait déjà fait tomber les cordes de ses mains et elle détacha d'abord celles de Jack. Il s'approcha du blond dont le corps tressautait encore. Du sang continuait de couler par saccades de sa tête. Jack lui prit l'Uzi et un chargeur de rechange. Le prince fit de même avec le brun, dont le corps ne bougeait absolument pas.

— Robby, dit Jack en examinant le sélecteur de sûreté de la mitraillette, je suis d'avis de nous tirer d'ici en vitesse.

— Moi aussi, mais comment et pour aller où ?

Jackson repoussa la tête de Cooley par terre. Les yeux du terroriste louchaient comiquement sur le canon du Remington.

— Il doit savoir quelque chose d'utile, celui-là. Comment est-ce que vous comptiez repartir, petit ?

— Non.

C'était tout ce que Cooley était capable de dire pour le moment. Il s'apercevait qu'il n'était pas, après tout, fait pour ce genre de mission.

— C'est comme ça, hein ? dit Jackson d'une voix soudain furieuse, dure. Alors écoute un peu, petit. Cette dame là-bas, celle que tu as traitée de négresse, c'est ma femme, nabot, c'est une dame. Je t'ai vu la gifler. J'ai déjà une bonne raison de te tuer, pigé ? gronda Robby en traçant une ligne avec le fusil jusqu'à l'entrejambe de l'homme à terre. Mais je ne vais pas te tuer. Je m'en vais te faire pire que ça... Je m'en vais faire une fille de toi, ordure ! Réfléchit vite, mec !

Jack écoutait son ami avec stupeur, en le regardant appuyer le canon du fusil sur la braguette de l'homme. Jamais Robby ne s'exprimait de cette façon. Mais c'était convaincant. Il en serait capable. Cooley le crut aussi.

— Bateaux... des bateaux au pied de la falaise.

— Ce n'est même pas malin. Dis-leur adieu, petit !

L'angle du fusil changea imperceptiblement.

— Des bateaux ! glapit Cooley, terrifié. Deux bateaux au pied de la falaise ! Deux échelles...

— Qui les surveille ? demanda Jack.

— Un type, c'est tout.

Robby leva les yeux.

— Jack ?

— Mes amis, je suggère que nous volions des bateaux. Cette bataille se rapproche, là-dehors.

Il courut à sa penderie et prit des manteaux pour tout le monde. Pour Robby, il choisit son vieux blouson de marine que Cathy détestait.

482

— Mets ça, cette chemise blanche est trop voyante.

Robby rendit à Jack son automatique.

— Tiens. J'ai une boîte de cartouches pour le fusil.

Il les fit passer de ses poches de pantalon à celles du blouson puis il soupesa la dernière Uzi et la porta sur son épaule.

— Nous laissons des amis derrière nous, Jack, ajouta-t-il gravement.

Cela ne plaisait pas à Ryan non plus.

— Je sais, mais s'ils l'enlèvent, ils ont gagné. Et ce n'est pas un bon coin pour des femmes et des enfants, vieux.

— D'accord, c'est toi le marine.

Robby acquiesça. La question était réglée.

— Fichons le camp. Je prends la tête. Je vais d'abord faire une petite reconnaissance rapide. Occupe-toi de ce zigoto, pour le moment. Monseigneur, je vous confie les femmes, dit Jack et il se pencha pour saisir Dennis Cooley à la gorge. Tu fais le con, tu es mort. Pas la peine de prendre des gants avec lui, Rob, tu le descends.

— Compte sur moi ! Allez, debout, ordure, tout doucement.

Jack les précéda par les portes-fenêtres brisées. Les deux agents morts gisaient en tas sur la terrasse de bois et il s'en voulut de ne rien faire pour eux, mais il fonctionnait à présent sur un contrôle automatique que le Marine Corps avait programmé en lui dix ans plus tôt. C'était une situation de combat et tous les cours et les exercices remontaient à la surface. En un instant, il fut trempé par les nappes de pluie rageuses. Il dévala les marches et regarda au coin de la maison.

Longley et ses hommes étaient trop occupés à affronter la menace devant eux pour remarquer ce qui se rapprochait par-derrière. L'agent britannique tira quatre balles sur une silhouette noire et il eut la satisfaction de voir sa cible en prendre au moins une avant qu'un violent martèlement le jette contre un arbre. Il rebondit contre l'écorce rugueuse et se retourna à demi. Il vit une autre silhouette en noir qui tenait une arme automatique à trois mètres de lui. L'arme tira encore. En quelques secondes, l'orée du bois fut silencieuse.

— Bon dieu de bon dieu ! marmonna le tireur d'élite.

En courant, cassé en deux, il avait vu les corps de cinq agents, mais il n'avait pas le temps de s'y attarder. Son guetteur et lui s'accroupirent près d'un buisson. Le tireur actionna sa lunette de nuit et suivit lentement la ligne des arbres, à quelques centaines de mètres.

L'image verdâtre offerte par son instrument d'optique lui montra des hommes habillés de foncé qui s'engageaient sous les arbres.

— J'en compte onze, dit le guetteur.

— Ouais.

Le fusil à culasse était chargé de balles de compétition de 308. Le tireur pouvait toucher une cible mouvante de huit centimètres dès la première fois, à plus de trois cents mètres, mais pour le moment il était en mission de reconnaissance, il était là pour recueillir des renseignements et les transmettre à son chef. Avant que l'équipe puisse s'engager dans l'action, elle devait savoir ce qui se passait et tout ce qu'il y avait là, c'était le chaos.

— Werner, ici Paulson. Je compte ce qui m'a l'air d'être onze mécréants qui s'engagent sous les arbres entre nous et la maison. Ils ont l'air d'avoir des armes automatiques légères... On dirait qu'il y en a six dans le jardin, continua-t-il en déplaçant un peu sa lunette. Des tas de copains par terre. Dieu, j'espère qu'il y a des ambulances en route.

— Est-ce que vous voyez des amis, par là ?

— Négatif. Je recommande que vous avanciez par l'autre côté. Est-ce que vous pouvez me donner un renfort, ici ?

— J'envoie un homme tout de suite. Quand il arrivera, avancez avec précaution. Prenez votre temps, Paulson.

— D'accord.

Au sud, Werner et deux autres avançaient en longeant les arbres. Leur tenue camouflée de nuit était un barbouillage de divers tons de vert, conçu par ordinateur, qui les rendait pratiquement invisibles même sous les éclairs.

Il venait de se passer quelque chose. Jack avait vu le feu d'une brusque fusillade, et puis plus rien. En dépit de ce qu'il avait dit à Robby, il n'aimait pas s'enfuir. Mais que pouvait-il faire ? Il y avait là un nombre inconnu de terroristes. Il n'avait que deux hommes armés avec lui, pour protéger trois femmes et une enfant, acculés à la falaise. Il jura et retourna vers le groupe.

— C'est bon, Nabot, montre-nous le chemin pour descendre, dit-il en appuyant le canon de son Uzi sur la poitrine de Cooley.

— C'est là.

L'homme montra du doigt et Ryan jura encore une fois. Depuis le temps qu'il vivait là, son seul souci était de s'écarter de la falaise, de crainte que le bord s'écroule sous son poids ou celui de sa fille. La vue de la maison était assez admirable mais la hauteur de la falaise signifiait que du bord jusqu'à la maison, il y avait une zone morte de mille mètres, dont les terroristes s'étaient servis pour s'approcher. Et ils avaient utilisé des échelles pour grimper... *naturellement, c'est à ça que servent les échelles!* Leur emplacement était marqué comme on le préconise dans tous les manuels du monde, par des piquets de bois enveloppés de gaze à pansements, pour être visibles dans le noir.

— C'est bon, dit-il en se retournant. Le nabot et moi nous passons devant. Votre Altesse, vous suivez avec les femmes. Robby, reste à dix mètres et couvre l'arrière.

— Je sais très bien me servir d'armes légères, dit le prince.

— Oh non, non. S'ils vous attrapent, ils ont gagné. Si quelque chose tourne mal, je compte sur vous pour vous occuper de ma femme et de ma fille, Altesse. Si jamais un malheur arrive, allez vers le sud. A environ un petit kilomètre, vous trouverez une ravine. Passez par là pour aller dans l'intérieur des terres et ne vous arrêtez qu'en arrivant à une route goudronnée. C'est un couvert très dense, vous ne devriez rien risquer. Robby, si quelque chose s'approche, descends-le.

— Mais si...

— Mais, mon cul. Tout ce qui bouge, c'est l'ennemi.

Jack regarda une dernière fois de tous côtés. *Qu'on me donne cinq hommes entraînés, peut-être Breckenridge et quatre copains, et je pourrais dresser une sacrée embuscade... et si les cochons avaient des ailes...*

— C'est bon. Toi, le nabot, passe le premier. Et si jamais tu joues au petit soldat, la première chose qui se passe, je te coupe en deux. Tu me crois?

— Oui.

— Alors avance!

Cooley alla jusqu'à l'échelle et commença à descendre à reculons, avec Ryan à un mètre ou deux au-dessus de lui. La pluie avait rendu les marches d'aluminium glissantes mais au moins la falaise les protégeait du vent. L'échelle extensible — Jack se demandait comment ils l'avaient apportée — vacillait sous lui. Il essayait de garder un œil sur Cooley et glissa en manquant un échelon. Au-dessus de lui, le second groupe entamait sa descente. La princesse s'était chargée de Sally, qu'elle tenait entre elle et l'échelle pour l'empêcher de tomber. Jack entendait quand même les gémissements de sa petite fille; il s'efforça d'y rester sourd. Il n'y avait plus de place dans son cœur pour la colère ou la pitié. Il devait réussir cela du premier coup. Il n'y aurait pas de seconde chance. Un éclair révéla les deux bateaux, à une centaine de mètres au nord. Impossible de savoir s'il y avait du monde dedans. Ils atteignirent enfin le pied de la falaise. Cooley fit quelques pas et Ryan sauta des derniers échelons, l'arme prête à tirer.

— Restons tranquilles une minute !

Le prince arriva ensuite puis les femmes. Robby apparut tout en haut de l'échelle, son parka de marine le rendant presque invisible contre le ciel noir. Il descendit rapidement et sauta lui aussi des derniers échelons.

— Ils sont arrivés à la maison juste comme je commençais à descendre. Peut-être ça les retardera un peu.

Il montra les piquets enveloppés de bandes blanches. Les échelles seraient sans doute plus difficiles à repérer.

— Bien joué, Rob, approuva Jack.

Il se retourna. Les bateaux étaient là, invisibles de nouveau, dans la nuit et la pluie. Cooley disait qu'un seul homme les gardait. Mais s'il mentait ? se demanda Ryan. Ce type était-il prêt à mourir pour sa cause ? Allait-il se sacrifier en criant un avertissement et les faire tous tuer ? *Est-ce que nous avons le choix ? Non !*

— Avance, crapule, gronda-t-il en le poussant avec son Uzi. Rappelle-toi qui meurt le premier.

La marée était haute et l'eau arrivait à un mètre ou deux à peine du pied de la falaise. Le sable était mouillé et dur sous les pieds. Ryan restait à un mètre derrière le terroriste, en se demandant à quelle distance étaient les bateaux. Cent mètres ? C'est loin, cent mètres ? Il allait le savoir. Derrière lui, les autres rasaient la paroi couverte de kudzu. Cela les rendait extrêmement difficiles à distinguer mais s'il y avait un homme dans un bateau, il devait bien savoir que quelqu'un s'approchait.

Krrrak !

Tout le monde sentit son cœur s'arrêter de battre, un instant. La foudre venait d'abattre un arbre là-haut au bord de la falaise, à moins de deux cents mètres derrière eux. Pendant une fraction de seconde, Ryan revit les bateaux... et il y avait un homme dans chacun.

— Rien qu'un, hein ? marmonna-t-il.

Cooley hésita puis il se mit en marche, les bras ballants. Au retour de l'obscurité, Jack perdit de vue les bateaux mais il raisonna que la vision nocturne de tout le monde avait été gâchée par l'éclair aveuglant. Il revint par la pensée à l'image qu'il venait de voir. L'homme du premier bateau était debout, au milieu, sur le bord le plus rapproché, et semblait tenir une arme qui nécessitait les deux mains. Ryan était furieux que le petit homme lui ait menti. C'était absurde !

— Quel est le mot de passe ?

— Y en a pas, répondit Cooley d'une voix chevrotante en contemplant les circonstances d'un point de vue plutôt différent.

Il se trouvait entre des armes chargées, chacune étant capable de tirer. Ses idées se bousculaient et son cerveau travaillait à toute vitesse pour chercher un moment de retourner la situation. Ryan, cependant, se demandait si cette fois il disait la vérité, mais il n'avait pas le temps de trop y réfléchir.

— Allez, avance !

Le bateau reparut. Au début, ce ne fut qu'une ombre un peu différente de celles de la plage. Encore cinq mètres et cela devint une forme. La pluie était si violente qu'elle déformait tout mais il y avait quelque chose de blanc, de rectangulaire devant eux. Ryan estima la distance à cinquante mètres. Il pria qu'aucun éclair ne vienne maintenant les trahir. S'ils étaient illuminés, les hommes des bateaux sauraient reconnaître une figure et s'ils voyaient le petit homme au premier rang...

Comment dois-je m'y prendre ?

On peut être un policier ou un soldat, mais pas les deux. Les mots de Joe Evans, de la Tour de Londres, lui revinrent à la mémoire et lui dirent ce qu'il devait faire.

Encore quarante mètres. Il y avait des rochers, sur la plage, et Jack devait faire attention de ne pas buter contre l'un d'eux. Il allongea le bras gauche et dévissa le gros silencieux. Il le glissa dans sa ceinture. Le poids déséquilibrait l'Uzi.

Trente mètres. Il chercha et trouva le bouton de libération de la crosse et la déplia, puis il cala la plaque métallique au creux de son épaule, en serrant fortement l'arme. Plus que quelques secondes...

Vingt-cinq mètres. Il voyait parfaitement le bateau, maintenant, une embarcation de six ou sept mètres avec un avant arrondi, et une autre toute semblable un peu plus loin, à une vingtaine de mètres. Il y avait indiscutablement un homme dans la première, debout sur bâbord, regardant fixement les personnes qui s'avançaient vers lui. Le pouce droit de Jack repoussa jusqu'au bout le sélecteur, sur tir automatique total, et il resserra son poing sur la crosse de pistolet. Il ne s'était pas servi d'une Uzi depuis son court stage de familiarisation à Quantico. Elle était petite mais parfaitement équilibrée. Le guidon de métal noir était inutilisable dans la nuit, malheureusement, et ce qu'il avait à faire...

Vingt mètres. *La première rafale doit être la bonne, Jack, en plein dans...*

Ryan fit un demi-pas sur sa droite et tomba sur un genou. Il leva son arme, plaça l'extrémité du canon légèrement à gauche et au-dessous de l'objectif et il pressa la détente pour une salve de quatre balles. La mitraillette se releva et tressauta vers la droite et les balles tracèrent un pointillé en diagonale en travers de la cible. L'homme tomba instantanément du bateau et Ryan fut de nouveau ébloui, cette fois par son propre tir. A la première détonation Cooley s'était jeté à plat ventre. Jack le saisit par le col, le fit lever et le poussa devant lui. Mais il trébucha dans le sable et en se rétablissant il vit que le terroriste courait vers le bateau... où il y avait une arme à retourner contre eux tous ! Il hurlait quelque chose que Jack ne comprenait pas.

Jack courut pour le rattraper mais Cooley arriva au bateau le premier... et mourut.

L'homme de la seconde embarcation tira une longue salve désordonnée dans leur direction, juste au moment où Cooley sautait à bord. Ryan vit sa tête se renverser et son corps tomber dans le bateau comme un sac de pommes de terre. Il s'agenouilla au plat-bord et tira sa propre salve ; l'homme s'abattit, touché ou non, Ryan ne savait pas. C'était exactement comme les manœuvres à Quantico, se disait-il, le chaos total, et le camp qui commet le moins de fautes a gagné.

— Montez tous !

Il resta debout, son Uzi braquée sur la seconde embarcation. Sans tourner la tête, il sentit que les autres embarquaient dans la première. Il les rejoignit. Un éclair fulgura et il vit l'homme qu'il avait abattu avec trois taches rouges en pleine poitrine, bouche bée et les yeux grands ouverts d'étonnement. Le petit terroriste était à côté de lui, une moitié de la tête complètement ouverte. A eux deux, ils avaient dû verser cinq litres de sang sur le pont en fibre de verre. Robby arriva enfin et sauta à bord. Une tête apparut dans l'autre bateau et Ryan tira encore avant de monter à son tour.

— Tire-nous d'ici en vitesse, Robby !

Jack passa de l'autre côté, sur les mains et les genoux, pour s'assurer que tout le monde avait bien la tête baissée.

Jackson s'installa aux commandes et chercha le contact. C'était exactement comme une voiture, avec les clefs au tableau de bord. Il les tourna et le moteur hoqueta alors qu'une nouvelle salve venait de l'autre embarcation. Ryan entendit des balles frapper la coque. Robby se fit tout petit mais n'ôta pas la main du levier de vitesse. Jack haussa son arme et tira.

— Des hommes sur la falaise ! cria le prince.

O'Donnell rassembla rapidement ses hommes et donna de nouveaux ordres. Tous les agents de sécurité étaient morts, il en était sûr, mais cet hélicoptère devait s'être posé à l'ouest. Il ne pensait pas que le missile l'avait touché et il était impossible de le vérifier.

— Merci de ton aide, Sean. Ils étaient meilleurs que je ne m'y attendais. Tu les tiens, dans la maison ?

— J'ai laissé Dennis et deux autres. Je pense que nous devrions partir.

— Et c'est bien pensé ! dit Alex en indiquant l'ouest. Je crois que nous avons encore de la compagnie.

— Très bien. Sean, va les chercher et amène-les au bord de la falaise.

Miller prit ses deux hommes et retourna en courant vers la maison. Alex et son compagnon les suivirent. La porte de devant était ouverte et tous les cinq se ruèrent à l'intérieur, contournèrent la cheminée et s'arrêtèrent net.

Paulson, son guetteur et un autre agent couraient aussi, le long de l'orée du bois où l'allée faisait une courbe. Il tomba de nouveau à genoux, son fusil soutenu par sa béquille. On entendait des sirènes au loin, maintenant, et il se demanda pourquoi le renfort avait mis si longtemps, tout en cherchant un objectif avec sa lunette de nuit. Il aperçut un petit groupe courant vers le côté nord de la maison.

— Quelque chose sent mauvais, par ici...

— Ouais, reconnut le guetteur. Ils n'avaient sûrement pas l'intention de repartir par la route, alors par où ?

— Quelqu'un devrait bien chercher à le savoir, bougonna Paulson et il prit sa radio.

Werner avançait péniblement dans la partie sud du jardin, en faisant son possible pour ignorer son dos douloureux et pour conduire son groupe en avant. Sa radio crépita encore et il donna l'ordre à son autre équipe de n'avancer qu'avec une prudence extrême.

— Et alors, où ils sont, mec ? demanda Alex.

Miller regardait autour de lui, muet de stupeur. Deux de ses hommes étaient par terre, morts, leurs armes avaient disparu... ainsi que...

— Où c'est qu'ils sont, hein ? répéta Alex en criant.

— Fouillez la maison ! glapit Miller.

Alex et lui restèrent dans la grande pièce. Le Noir toisait l'Irlandais d'un regard qui ne pardonnait pas.

— Est-ce que j'en ai tellement bavé pour te voir encore déconner ?

Les trois autres revinrent quelques secondes plus tard et annoncèrent que la maison était déserte. Miller avait déjà constaté que les armes de ses hommes avaient été emportées. Quelque chose avait très mal tourné. Il emmena les autres dehors.

Paulson avait choisi une nouvelle position et il voyait de nouveau ses cibles. Il compta douze hommes, et puis d'autres les rejoignirent, venant de la maison. Avec sa lunette de nuit, il les voyait gesticuler, comme s'ils étaient désorientés. Des hommes parlaient, d'autres tournaient en rond en attendant des ordres. Plusieurs avaient l'air blessés mais il ne pouvait en être sûr.

— Ils sont partis, annonça Alex avant que Miller en ait le temps.
O'Donnell refusa de le croire. Sean le lui expliqua d'une voix précipitée, entrecoupée, furieuse, et quand il se tut Dobbens déclara :
— Votre gamin a encore déconné.
C'en fut trop. Miller fit glisser dans son dos son Uzi et saisit celle qu'il avait prise à l'agent du Secret Service. D'un mouvement rapide et souple, il la haussa et tira dans la poitrine d'Alex, d'une distance d'un mètre. Louis regarda tomber son chef, essaya de lever son pistolet mais Miller l'abattit aussi.

— Ah merde ! s'exclama le guetteur.
Paulson fit sauter le cran de sûreté de son fusil et centra sa mire sur l'homme qui venait de tirer et d'en tuer deux autres... mais qui avait-il tué ? Paulson ne pouvait tirer que pour sauver la vie des bons types et les deux qui venaient de tomber étaient certainement des méchants. Il n'y avait pas d'otages à sauver, à ce qu'il voyait. Il se demanda où diable ils pouvaient être. Un des hommes qui se trouvaient près du bord de la falaise cria quelque chose et tous les autres coururent vers lui. Le tireur d'élite avait un bon choix de cibles mais sans identification positive, il n'osait pas tirer.

— Allez, bébé, allez, dit Jackson au moteur.
Il était encore froid et tournait irrégulièrement alors que le pilote faisait machine arrière. Le bateau recula lentement de la plage. Ryan gardait son Uzi braquée sur l'autre embarcation. L'homme reparut et Ryan tira trois balles avant que l'arme se bloque. En jurant, il changea rapidement de chargeur avant de tirer de nouvelles salves courtes pour forcer l'autre à rester baissé.
— Des hommes sur la falaise, répéta le prince.
Il avait pris le fusil de chasse et le braquait, mais il ne tira pas. Il ne

savait pas qui était là-haut et, d'ailleurs, la portée était trop longue. De petits éclairs apparurent. Quels que soient ces hommes, ils tiraient sur le bateau. Ryan se retourna en entendant des balles frapper l'eau. Deux atteignirent le bateau. Sissy Jackson poussa un grand cri alors que le prince ripostait.

Robby s'était écarté à trente mètres de la plage, à présent, et il tourna sauvagement le volant tout en déplaçant le sélecteur sur la marche avant. Quand il donna tous les gaz, le moteur hoqueta de nouveau, pendant un long moment terrible, mais finalement il vrombit et le bateau fit un bond.

— C'est parti! cria Jackson. Où on va, Jack? Qu'est-ce que tu penses d'Annapolis?

— Vas-y!

Ryan se retourna. Des hommes descendaient par l'échelle. Quelques-uns tiraient encore sur eux mais faisaient long feu. Il vit ensuite que Sissy se tenait le pied à deux mains.

— Cathy, voyez s'il n'y a pas une trousse de premier secours, dit Son Altesse.

Il avait déjà examiné la blessure mais il se tenait maintenant à l'arrière, le fusil en main. Jack aperçut une boîte en plastique blanc sous le siège du pilote et la fit glisser vers sa femme.

— Rob, Sissy a pris une balle dans le pied, dit-il.

— Je vais bien, Robby! cria-t-elle immédiatement mais sa voix n'était pas assurée du tout.

— Comment te sens-tu, Sissy? demanda Cathy en s'approchant pour l'examiner.

— Ça fait mal, mais ce n'est pas trop grave, répondit la jeune femme, les dents serrées, en essayant de sourire.

— Tu es sûre que ça va, mon minet? demanda Robby.

— Conduis, Rob, t'occupe pas!

Jack se glissa à l'arrière pour voir. La balle avait carrément traversé le cou-de-pied et la chaussure claire était noire de sang. Il regarda de tous côtés, pour voir s'il y avait d'autres blessés, mais à part la terreur pure que chacun devait éprouver, tout le monde allait bien.

— Commandant, voulez-vous que je prenne les commandes à votre place? proposa le prince.

— D'accord, commandant, venez donc, dit Robby et il glissa du siège quand Son Altesse le rejoignit. Votre cap est zéro-trois-six magnétique. Faites gaffe parce que ça va être mauvais quand nous quitterons l'abri de la falaise et il y a beaucoup de navigation commerciale, par ici.

Ils apercevaient déjà des creux de plus d'un mètre et des crêtes blanches à cent mètres droit devant, chassées par le vent fraîchissant.

— Bien. Comment est-ce que je saurai que nous arrivons à Annapolis ?

— Lorsque vous verrez les lumières des ponts sur la baie, vous m'appellerez. Je connais la rade. Je nous ferai entrer.

Le prince hocha la tête. Il examina le tableau de bord et réduisit la puissance quand ils arrivèrent dans le fort clapot, tout en gardant un œil sur le compas et un autre sur la mer. Jackson alla voir comment allait sa femme. Sissy le chassa d'un geste.

— Occupe-toi d'eux tous !

Quelques instants plus tard, ils faisaient des montagnes russes dans des creux d'un mètre cinquante. Le bateau était une embarcation de lac à coque cathédrale, de cinq mètres quatre-vingts, appréciée par les pêcheurs locaux pour sa bonne rapidité par mer belle et son faible tirant d'eau. Son avant arrondi résistait mal au clapot. Ils embarquaient des paquets de mer mais le prélart était en place à l'avant et le pare-brise détournait la plus grande partie de l'eau sur les côtés. A côté du capot du moteur il y avait une ouverture d'écopage automatique. Ryan n'avait jamais vu de bateau de ce genre mais il savait que son moteur de cent cinquante chevaux actionnait un arbre de transmission dont l'hélice mobile éliminait le besoin d'un gouvernail. Le fond et les bords étaient doublés de mousse, pour améliorer la flottaison. On pouvait le remplir d'eau qu'il ne coulerait pas mais, surtout, la fibre de verre et la mousse étaient probablement capables d'arrêter des balles de mitraillette. Jack examina encore une fois ses copassagers. Sa femme soignait Sissy. La princesse tenait Sally. A part Robby, le prince et lui, tout le monde gardait la tête baissée. Il commença à se détendre un peu. Ils s'étaient enfuis et son destin était de nouveau entre ses propres mains. Jack se promit que cela ne changerait plus jamais.

— Ils nous poursuivent, annonça Robby en chargeant son fusil. Environ trois cents mètres derrière nous. Je les ai vus dans un éclair mais pour peu que nous ayons de la chance, ils vont nous perdre dans cette pluie.

— Qu'est-ce que tu dis de la visibilité ?

— A part les éclairs... bof, cent mètres , au plus. Nous ne laissons pas de sillage qu'ils pourraient suivre et ils ne savent pas où nous allons... Bon Dieu, ce que je donnerais pour avoir une radio ! Nous pourrions alerter les gardes-côtes, ou quelqu'un d'autre, et leur préparer un joli petit piège.

Jack s'assit dans le fond, face à l'arrière de l'autre côté du capot du moteur. Il vit que sa fille était endormie dans les bras de la princesse. *Ce doit être chouette d'être gosse*, se dit-il.

— Estimons-nous heureux, commandant, dit-il à son ami sur l'autre bord.

— Je te crois, mon vieux ! Je crois que j'ai choisi le bon moment pour aller pisser !

— Ouais. Je ne savais pas que tu savais te servir d'un fusil.

— Quand j'étais môme, le Klan avait un petit passe-temps. Ils se soûlaient tous les mardis soir et ils allaient incendier une église nègre, histoire de nous mettre aux pas, tu vois ? Alors un soir, ces cons-là décident de brûler l'église de papa. Nous l'avons su, le patron d'un magasin de vins a téléphoné, tous les cous-rouges ne sont pas des fumiers. Enfin bref, papa et moi on les attendait. Nous n'en avons tué aucun mais ça a dû leur flanquer une trouille plus blanche que leurs draps de lit. J'ai fait exploser le radiateur d'une bagnole, dit Robby en riant de ce souvenir. Ils ne sont jamais revenus la chercher. Les flics n'ont arrêté personne, mais c'est la dernière fois qu'on a essayé d'incendier une église dans notre bourg alors je suppose que ça leur a servi de leçon... Ici, c'est la première fois que je tue un homme, poursuivit-il d'une voix plus grave. C'est drôle, ça ne m'a rien fait, rien du tout.

— Tu verras demain.

Robby tourna la tête vers son ami.

— Ouais.

Ryan regardait à l'arrière, les mains crispées sur l'Uzi. Il n'y avait rien à voir. Le ciel et l'eau se confondaient en une masse amorphe, gris foncé, et le vent lui piquait la figure. Le bateau montait et descendait sur des brisants et Jack se demanda pourquoi il n'avait pas le mal de mer. Un nouvel éclair fulgura et il ne vit toujours rien. C'était comme s'ils étaient sous une coupole grise, sur un plancher étincelant et inégal.

Ils étaient partis. Dès que la petite équipe du tireur d'élite annonça que les terroristes avaient disparu au bord de la falaise, les hommes de Werner fouillèrent la maison et n'y trouvèrent que des morts. Le second groupe d'intervention était maintenant sur place, ainsi que plus de vingt agents de la police et toute une foule de pompiers et d'infirmiers. Trois hommes du Secret Service étaient encore en vie, plus un terroriste que les autres avaient abandonné. Tous étaient en cours de transport dans des hôpitaux. Cela faisait un total de dix-sept agents de la sécurité tués et quatre terroristes, dont deux, apparemment, par leurs propres camarades.

— Ils se sont tous entassés dans le bateau et ils ont filé par là, dit Paulson. J'aurais peut-être pu en avoir quelques-uns mais il n'y avait pas moyen de savoir qui était qui.

Le tireur d'élite avait bien agi. Il le savait et Werner aussi. On ne tire pas sans savoir qui est la cible.

— Alors qu'est-ce qu'on fait, maintenant ?

La question était posée par un capitaine de la police routière. Une question de pure forme, puisqu'il n'y avait aucune réponse immédiate possible.

— Vous croyez que les bons se sont échappés ? demanda Paulson. Je n'ai rien vu qui ressemble à un ami et la façon d'agir des sales types... quelque chose a mal tourné... Quelque chose a mal tourné pour tout le monde.

Pas de doute, quelque chose à très mal tourné, pensa Werner. Une sacrée bataille s'était livrée, là. Une vingtaine de morts et personne en vue !

— Supposons que les amis se sont échappés d'une façon ou d'une autre... Non, supposons simplement que les méchants aient fui en bateau. Bon. Alors où est-ce qu'ils iraient ? demanda-t-il.

— Est-ce que vous savez combien de chantiers navals il y a par ici ? répliqua le capitaine de la police routière. Bon Dieu, et combien de maisons avec des appontements privés ? Des centaines ! Nous ne pouvons pas les fouiller toutes !

— Ça se peut mais nous devons faire quelque chose, déclara Werner, sa colère aggravée par son mal dans le dos.

Un chien noir s'approcha d'eux. Il avait l'air aussi désorienté que les hommes.

— Je crois qu'ils nous ont perdus.

— Possible, répondit Jackson, à qui le dernier éclair n'avait rien révélé. La baie est vaste et la visibilité ne vaut pas un pet de lapin, mais avec la direction du vent qui chasse la pluie, ils y voient mieux que nous. Vingt mètres, peut-être, juste assez pour que ça change tout.

— Et si nous allions plus à l'est ? hasarda Jack.

— Dans le chenal de navigation principal ? C'est vendredi soir. Il doit y avoir une foule de navires qui sortent de Baltimore, filant dix, douze nœuds, et qui sont aussi aveugles que nous. Non. Nous ne sommes pas arrivés jusqu'ici pour nous faire éventrer par un rafiot grec rouillé. C'est déjà assez épineux comme ça, dit Robby.

— Des lumières droit devant, annonça le prince.

— Nous sommes rendus, Jack !

Robby alla à l'avant. Les lumières des ponts jumeaux de la baie de la Chesapeake clignotaient au loin. Jackson prit les commandes et le prince alla le remplacer à l'arrière. Ils étaient tous trempés depuis longtemps et grelottaient dans le vent. Jackson vira vers l'ouest. Ils avaient maintenant le vent dans le nez, soufflant tout droit de la vallée de la Severn, comme toujours. La mer devint un peu moins agitée quand ils passèrent dans la rade d'Annapolis. La pluie tombait toujours par nappes et Robby naviguait presque de mémoire.

Les lumières de l'Académie navale, le long de Sims Drive n'étaient qu'une longue clarté diffuse, sous la pluie, et Robby mit le cap dessus, en manquant de peu une grosse bouée alors qu'il se battait pour garder son cap. Au bout d'une minute, ils virent la rangée d'YP gris, les Yard Patrol Boats, les bateaux de patrouille de la rade, toujours mouillés contre le quai pendant que leurs appontements normaux étaient en cours de rénovation de l'autre côté du fleuve. Robby se dressa pour mieux y voir et amena l'embarcation entre une paire de bateaux d'entraînement à coque de bois. Il avait envie d'entrer carrément dans le bassin des yachts de l'Académie, mais il était trop encombré. Finalement, il pilota l'embarcation vers le quai et la garda contre le mur de béton à la force du moteur.

— Arrêtez ça, vous autres !

Un marine apparut. Sa casquette blanche avait une couverture en plastique et il portait un imperméable.

— Vous ne pouvez pas vous amarrez là !

— Je suis le capitaine de corvette Jackson, mon garçon, répliqua Robby. Je travaille ici. Restez paré. Jack, prend l'amarre.

Ryan plongea sous le pare-brise et souleva la bâche de l'avant. Un cordage de nylon blanc était soigneusement enroulé, à la bonne place, et il se redressa alors que Robby utilisait la puissance du moteur pour maintenir le flanc bâbord contre le quai. Jack sauta à terre avec l'amarre. Le prince en fit autant à l'arrière. Robby coupa le moteur et grimpa pour affronter le marine.

— Vous me reconnaissez, petit ?

Le marine salua.

— Faites excuses, commandant, mais...

Il braqua sa torche électrique dans l'embarcation.

— Ah, nom de Dieu !

A peu près tout ce qu'on pouvait dire en faveur du bateau, c'était que la pluie avait lavé presque tout le sang. Le marine resta bouche bée en voyant deux cadavres, trois femmes dont une apparemment blessée et une enfant endormie. Il vit ensuite l'Uzi accrochée au cou de Ryan.

Une sinistre soirée mouillée de faction ennuyeuse prenait brusquement fin avec éclat.

— Vous avez une radio, marine ? demanda Robby, et quand le garçon la montra il la lui arracha : c'était une petite Motorola CC comme celles qu'employait la police. Salle de garde ? Ici le commandant Jackson.

— Commandant ? C'est le sergent-major Breckenridge. Je ne savais pas que vous étiez de service ce soir, commandant. Qu'est-ce que je peux faire pour vous ?

Jackson respira profondément.

— Je suis bien content que ce soit vous, Gunny. Ecoutez, alertez immédiatement l'officier de service. Ensuite, je veux des marines armés sur le quai à l'ouest du bassin des yacths, *immédiatement !* Nous avons de graves ennuis ici, Gunny, alors que ça saute !

— Compris, commandant !

La radio crépita. Les ordres avaient été donnés, les questions pouvaient attendre.

— Votre nom, petit ? demanda ensuite Robby au marine.

— Caporal Green, commandant.

— C'est bon, Green, aidez-moi à faire sortir les dames du bateau... Allons-y, mesdames, dit-il en tendant une main.

Green sauta à bord et aida d'abord Sissy, puis Cathy et enfin la princesse qui portait toujours Sally. Robby les fit toutes mettre à l'abri derrière la coque de bois d'un YP.

— Et ceux-là, commandant ? demanda Green en montrant les cadavres.

— Ils ne risquent rien. Revenez ici, caporal.

Green jeta un dernier coup d'œil aux morts.

— Probable, marmonna-t-il.

Il avait déjà déboutonné son imperméable et le rabat de son holster.

— Qu'est-ce qui se passe ici ? demanda une voix féminine. Ah, c'est vous, commandant.

— Qu'est-ce que vous faites là, chef ? lui demanda Robby.

— J'ai fait sortir la section de service pour surveiller les bateaux. Le vent risque d'en faire du petit bois contre le quai si nous ne...

Le second maître d'équipage Mary Znamirowski regarda tout le monde, sur le quai, et s'exclama :

— Commandant, que diable...

— Je vous conseille de rassembler vos hommes, maître ; et de mettre tous ces gens à l'abri. Pas le temps d'expliquer...

Une camionnette arriva. Elle s'arrêta dans le parking, juste derrière le groupe. Le conducteur en sauta et accourut, suivi par trois hommes. C'était Breckenridge. Il jeta un bref coup d'œil aux trois femmes, se tourna aussitôt vers Jackson et posa la question vedette de la soirée :

— Qu'est-ce qui se passe, commandant ?

Robby indiqua l'embarcation. Breckenridge se pencha au bord du quai et poussa un juron.

— Nous étions chez Jack pour dîner, expliqua Robby, et des intrus se sont invités. C'est à lui qu'ils en voulaient...

Il désigna le prince de Galles, qui se retourna et sourit. Les yeux de Breckenridge s'arrondirent quand il le reconnut. Sa bouche resta ouverte un moment et puis il se ressaisit et fit ce que font toujours les marines quand ils ne savent que faire, il salua, comme il était prescrit dans le manuel.

— Ils ont tué tout un tas d'agents de la sécurité, poursuivit Robby. Nous avons eu de la chance. Ils comptaient s'enfuir en bateau. Nous en avons volé un et nous sommes venus ici, mais il y en a un autre, là en mer, plein de salopards. Ils ont pu nous suivre.

— Armés de quoi ? demanda le sergent-major.

— De ça, Gunny, répondit Ryan en levant l'Uzi.

Le sergent-major hocha la tête et plongea une main dans sa capote pour prendre sa radio.

— Salle de garde, ici Breckenridge. Nous avons une alerte de Classe-Un. Réveillez tout le monde. Appelez le capitaine Peters. Je veux un peloton de tireurs d'élite sur le quai dans cinq minutes. Grouillez !

— Bien reçu, répondit la radio. Alerte Classe-Un.

— Emmenons les femmes d'ici, bon Dieu, s'écria Ryan.

— Pas encore, répliqua Breckenridge, et il regarda autour de lui pour faire une rapide évaluation d'un œil expert. Je veux d'abord un peu plus de sécurité. Vos amis ont pu accoster en amont pour arriver par la terre. C'est ce que je ferais à leur place. Dans dix minutes, j'aurai un peloton de tireurs déployé, et peut-être une escouade complète ici dans cinq minutes. Si mes hommes ne sont pas trop bourrés, ajouta-t-il en rappelant à Jack qu'on était vendredi soir — samedi matin — et qu'Annapolis avait de nombreux bars. Cummings et Foster, occupez-vous des dames. Mendoza, sautez dans un de ces bateaux et faites le guet. Vous avez tous entendu le commandant. Pas question de s'endormir.

Breckenridge marcha de long en large sur le quai pendant une minute, pour vérifier la visibilité et les champs de tir. Son 45 Colt automatique avait l'air tout petit dans sa main. On voyait à sa figure que la situation ne lui plaisait pas et ne lui plairait pas tant qu'il n'aurait pas davantage d'hommes et que les civils ne seraient pas emmenés à l'abri. Ensuite, il s'approcha des femmes.

— Vous allez bien, mesdames... Oh, pardon, Mrs. Jackson. Nous allons vite vous transporter à l'infirmerie, madame.

— Il n'y a pas moyen d'éteindre ces lumières ? demanda Ryan.

— Pas que je sache. Moi non plus, je n'aime pas être éclairé comme ça. Calmez-vous, lieutenant, nous avons tout ce terrain découvert derrière nous, alors personne ne va venir nous surprendre par là. Dès que j'aurai tout organisé, nous emmènerons les dames à l'infirmerie et nous les ferons garder. Vous n'êtes pas autant en sécurité que je le voudrai mais ça va venir. Comment vous êtes-vous échappés ?

— Comme disait Robby, nous avons eu de la chance. Il en a abattu deux avec le fusil de chasse. J'en ai eu un dans le bateau. L'autre s'est fait abattre par un de ses copains, répondit Ryan en frissonnant, et pas à cause du vent ni de la pluie. C'était plutôt épineux par là, pendant un moment.

— Je veux bien le croire. Ils sont forts, ces types-là ?

— Les terroristes ? Ne vous y trompez pas. Ils avaient l'effet de surprise pour eux, et ça compte beaucoup.

— C'est ce que nous allons voir.

— Il y a un bateau, là-dehors ! cria Mendoza, d'un des YP.

— Attention, les gars, souffla le sergent-major en levant son 45 contre sa joue. Attendez encore deux minutes, jusqu'à ce que nous ayons de bonnes armes ici.

— Ils arrivent lentement, annonça le Marine.

Breckenridge s'assura d'abord que les femmes étaient à couvert puis il ordonna à tout le monde de se déployer et de choisir une position entre les bateaux au mouillage.

— Et pour l'amour du ciel, gardez la tête baissée !

Ryan se choisit un coin. Les autres en firent autant, à des intervalles de trois à trente mètres. Il tâta le parapet en béton armé, certain qu'il arrêterait une balle. Les quatre matelots de la section de service des YP restèrent auprès des femmes, avec un marine de chaque côté. Breckenridge était le seul à bouger, accroupi derrière le parapet, en suivant des yeux la silhouette blanche du bateau en mouvement. Il arriva près de Ryan.

— Là, à environ quatre-vingts mètres en mer, allant de gauche à droite. Eux aussi, ils cherchent à comprendre ce qui se passe. Donnez-moi encore deux minutes, mes salauds ! chuchota-t-il.

— Ouais...

Ryan fit sauter son cran de sûreté, un œil juste au-dessus du muret de béton. Le bateau n'était qu'une vague forme claire mais il entendait le bruit étouffé du moteur. L'embarcation tourna vers celle qu'ils avaient volée. Ce fut leur première erreur.

— Parfait ! dit le sergent-major en abaissant son automatique, couvert par l'arrière d'une coque. C'est bon, messieurs. Avancez donc si vous venez...

Une autre camionnette arriva par Sims Drive, tous feux éteints, et s'arrêta à côté des femmes. Huit hommes en sautèrent par l'arrière. Deux marines coururent sur le quai, illuminés par un lampadaire entre deux YP amarrés. Sur l'eau, l'embarcation clignota d'éclairs de coups de feu et les deux marines tombèrent. Des balles commencèrent à pleuvoir sur les bateaux mouillés. Breckenridge se retourna et hurla :

— *Feu !*

Ce fut une explosion de bruit dans tout le secteur. Ryan visa un des éclairs et pressa la détente avec précaution. La mitraillette tira quatre balles avant de se bloquer sur une chambre vide. Il jura et regarda stupidement l'arme avant de se souvenir qu'il avait un pistolet chargé à sa ceinture. Il haussa le Browning et tira sans s'être aperçu que sa cible n'était plus là. Le bruit du moteur augmenta spectaculairement.

— Halte au feu ! Halte au feu ! Ils foutent le camp ! cria Breckenridge. Personne n'est blessé ?

— Par ici ! cria quelqu'un sur la droite, du côté où étaient les femmes.

Ryan suivit le sergent-major. Deux marines étaient par terre, le premier avec une blessure superficielle au bras, mais l'autre avait eu la hanche traversée par une balle et poussait des cris aigus. Cathy l'examinait déjà.

— Qu'est-ce qui se passe, Mendoza ? glapit Breckenridge.

— Ils prennent le large... attendez voir... ouais, ils filent vers l'est !

— Remuez les mains, soldat, dit Cathy, penchée sur le première classe qui avait été péniblement frappé sur le côté gauche, juste au-dessous du ceinturon. C'est bon, c'est bon, ça va aller. Ça fait mal mais nous pouvons arranger ça.

Breckenridge se baissa pour ramasser le fusil de l'homme et le lança à Cummings.

— Qui commande, ici ? demanda le capitaine Mike Peters.

— Ça doit être moi, répondit Robby.

— Dieu de Dieu, Robby, qu'est-ce qui se passe ?

— Qu'est-ce que vous croyez ?

Un autre véhicule arriva, transportant encore six Marines. Ils jetèrent un coup d'œil aux blessés et armèrent leurs fusils.

— Nom de Dieu, Robby... commandant ! cria le capitaine Peters.

— Des terroristes. Ils ont essayé de nous avoir chez Jack. Ils voulaient... Eh bien, voyez !

— Bonsoir, capitaine, dit le prince après avoir vu comment allait sa femme. Est-ce que nous en avons eu ? Je n'ai pas pu avoir de bonne cible.

Sa voix révélait une véritable déception.

— Je ne sais pas, répondit Breckenridge. J'ai vu des balles tomber court et les pistolets ne valent rien contre un bateau comme ça.

Dans le ciel, une nouvelle série d'éclairs illumina la rade.

— Je les vois, ils sortent de la baie ! cria Mendoza.

— Merde, gronda le sergent-major. Vous quatre, emmenez les dames à l'infirmerie, ordonna-t-il et il se pencha pour aider la princesse à se relever tandis que Robby soulevait sa femme. Vous voulez donner cette petite fille au soldat, madame ? On va vous conduire à l'hôpital et bien vous sécher.

Ryan vit que Cathy s'efforçait toujours de secourir un des marines blessés, puis il regarda le bateau de patrouille, devant lui.

— Robby ?

— Oui ?

— Est-ce que ces bateaux ont un radar ?

Ce fut le chef Znamirowski qui répondit :

— Certainement, tous, commandant.

Un marine abaissa le hayon d'une des camionnettes et aida Jackson à hisser sa femme à bord.

— A quoi penses-tu, Jack ?

— Quelle est leur vitesse ?

— Environ treize... je ne crois pas qu'ils soient assez rapides.

Le second maître Znamirowski se retourna vers l'embarcation que Robby avait pilotée pour arriver.

— Avec la mer que nous avons en ce moment, je vous parie que je peux rattraper une de ces petites coques de noix ! Mais j'aurai besoin de quelqu'un pour s'occuper du radar. Je n'ai pas d'opérateur dans ma section, là tout de suite.

— Je peux faire ça, proposa le prince ; il était fatigué de servir de cible et personne n'allait le priver d'action. Ce serait un plaisir pour moi, à vrai dire.

— Robby, c'est toi le chef, ici, dit Jack.

— Est-ce que c'est légal ? demanda le capitaine Peters, son automatique à la main.

— Ecoutez ! répliqua vivement Ryan. Nous venons de subir une attaque armée par des ressortissants *étrangers*, sur un terrain réservé du domaine des Etats-Unis, c'est un acte de guerre et les engagements du temps de paix ne s'appliquent pas ! (*Du moins je ne crois pas*, pensa-t-il.) Pouvez-vous penser à une bonne raison de ne pas les poursuivre ?

Le capitaine ne le pouvait pas.

— Maître Z, avez-vous un bateau prêt à appareiller ? demanda Jackson.

— C'est sûr, nous pouvons prendre le soixante-seize.

— Faites-le mettre en marche ! Capitaine Peters, nous avons besoin de marines.

— Sergent-major Breckenridge, assurez la sécurité du secteur et emmenez dix hommes.

Le sergent-major laissa les officiers à leurs discussions pour aller surveiller l'embarquement des civils dans le camion. Il empoigna Cummings par le bras.

— Sergent, je vous charge des civils. Emmenez-les à l'infirmerie et postez une garde. Augmentez les pelotons de garde mais votre principale mission est de vous occuper de ces personnes-là. Vous serez responsable de leur sécurité et vous ne serez pas relevé avant que je vous relève moi-même ! Compris ?

— C'est sûr, Gunny.

Ryan aida sa femme à monter.

— Nous allons à leurs trousses.

— Je sais. Sois prudent, Jack, je t'en supplie.

— Mais oui. Cette fois-ci, nous les aurons, bébé !

Il l'embrassa. Elle avait une drôle d'expression, autre chose que de la simple inquiétude.

— Tu te sens bien ?

— Ça va aller très bien. Inquiète-toi de toi-même. Sois prudent !

— Bien sûr, bébé. Je vais revenir.

Mais pas eux ! Jack fit demi-tour et sauta dans le bateau. Il entra dans le rouf et trouva l'échelle de la passerelle.

— Je suis le second maître Znamirowski et j'ai le commandement, annonça-t-elle.

Mary Znamirowski n'avait pas du tout l'air d'un second maître mais le jeune matelot — ou devrait-on dire matelote ? se demanda Jack — à la barre se redressa vivement pour écouter les ordres.

— Tribord arrière deux tiers, bâbord arrière un tiers, gouvernail gauche toute.

— Amarre arrière rentrée, annonça un matelot, un homme celui-là.

— Bien, répondit Mary et elle continua de donner des ordres brefs pour éloigner l'YP du quai.

En quelques secondes, ils furent dégagés des autres bateaux.

— Gouvernail droite toute, en avant toute ! Venez sur nouveau cap un-trois-cinq... Que dit le radar ? demanda-t-elle.

Le prince examinait les commandes de l'appareil inconnu pour lui. Il trouva la manette de suppression d'interférences et se pencha sur l'habitacle.

— Ah, voilà ! Objectif position un-un-huit, portée treize cents, cap nord-est, vitesse... environ huit nœuds.

— C'est à peu près juste, ça clapote dur du côté de la pointe. Quelle est notre mission, commandant ?

— Est-ce que nous pouvons rester avec eux ?

— Ils ont mitraillé mes bateaux ! J'éperonnerai les salauds si vous le voulez, commandant ! s'exclama le second maître. Je peux vous donner treize nœuds aussi longtemps que vous voulez. Je doute qu'ils puissent en faire plus de dix dans cette mer-là.

— D'accord. Je veux les suivre aussi près que possible sans être repéré.

Le second-maître ouvrit une des portes de la timonerie et considéra la mer.

— Nous nous rapprocherons à trois cents. C'est tout ?

— Droit devant et rapprochez-vous. Pour le reste, je veux bien écouter toutes les idées.

— Et si on cherchait à voir où ils vont ? suggéra Jack. Ensuite, nous pourrons faire donner la cavalerie.

— Ça me paraît logique. S'ils essaient d'accoster... Bon Dieu, je suis un pilote de chasseurs, pas un flic ! grogna Robby et il décrocha le micro de la radio, qui portait l'immatriculation du bateau, NAEF. Station navale Annapolis, ici November Alfa Echo Foxtrot. Me recevez-vous ? A vous.

Il dut répéter l'appel encore deux fois avant d'obtenir une réponse.

— Annapolis, donnez-moi une liaison téléphonique avec le directeur.

— Il vient de nous appeler. Restez à l'écoute.

Quelques déclics suivirent, accompagnés des parasites habituels.

— Amiral Reynolds, qui appelle ?

— Le capitaine de corvette Jackson, amiral, à bord du bateau de patrouille soixante-seize. Nous sommes à un mille au sud-est de l'Académie à la poursuite de l'embarcation qui vient de mitrailler le front de mer.

— C'est donc ça qui s'est passé ? Bon, qui avez-vous à bord ?

— Le second maître Znamirowski et la section de service des bateaux, le capitaine Peters et des marines, le professeur Ryan et... euh... le commandant Galles de la Royal Navy, répondit Robby.

— C'est donc là qu'il est ! J'ai le FBI sur l'autre ligne. Bon dieu, Robby ! D'accord, les civils sont sous bonne garde à l'hôpital et le FBI est en route vers ici ainsi que la police. Répétez votre position et donnez vos intentions.

— Nous sommes à la poursuite de l'embarcation qui a attaqué le quai, amiral. Nos intentions sont de nous rapprocher et de la suivre au radar pour déterminer sa destination et puis de faire appel aux agences de maintien de l'ordre qui conviennent, expliqua Robby en souriant du choix de ses mots. Mon prochain appel va être à la station de Baltimore des gardes-côtes, amiral. On dirait que nos gens se dirigent en ce moment dans cette direction.

— D'accord. Très bien, vous pouvez poursuivre la mission mais la sécurité de vos passagers est sous votre responsabilité. Ne prenez pas, je répète, ne prenez pas de risques inutiles. Répondez.

— Bien reçu, amiral. Nous ne prendrons pas de risques inutiles.

— Utilisez votre jugement, commandant, et faites un rapport si c'est nécessaire. Terminé.

— Ça, c'est ce que j'appelle un vote de confiance, déclara Jackson. On continue.

— Gouvernail quinze degrés gauche, dit le second maître Z. en doublant la pointe de Greenbury. Nouveau cap zéro-deux-zéro.

— Position objectif zéro-un-quatre, portée quatorze cents, vitesse toujours huit nœuds, annonça Son Altesse au quartier-maître à la table des cartes. Ils ont pris une route plus courte en doublant la pointe.

— Pas de problème, assura le second maître en regardant le radar. Nous avons de l'eau profonde partout à partir d'ici.

— Chef Z., est-ce que nous avons du café à bord ?

— J'ai une cafetière dans la mayence, commandant, mais personne pour la faire marcher.

— Je peux m'en occuper, dit Jack.

Il descendit, passa sur tribord et descendit encore. La cuisine était minuscule mais la machine à café d'une bonne taille. Il la mit en marche et remonta. Breckenridge distribuait des brassières de sauvetage à tout le monde, une précaution qui paraissait assez raisonnable. Les marines étaient déployés sur la passerelle, à l'extérieur de la timonerie.

— Café dans trois minutes, annonça Ryan.

— Répétez ça, gardes-côtes ? criait Robby au micro.

— Navy Echo Foxtrot ici Baltimore Garde-Côtes, me recevez-vous, à vous.

— Oui, ça va mieux.

— Pouvez-vous nous dire ce qui se passe ?

— Nous sommes à la poursuite d'une petite embarcation, six à sept mètres, avec dix terroristes armés ou plus à son bord.

Il donna la position, le cap et la vitesse.

— Accusez bonne réception de ça.

— Vous dites un bateau plein de mécréants et de mitraillettes. C'est pas du bidon ? A vous.

— Affirmatif, petit. Maintenant assez de conneries et parlons sérieusement.

La réponse fut un peu penaude.

— Bien reçu, nous avons un bateau quarante-et-un sur le point d'appareiller et un dix-mètres sera à dix minutes derrière lui. Des petits bateaux de patrouille des rades. Ils ne sont pas équipés pour une action armée en surface, commandant.

— Nous avons dix marines à bord, répliqua Jackson. Est-ce que vous demandez de l'assistance ?

— Bon Dieu oui, affirmatif ! J'ai la police et le FBI au téléphone, Echo Fox trot, et ils se dirigent vers ce secteur.

— Parfait. Que votre bateau quarante-et-un nous appelle quand il aura appareillé. Nous allons organiser la filature avec votre bateau en avant et le nôtre derrière. Si nous arrivons à savoir où ils vont, je veux que vous appeliez les flics.

— Ce sera facile. Attendez voir que j'organise un peu les choses par ici. Restez à l'écoute.

— Un navire, dit le prince.

— Sûrement, approuva Ryan. Comme ils ont fait quand ils ont sauvé ce salaud de Miller... Robby, est-ce que tu peux obtenir des gardes-côtes une liste des navires au port ?

Werner et les deux groupes de la brigade de sauvetage des otages étaient déjà en route. Il se demandait ce qui avait mal — et bien — tourné, mais on ne le saurait que plus tard. Pour le moment, il avait des agents et de la police fonçant vers l'Académie navale pour protéger les personnes qu'il aurait dû sauver et ses hommes étaient partagés entre la

Chevrolet Suburban du FBI et deux voitures de la police routière, roulant toutes vers Baltimore par Ritchie Highway. Si seulement ils avaient pu utiliser les hélicoptères, pensait-il, mais il faisait trop mauvais temps et tout le monde en avait assez. Ils redevenaient une équipe d'intervention, ce pourquoi ils étaient faits. En dépit de tout ce qui s'était passé cette nuit, on avait maintenant un important groupe de terroristes repéré et à découvert...

— Voilà la liste des navires au port, annonça à la radio le lieutenant des gardes-côtes. Nous en avons beaucoup qui partent le vendredi soir, alors la liste n'est pas trop longue. Je vais commencer par le Terminal de la marine Dundalk. Le *Nissam Courier*, battant pavillon japonais, c'est un transporteur de voitures dont le port d'attache est Yokohama, qui livre tout un tas de bagnoles et de camions. Le *Wilhelm Schörner*, d'Allemagne fédérale, un contre-conteneurs de Brême avec une cargaison générale. Le *Costanza*, pavillon cypriote, port d'attache La Vallette, Malte...

— Bingo ! s'exclama Ryan.

— ... prévu pour appareiller dans cinq heures, on dirait. Le *George McReady*, un américain, arrivé de Portland, Oregon, avec une cargaison de bois de charpente. C'est le dernier de ce dock-là.

— Parlez-moi un peu du *Costanza*, demanda Robby en regardant Jack.

— Il est arrivé en ballast et a chargé du matériel agricole et d'autres trucs. Doit appareiller avant l'aube, en principe pour retourner à La Vallette.

— C'est probablement notre gars, murmura Jack.

— Restez paré, garde-côte, dit Robby en se détournant de la radio. Comment le sais-tu, Jack ?

— Je ne le sais pas, mais c'est une supposition qui se tient. Quand ces fumiers ont opéré cette évasion le jour de Noël, ils ont probablement été repêchés dans la Manche par un bateau battant pavillon cypriote. Nous pensons que leurs armes leur arrivent par l'intermédiaire d'un marchand de Malte qui travaille avec un Sud-Africain ; et beaucoup de terroristes transitent par Malte. Le gouvernement de l'île est copain comme cochon avec un certain pays juste au sud de là. Les Maltais ne salissent pas leurs propres mains mais ils s'y entendent pour fermer les yeux quand le prix est intéressant.

Robby hocha la tête et reprit son micro.

— Garde-côte, avez-vous tout arrangé avec la police locale ?

— Affirmatif, Navy.

— Dites-leur que nous croyons que l'objectif de la cible est le *Costanza*.

— Bien reçu. Nous le ferons surveiller par notre bateau trente-deux et appellerons les flics.

— Ne vous montrez surtout pas, garde-côte !

— Compris, Navy. Nous pouvons organiser cette partie-là assez facilement. Attendez… Navy, soyez avisés que notre bateau quarante-et-un signale un contact radar avec vous et l'objectif, doublant la pointe Bodkin. Est-ce correct ? A vous.

— Oui ! cria le quartier-maître de la table des cartes.

Il enregistrait avec précision les caps, d'après les indications radar.

— Affirmatif, garde-côte. Dites à votre bateau de prendre position à cinq cents mètres en avant de l'objectif. Accusez réception.

— Bien reçu, cinq-zéro-zéro mètres. D'accord, voyons si nous pouvons remuer les flics. Restez à l'écoute.

— Nous les tenons, pensa tout haut Ryan.

— Euh, lieutenant, ne bougez pas les mains.

C'était Breckenridge, derrière lui. Il allongea le bras avec précaution vers la ceinture de Jack et en retira l'automatique Browning. Jack fut surpris de voir qu'il avait fourré l'arme là sans rabattre le chien ni le cran de sûreté. Breckenridge les rabattit et remit le pistolet où il l'avait pris.

— Essayons de penser sécurité, d'accord, lieutenant ? Autrement, vous risqueriez de perdre quelque chose d'important.

Ryan hocha la tête d'un air contrit.

— Merci, Gunny.

— Quelqu'un doit bien protéger les lieutenants… Allons, marines, restons éveillés, par ici !

— Vous avez mis un homme sur le prince ? demanda Jack.

— Oui, avant même que l'amiral le dise.

Le sergent-major indiqua un caporal qui tenait son fusil à deux mains, à un mètre de Son Altesse, et qui avait l'ordre de se tenir entre elle et la fusillade.

Cinq minutes plus tard, un trio de véhicules de la police de l'Etat arriva tous feux éteints au Dock Six du Dundalk Marine Terminal. Ils se garèrent sous une des grues destinées à charger et décharger les conteneurs et cinq agents s'approchèrent sans bruit de l'échelle de coupée. Un homme d'équipage en faction les arrêta, ou plutôt essaya. La barrière de la langue empêchait toute communication. Il se trouva soudain en train d'accompagner les policiers, avec les menottes aux

506

mains dans le dos. L'officier de police escalada trois échelles de plus et arriva sur la passerelle.

— Qu'est-ce que c'est que ça ?

— Qui êtes-vous, vous ? riposta le flic derrière un fusil de chasse à canon scié.

— Je suis le maître de ce navire ! proclama le capitaine Nikolai Frenza.

— Oui, eh bien moi, capitaine, je suis le sergent William Powers de la police du Maryland et j'ai des questions à vous poser.

— Vous n'avez aucune autorité à bord de mon navire ! répliqua Frenza avec un accent grec mélangé à celui d'une autre langue. Je parlerai aux gardes-côtes et à personne d'autre !

Powers s'avança sur le capitaine, les mains serrées autour du fusil Ithaca de calibre 12.

— Je tiens à bien préciser les choses. Cette côte où vous êtes amarré se trouve dans l'état du Maryland et ce fusil dit que j'ai toute l'autorité dont j'ai besoin. Nous avons reçu des renseignements nous apprenant qu'un bateau chargé de terroristes est en route pour venir ici et d'après le rapport, ils ont tué énormément de monde, dont trois agents de la police routière de l'état, dit-il en appuyant le canon de son arme sur la poitrine de Frenza. S'ils viennent ici, capitaine, ou si vous me faites encore des histoires, vous serez dans la merde jusqu'au cou ! Compris ?

L'homme se décomposa sous ses yeux. Powers vit tout de suite que l'information était exacte.

— Je vous conseille de coopérer, reprit-il, parce que bientôt nous allons avoir ici plus de flics que vous n'en avez jamais vu. Vous pourriez avoir besoin d'amis, mon bonhomme. Si vous avez quelque chose à me dire, je veux l'entendre tout de suite.

Frenza hésita, ses yeux allant vers l'avant et l'arrière. Il était dans une très sale situation, bien pire que ce que pourrait couvrir ce qu'il avait touché d'avance.

— Il y en a quatre à bord. Ils sont à l'avant, sur tribord, tout près de l'avant. Nous ne savions pas...

— Bouclez-la, gronda Powers et il fit signe à son caporal qui prit un émetteur portatif. Et votre équipage ?

— L'équipage est en bas, il prépare l'appareillage.

— Sergent, les gardes-côtes disent qu'ils sont à trois milles au large et qu'ils mettent le cap par ici.

— Très bien.

Powers tira des menottes de sa ceinture. Ses agents et lui prirent les quatre hommes de quart sur la passerelle et les enchaînèrent à la roue et à d'autres appareils.

— Capitaine, si vous ou vos hommes faites le moindre bruit, je remonterai ici et je vous éclabousserai dans tout votre putain de rafiot ! Je ne plaisante pas !

Powers redescendit avec ses hommes sur le pont principal et alla à l'avant par babord. Les superstructures du *Costanza* étaient tout à l'arrière. Devant elles, le pont était une masse de conteneurs chacun de la taille d'une remorque de poids-lourd, entassés par trois ou quatre. Entre chaque pile, il y avait une sorte de chemin d'environ un mètre de large, qui leur permit de s'approcher de l'avant sans être vus. Le sergent n'avait aucune expérience des interventions mais ses agents étaient armés de fusils et il connaissait quand même un peu la tactique de l'infanterie.

Il avait l'impression de marcher le long d'un immeuble, à cette différence que la rue était en acier rouillé. La pluie s'était finalement calmée mais elle faisait encore du bruit en crépitant sur les énormes caisses de métal. En débouchant après la dernière pile de conteneurs, ils virent que le panneau de cale avant était ouvert et qu'une grue était suspendue au-dessus à tribord. Powers risqua un œil au coin et aperçut deux hommes debout, de l'autre côté du pont. Ils regardaient vers le sud-est, vers l'entrée de la rade. Il n'y avait aucun moyen facile de s'approcher d'eux. Ses hommes et lui se replièrent sur eux-mêmes et s'avancèrent tout droit. Ils avaient couvert la moitié de la distance quand l'un des suspects se retourna.

— Qui vous êtes ?

— Police d'Etat !

Powers avait remarqué l'accent et il leva vivement son arme mais il se prit le pied dans le filin et sa première balle se perdit. L'homme à tribord riposta d'un coup de pistolet et manqua aussi son objectif, puis il se jeta derrière le conteneur. Le quatrième agent alla jusqu'à la cale, passa derrière et tira contre le bord du conteneur pour couvrir ses camarades. Powers entendit une conversation confuse et des pas précipités. Il respira profondément et se mit à courir sur bâbord.

Il n'y avait personne en vue. Ceux qui avaient couru vers l'arrière n'étaient nulle part. Il y avait une échelle descendant d'une ouverture dans la rambarde jusque dans l'eau et rien d'autre qu'une radio qu'on avait laissé tomber.

— Ah merde !

La situation tactique était très mauvaise. Il avait des criminels armés à portée de la main mais hors de vue et tout un plein bateau d'autres qui allaient arriver. Il envoya un de ses hommes sur bâbord pour guetter la ligne d'approche et un autre braquer son fusil par-dessus le bordé tribord. Il prit alors sa radio et apprit que beaucoup de renforts arrivaient. Powers décida de rester sur place et de courir sa chance. Il avait connu Larry Fontana, il avait aidé à porter son cercueil hors de l'église et il n'allait certainement pas laisser passer l'occasion d'avoir ceux qui l'avaient tué.

Une voiture de la police routière avait pris la tête. Le FBI était maintenant sur le pont Francis Scott Key, traversant la rade de Baltimore. Il s'agissait maintenant de passer de la voix express au terminal de la marine. Un agent dit qu'il connaissait un raccourci et il guida le cortège de trois véhicules. Au même instant, un bateau de sept mètres passait sous le pont.

— Objectif arrive sur la droite, semble se diriger vers un navire amarré à quai, position trois-cinq-deux, annonça Son Altesse.

— C'est ça ! s'écria Ryan. Nous les tenons.

— Rapprochons-nous un peu, second-maître, ordonna Jackson.

— Ils risquent de nous repérer, commandant, la pluie est moins drue. S'ils se dirigent vers le nord, je pourrai me rapprocher sur leur bâbord. Ils vont vers ce navire... vous voulez que nous les attaquions carrément quand ils y arriveront ? demanda le second-maître Znamirowski.

— Précisément.

— D'accord. Je vais mettre quelqu'un au projecteur. Capitaine Peters, vous voudrez poster vos marines sur tribord. Ça m'a l'air de promettre une action en surface sur tribord, nota le chef Z.

Les règlements de la marine lui interdisaient de servir à bord d'un navire combattant mais elle avait tourné la loi, après tout !

Peters donna l'ordre et Breckenridge mit ses marines en place. Ryan quitta la timonerie et descendit sur le pont principal, à l'arrière. Il avait déjà pris sa décision. Sean Miller était là, tout près.

— J'entends un bateau, murmura un des agents.

— Ouais.

Powers glissa une cartouche dans son fusil. Il se tourna vers l'arrière. Il y avait là d'autres hommes armés. Il entendit des pas derrière lui... De nouveaux policiers !

— Qui commande, ici ? demanda un caporal.

— Moi, répliqua Powers. Restez ici. Vous deux, avancez sur

l'arrière. Si vous voyez une tête sortir de derrière un conteneur, vous la faites sauter.

— Je le vois !

Powers aussi. Un bateau blanc en fibre de verre apparaissait à cent mètres, se dirigeant lentement vers l'échelle du navire.

— Putain...

Le bateau était plein d'hommes et chacun, lui avait-on dit, avait une arme automatique. Machinalement, il tâta les plaques d'acier du bordé. Il se demanda si elles arrêteraient une balle. La plupart des agents portaient à présent des gilets pare-balles, mais pas Powers. Il fit sauter le cran de sûreté de son fusil. Le moment était presque venu.

Le bateau s'approcha comme une voiture s'insinuant dans un créneau. L'homme de barre amena l'avant juste au bas de l'échelle et un autre l'y amarra. Deux hommes montèrent sur la minuscule plate-forme, en bas. Ils aidèrent quelqu'un à sortir de l'embarcation et ils le portèrent sur l'échelle. Powers les laissa arriver à mi-hauteur.

— Bougez plus ! Police d'Etat !

Deux de ses agents et lui pointaient leurs fusils sur le bateau.

— Bougez et vous êtes morts ! ajouta-t-il mais il le regretta aussitôt : c'était trop comme à la télé.

Il vit des têtes se lever, des bouches s'ouvrir de surprise. Quelques mains remuèrent aussi mais avant qu'un objet ressemblant à une arme se dresse dans leur direction un projecteur de plus de cinquante centimètres de diamètre illumina l'embarcation, de la mer.

Powers en fut reconnaissant. Il vit des têtes se tourner vivement puis se relever vers lui. Il voyait les expressions, maintenant. Ces hommes étaient pris au piège et ils le savaient bien.

— Salut, vous autres ! cria une voix sur l'eau, une voix de femme parlant dans un haut-parleur. Si quelqu'un bouge, j'ai dix marines pour vous faire sauter. Ça charmera ma journée.

Ces mots firent tressaillir Powers. Puis un autre projecteur s'alluma.

— Ici les gardes-côtes. Vous êtes tous en état d'arrestation !

— Ah non, merde ! glapit Powers. C'est moi qui les ai !

Il fallut encore une minute pour établir ce qui se passait, à la satisfaction de tout le monde. Le gros patrouilleur gris de la marine accosta contre l'embarcation et le sergent fut soulagé de voir dix fusils braqués sur les prisonniers.

— C'est bon, tout le monde pose ses armes à ses pieds et vous grimpez un par un.

Powers sursauta et tourna la tête quand un coup de pistolet claqua, suivi de deux coups de fusil. Il frémit mais s'appliqua à ignorer de son mieux l'incident en gardant son arme pointée dans le bateau.

— J'en vois un ! cria un agent. A une trentaine de mètres derrière nous.

— Couvrez-le, ordonna Powers. Allez, vous autres, montez en vitesse et collez-vous à plat ventre sur le pont !

Les deux premiers arrivèrent, portant un homme blessé à la poitrine. Powers les fit coucher devant le premier rang de conteneurs. Les autres montèrent, un par un. Quand le dernier fut là, il en compta douze, dont plusieurs blessés. Ils avaient laissé dans l'embarcation un tas d'armes et, semblait-il, un cadavre.

— Hé, les marines ! Un coup de main ne serait pas de trop, par ici !

Ryan n'eut pas besoin d'autre encouragement. Il se tenait sur le pont arrière de l'YP et il sauta sans hésiter. Il glissa et tomba dans le fond du bateau. Breckenridge arriva tout de suite après lui. Il regarda le cadavre abandonné par les terroristes, qui avait un trou large comme le pouce au milieu du front.

— Je pensais bien avoir fait mouche une fois. Montrez le chemin, lieutenant.

Il désigna l'échelle. Ryan s'y élança, pistolet au poing. Derrière lui, le capitaine Peters lui hurlait quelque chose mais il s'en fichait royalement.

— Doucement, avertit Powers, nous avons des mécréants là-bas, parmi les piles de conteneurs.

Jack contourna le premier rang de caisses de métal et vit les hommes allongés sur le pont, les mains sur la nuque, surveillés par deux agents. Un instant plus tard, six marines les rejoignirent.

Le capitaine Peters monta à bord et s'approcha du sergent de police qui semblait commander.

— Nous en avons au moins deux autres, peut-être quatre, qui se cachent dans les rangées de conteneurs, lui dit Powers.

— Vous voulez de l'aide pour les débusquer ?

— Ben oui, allons faire ça.

Powers sourit dans l'obscurité. Il rassembla tous ses hommes, laissant Breckenridge et trois marines garder les prisonniers. Ryan resta aussi. Il attendit que les autres soient partis.

Puis il commença à examiner les visages.

Miller regardait aussi de tous côtés, en espérant encore trouver un moyen d'évasion. Ryan et lui se reconnurent au même instant et Miller lut instantanément dans le regard de Ryan.

Je suis la Mort, lui disait Ryan. *Je viens pour toi.*

Jack avait l'impression que son corps était sculpté dans de la glace. Ses doigts se crispèrent sur la crosse de son pistolet tandis qu'il marchait lentement sur bâbord, les yeux rivés sur le visage de Miller. Pour lui, c'était toujours un animal, mais il n'était plus le fauve en liberté. Il arriva à sa hauteur et lui donna un coup de pied dans une jambe. Avec le pistolet, il lui fit signe de se lever, sans prononcer un mot.

On ne parle pas aux serpents. On les tue.

— Lieutenant...

Breckenridge était un peu lent à comprendre.

Jack poussa Miller contre le mur métallique d'un conteneur, son avant-bras en travers de sa gorge. Il savoura cet instant.

C'est la petite ordure qui a failli tuer ma famille ! Sa figure était totalement dépourvue d'expression mais il ne le savait pas.

Miller le regarda au fond des yeux... et ne vit plus rien. Pour la première fois de sa vie, Sean Miller connut la peur. Il vit sa propre mort et se rappela les leçons d'autrefois, à l'école catholique, il se rappela ce que les bonnes sœurs lui avaient appris et il eut peur qu'elles aient eu raison. De la sueur perla sur sa figure et ses mains tremblèrent.

Ryan vit l'expression dans les yeux de l'Irlandais et la comprit. *Adieu, Sean. J'espère que ça te plaira, là-bas...*

— Lieutenant !

Jack savait qu'il n'avait que peu de temps. Il leva le pistolet et fit entrer de force le canon dans la bouche de Miller, sans cesser de le regarder dans les yeux. Il replia son index contre la détente, exactement comme on le lui avait appris. Une légère pression, pour ne jamais savoir à quel moment la détente va céder...

Mais il ne se passa rien et une lourde main s'abattit sur le pistolet.

— Il n'en vaut pas la peine, lieutenant, il n'en vaut vraiment pas la peine.

Breckenridge ôta sa main et Ryan vit que le chien de l'arme était rabattu. Il aurait fallu qu'il l'arme, avant de pouvoir tirer.

— Faut réfléchir, mon garçon.

Le charme était rompu. Jack soupira et respira profondément. Ce qu'il voyait maintenant était en quelque sorte moins monstrueux. La peur avait donné à Miller l'humanité qui lui manquait. Ce n'était plus un animal, après tout. C'était un être humain, un exemple vicieux de ce qui arrive quand un homme perd ce qui est nécessaire à tous les hommes. Il lui retira le canon de la bouche. Miller eut un haut-le-cœur. Jack recula et Sean tomba sur le pont. Le sergent-major posa sa main sur le bras droit de Ryan, en le forçant à abaisser son arme.

— Je sais ce que vous pensez, ce qu'il a fait à votre petite fille, mais

ça ne vaut pas le mal que vous vous seriez fait. Je pourrais raconter aux flics que vous lui avez tiré dessus alors qu'il tentait de s'enfuir. Mes petits gars le confirmeraient. Jamais vous ne passeriez en justice. Mais ça ne vaut pas ce que ça vous ferait, à vous, petit. Vous n'êtes pas fait pour être un assassin, dit Breckenridge avec gentillesse. Et d'ailleurs, regardez-le. Je ne sais pas ce que c'est, là par terre, mais ce n'est plus un homme, plus du tout.

Jack hocha la tête, incapable de parler. Miller était encore à quatre pattes, tête baissée, sans oser croiser le regard de Ryan. Jack sentit de nouveau son propre corps, le sang coulant dans ses veines lui dit qu'il était vivant, intact, indemne. *J'ai gagné*, pensa-t-il alors que son cerveau reprenait le contrôle de ses émotions. *Je l'ai vaincu et je ne me suis pas détruit moi-même.*

— Merci, Gunny. Si vous n'aviez pas...

— Si vous aviez réellement voulu le tuer, vous n'auriez pas oublié d'armer le pistolet, lieutenant. Il y a longtemps que je vous ai compris, vous savez... A plat ventre, toi ! gronda-t-il à Miller qui obéit. Et avant que vous vous figuriez que vous vous en tirez bien, mes salauds, j'ai une nouvelle fraîche pour vous. Vous avez commis des crimes dans un Etat où la chambre à gaz existe toujours. Vous risquez d'être tous condamnés à mort. Pensez-y.

La Brigade de sauvetage des otages fut la suivante à arriver. Elle trouva les marines et les agents de la police routière sur le pont, qui se glissaient lentement vers l'arrière. Il fallut quelques minutes pour constater qu'il n'y avait personne parmi les piles de conteneurs. Les quatre membres de l'ULA restants s'étaient servi d'un passage pour gagner l'arrière et devaient se trouver dans les superstructures. Werner prit la relève du commandement. Un autre groupe du FBI alla à l'avant rassembler les terroristes.

Trois camions des actualités télévisées surgirent sur le quai, ajoutant la lumière de leurs projecteurs à ceux qui transformaient déjà la nuit en jour. La police les refoulait mais des émissions étaient déjà diffusées en direct au monde entier. Un colonel de la police de l'état faisait à présent un communiqué à la presse. La situation, disait-il aux caméras, était maîtrisée, grâce à un peu de chance et à beaucoup d'excellent travail de la police.

Tous les terroristes avaient maintenant les menottes aux mains et ils avaient été fouillés. Les agents leur lurent leurs droits constitutionnels et trois de leurs collègues descendirent dans l'embarcation pour rassembler les armes et autres pièces à conviction. Le prince grimpa

enfin par l'échelle, fortement protégé par des gardes du corps. Il s'avança vers les terroristes, tous assis sur le pont, à présent, et les contempla pendant une minute, mais sans dire un mot. C'était inutile.

— C'est bon, tout est réglé à l'arrière. Ils sont quatre, à ce qu'il paraît. C'est ce que dit l'équipage, annonça un des hommes de la BSO. Ils sont en bas, quelque part, et nous devrons les persuader de sortir. Ça ne devrait pas être difficile et nous avons tout notre temps.

— Comment est-ce qu'on va emmener ces zigotos ? demanda le sergent Powers.

— Nous ne le savons pas encore, mais faisons d'abord descendre les civils. Nous préférerions que vous fassiez ça ici. Ça risque d'être un peu dangereux d'utiliser l'échelle arrière. Et ça vaut pour les marines, aussi. Merci pour le secours, capitaine.

— J'espère que nous n'avons rien compromis en intervenant ? L'agent secoua la tête.

— A ma connaissance, vous n'avez transgressé aucune loi. Nous avons toutes les pièces à conviction qu'il nous faut.

— D'accord, alors nous retournons à Annapolis.

— Parfait. Il y aura une équipe d'agents qui vous attendront pour vous interroger. Soyez aimable de remercier l'équipage du patrouilleur, de notre part.

— Sergent-major, faites-nous bouger tout ça ?

— O.K., marines, en selle !

Deux minutes plus tard, tout le monde était à bord du patrouilleur, qui sortait de la rade. La pluie avait enfin cessé et le ciel se dégageait. L'air frais venu du Canada chassait enfin la vague de chaleur qui avait si lourdement sévi. Les marines en profitèrent pour s'allonger sur les couchettes de l'équipage. Le second maître Znamirowski et ses hommes se chargèrent de naviguer. Ryan et les autres se réunirent dans le carré pour boire le café que personne encore n'avait touché.

— Une longue journée, dit Jackson en consultant sa montre. Je dois piloter dans quelques heures. Enfin, je devais.

— On dirait que nous avons finalement gagné un round, hasarda le capitaine Peters.

— Ça n'a pas été donné, murmura Ryan, les yeux baissés sur sa tasse.

— Ça ne l'est jamais, lieutenant, dit Breckenridge après quelques secondes.

Le bateau vibrait et grondait sous la puissance accrue du moteur. Jackson décrocha le téléphone et demanda pourquoi on allait plus vite. La réponse le fit sourire mais il ne dit rien.

514

Ryan secoua la tête pour s'éclaircir les idées et monta sur le pont. En chemin, il vit le paquet de cigarettes d'un homme d'équipage sur une table et il en vola une. Il alla jusqu'à la plage arrière. La rade de Baltimore était déjà à l'horizon et le bateau virait au sud vers Annapolis, en filant treize nœuds, environ vingt-cinq kilomètres à l'heure mais à bord d'un bateau cela paraissait assez rapide. La fumée de sa cigarette formait son propre sillage alors qu'il regardait vers l'arrière. *Brecken-ridge avait-il raison ?* demanda-t-il au ciel et la réponse lui vint au bout d'un moment. *Il avait raison pour une partie : je ne suis pas fait pour être un assassin. Peut-être avait-il raison aussi pour l'autre partie. Je l'espère...*

— Fatigué, Jack ? demanda le prince en surgissant à côté de lui.

— Je le devrais mais je suis encore trop remonté.

— Bien sûr... Je voulais leur demander pourquoi. Quand je suis monté pour les voir, je voulais...

— Ouais...

Ryan tira une longue bouffée et jeta le mégot par-dessus bord.

— Vous auriez pu demander, mais je doute que la réponse aurait signifié quelque chose.

— Comment devons-nous résoudre le problème, alors ?

Nous avons résolu mon problème, à moi, pensa Jack. *Ils ne s'en prendront plus à ma famille. Mais ce n'est pas cette réponse-là que vous voulez, n'est-ce pas ?*

— Je suppose que, finalement, c'est une question de justice. Si les gens croient à leur société, ils ne transgressent pas ses règles. Le truc, c'est de leur donner la foi. Ce n'est pas toujours facile, mais on fait de son mieux, on persévère, on ne laisse pas tomber. Tout problème a sa solution, si on la cherche assez longtemps. Vous avez un assez bon système, là-bas chez vous. Vous devez simplement le faire bien marcher pour tout le monde, assez bien pour qu'on y croie. Ce n'est pas facile, non, mais je crois que vous pouvez y arriver. Tôt ou tard, la civilisation est toujours victorieuse de la barbarie.

Je viens de le prouver, je crois. J'espère.

Le prince de Galles réfléchit un moment, tourné vers l'arrière.

— Vous êtes un homme de valeur, Jack.

— Vous aussi. C'est pour ça que nous gagnerons.

C'était un spectacle macabre mais qui n'éveillait aucune pitié chez les hommes qui le contemplaient. Le corps de Geoffrey Watkins était encore chaud et son sang coulait goutte à goutte. Après le départ du photographe, un inspecteur ôta le pistolet de la main du cadavre. La télévision restait allumée et « Good Morning, Britain » continuait d'apporter les informations en direct de l'Amérique. Tous les terroristes étaient maintenant en prison. *C'est ce qui a dû provoquer ce geste*, pensa Murray.

— Bougre de con, grommela Owens. Nous n'avions pas la moindre bribe de soupçon de preuve utilisable.

— Nous en avons assez maintenant, dit un inspecteur en tendant trois feuillets de papier. C'est une sacrée lettre, chef.

Il glissa les feuillets dans une poche en plastique.

Le sergent Bob Highland était là, lui aussi. Il réapprenait à marcher, avec une attelle à la jambe et une canne. Il contempla les restes de l'homme dont les renseignements avaient failli faire des orphelins de ses enfants. Il ne prononça pas un seul mot.

— Jimmy, vous avez bouclé l'affaire, observa Murray.

— Pas comme je l'aurais voulu, bougonna Owens. Mais à présent, M. Watkins doit rendre des comptes à une plus haute autorité.

Le bateau arriva à Annapolis quarante minutes plus tard. Ryan fut surpris quand le second maître Znamirowski longea la ligne de patrouilleurs au mouillage et mit le cap tout droit sur la pointe de l'hôpital. Elle amena adroitement le bateau contre le quai, où deux marines, attendaient. Ryan et tous les autres, à part l'équipage, sautèrent à terre.

— Tout va bien, annonça le sergent Cummings à Breckenridge. Nous avons un million de flics et de fédés, par ici. Tout le monde va très bien, Gunny.

— Parfait. Vous êtes relevé.

— Professeur Ryan, voulez-vous me suivre, s'il vous plaît ? Il faut vous dépêcher, monsieur, dit le jeune sergent et il partit au petit trot.

Il n'allait pas trop vite, heureusement. Ryan avait des jambes en caoutchouc et titubait de fatigue, alors que Cummings le précédait sur la côte et dans le vieil hôpital de l'Académie.

— Halte !

Un agent fédéral retira le pistolet de la ceinture de Ryan.

— Je vais garder ça ici pour vous, si cela ne vous fait rien.

— Excusez-moi, murmura Jack avec gêne.

— Ce n'est pas grave. Vous pouvez entrer.

Il n'y avait personne en vue. Le sergent fit signe à Jack de le suivre.

— Mais où est tout le monde ?

— Votre femme est dans la salle d'accouchement, monsieur.

Cummings se retourna, avec un large sourire. Ryan s'arrêta net.

516

— Personne ne m'a rien dit !

— Elle ne voulait pas vous inquiéter, monsieur.

Ils arrivèrent à l'étage voulu. Cummings indiqua un corridor.

— Par là dans le fond.

Jack s'élança dans le couloir. Un marine l'arrêta et lui indiqua un vestiaire où il ôta précipitamment ses vêtements pour enfiler une blouse stérile verte. Il lui fallut quelques minutes. La fatigue le rendait maladroit. Il passa ensuite dans la pièce d'attente, où il trouva tous ses amis. Le marine le fit entrer dans la salle d'accouchement.

— Il y a longtemps que je n'ai pas fait ça, disait le médecin à ce moment.

— Pour moi aussi, cela fait quelques années, répondit Cathy sur un ton de reproche. Vous êtes censé inspirer confiance à votre patient !

Elle se remit à souffler, en résistant à l'envie de pousser. Jack lui saisit la main.

— Salut, bébé.

— Vous arrivez au bon moment, dit le médecin.

— Cinq minutes plus tôt, cela aurait été mieux. Tu vas bien ? demanda-t-elle.

Comme la dernière fois, elle avait la figure en sueur et l'air épuisé. Et elle était merveilleusement belle.

— Tout est fini. Complètement fini, assura-t-il. Je vais très bien. Et toi ?

— Elle a perdu les eaux il y a deux heures et elle se serait dépêchée si nous n'avions pas attendu que vous reveniez de votre promenade en mer. A part ça, tout se présente très bien, répondit le médecin qui paraissait infiniment plus nerveux que la mère. Est-ce que vous êtes prête à pousser ?

— Oui !

Cathy serra fortement la main de son mari. Elle ferma les yeux et rassembla ses forces pour l'effort final. Elle respirait lentement.

— Voilà la tête. Tout va bien. Encore une petite poussée et nous y sommes, murmura le médecin, ses deux mains gantées prêtes à saisir l'enfant.

Jack tourna la tête au moment où le reste du nouveau-né apparaissait. Sa position lui permit de savoir avant le médecin lui-même. Le bébé commençait déjà à hurler, comme doit le faire tout bébé en bonne santé. *Et cela aussi*, pensa Jack, *c'est le chant de la liberté*.

— Un garçon, annonça John Patrick Ryan senior à sa femme, avant de l'embrasser. Je t'aime.

Un marine vint assister le médecin quand il coupa le cordon, et il enveloppa le bébé dans une couverture blanche pour l'emporter. Le placenta suivit, d'une petite poussée facile.

— Une légère déchirure, annonça le médecin et il administra un calmant avant de faire la suture.

— Il va bien ? dit Cathy.

— Il m'a l'air superbe, dit le marine. Huit livres tout juste, tous les membres bien en place. Il respire bien et il a un excellent petit cœur.

Jack prit son fils dans ses bras, un petit paquet bruyant à la peau rouge, avec un minuscule bouton de nez.

— Sois le bienvenu dans le monde. Je suis ton papa, murmura-t-il.

Et ton père n'est pas un assassin. Cela ne t'intéresse pas beaucoup mais ça vaut plus que bien des gens ne pensent. Il berça un moment le nouveau-né, en le serrant contre son cœur, et se rappela que Dieu existait vraiment. Il se pencha enfin sur sa femme.

— Tu veux voir ton fils ?

— Je crains qu'il ne lui reste pas beaucoup de maman.

— Elle m'a l'air en assez bonne forme, affirma Jack en déposant l'enfant dans les bras de Cathy. Tu ne vas pas trop mal ?

— A part Sally, je crois que j'ai tout ce qu'il me faut ici, Jack.

— Fini, annonça le médecin. Je ne suis peut-être pas un très bon accoucheur, mais pour les sutures, je ne crains personne.

Il leva les yeux et se demanda pourquoi il n'avait pas choisi l'obstétrique. C'était certainement la spécialité la plus heureuse. Mais les heures étaient impossibles, se rappela-t-il.

Le marine reprit le nouveau-né et emporta John Patrick Ryan Junior à la crèche, où il serait le seul bébé, pour un moment. Il occuperait au moins le personnel pédiatrique.

Jack regarda sa femme s'endormir paisiblement, après — il consulta sa montre — une journée de vingt-trois heures. Elle en avait besoin. Lui aussi, mais pas encore tout de suite. Il embrassa encore une fois Cathy avant qu'un autre marine la pousse dans un chariot vers la salle de réveil. Jack avait encore quelque chose à faire.

Il retourna dans le salon d'attente pour annoncer la naissance de son fils, un beau jeune homme qui allait avoir pour parrains et marraines deux couples remarquables, quoique bien différents.

Table des matières

La composition de ce livre
a été effectuée par Bussière à Saint-Amand,
l'impression et le brochage ont été effectués
sur presse CAMERON
dans les ateliers de la S.E.P.C. à Saint-Amand-Montrond (Cher)
pour les Éditions Albin Michel

AM

Achevé d'imprimer en septembre 1992.
Nᵘ d'édition : 12598. N° d'impression : 1687.
Dépôt légal : septembre 1992.